آنگن

خدیجہ مستور

سنگِ میل پبلی کیشنز، لاہور

891.4393 Khadija Mastoor
A'ngan/ Khadija Mastoor.- Lahore :
Sang- e-Meel Publications, 2019.
318pp.
1. Urdu Literature - Novel.
I. Title.

2019ء
افضال احمد نے
سنگ میل پبلی کیشنز لاہور
سے شائع کی۔

ISBN-10: 969-35-0561-1
ISBN-13: 978-969-35-0561-0

Sang-e-Meel Publications
25 Shahrah-e-Pakistan (Lower Mall), Lahore-54000 PAKISTAN
Phones: 92-423-722-0100 / 92-423-722-8143 Fax: 92-423-724-5101
http://www.sangemeel.com e-mail: smp@sangemeel.com

حاجی حنیف اینڈ سنز پرنٹرز، لاہور

ندیم لالہ

کے

نام

۵

ماضی

سردیوں کی رات کتنی جلدی سنسان ہو جاتی ہے۔ آج بھی شام سے بادل چھا گئے تھے۔ خنکی بڑھ گئی تھی۔ کھڑکی کے پاس لگے ہوئے بجلی کے کھمبے کا بلب خاموشی سے جل رہا تھا۔ گلی کے اس پار اسکول کی ادھ بنی عمارت کے قریب درختوں کے جھنڈ سے الو کے بولنے کی آواز آ رہی تھی۔ اس کی آواز کی نحوست رات کو اور بھی سنسان کئے جا رہی تھی۔ پاس کے بڑے کمرے میں اب قطعی خاموشی تھی۔ پھمی کے کروٹیں بدلنے کی آہٹ بھی نہ محسوس ہوتی۔

سو رہی ہے مزے میں۔ —— عالیہ نے بڑی حسرت سے سوچا۔ اسے نیند نہ آ رہی تھی۔ رات کو نیند نہ آنا کتنا تکلیف دہ احساس ہوتا ہے۔ یہ احساس اس وقت تو اور بھی شدید ہو جاتا ہے جب بالکل نئی جگہ ہو —— شاید نئی جگہوں کی پہلی رات اسی طرح بے خوابی سے گزرتی ہوگی —— اس نے ایک بار پھر سو جانے کی کوشش کی۔ کھڑکی کے پٹ بھیڑنے سے ننھے سے کمرے میں اندھیرا چھا گیا اور وہ لحاف میں منہ چھپا کر اس طرح لیٹ گئی جیسے واقعی سو رہی ہو۔

دیر تک بے سدھ پڑے رہنے کے بعد اسے احساس ہوا کہ ساری جدوجہد بے کار گئی۔ نیند کا تو کوسوں پتہ نہ تھا۔ ماضی کی یادیں بگولے کی طرح دماغ میں لوٹیں لگا رہی تھیں۔ وہ بڑی بے بسی سے اپنے بستر پر پلتھی مار کر بیٹھ گئی۔ کھڑکی کے پٹ کھول کر باہر دیکھنے لگی۔ گلی کے اس پار اسکول کی عمارت، آم اور پیپل کے گھنے درخت سب اندھیرے میں ڈوبے ہوئے تھے۔ شام کو یہ سب کچھ کتنا صاف، اور خوب صورت نظر آ رہا تھا۔ کھڑکی میں بیٹھ کر اس نے یہ سب کچھ ذرا دلچسپی سے دیکھا تھا مگر اس وقت اندھیرے میں درخت سیاہ پہاڑیوں کی طرح محسوس ہو

رہے تھے اور جب ہوا کا تیز جھونکا چلتا تو یہ درخت بچپن میں سنی ہوئی کہانیوں کے بھوتوں کی طرح خوفناک معلوم ہوتے۔

اس طرح تو نیند آنے سے رہی ——— اس نے سوچا اور کھڑکی کے پٹ بھینچ کر بند کر دیئے۔ لیٹتے ہوئے اسے اپنا جسم ٹوٹتا ہوا محسوس ہوا۔ سارے دن کے سفر کی بے چینی نے کہیں کا نہ رکھا تھا۔

ہائے بھئی ——— وہ کراہی۔ اب نیند نہیں آتی ——— جب تک دماغ کی دنیا ویران نہ کی جائے نیند کا کہاں سے گزر ہو ——— ماضی کی یادیں ہر طرف سے دراتی چلی آ رہی تھیں۔ لوگ کہتے ہیں کہ ماضی کو بھول جاؤ۔ پیچھے مڑ کر دیکھنے میں کیا رکھا ہے' آگے بڑھے جاؤ۔ پر اسے تو ورثے میں صرف اپنا ماضی ہی ملا تھا۔ ماضی جس سے اس نے کیا کچھ نہیں سیکھا۔ اب وہ اس سے کس طرح دامن بچائے۔ جن حالات میں وہ یہاں آئی تھی۔ ان کی وجہ سے تو اور بھی یادوں نے سر اٹھا رکھا تھا۔

جانے اماں بھی سوئی ہوں گی یا نہیں ——— گھر میں کیسی خاموشی طاری تھی۔ گلی میں کوئی راہ گیر ٹھٹھری ہوئی آواز میں گاتا گزر گیا ———:

مفت ہوئے بدنام سنوریا تیرے لئے

یہ رات کس طرح گزرے گی؟ ابا جیل میں تمہاری راتیں کس طرح گزر رہی ہوں گی؟ اس نے جیسے بلبلا کر گھٹنے پیٹ میں اڑا لئے۔ دور کہیں سے گھڑیال کے گیارہ بجانے کی آواز آ رہی تھی۔

ہلکی ہلکی بارش شروع ہو گئی تھی۔ ہوا کے جھونکوں میں آتی ہوئی بوچھار کھڑکی کے پٹوں پر مدھم لے میں گنگنا رہی تھی۔

اب یہ زندگی کیسی ہو گی؟ اس نے جیسے ڈر کر سوچا۔ کمرے میں کتنا اندھیرا تھا۔ اسے اپنے سوال پر اسی طرح اندھیرا چھایا ہوا محسوس ہوا۔ اس نے گھبرا کر آنکھیں بند کر لیں۔ نیند تو اب بھی کوسوں دور تھی پر ماضی کی یادیں اس کی رات کٹوانے کے لئے آ بیٹھی تھیں۔

وہ ایک اجاڑ ضلع تھا۔ سرخ سرخ اینٹوں کے مکان اس طرح بنے ہوئے

تھے کہ کسی ترتیب کا خیال ہی نہ آتا۔ بس ایسا محسوس ہوتا کہ کسی نے اٹھا کر بکھیر دیئے ہیں۔ وہاں اس چھوٹی سی جگہ میں کتنے بہت سے مندر تھے۔ ان کے سنہرے کلس سر اٹھائے جیسے بھگوان کی پرارتھنا کرتے رہتے۔ مندروں میں صبح شام گھنٹے بجتے پجاریوں کے بھجن گانے کی مدھم مدھم آواز گھر تک آتی۔

وہاں درخت کس قدر تھے۔ دھول سے اٹی ہوئی کچی سڑکوں پر دونوں طرف آم، جامن اور پیپل کے گھنے درخت تھے۔ ان درختوں کے سائے میں راہ گیر انگوچھے بچھائے گٹھڑیاں سر کے نیچے رکھ کر مزے سے سویا کرتے۔ ان دنوں بہار کا موسم تھا۔ آموں میں بور آچکا تھا۔ کوئل ہر وقت کوکا کرتی۔ انہیں دنوں تو وہ وہاں آئی تھی۔

جب اس نئی جگہ پر ابا کا تبادلہ ہوا تو اس نے محسوس کیا کہ وہ بالکل تنہا اور اداس ہے۔ وہیں اس کا شعور جاگا تھا اور کچھ سوچنے سمجھنے کی صلاحیت نے جنم لیا تھا۔

اس دن جب سب لوگ نئے گھر میں اترے تھے تو سامان کے بڑے بڑے بنڈل صحن میں ہر طرف رکھے ہوئے تھے جنہیں ابا محکمہ کی طرف سے ملے ہوئے چپراسی کی مدد سے کھلوا رہے تھے۔ اماں گھر اور سامان کی طرف سے بالکل بے تعلق سی معلوم ہوتیں پھر بھی انہوں نے کئی بار گھوم پھر کر اونچے اونچے محراب دار برآمدوں، کمروں اور غسل خانے وغیرہ کو دیکھا تھا۔ تہمینہ آپا نظریں جھکائے چھوٹا موٹا سامان اٹھا اٹھا کر کمروں میں لے جا رہی تھیں۔ اماں سخت بیزاری سے آرام کرسی پر نیم دراز تھیں۔ صفدر بھائی اپنے کمزور شانے جھکائے برآمدے کی محراب میں اکڑوں بیٹھے تھے۔

"تم بھی اپنے ماموں کی مدد کرو۔" اماں نے بڑی حقارت سے صفدر بھائی کی طرف دیکھا تھا۔

"رہنے دو وہ کمزور ہو گیا ہے بخار سے، پھر سفر میں بھی تھک گیا ہے۔" ابا نے آہستہ سے کہا۔

"یہ تو ہمیشہ ہی تھکا رہتا ہے۔" اماں بڑبڑائیں اور پھر جیسے جل کر ابا کے

ساتھ سامان کھلوانے لگیں۔ تہمینہ آپا نے گھبرا کر صفدر بھائی کو دیکھا اور پھر نظریں جھکالیں وہ کچھ خوف زدہ سی ہوگئیں۔

اسی دن تو اسے احساس ہوا کہ گھر کی فضا کھنچی کھنچی ہے۔ وہ سب کے بگڑے تیور دیکھ کر اور بھی رنجیدہ ہوگئی۔ اسے تو اپنی وہی پرانی جگہ یاد آ رہی تھی۔

وہاں تو لائن سے سارے افسروں کے پیلے پیلے بنگلے بنے ہوئے تھے بنگلوں سے ذرا دور آموں کا باغ تھا۔ پاس چھوٹا سا تالاب اور اس تالاب میں بچے اور بھینسیں ساتھ ساتھ نہایا کرتیں۔ وہاں اس کی ہم سن بہت سی لڑکیاں اور لڑکے تھے۔ سارا دن مزے مزے کے کھیل کھیلے جاتے۔ اور کچھ نہیں تو پانی میں بیٹھی ہوئی بھینسوں کو ڈھیلے ہی کھینچ کھینچ کر مارے جاتے۔ باغ میں گھس کر کیریوں کی چوری کی جاتی، مگر جب چوری پکڑی جاتی تو باغ کا رکھوالا انہیں کچھ بھی نہ کہتا بلکہ زمین پر ٹپکی ہوئی کچی کیریاں خود ہی چن کر انہیں دے دیتا۔

"اپنے بابو ہوروں کے بچے ہیں۔" وہ بڑے پیار سے ان کے سروں پر ہاتھ پھیرتا۔ کملا اور اوشا اسے منہ چڑاتیں، اس کے بڑے دانتوں کا مذاق اڑاتیں مگر وہ نہ بگڑتا۔

رات کو خانسامن بوا اس کی ضد پر کہانیاں سناتیں۔ شہزادے اور شہزادی کی کہانی جو ایک ہی بستر پر بیچ میں تلوار رکھ کر سو جاتے تھے۔ وہ اس کہانی سے سخت فکر مند ہو جاتی۔ اگر کسی نے ذرا سی بھی کروٹ لی تو کہیں شہزادے یا شہزادی کا جسم نہ کٹ جائے۔ خانسامن بوا اسے سمجھاتیں کہ "بھئی کہانیوں میں جسم نہیں کٹا کرتے۔" پھر بھی اس کی فکر کم نہ ہوتی۔ سوتے میں بھی وہ خوف سے کروٹ نہ بدلتی۔ جانے وہ تلوار اس کے بستر پر کہاں سے آجاتی۔

خانسامن بوا اور بھی کیسے مزے مزے کی کہانیاں سناتی تھیں۔ راجہ بھوج اور گنگو تیلی کی کہانی، کٹھ پتلی کی کہانی جو راجہ کے محل کی ہر چیز کھا گئی تھی۔ کٹھ پتلی کی کہانی بھی کتنی اچھی تھی۔ کٹھ پتلی کی بری حرکتوں کی اطلاع جب راجہ کو دی جاتی تو بڑے میٹھے انداز سے گایا جاتا۔

کاٹھ کی کٹھ پتلی رے راجہ گئی سب گھوڑے کھائے جی

"خانسامن بوا۔ جب راجہ کو گا کر بتاتے تھے تو وہ ناراض نہیں ہوتا تھا؟" وہ حیرت سے پوچھتی تھی۔

"نہیں بیٹا' راجہ لوگ بڑے نازک مزاج ہوتے ہیں' ان کے سامنے ہر بات اچھی طرح کہنی پڑتی ہے۔ نہیں تو وہ بال بچوں سمیت کولھو میں نہ پلوا دے۔" اسے خوف سا محسوس ہوتا تو خانسامن بوا اسے اپنے پسینے سے چپچپاتے ہوئے سینے سے لگا لیتیں۔

اماں سے تو اس کا صرف اتنا ہی تعلق تھا کہ جب وہ کھیلتے کھیلتے باہر سے آتی تو ان کے لپٹ جاتی۔ وہ اسے پیار کر کے پھر سے کھیلنے کی ہدایت کرتیں۔ ابا تو اسے صرف دور ہی دور سے نظر آتے۔ صبح دفتر چلے جاتے اور شام کو بیٹھک دوستوں سے بھر جاتی۔ وہ سب زور زور سے باتیں کرتے' قہقہے لگاتے اور خانسامن بوا ان کے لئے چائے بناتی رہتیں۔

اس کے بعد وہ اسکول میں داخل کر دی گئی۔ اب تو اس کی دنیا اور بھی وسیع ہو گئی تھی۔ اس کی کئی ساتھی لڑکیاں اسکول میں آ گئی تھیں اور دوسری نئی نئی لڑکیوں سے دوستیاں بڑھ رہی تھیں۔ جب وہ پڑھ کر آتی تو صفدر بھائی اسے اپنے پاس بلاتے' پڑھنے کے سلسلے میں سوالات کرتے' اس کے ہر جواب پر زور سے ہنستے ——— "واہ تم کو تو کچھ نہیں آتا۔" وہ اسے سخت برے لگتے اور وہ جلدی سے بھاگنے کی کوشش کرتی۔

جب وہ پانچویں کلاس میں پڑھتی تھی تو اس نے خانسامن بوا کے مشورے سے سلیقے والے کھیل کھیلنا شروع کر دیئے تھے۔ صحن کے ایک کونے میں گڑیوں کا بڑا سا گھروندا بنایا گیا۔ اس گھروندے میں گڑیوں کی شادی ہوتی' دھوم سے برات نکلتی۔ گڑیوں کے بچے پیدا ہوتے' آپا سے وصول کی ہوئی ڈھیروں کترنوں سے کپڑے سے جاتے' خانسامن بوا شادیوں اور پیدائش پر کھجوریں بنا کر دیتیں۔ کبھی کبھی زردہ بھی پکتا۔ اس دن کملا' اوشا اور رادھا چھوت نہ مانتیں' وہ سب کھلے خزانے زردہ کھاتیں۔

مگر یہاں تو کچھ بھی نہ تھا' اس نے باہر نکل کر ہر طرف نظر دوڑائی۔ چرواہے بکریاں ہانکے لئے جا رہے تھے۔ دو چار ننگ دھڑنگ بچے بیٹھے مٹی سے کھیل رہے تھے۔ دو چھوٹے چھوٹے کچے مکان دکھائی دے رہے تھے۔ اس کے گھر کے پاس تو صرف ایک ہی دو منزلہ مکان تھا یا پھر چپراسی کا گھر جو پیلی مٹی سے بنا ہوا تھا۔ وہ بڑی دیر تک اونچے دو منزلہ مکان کو دیکھتی رہی مگر وہاں سے کوئی لڑکی نہ اتری جسے وہ اپنا دوست بنا سکتی۔ ایک مرد سفید براق دھوتی کا پلو تھامے تیزی سے نیچے اترا اور چلا گیا۔ اس کے بعد گھر کی اوپری منزل سے ہارمونیم پر گانے کی آواز آنے لگی۔ اس نے گیت کے بول دہرائے مگر اسے وہ بول کتنے غیر دلچسپ لگے تھے۔

درختوں پر پرند زور زور سے چہچہا رہے تھے وہ بڑی بیزاری سے بیٹھک کی دہلیز پر بیٹھی رہی۔ اس کا جی چاہ رہا تھا کہ خوب چیخ چیخ کر روئے' اپنے کپڑے پھاڑ ڈالے اور یہاں سے بھاگ جائے۔

"بیٹا' ہمارے پاس آ جاؤ۔" چپراسی کی بیوی صحن کی کچی نیچی دیوار پر اچک اچک کر اسے بلا رہی تھیں

"ہنہ!" وہ اندر آ گئی۔

بہت سا سامان ٹھکانے لگ چکا تھا۔ صحن میں آرام کرسیاں بچھ گئی تھیں اور چپراسی چائے بنا چکا تھا۔ آپا' صفدر بھائی' ابا اور اماں سب تھکے سے چپ چاپ بیٹھے تھے۔ اس سے کسی نے بھی بات نہ کی۔ بیچ صحن میں مہندی کا چھوٹا سا پودا لگا تھا جس کی پتیاں خوب ہری ہو رہی تھیں۔ اس نے لوٹے میں پانی بھر کر پودے میں ڈالنا شروع کر دیا۔

"چائے پیو بٹو۔" صفدر بھائی نے اس دن پہلی بار کچھ ایسے پیار سے بات کی کہ وہ ان کے پاس چلی گئی اور ان کے قریب والی کرسی پر بیٹھ گئی۔

"گھبرا رہی ہو بٹو' نئی جگہ ہے کوئی ساتھ کھیلنے والا بھی نہیں۔" صفدر بھائی نے اس کے سر پر ہاتھ پھیرا تو وہ پھوٹ پھوٹ کر رونے لگی۔ ایک صفدر بھائی تھے جو اس بات کو سمجھ سکتے تھے۔ وہ اپنی کرسی پر بیٹھے بیٹھے ان کی گود میں جھک گئی۔

اماں نے بڑی سخت نظروں سے اس کی طرف دیکھا تو اس نے آنکھیں بند کر کے جیسے ان نظروں سے اپنے آپ کو محفوظ کر لیا۔ اماں بڑے کرخت لہجے میں چپراسی کو سمجھانے لگیں۔ "تمہارے ذمے باہر کے کام ہیں۔ تم گھر کے کام نہیں کر سکتے۔ فوراً" ایک ماما کا انتظام کرو، مگر یہ خیال رکھنا کہ جوان نہ ہو، ایسی عورتیں دو کوڑی کا کام نہیں کرتیں۔"

"بس کل تک آپ کی مرضی کا انتظام ہو جائے گا سرکار۔"

شام ہو رہی تھی ابا اپنی پتلی سی چھڑی اٹھا کر باہر گھومنے چلے گئے۔ اماں نے ایک بار کنکھیوں سے صفدر بھائی کو گھورا۔ "جاؤ اب کھیلو۔" اماں نے اس کا ہاتھ پکڑ کر اٹھایا اور جیسے رٹا ہوا جملہ استعمال کیا۔ وہ پھر باہر دہلیز پر جا کھڑی ہوئی۔ دو منزلے مکان کی اوپری منزل سے دھواں اٹھ رہا تھا۔ مندروں سے گھنٹوں کی تیز آوازیں آ رہی تھیں۔

"ہنہ! کھیلو، کس سے کھیلو، یہاں اس جنگل میں کون ہے" —— اس کا جی بھر رہا تھا۔ "گھر کے اندر رہو یا پھر اس دہلیز پر بیٹھو اور کھیلو کھیلو کہے جاؤ" —— وہ بڑبڑا رہی تھی۔ اس پر سب لوگ منہ بنا کر بیٹھے ہیں —— وہ گھٹ گھٹ کر رونے لگی۔

"آؤ بٹیا روٹی کھاؤ۔" چپراسی کی بیوی دیوار پر اچک رہی تھی۔ اس نے جلدی سے آنسو پونچھ کر منہ پھیر لیا۔

"عالیہ، بٹو" —— آپا بڑی بڑی آنکھیں جھکائے اس کے پیچھے آ کھڑی ہوئیں —— "چلو اندر، اب اندھیرا ہو رہا ہے، ہائے کتنی خوب صورت جگہ ہے یہ بھی" انہوں نے بھی ٹھنڈی سانس بھر کر دور دور دیکھا اور پھر اسے اپنی کمر سے لپٹائے اندر آ گئیں۔ وہ بیٹھک کے پاس والے چھوٹے کمرے سے گزر رہی تھیں تو ایک لمحے کو ٹھٹک کر کھڑی ہو گئیں۔ صفدر بھائی میز پر رکھی ہوئی لالٹین کے پاس جھکے کوئی کتاب پڑھ رہے تھے۔

صحن میں قطار سے پلنگ بچھے ہوئے تھے، آپا کا پلنگ مہندی کے پودے کے پاس بچھا ہوا تھا، ان کے پاس اس کا پلنگ تھا۔ وہ اپنے بستر پر خاموشی سے لیٹ گئی۔

چاند ابھر رہا تھا۔ آسمان روشن تھا مگر آپا کا چہرہ صحن کے ہلکے سے اندھیرے میں آسمان سے بھی کہیں زیادہ صاف نظر آ رہا تھا۔ اسے تو اس دن احساس ہوا کہ آپا ہر وقت گم رہتی ہیں۔ اس وقت بھی وہ اپنے بستر پر بیٹھی بڑے کھوئے ہوئے انداز سے مہندی کی پتیاں نوچ نوچ کر بکھیر رہی تھیں۔

دالان کی محراب کے بیچ میں رکھی ہوئی لالٹین کی لو بہت نیچی تھی۔ چپراسی باورچی خانے میں کھانا پکا رہا تھا۔ اماں دوسری لالٹین ہاتھ میں اٹھائے کمروں میں جانے کیا کرتی پھر رہی تھیں۔

"جب تم اسکول میں داخل ہوگی تو پھر بہت سی لڑکیاں دوست بن جائیں گی۔" آپا نے اس کی طرف کروٹ لے کر اس کا ہاتھ تھام لیا اور ہولے ہولے سہلانے لگیں۔ مگر دکھ کے شدید احساس نے آپا کی محبت کا ذرا بھی اثر نہ لیا۔ ہاتھ چھڑا کر اس نے منہ پھیر لیا۔ پھر آسمان پر اڑتے ہوئے پرندوں کو دیکھنے لگی اور اسے پتہ بھی نہ چلا کہ کب نیند کا جھونکا آگیا۔

"ارے بٹو، بغیر کھانا کھائے سو رہی ہو؟" اس نے چونک کر آنکھیں کھول دیں۔ صفدر بھائی اس پر جھکے ہوئے تھے۔

"کیا ضرورت تھی ابھی سے جگانے کی؟" اماں اس لہجے میں بولیں جیسے وہ چپراسی کو ہدایت دے رہی تھیں۔ صفدر بھائی اس کے پاس سے ہٹنے والے تھے کہ اس نے ان کا ہاتھ پکڑ لیا اور پھر لیٹے لیٹے جھک کر ان کی ٹانگوں سے لپٹ گئی۔ صفدر بھائی نے دو ایک بار اماں کو نیچی نیچی نظروں سے دیکھا اور پھر اس کا سر گود میں رکھ کر بیٹھ گئے۔

"کہانی سنائیے صفدر بھائی، یہاں تو خانسامن بوا بھی نہیں" —— اس نے بھرائی آواز میں کہا۔

"کون سی کہانی بٹو؟"

"اسی شہزادی کی، جس کے ابا نے اسے ڈولے میں بٹھوا کر جنگل میں چھڑوا دیا تھا۔" اس نے اماں کی پروا کیے بغیر کہانی کی فرمائش بھی کر ڈالی۔ آپا جیسے احتراماً اپنے بستر پر اٹھ کر بیٹھ گئی تھیں۔

"میں تم کو دوسری کہانی سناتا ہوں۔ ایک غریب لڑکا جو شہزادی سے محبّت کرتا تھا۔ ہاں تو سنو' ایک تھا لڑکا——"

آپا گھبرا کر ادھر ادھر دیکھ رہی تھیں——

بارش اب تیز ہو گئی تھی۔ ہوا جیسے دروازوں پر دستک دے رہی تھی۔ چمی سوتے میں جانے کیا بڑبڑا رہی تھی۔ اس نے لحاف میں منہ چھپا لیا۔ اسے کتنی تفصیل سے ذرا ذرا سی باتیں یاد آ رہی تھیں ــــــ

صفدر بھائی کتنے وجیہہ مگر کیسی مسکین صورت کے تھے۔ ان کی مسکینی کی وجہ اماں کی بھرپور نفرت تھی۔ ابا جان ان سے اسی قدر محبت کرتے۔ ان کی ذرا ذرا سی ضرورتوں کا خیال رکھتے۔ آپا صفدر بھائی سے بات تو نہ کرتیں مگر چوری چھپے ان کا خیال ضرور رکھتیں۔ اماں کو کس قدر دکھ تھا کہ صفدر بھائی ان کے شوہر کے پیسے سے پڑھ پڑھ کر ایف اے پاس کہلاتے ہیں اور روزگار کی پروا کئے بغیر ٹھاٹ سے الم غلم کتابیں پڑھا کرتے ہیں۔ اماں سارا دن جل جل کر کہا کرتیں کہ "یہ کتابیں کس کی روزی کا سامان بن سکتی ہیں۔ یہ نکما مجھے کھا کر اس گھر سے نکلے گا۔"

وہیں اس نے ایک نیا نام سنا تھا 'نجمہ پھوپھی'۔ یہ ابا کی سب سے چھوٹی بہن تھیں جو علی گڑھ کالج میں پڑھتی تھیں اور وہیں ہوسٹل میں رہتی تھیں۔ چھٹیوں میں وہ اپنے سب سے بڑے بھائی کے گھر چلی جاتیں۔ اماں کی صورت سے بیزار تھیں مگر اماں جب انہیں یاد کرتیں تو نفرت کا سانپ ہر طرف پھنکارنے لگتا۔ خیر وہ تو نظروں سے دور تھیں مگر صفدر بھائی تو ہر وقت آنکھوں کے سامنے تھے اور اماں کو ان سے پیچھا چھڑانا ناممکن نظر آتا تھا۔

اماں اپنے دکھوں میں مگن رہتیں اور ابا اپنی دنیا میں مگن۔ دفتر سے آنے کے بعد وہ گھنٹہ آدھا گھنٹہ گھر میں گزارتے۔ اماں کسی نہ کسی بات پر لڑتیں اور ابا باہر کی راہ لیتے۔ قسم قسم کے دوست آ جاتے جن سے گھنٹوں جوش و خروش سے باتیں ہوتیں۔

ایک بار اس نے ابا کی باتیں سننے کی کوشش کی تھی مگر آزادی' گاندھی اور آزاد وغیرہ کے ناموں کے سوا اس کے پلے کچھ بھی نہ پڑا تھا۔ وہ اکتا کر دروازے کے پاس سے ہٹ گئی تھی۔ ہاں صفدر بھائی کو ان باتوں سے کچھ ایسی دلچسپی تھی کہ گھنٹوں سر جھکائے بیٹھے رہتے۔ دروازے کی اوٹ میں کھڑے ہو کر وہ اشاروں سے انہیں اٹھانا چاہتی مگر صفدر بھائی پر کوئی اثر نہ ہوتا۔ وہ صفدر بھائی سے روٹھ جاتی۔ ان دنوں تو صرف صفدر بھائی اس کی خوشیوں کا سہارا تھے۔

صفدر بھائی سے کیسی عام سی ایک کہانی وابستہ تھی۔ یہ کہانی سناتے ہوئے اماں کتنی مغرور معلوم ہوتیں۔ اس دن بھی جب وہ اور آپا' اماں کے پاس بیٹھی تھیں تو اماں نے صفدر بھائی کی کہانی چھیڑ دی تھی۔

"اس صفدر بدذات کا باپ ایک غریب کسان کا بیٹا تھا۔ اس کا دادا اور باپ تمہارے دادا کی زمینوں پر کام کرتے تھے۔ اس کے علاوہ گھر کے کاموں کو بھی نوکروں کی طرح انجام دیتے۔ جانے کیسے یہ دونوں بدبخت تمہاری دادی کے سر چڑھ گئے تھے جو گھر میں کوئی ان سے پردہ بھی نہ کرتا۔ ویسے تمہاری دادی کی طبیعت تو گاؤں بھر میں مشہور تھی۔ ان کی سختی کا یہ عالم تھا کہ جب کسی نوکر چاکر سے ناراض ہوتیں تو بٹی ہوئی رسی لے کر اس کی کھال ادھیڑ دیتیں۔ ہائے کیا غرور تھا' کیا رعب تھا' جدھر سے گزرتیں لوگوں کی روح قبض ہو جاتی مگر صفدر کے باپ دادا سے ہمیشہ عنایت سے بولا کرتیں۔ تمہاری دادی کا تو یہ حال تھا کہ کبھی اپنے شوہر سے سیدھے منہ بات نہ کی اور اللہ مرحوم کو بخشے۔ انہوں نے تمہاری دادی کو دکھ بھی بہت دیئے تھے۔ ان کی دو داشتائیں تھیں جن کے تین لڑکے تھے۔ دادا نے اپنی داشتاؤں کے لئے الگ الگ گھر بنوا رکھے تھے۔ انہیں تمہاری دادی کی حویلی میں آنے کی اجازت نہ تھی۔ ہاں ان کے بچے حویلی میں آتے جنہیں تمہاری دادی ناموں کے ساتھ حرامی کہہ کر پکارتیں۔ ویسے ان دنوں داشتائیں رکھنا اتنی بری بات نہ سمجھی جاتی' اسی لئے تمہاری دادی یہ سب کچھ برداشت کر لیتیں۔ جائز بیوی کی شان تو اسی طرح دو بالا رہتی۔ زمینداری کا سارا کام تمہاری دادی کے سپرد تھا۔ دونوں داشتاؤں کے کھانے پینے کا سامان اپنے سامنے تلوا کر بھجوا دیا

کرتیں۔"

"شادی کا معاملہ بھی خود تمہاری دادی طے کرتیں۔ انہوں نے تمہارے باپ اور چچاؤں کی شادی اپنی مرضی سے کی تھی۔ بہوؤں کو وہ بہت دبا کر رکھتیں مگر انہوں نے مجھ سے کبھی زیادتی نہ کی۔ میں ان کی طرح بڑے گھر کی بیٹی تھی۔ میرا بھائی انگلینڈ میں پڑھتا تھا۔ مجھ میں تمہاری دادی جیسا رعب تھا۔ تمہاری بڑی اور منجھلی چچی ان کے سامنے ہوں نہ کر پاتیں۔ تمہاری دادی اگر کسی کے سامنے جھکتی تھیں تو وہ تمہارے سب سے چھوٹے چچا تھے۔ جب خلافت کی تحریک چلی تو وہ ترکی چلے گئے۔ پھر ان کا پتہ نہ چلا کہ کہاں گئے۔ پھر بھی تمہاری دادی نے کبھی کسی کے سامنے ایک آنسو نہ بہایا۔ بیٹے کو یاد کر کے ایک آہ نہ بھری کہ کہیں ان کے رعب داب کی نظریں نیچی نہ ہو جائیں۔ مگر اللہ کو کچھ اور ہی منظور تھا۔ تمہاری سلمہ پھوپھی نے چودہ سال کی عمر میں ان کا منہ کالا کر دیا۔ تمہاری دادی نے ایک دن اپنی آنکھوں سے دیکھ لیا کہ وہ صفدر کے باپ کا ہاتھ پکڑے سرگوشیاں کر رہی ہیں۔ اس دن دادی نے سلمہ پھوپھی کو کمرے میں بند کر کے اتنا مارا کہ سارا جسم نیلا ہو گیا۔ جب میں ان کے جسم پر ہلدی چونا لگانے بیٹھی تو کانپ کانپ گئی۔ پھر بھی یہ سزا تمہاری سلمہ پھوپھی کے لئے کتنی کم تھی۔ انہیں تو زندہ دفنا دینا چاہئے تھا۔"

"دوسرے دن انہوں نے صفدر کے باپ دادا کو زمینوں سے نکال دیا اور دو چماروں کو بلا کر حکم دیا کہ انہیں سب کے سامنے جوتے مار کر گاؤں سے نکال دیں۔ اسی دن شام کو نائن نے آ کر بتایا کہ جانے صفدر کے باپ داد سے کیا قصور ہوا کہ سب کے سامنے جوتے مارے گئے۔ وہ دونوں گاؤں سے چلے گئے۔ اس خبر کو سن کر دادی ایسے بے پناہ رعب سے اٹھیں کہ سب کانپ گئے، مگر تمہاری سلمہ پھوپھی جیتے جی مر گئیں۔ اس قصے کے بعد انہوں نے نہ تو ڈھنگ سے کپڑے پہنے اور نہ بالوں میں کنگھی کی۔ تمہاری دادی انہیں ہر وقت نظروں میں رکھتیں۔"

"ایک دن میں نے ان کو بڑی عجیب حالت میں دیکھ لیا۔ سردیوں کے دن تھے تمہاری سلمہ پھوپھی بھی دھوپ کھانے چھت پر گئی ہوئی تھیں۔ ان کے قریب چھت کی منڈیر پر جنگلی کبوتر بیٹھا غڑغوں کر رہا تھا اور سلمہ اس سے کہہ رہی تھی۔

"اے کبوتر! تو شہزادیوں کے پیغام لے جاتا ہے' میرے حال پر رحم کر' ایک پیغام میرا بھی لے جا۔ ان سے کہیو کہ سلمہ تیرے فراق میں تڑپتی ہے۔"

"کبوتر تو خیریوں ہی پھر سے اڑا گیا مگر میں نے تمہاری دادی کو یہ بے شرمی کی باتیں کہہ سنائیں۔ انہوں نے بڑی شفقت سے میرے سر پر ہاتھ پھیرا اور کہا کہ دوسری بہوؤں کو یہ باتیں نہ معلوم ہوں۔ پھر بھی یہ بات تو سب کو معلوم ہو کر رہی اللہ جانے' وہ کبوتر تھا کہ جن۔"

"اس دن تمہارے دادا کہیں باہر گئے تھے اور کہہ گئے تھے کہ رات مہمان خانے میں رہیں گے۔ دادی نے اس دن سونے سے پہلے گھر میں تالا لگا کر چابیاں اپنے سرہانے رکھ لی تھیں۔ مگر جب صبح ان کی آنکھ کھلی تو چابیوں کا گچھا اور تمہاری سلمہ پھوپھی دونوں غائب تھے۔ تمہاری دادی دم بخود بیٹھی تھیں۔ انہوں نے سب کو ایسی نظروں سے دیکھا جیسے کہہ رہی ہوں کہ اگر منہ سے اف کی تو زندہ گاڑ دوں گی۔ کتوں سے نچوا دوں گی۔ دوسرے دن شام کو دادا واپس آئے تو دادی نے بند کمرے میں دیر تک باتیں کیں۔ جب وہ باہر نکلے تو ان کا چہرہ شرم اور غصے سے سرخ ہو رہا تھا۔"

اتنا قصہ کہہ کر اماں نے بڑی حسرت سے کہا تھا کہ —— "کاش سلمہ میری بیٹی ہوتی تو پہلے ہی دن اسے اپنے ہاتھوں سے زہر کھلا دیتی۔"

"تمہارے دادا جانے کیا کرتے مگر اسی دن تمہارے ابا چند دن کی چھٹی لے کر آ گئے اور بڑی بے شرمی سے سلمہ کے حق میں اپنے ابا سے لڑتے رہے۔ میرا غیرت سے برا حال تھا۔ کاش تمہارے باپ سے میری شادی نہ ہوئی ہوتی۔ تمہاری دادی غصے سے ٹہلتی رہیں مگر تمہارے ابا کی مونچھوں کی لاج رکھتے ہوئے منہ سے کچھ نہ بولیں مگر تمہارے دادا کو جانے کیا ہوا کہ اسی وقت اپنی داشتاؤں کو گھروں سے نکال دیا اور گاؤں سے چلے جانے کا حکم بھجوا دیا۔ دادی کو جب یہ بات معلوم ہوئی تو انہوں نے حکم دیا کہ صرف داشتائیں جائیں گی مگر ان کے بچے نہیں جائیں گے' اس لئے کہ وہ ان کے شوہر کا خون تھے۔"

"تینوں لڑکے گھر آ گئے۔ توبہ' ان کی صورتیں دیکھ کر گھن آتی تھی۔ دونوں

چھوٹے لڑکے ایسے ندیدے تھے کہ برسات کے دنوں میں مکھیوں کی بھنکی ہوئی جھوٹی گٹھلیاں چوس چوس کر بیٹھے میں مر گئے۔ شکر ہے مر گئے ورنہ کیا پتہ کہ تمہارے ابا انہیں بھی آج کلیجے سے لگا کر کسی کالج میں پڑھوا رہے ہوتے۔"

"سلمہ نے بھاگ کر نکاح کر لیا تھا۔ تمہارے ابا کی دھمکیوں سے ڈر کر تمہارے دادا نے بظاہر کچھ نہ کیا مگر جہاں کہیں سلمہ کے میاں نوکری کرتے' اسے چھڑوا دیتے۔ سلمہ اور وہ دونوں بھوکے مرتے۔ سچی بات تو یہ ہے کہ انہیں تو کتوں کی طرح بھوکا مرنا چاہئے تھا مگر تمہارے ابا نے انہیں انسانوں کی طرح مر جانے دیا۔ صفدر کی پیدائش پر سلمہ کو دق ہو گئی اور کچھ دن بعد ایڑیاں رگڑ رگڑ کر مر گئی۔"

"جب دادی کو سلمہ پھوپھی کی موت کی خبر لگی تو جانے ان کی شرم کہاں مر گئی۔ اپنی بے حیا بیٹی کی موت پر سینہ کوٹ کوٹ کر رونے لگیں۔ مجھ سے تو قسم لے لو جو میری آنکھ سے ایک آنسو بھی گرا ہو۔ حیران ہو کر تمہاری دادی کو دیکھ رہی تھی جو نوکروں چاکروں کے بیچ میں لوٹ لوٹ کر رو رہی تھیں۔ اسی وقت انہوں نے اپنے تینوں بیٹوں کو تار کرا دیئے تمہارے ابا اور بڑے چچا اس کلموہی کی موت پر بھاگے چلے آئے مگر تمہارے منجھلے چچا نے سب کی عزت رکھ لی۔ انہوں نے اس جنم جلی کے موتے پر آنے سے انکار کر دیا۔"

"تمہاری دادی رو دھو کر چپ ہو گئیں مگر میری نظروں میں ان کی ذرا بھی عزت نہ رہ گئی تھی۔ بس مجبور تھی جو خاموش رہی۔ تمہارے ابا اور بڑے چچا اس گاؤں چلے گئے جہاں سلمہ رہتی تھی اور جب تمہارے ابا واپس آئے تو اس کلموہے صفدر کو سینے سے لگا لائے۔"

"سلمہ کو مرے چالیس دن بھی نہ ہوئے تھے کہ تمہارے دادا سجدے کے لئے جھکتے ہوئے اللہ کو پیارے ہو گئے۔ دیکھتے دیکھتے گھر تباہ ہو گیا۔ تینوں بیٹوں نے اس گاؤں میں رہنا پسند نہ کیا اور جاگیر کو کھڑے کھڑے ایک نواب کے ہاتھوں بیچ کر اپنی اپنی ملازمتوں پر واپس چلے گئے۔ اگر وہ جائداد ہوتی تو آج میں دادی کی جگہ ملکہ بن کر بیٹھتی مگر نصیب میں تو یہ لکھا تھا۔ اب تمہاری دادی اپنے بڑے بیٹے کے

ٹکڑوں پر پڑی ایڑیاں رگڑ رہی ہیں اور اس فساد کی جڑ کی اولاد میری چھاتی پر مونگ دل رہی ہے۔ ہائے!"

اماں جب بھی آپا کو یہ قصہ سناتیں تو بڑے غور سے ان کی طرف دیکھتیں اور آپا جیسے گھبرا کر ان سے نظریں بچا لیتیں۔ اماں آپا سے تو کچھ نہ کہتیں مگر اسے سمجھانے لگتیں۔ "میری جان تم اس کلنک کے ٹیکے کے پاس زیادہ نہ اٹھا بیٹھا کرو۔ اس کے باپ دادا نے میرا راج پاٹ چھین لیا۔"

اماں کی اس نصیحت کا اس پر ذرا بھی اثر نہ ہوا تھا۔ اسے تو غصہ آتا کہ جب صفدر بھائی اتنے اچھے ہیں تو اماں ان سے کیوں ناراض رہتی ہیں۔

ایک دن تو وہ اماں کی شکایت بھی کرنا چاہتی تھی مگر جب صفدر بھائی کے پاس گئی تو کچھ نہ کر سکی۔ "صفدر بھائی آپ مجھے بہت اچھے لگتے ہیں۔" وہ ان کی تعریف کرنے لگی۔

"مگر میں برا کسے لگتا ہوں؟"

"کسی کو بھی نہیں!" اور وہ جلدی سے بھاگ آئی۔

جانے کون نچلی منزل کے دروازے کی زنجیر کھڑکھڑا رہا تھا۔ اس نے لحاف سے منہ نکال کر دیکھا۔ کمرے میں گھور اندھیرا چھایا ہوا تھا۔ چچی جان کی آواز سنائی دے رہی تھی۔

"ان شاعروں کا برا ہو' اتنی سردی میں لوگ اپنے گھروں سے کب نکلتے ہوں گے۔"

بادلوں کی گرج میں وہ اور کچھ نہ سن سکی۔

"اللہ!" اس نے جیسے بے چینی سے کروٹ بدلی —— "ہے! اگر نیند آ ہی جائے تو کیسا اچھا ہو۔"

صحن میں کینوس کی آرام کرسیاں بچھ گئی تھیں۔ چھوٹی میز پر آپا کے ہاتھ کا کڑھا ہوا میز پوش پڑا تھا۔ ماما میز پر چائے کے برتن لگا رہی تھی اور اماں ایک ساں ہدایتیں دیئے جا رہی تھیں۔

آپا مہندی کے چھوٹے سے پودے پر پانی چھڑکنے کے بعد اماں کے پاس آ بیٹھیں۔ صفدر بھائی ابا کے پاس والی کرسی پر بیٹھے تھے۔ وہ ابا کے پاس کھڑی تھی۔ مگر کوئی بھی تو اس کی طرف متوجہ نہ تھا۔ سب بیزار تھے۔ اس نے کئی بار ابا کے ہاتھ پر ہاتھ رکھا لیکن وہ صرف مسکرا کر رہ گئے۔ اماں صفدر بھائی کو گھور گھور کر دیکھ رہی تھیں۔

آپا نے اس طرح جلدی جلدی چائے پی جیسے کسی ضروری کام سے جا رہی ہوں۔ مگر اس کی چائے پڑی ٹھنڈی ہو رہی تھی۔ اس نے مارے غصے کے پیالی کو ہاتھ بھی نہ لگایا۔ وہ کتنی سخت رنجیدہ ہو رہی تھی۔ بھلا یہ بھی کوئی گھر ہے جہاں سب لوگ منہ پھلائے بیٹھے رہتے ہیں۔ کیسا اچھا ہوتا کہ وہ اس جگہ نہ آئی ہوتی۔ یہیں آکر تو اس نے سب کے پھولے ہوئے منہ دیکھے تھے ـــــ وہ نہ جانے اور کیا کیا سوچ کر سب سے ناراض ہو گئی تھی اور وہاں سے ہٹ کر مہندی کی پتیاں نوچنے لگی۔

"تم چائے نہیں پیو گی بیٹی؟" ابا نے پوچھا مگر وہ چپ رہ کر اپنی خفگی کا اظہار کر رہی تھی۔ اس کا جی چاہ رہا تھا کہ خوب زور سے چیخے ـــــ "نہیں پیتے' بلا سے ٹھنڈی ہو جائے' کسی کا اجارہ ہے؟"

"کوڑا کیوں کر رہی ہو؟" اماں نے سختی سے پوچھا اور وہ اٹھ کر آپا کے پیچھے ہولی جو لمبے لمبے قدم رکھتی اپنے کمرے کی طرف جا رہی تھیں۔

"سب منہ بنائے بیٹھے رہتے ہیں آپا؟" اس نے بڑے دکھ سے فریاد کی ——"یہاں تو لڑکیاں بھی نہیں جن کے ساتھ کھیلوں کودوں تو جی بہل جائے۔"

"ارے بنّو تم اتنی بڑی ہو رہی ہو اور تم کو اتنا بھی نہیں معلوم کہ جب گھر میں لڑائی ہو تو سب چپ رہتے ہیں۔ دوپہر میں اماں اور ابا میں کھٹ پٹ ہو گئی ہے۔" اس دن پہلی بار آپا اس کو بڑا سمجھ کر سنجیدگی سے باتیں کر رہی تھیں۔

"کیوں لڑائی ہوئی؟"

"بس یہی کہ اماں کو صفدر بھائی سے نفرت ہے' جب تک وہ اس گھر سے نہیں جاتے یہ لڑائیاں بھی نہیں ختم ہوتیں۔"

پھر کمرے کے ہلکے سے اندھیرے میں آپا اسے اپنے پاس بٹھا کر سرگوشیاں کرنے لگیں ——"جب تمہارے صفدر بھائی چوتھے درجے میں پڑھتے تھے تو میں بالکل چھوٹی سی تھی مگر مجھے سب یاد ہے' ایک بار اماں نے ان کو بے حد مارا تھا۔ جب ابا کو معلوم ہوا تو وہ اماں سے روٹھ کر ٹھاکر صاحب کے گھر چلے گئے تھے' پھر ٹھاکر صاحب نے بڑی مشکل سے ابا کو راضی کر کے گھر بھیجا تھا۔ بس اس وقت سے اماں صفدر بھائی سے اور بھی نفرت کرنے لگیں۔ کیسے بے شرم ہیں یہ تمہارے صفدر بھائی بھی جو یہاں سے جاتے نہیں' اب تو اس لائق بھی ہو چکے ہیں کہ کما کھائیں۔ مجھے اچھی طرح یاد ہے کہ اماں کی ہدایت پر نوکرانی صفدر بھائی کو گرمیوں میں دو دو وقت کا سڑا ہوا کھانا کھلاتی تھی۔ چلو بھر دودھ میں ڈھیروں پانی ملا کر پینے کو دیتی اور گوشت پر کے چھیچھڑے کاٹ کر ان کے لئے قیمہ پکا دیتی۔ مگر صفدر بھائی نے کبھی ابا سے شکایت نہ کی۔ ایک دن خود ابا کو جانے کیا سوجھی کہ ان کا کھانا دیکھنے بیٹھ گئے۔ اس کے بعد صفدر بھائی کو اپنے ساتھ کھانا کھلانے لگے۔ اس کے بعد بھی صفدر بھائی کی صحت خراب ہی رہی۔"

"ہے' چھیچھڑے تو کتوں کو کھلاتے ہیں' وہ ننھا آپا ہمارا چھوٹا سا کتا' ٹامی' اسے بھی تو چھیچھڑے ابال کر دیئے جاتے تھے؟" اس نے کہنے کو تو کہہ دیا مگر آپا ایک دم سسکنے لگیں اور وہ حیران ہو کر رہ گئی۔

"تم صفدر بھائی سے زیادہ نہ بولا کرو۔" آپا نے آنسو پونچھ کر جلدی سے کہا

اور پھر ہنسنے لگیں۔

وہ آپا کی ہدایت کی پروا کیے بغیر باہر آگئی۔ سب اسی طرح بیزار بیٹھے تھے اور کہیں بہت دور سے اذان کی آواز آ رہی تھی۔

"صفدر بھائی باہر گھومنے چلیں؟" اس نے اماں کی طرف دیکھے بغیر کہا، مگر صفدر بھائی بالکل خاموش رہے۔

"اب اسے اسکول میں داخل کرا دو نا ورنہ یوں ہی ماری ماری پھرے گی۔" اماں نے تیز لہجے میں کہا۔

"معلوم کروں گا، سنا ہے یہاں بس ایک ہی مشن ہائی اسکول ہے اور وہاں صرف انگریزی پڑھائی جاتی ہے یا پھر اپنے مذہب کی تبلیغ ہوتی ہے۔ انگریزوں کے ان اسکولوں کے سخت خلاف ہوں۔ یہ ہماری غلامی سے ہر طرح کا فائدہ اٹھاتے ہیں۔"

"بات تو ساری یہ ہے کہ تم انگریزوں کے خلاف ہو، ان کی نوکری کرو گے مگر بیٹی کو ان کے اسکول میں نہیں پڑھاؤ گے، بس اس خاندان میں تو صرف تمہاری بہن اور بھانجا پڑھے گا، تمہاری ایک صاحبزادی دس درجے پڑھ کر گھر بیٹھ رہیں، انہیں خیر سے قصے کہانیوں کی واہیات کتابیں دے دے کر تباہ کیا۔ اب دوسری کو انگریز دشمنی کے سپرد کر دو۔" اماں ایک دم بپھر گئیں۔

اس نے گھبرا کر صفدر بھائی کی طرف دیکھا۔ وہی تو آپا کو کتابیں دیتے تھے۔ صفدر بھائی جیسے بوکھلا کر اپنے کمرے کی طرف بھاگے اور ابا نے کرسی کی پشت سے سر لگا کر آنکھیں بند کر لیں۔ وہ اس وقت کتنے زخمی نظر آ رہے تھے۔

وہ لڑائی کے خوف سے باہر آگئی۔ بیٹھک کے سامنے والے چبوترے پر دو آرام کرسیاں پڑی تھیں۔ وہ وہاں بیٹھ کر پاؤں ہلانے لگی۔ دو منزلے مکان سے ہارمونیم پر گانے کی آواز آ رہی تھی۔

کون گلی گیو شیام، بتاوے کوئی
کاشی ڈھونڈا، بندرا ڈھونڈا
گوکل میں ہوگئی شام، بتاوے کوئی

کون گلی گیو شیام' بتاوے کوئی

وہ چپکے چپکے بول دہرانے لگی۔ گانا بجانا اسے کتنا اچھا لگتا' مگر اماں کے ڈر سے کبھی گانے کا نام نہ لیا۔ وہ تو اماں کے منہ سے یہی سنتی رہی تھی کہ شریفوں کے گھروں کی لڑکیاں نہیں گاتیں۔

چبوترے پر بیٹھے بیٹھے شام کا اندھیرا چھانے لگا۔ مندروں سے گھنٹوں کی آواز آرہی تھی اور ڈھیروں پرند بسیرا لینے کے لئے درختوں میں شور مچا رہے تھے۔ سامنے کچی سڑک پر بکریوں کا ریوڑ دھول اڑاتا گزر رہا تھا۔ وہ انہیں گننے لگی مگر جی نہ لگا۔ گھر میں لڑائی دیکھ کر وہ کتنی رنجیدہ ہو گئی تھی۔

"اندر چلو' بٹو رات ہو رہی ہے۔" جب صفدر بھائی نے آکر اسے اٹھایا تو وہ ان سے لپٹ کر رونے لگی

"جب تم اسکول میں داخل ہو جاؤ گی تو دل بہل جائے گا۔" صفدر بھائی نے کس طرح اسے سینے سے لگایا تھا۔ جیسے مارے مامتا کے تڑپ رہے ہوں۔

ماما لالٹین ہاتھ میں لئے جانے ادھر سے ادھر کیا کرتی پھر رہی تھی۔ ابا اور اماں اسی طرح بیزار بیٹھے تھے۔

"گھوم آئیں؟" اماں نے سختی سے سوال کیا اور اس کے جواب کا انتظار کئے بغیر ابا سے مخاطب ہو گئیں۔ "میں کہتی ہوں کہ اسے فوراً" اسکول میں داخل کراؤ۔ مجھے تو اپنی اسی لڑکی پر ارمان پورے کرنے ہیں۔ تمہارے ارمان تو بہن اور بھانجے پر پورے ہو گئے۔"

"صفدر میاں تم اپنے کمرے میں جاؤ"——ابا نے نرمی سے کہا اور جب صفدر بھائی اپنے کمرے میں چلے گئے تو ابا ایک دم سخت ہو گئے——"مجھے مشن سکولوں سے نفرت ہے' میں اسے نہیں پڑھاؤں گا' بے شک جاہل رہے۔"

"یہ تو میں دیکھوں گی کہ جاہل رہے گی یا پڑھے گی' تم کو تو اللہ واسطے کا بیر ہے انگریزوں سے' جس تھالی میں کھاؤ اسی میں چھید کرو۔" اماں کی آواز میں اس بلا کا طنز تھا کہ ابا کرسی سے اچھل پڑے۔

"میں تم سے صرف یہ کہنا چاہتا ہوں کہ تم نے میری اجازت کے بغیر اپنے

بھائی کے پاس میرے روپے کیوں رکھائے؟ میں تو اپنے بچوں سے مجبور ہو کر نوکری کر رہا ہوں۔ اگر تم نے وہ روپے غائب نہ کئے ہوتے تو میں ان سے کوئی تجارت کر لیتا۔"

"کون سے روپے؟" اماں جیسے بلبلا اٹھیں۔

"وہی جو زمین بیچنے کے بعد میرے حصے میں آئے تھے؟"

"خوب! وہ روپے تو عالیہ اور تہمینہ کے لئے ہیں' یہاں کیوں رکھتی؟ اسی لئے نا کہ تمہاری بہن اور بھانجے کے کام آ جاتے۔ میں اب ایسی بدھو نہیں ہوں۔" اماں ہنسیں۔

"میں تمہارے بھائی پر دعویٰ کردوں گا۔"

"جانتے ہو میرے بھائی کی بیوی انگریز ہے"—— اماں نے بڑے غرور سے سر اونچا کر لیا۔

"وہ تو میں جانتا ہوں' تمہارے بھائی بیچارے یوں ہی اکھڑتے تھے' انگریز بیوی لا کر تو بڑا عہدہ ملا ہے۔" ابا اس طرح بات کر رہے تھے جیسے گالی دے رہے ہوں۔

"تم کو نوکری کرتے بارہ پندرہ سال ہو گئے مگر بڑا عہدہ نہ ملا' اس لئے اب جلو گے نہیں تو اور کیا کرو گے۔" اماں نے حقارت سے جواب دیا۔

"فوہ!" ابا نے سخت بیزاری سے منہ پھیر لیا اور پھر دالان کے کونے میں کھڑی ہوئی چھڑی اٹھا کر باہر چلے گئے۔ اماں دوپٹے کا پلو منہ پر ڈال کر دھیرے دھیرے رونے لگیں۔ آپا آ کر انہیں سمجھانے لگیں تو انہوں نے آنسو پونچھ لئے۔

"میں نے وہ روپے تم دونوں بہنوں کے لئے جمع کرائے ہیں ورنہ صفدر اور نجمہ پر اڑ جاتے۔" اماں نے رندھی ہوئی آواز میں کہا اور لمبی لمبی آہیں بھرنے لگیں۔

اس وقت اسے محسوس ہو رہا تھا کہ صفدر بھائی بھوت ہیں جو سب کچھ کھا جائیں گے' اماں کے لئے اس کا جی تڑپ اٹھا تھا۔ یہی چاہتی تھی جا کر اماں کے لپٹ جائے مگر مارے گھبراہٹ کے اپنے بستر پر لیٹ گئی۔

پورا چاند ابھر چکا تھا۔ ہارمونیم پر گانے کی مدھم مدھم آواز آرہی تھی۔

جو میں جانتی بچھڑت ہو پیا گھونگٹ میں آگ لگا دیتی

وہ گیت سنتے سنتے سو گئی۔ سوتے میں ایک بار اس نے محسوس کیا کہ کوئی اسے اٹھا رہا ہے مگر وہ نہ اٹھی۔ جانے رات سب نے کھانا بھی کھایا تھا کہ نہیں۔

وہاں آئے کچھ ہی دن گزرے تھے کہ ابا کی بیٹھک آباد ہو گئی۔ کسم دیدی کے پتا جی بھی آنے لگے تھے۔ اماں ہر وقت غصے سے بھری رہتیں——"یہ سب بے کار لوگ ہیں۔ انہیں دنیا کا کوئی کام نہیں۔ بیٹی دن رات گاتی ہے اور باپ سیاست بگھارتا ہے۔"

کسم دیدی اماں کو ایک آنکھ نہ بھاتی تھیں۔ نفرت کی سب سے بڑی وجہ تو یہی تھی کہ ان کے پتا جی انگریز راج کے خلاف تھے، اس پر ظلم یہ کہ وہ ہندو تھے اور ان کی بیوہ بیٹی گاتی بجاتی رہتی تھی۔

اماں کو کسم دیدی سے ذرا بھی ہمدردی نہ تھی حالانکہ انہوں نے دوسری ہی ملاقات پر اپنی ساری بپتا کہہ سنائی تھی——میں تو اس وقت چودہ پندرہ سال کی تھی۔ شادی کو صرف تین مہینے ہوئے تھے، "وہ" ان دنوں امرت سر میں بدلی ہو کر گئے تھے۔ جس دن وہ جلیاں والا باغ کے جلسے میں شریک ہونے گئے تو ساس سسر نے بہتیرا روکا مگر وہ ان کی باتوں پر ہنستے رہے۔ میں اپنے ساس سسر کی باتیں سن سن کر پاگل ہوئی جا رہی تھی پر مارے لاج کے کچھ نہ کہہ سکی۔ گھونگھٹ کے اندر سے ان کے اٹھتے ہوئے پاؤں دیکھتی رہی۔ وہ تو کہتے تھے کہ مجھے تم سے بڑی محبت ہے پر جاتے سمے میرے دل کی مرضی نہ پوچھی۔ وہ ہنستے ہوئے چلے گئے اور پھر کبھی نہ مڑے۔ میں ان کی راہ تک تک کر تھک گئی۔ مجھے بیوہ جان کر سب میرے سائے سے بچتے ہیں۔ پر جانے کیا بات ہے کہ میں آج تک اپنے کو بیوہ نہیں سمجھتی۔ میں بیوہ ہوں موسی؟" کسم دیدی نے اماں کی طرف دیکھ کر پوچھا تھا اور پھر جانے کیوں چھت تکنے لگی تھیں۔ اماں نے اپنے سامنے پاندان کھینچ لیا تھا اور وہ جانے کیوں اس وقت کسم دیدی کے لپٹ گئی تھی۔

"انہیں اگر مجھ سے محبت ہوتی تو کبھی نہ جاتے' انہیں تو صرف اپنے دیش سے محبت تھی- اب میں اپنی محبت کو کہاں لے جاؤں' انہوں نے تو یہ بھی نہ سوچا کہ میرے سینے میں بھی دل ہے" —— کسم دیدی نے جیسے فریاد کی اور پھر ساری کے پلو میں منہ چھپا لیا- اماں نے شاید ان کی بے شرمی سے گھبرا کر منہ پھیر لیا تھا-

کسم دیدی جب پہلی بار اس کے گھر آئی تھیں تو اسے ایسا محسوس ہوا تھا کہ کہانیوں کی پری آ گئی ہے- اس دن وہ گھر سے بیزار ہو کر باہر چبوترے پر بیٹھی تھی- اسی دن تو سخت فساد کے بعد صفدر بھائی اسے اسکول میں داخل کرا آئے تھے- صفدر بھائی نے شاید پہلی بار ابا کی مرضی کے خلاف کوئی حرکت کی تھی مگر ابا نے انہیں ایک لفظ نہ کہا تھا' صرف اماں سے بات نہ کی تھی- جب وہ بولتیں تو ابا منہ پھیر لیتے-

کسم دیدی اپنے دو منزلہ مکان سے اتر کر ان کے پاس آ کھڑی ہوئی تھیں- ننھے ننھے گورے پاؤں چاند کے دو ٹکڑے معلوم ہو رہے تھے اور ان کی لانبی موٹی آنکھوں میں کیسی آسیبی سی کیفیت تھی- وہ اس کا ہاتھ تھام کر کتنے پیار سے مسکرائی تھیں-

"میں رائے صاحب کی پتری ہوں' تمہاری اماں سے ملنے آئی ہوں-" انہوں نے دھیرے سے کہا تھا اور اسے کہانیوں کی وہ شہزادی یاد آ گئی تھی جس کے منہ سے بات کرتے وقت پھول جھڑتے تھے-

تہمینہ آپا اور کسم دیدی کی ایسی دوستی تھی کہ وہ دونوں گھنٹوں کمرے میں جانے کیا کیا باتیں کیا کرتیں- اماں اتنی دیر تک جلی جلی پھرتیں اور جب کسم دیدی اپنے گھر چلی جاتیں تو اماں کو کوئی نہ کوئی بری بات یاد آ جاتی —— "کم بخت کافروں میں کیا برا طریقہ ہے کہ دوسرا نکاح نہیں کرتے- کیسا عذاب ہوتا ہے جوان جہان عورت کو بٹھائے رکھنا' ہمیں پتہ ہے کہ یہ جوان جہان بیوائیں کس طرح ہنڈیا میں گڑ پھوڑتی ہیں-"

آپا سر جھکا کر سب کچھ سن لیتیں مگر اسے ایسی باتیں بڑی بری لگتیں- کسم دیدی تو چوری چھپے اسے ہارمونیم بھی سکھانے لگی تھیں-

"کسم دیدی گڑ کھاتی ہی نہیں جو چھوڑیں گی' انہیں گڑ سے نفرت ہے۔" وہ غصے سے چیخ پڑی تھی اور اماں کھل کھلا کر ہنس دیں۔ اس دن اس نے آپا سے بات بھی نہ کی تھی۔ "ایسی خاموشی کس کام کی کہ اپنی سہیلی کی طرف سے بولتی تک نہیں۔ بڑی آپا ہیں کہیں کی" —— وہ چپکے چپکے بڑبڑاتی رہی۔

اس روز شام کو زور سے آندھی چلی اور بادل گھر کر آ گئے شاید جون کے آخری دن تھے۔ ساری رات بادل چھائے رہے اور کسی کسی وقت ہلکی سی بارش ہو جاتی اماں اور ابا کمرے میں سو رہے تھے۔ وہ آپا کے ساتھ برآمدے میں سو رہی تھی۔ کسی وقت ہوا تیز ہوتی تو بوچھار پائنتی تک آتی اور اس کی آنکھ کھل جاتی مگر ایک بار جو اسکی آنکھ کھلی تو آپا اپنے بستر پر نہ تھیں۔ بادل دھیرے دھیرے دھمک رہے تھے۔ اسے ڈر لگا مگر آپا چند ہی منٹ میں آگئیں پر وہ اکیلی نہ تھیں' صفدر بھائی بھی ساتھ تھے۔ اسے سخت حیرت ہوئی کہ کیا آپا راتوں کو صفدر بھائی سے بات کرتی ہیں۔ کیا وہ اماں سے اتنا ڈرتی ہیں۔

آپا بلیوں جیسی چال سے آئیں اور جب اپنے بستر پر لیٹنے لگیں تو صفدر بھائی نے انہیں لپٹا لیا۔ پھر ان کے چہرے پر جھکے رہے۔ اس نے مارے حیرت کے سانس تک روک لی تھی۔ سلمہ پھوپھی کی کہانی اسے یاد آ رہی تھی۔ اس وقت اس کے کتنے عجیب سے احساسات ہو رہے تھے۔

صبح جب آپا اسے اسکول جانے کے لئے تیار کر رہی تھیں تو اس نے دھیرے سے پوچھا تھا——"آپا رات تم کہاں چلی گئی تھیں؟"

"ایں!" مارے خوف کے آپا کے ہونٹ نیلے پڑ گئے تھے۔

"میں کوئی اماں سے تھوڑی کہوں گی' میں کسی سے نہیں کہوں گی۔" اس نے پوری عورتوں کی طرح آپا کو تسلی دی تو انہوں نے اسے لپٹا لیا۔ ان کا سارا جسم خوف سے کانپ رہا تھا۔

"اگر تم نے اماں سے کہہ دیا تو وہ جانے کیا کریں گی۔ سلمہ پھوپھی کے

ساتھ بھی جو کچھ نہ ہوا ہوگا' بٹو تمہارے صفدر بھائی مجھے اچھے لگتے ہیں' بس اتنی سی بات ہے۔"

"وہ خود مجھے اچھے لگتے ہیں' میں بھلا اماں سے کہہ سکتی ہوں' کہیں اماں بھی انہیں چپراسی سے جوتے——"

آپا نے جلدی سے اس کے منہ پر ہاتھ رکھ دیا۔ ان کا رنگ ہلدی کی طرح زرد ہو رہا تھا——"میں ان کو یہاں سے بھگا دوں گی۔"

"یہ بات ٹھیک ہے۔"

دالان میں صفدر بھائی کھڑے تھے' وہ ان کے ساتھ اسکول چلی گئی مگر وہاں بھی اس کا جی نہ لگا۔ صفدر بھائی کہتے تھے کہ اسکول جا کر جی بہل جائے گا' مگر وہ تو بڑی ہوتی جا رہی تھی۔ ہر بات کا اس کے دماغ پر اثر ہوتا۔ رات کا قصہ بار بار یاد آتا اور وہ انجام کے خوف سے ایک لفظ بھی نہ پڑھ سکی تھی۔

اس دن اسکول کی نگران نے گھر آنے کو کہا تھا۔ اماں اور ابا سارا دن گھر سجاتی رہیں۔ دیواروں میں تنے ہوئے مکڑی کے جالے تک صاف کیے گئے۔ صفدر بھائی گیندے اور گل عباسی کے پھول لے آئے جو نیلے گلدانوں میں سجا دیئے گئے۔ ماما نے بالٹیاں بھر بھر کر صحن دھویا اور وہاں مہندی کے پودے کے پاس آرام کرسیاں اور میز بچھا دی گئی۔ میز پر آپا کے ہاتھوں کا کڑھا ہوا سب سے خوب صورت میز پوش بچھایا گیا۔ چائے کے لئے نیا جاپانی سٹ نکالا گیا۔ وہ سٹ اسی وقت نکالا جاتا جب خاص قسم کے مہمان آتے۔ چائے کے ساتھ کھانے کو کئی چیزیں تلی گئیں۔ اماں اس دن بے حد خوش اور مصروف نظر آ رہی تھیں۔ دوپہر میں انہوں نے نہ خود آرام کیا نہ ماما کو کمر ٹکانے دی۔

"بھئی حد ہے، انگریز ہو کر خود ہمارے گھر آنے کو کہا" —— اماں بار بار آپا سے کہتیں اور کھلی جاتیں۔

اماں کی اس بات پر اس نے کئی بار محسوس کیا تھا کہ صفدر بھائی اپنی مسکراہٹ روکنے کے لئے، ہونٹ بھینچ لیتے ہیں۔

"میرا خیال ہے کہ زیادہ لوگوں کو چائے پر نہ شریک ہونا چاہئے، وہ انگریز ہے شاید اسے پسند نہ کرے۔" چار بجنے میں جب تھوڑی سی دیر رہ گئی تو اماں نے تیوری پر بل ڈال کر اپنے حساب بڑی عام سی بات کی اور صفدر بھائی اسی وقت اپنے کمرے میں چلے گئے۔

ٹھیک چار بجے مسز ہاورڈ آ گئیں۔ اماں اور آپا نے ان کا خیر مقدم کیا۔ مسز ہاورڈ کی نیلی کانچ کی گولیوں جیسی آنکھیں گھوم گھوم کر گھر کا جائزہ لے رہی تھیں۔ وہ کرسی پر بیٹھتے ہی جلدی جلدی بولنے لگیں۔

"آپ لوگوں سے مل کر ہم بہت کھوش ہوا ہے' آپ کا گھر بڑا اچھا ہے۔ بڑا صاف ہے۔ دوسرا یہاں کا لوگ تو بڑا گندا گھر رکھتا ہے۔ بڑا بڑا بیگم بھی گھر صاف نہیں رکھتا۔ ہم پھر جرور آئے گا آپ لوگ کے پاس۔"

"ہاں! اس ملک کے لوگ بڑے گندے ہوتے ہیں۔ ہماری بھابی' یعنی ہمارے بھائی کی بیوی انگریز ہے۔" اماں نے بڑے فخر سے کہا۔

"اچھا!" نیلی کانچ کی دونوں گولیاں مارے حیرت کے ٹوٹتی نظر آنے لگی تھیں۔

مسز ہاورڈ کی گہری نیلی آنکھیں اسے کتنی پیاری لگتی تھیں۔ اسکول میں جب وہ ان کے کمرے میں جاتی تو چپکے چپکے ان کی آنکھوں کو دیکھتی رہتی۔

"یہاں کی عورتیں مرغیاں پالتی ہیں' اور ان کی گندگی"—— اماں جانے اور کیا کہتیں کہ آپا بیچ میں بول اٹھیں۔

"اب چائے پی جائے۔"

جب سے صفدر بھائی اماں کی بات پر اپنے کمرے میں چلے گئے تھے۔ اس وقت سے آپا بیزار ہو رہی تھیں۔ ان کے چہرے پر اچانک تھکن کے آثار پیدا ہو گئے تھے۔

"ہاں ہاں تمینہ بیٹی' ماما سے کہو۔" چائے کے نام پر اماں بوکھلا گئیں۔ ان کا چہرہ پھیکا پڑ گیا۔ جس وقت ابا دفتر جا رہے تھے تو اماں نے ان سے کئی بار کہا تھا کہ چائے کے وقت پہنچ جائیں تاکہ مسز ہاورڈ سے انگریزی میں باتیں کر کے اسے خوش کر سکیں۔

"تم ہمارے پاس بیٹھنا مانگتا عالیہ؟" مسز ہاورڈ نے پیار سے اس کو دیکھا اور وہ آپا کے پاس سے سرک کر ان کے قریب بیٹھ گئی مگر جیسے ہی چائے پیالیوں میں انڈیلی گئی تو وہ جلدی سے ایک پیالی اٹھا کر کھڑی ہو گئی۔ اماں نے گھور کر دیکھا مگر وہ صفدر بھائی کے کمرے کی طرف لپک گئی۔

صفدر بھائی اپنے کمرے میں اوندھے منہ پڑے تھے۔ وہ جانے اس وقت کیا سوچ رہے تھے۔ کمروں کے اندر کتنی جلدی شام ہو جاتی ہے' ان کے کمرے میں

اندھیرا پھیلا ہوا تھا—— "صفدر بھائی چائے"—— اس نے پیالی میز پر رکھ دی۔

"ارے واہ——" وہ اٹھ کر بیٹھ گئے—— "عالیہ بٹو، تم بھی میرے ساتھ پیو۔"

"نہیں! مسز ہاورڈ کے ساتھ پیوں گی۔"

وہ باہر آگئی۔ مسز ہاورڈ مزے لے لے کر شامی کباب کھا رہی تھیں اور مرچیں آنسو بن کر ٹپک رہی تھیں۔

"آپ کا لڑکی بڑا ہوشیار ہے، کھوب پڑھتا ہے۔" مسز ہاورڈ نے اس کی تعریف کی تو وہ شرما گئی۔

"جی ہاں، ہماری لڑکی بڑی ہوشیار ہے، ویسے یہاں کی لڑکیاں بڑی کوڑھ مغز ہوتی ہیں، پڑھنے کے نام سے بھاگتی ہیں۔ ہندوستانی لوگ اپنی لڑکیوں کو جاہل رکھ کر خوش ہوتے ہیں۔" اماں پھر ترنگ میں آگئی تھیں۔

"کوڑ مگج؟" مسز ہاورڈ نے سمجھنا چاہا۔

"بس ہوتی ہیں۔"

"اور آپ کی اس لڑکی نے کتنا پڑھا؟" مسز ہاورڈ نے ہنس کر پوچھا۔

"دس درجے، پھر یہ بیمار پڑ گئی۔" اماں نے کہا۔

آپا اس پورے وقت کو خاموشی سے گزارتی رہیں۔ انہوں نے مسز ہاورڈ سے ایک بات بھی تو نہ کی۔

شام سنولا چکی تھی۔ بسیرا لینے والے پرندوں کی قطاریں جانے کس سمت اڑی جا رہی تھیں۔ مسز ہاورڈ بوکھلا کر اٹھ گئیں۔

"آپ کا صاحب نہیں آیا۔ ہمارے کو اس سے ملنے کا بڑا شوق تھا۔ کہیں چلا گیا ہوگا دفتر کے کام کو؟"

"جی ہاں، جی ہاں، آج ان کے ایک دوست مر گئے تھے، اس لئے ان کے گھر گئے ہوں گے۔"

اماں اس سے بڑا اور کیا بہانہ کر سکتی تھیں۔ ایک انگریز عورت کے ساتھ چائے نہ پی سکنے کی کوئی بڑی وجہ ہی ہو سکتی تھی۔

مسز ہاورڈ کے جاتے ہی اماں جیسے جھنا اٹھیں۔ "دیکھا' چائے پر نہیں آئے نا۔ وہ تو کہو مجھے اچھا بہانہ یاد آگیا ورنہ کیا سمجھتیں مسز ہاورڈ' دیکھ لینا یہ اپنی نفرت کے پیچھے کچھ کر کے رہیں گے۔ بھلا کوئی ان سے پوچھے کہ انگریز سے زیادہ اچھا حکمران کون ہو گا۔ اپنے لوگ تو ایسے ہیں کہ ایک دوسرے کا گلا کاٹتے رہتے ہیں' ارے کون سمجھائے اس شخص کو؟"

"کوئی کام لگ گیا ہو گا۔" آپا نے ابا کی صفائی پیش کی۔

"کام؟" —— اماں بپھر اٹھیں —— "کوئی کام نہیں ہو گا۔ ارے وہ شخص ——"

اماں جانے اور کیا کچھ کہتی رہیں —— وہ جلدی سے صفدر بھائی کے پاس چلی گئی۔ چائے کی پیالی اسی طرح میز پر رکھے رکھے ٹھنڈی ہو گئی تھی۔ صفدر بھائی لالٹین کی پیلی پیلی روشنی میں عجیب سے لگ رہے تھے۔

"صفدر بھائی آپ نے چائے نہیں پی؟"

"ارے تو کیا میں نے نہیں پی۔" وہ پیالی اٹھا کر پانی کی طرح پی گئے۔

"میں نہیں بولتی آپ سے' اب پی ہے تو کیا؟" وہ کمرے سے نکل رہی تھی تو صفدر بھائی پکار رہے تھے مگر اس نے جواب تک نہ دیا۔

جب کافی اندھیرا ہو گیا تو ماما نے میز کرسیاں ہٹا کر پلنگ بچھا دیئے۔ ماما تھکن سے چور ہو رہی تھیں اور افیون کے نشے سے آنکھیں بند ہو رہی تھیں۔ ان کے ہر مرض کا علاج صرف افیون سے ہوتا تھا۔ ننھی سی کالی گولی نگلتے ہی وہ سارے دن کی در در پھٹ پھٹ بھول جاتیں۔ تھکن غائب ہو جاتی اور وہ ملکہ جیسی شان سے سو جاتیں۔

ماما بستر لگا کر باورچی خانے میں گئیں تو ابا آگئے۔ اماں انہیں دیکھتے ہی بکھر گئیں۔ اب آئے ہیں خان صاحب' کیا وہ نہ سمجھتی ہوں گی کہ آپ کو ان کا آنا برا لگا' حد ہے وہ انگریز ہو کر ہمارے گھر آئے اور صاحب بہادر پروا بھی نہ کریں۔ اگر وہ رپورٹ کر دے کہ جناب نے اس سے بدسلوکی کی ہے تو پھر ہوش ٹھیک ہو جائیں گے۔" اماں نے اتنے زور سے پاندان بند کیا کہ ماما گھبرا کر باورچی خانے

سے باہر نکل آئیں۔

"اب وہ زمانے لد گئے جب تمہارے انگریز کے نام سے تھرتھری چھٹتی تھی' یہ دوسری بات ہے کہ میں کچھ نہ کرسکوں تو کیا نفرت بھی نہیں کر سکتا" ——— ابا نے سختی سے کہا ——— "یہ بدنیت تاجر' یہ حکمران کیا؟ مجھے تو ان کی ساری قوم سے نفرت ہے۔ اگر میرا دماغ بڑے بھائی جیسا ہوتا تو پھر دیکھتا' مگر میں تو بندھا ہوا ہوں' نوکری کرنے پر مجبور ہوں۔"

"ہوں! وہ تو میں جانتی ہوں کہ تم ہر وقت سب کو بھوکا مارنے پر تلے ہوئے ہو۔"

"یہی تو وجہ ہے کہ نوکری کر رہا ہوں ورنہ میں تو بڑے بھائی کی طرح دکان کر کے بیٹھ جاتا مگر تم تو سب کچھ اپنے بھائی کے پاس رکھ آئیں' وہ بڑا دیانت دار آدمی ہے' اس کی بیوی انگریز ہے۔"

"میں نے دس دفعہ کہا کہ میرے بھائی بھاوج کا نام مت لیا کرو۔" اماں ایک دم سسکیاں بھر بھر کر رونے لگیں۔

آپا بڑی خاموشی سے پلنگ پر پاؤں لٹکائے بیٹھی تھیں' ان کی آنکھوں میں آنسو تھے۔ میلی ملگجی چاندنی میں ان کے آنسو کتنے دردناک معلوم ہو رہے تھے۔

"سب روؤ' سب لڑو' وہ گھر سے بھاگ جائے گی" ——— اس نے بڑے بوڑھوں کی طرح سوچا تھا۔ لڑائی اور آنسو اس کی روح میں لرز رہے تھے۔

وہ اپنے بستر پر اوندھی لیٹ گئی اور زور زور سے سسکیاں لے لے کر رونے لگی۔

"دیکھو بیگم' ان بچوں پر کیا اثر پڑ رہا ہے' یہ سب تباہ ہو جائیں گے اور ———" ابا کپڑے تبدیل کرنے کے لئے اپنے کمرے میں چلے گئے۔ اماں نے آنسو پونچھ لئے۔

"ماما کھانا لے آؤ' عالیہ سو نہ جائے۔" اماں نے آواز دی۔

"میں نہیں کھاؤں گی۔ وہ زور سے چیخی اور پھر رونے لگی۔

کھانا آیا تو اس نے ابا کے نرم نرم ہتھیلیوں والے ہاتھ اپنی پیشانی پر

محسوس کئے، مگر وہ سوتی بن گئی، وہ تو اس دن اعلانیہ سب سے روٹھ گئی تھی۔

دن گزرتے جا رہے تھے۔ گھر کی فضا دھوپ چھاؤں کی طرح بدلتی رہتی۔ ابا کی شامیں بیٹھک میں گزرتیں، دوستوں کے جمگھٹ میں وہ زور زور سے باتیں کرتے۔ ماما چائے بنا بنا کر باہر لے جاتے ہوئے چپکے چپکے بڑبڑاتی رہتیں اور اماں جیسے بڑے اضطراب کے ساتھ ادھر ادھر پھرتی رہتیں یا کسی کئے ہوئے کام کو پھر سے کرنے لگتیں۔ آپا بدستور خاموش رہتیں اور کسی کتاب کے ایک ہی صفحے کو پڑھے چلی جاتیں۔

خدا جانے آپا اتنا کم کیوں بولتی تھیں۔ کیا محبت لوگوں کو گونگا بنا دیتی ہے؟ کیا محبت کا نام الفاظ کی موت ہوتا ہے؟ پھر لوگ اتنی گھٹیا چیز کے پیچھے کیوں بھاگتے ہیں؟ آپا تم کتنی معصوم تھیں۔

گھر کے اس دردناک ماحول سے گھبرا کر وہ بیٹھک کے دروازے پر جا کھڑی ہوتی۔ نہرو، جناح، گاندھی وغیرہ کے سنے ہوئے ناموں کے علاوہ اس کی سمجھ میں صرف اتنا ہی آتا کہ سب انگریزوں کی برائی کر رہے ہیں۔ اسے کوئی بھی مزے کی بات نہ سنائی دیتی۔ اس پر ابا اسے دیکھتے ہی اندر جانے کا حکم دیتے۔ صفدر بھائی اس کے آنکھوں آنکھوں میں کئے ہوئے اشارے سمجھنے سے انکار کر دیتے۔ وہ بھی تو شام کے وقت بیٹھک سے اٹھنے کا نام نہ لیتے تھے۔

وہ رنجیدہ ہو کر باہر چبوترے پر جا بیٹھتی اور اسے اپنی پہلی جگہ یاد آنے لگتی۔ کتنی دور رہ گئی تھی وہ جگہ، وہاں سے آتے ہوئے ٹرین کی کھڑکی کے پاس بیٹھ کر اس نے اتنے درخت گنے تھے کہ سارے حساب نے دم توڑ دیا تھا۔

جیٹھ کا مہینہ تھا۔ لو چلتی رہتی۔ آموں اور پیپل کے درختوں میں چھپے ہوئے پرند سارا دن شور مچاتے رہتے۔ صحن میں لگا ہوا مہندی کا چھوٹا سا پودا سوکھ چلا تھا۔ ماما لاکھ پانی ڈالتیں مگر اس کی پتیوں پر رونق نہ آتی۔ چاندنی راتوں میں ٹھاکر صاحب کے گھر سے کسم دیدی کے ہارمونیم پر گانے کی آواز آتی تو آپا اٹھ کر ٹہلنے لگتیں۔ کسم دیدی ان دنوں ایک ہی گیت کو رٹے جاتیں۔

اماں ابا کے انتظار سے تھک کر آپا سے باتیں شروع کر دیتیں، وہی صفدر

کے خاندان سے دشمنی کی داستانیں' نجمہ پھوپھی کی خود غرضی کے قصے' بھائی اور بھاوج کے محبت بھرے گیت۔ آپا پلکیں جھپکا جھپکا کر سب کچھ سنتیں مگر خود کچھ نہ کہتیں۔ ابا کی بیٹھک جب سونی ہوتی تو وہ کسی دوست کے گھر چلے جاتے اور دس گیارہ سے پہلے واپس نہ آتے۔

رات سونے سے پہلے وہ صفدر بھائی کے پاس چلی جاتی۔ باہر چبوترے پر ان کا پلنگ بچھا ہوتا جہاں وہ خاموش پڑے کچھ سوچتے رہتے۔

"صفدر بھائی کہانی سنایئے۔" وہ جاتے ہی فرمائش کرتی اور ان کی کمر سے ٹیک لگا کر بیٹھ جاتی۔ صفدر بھائی اپنے بچپن میں سنی ہوئی کہانیاں یاد کرنے لگتے اور جب کہانی یاد آ جاتی تو زور سے ہنستے۔ وہ ہمیشہ ایک شہزادی اور ایک غریب آدمی سے کہانی شروع کرتے تھے اور غریب آدمی شہزادی کو نہ پاسکنے کے غم میں ہمیشہ مر جاتا تھا۔

"صفدر بھائی آپ تو کسی شہزادی سے شادی نہیں کریں گے؟" ایک بار اس نے بڑی فکر سے پوچھا تھا۔

"لاحول ولا' میں کیوں مروں گا بھو۔" وہ اس قدر ہنسے تھے کہ وہ چڑ کر رہ گئی تھی۔ گرمیوں کی چھٹیاں گزرتی جا رہی تھیں۔ وہ خوش تھی کہ اسکول کھلنے کے دن قریب آ رہے ہیں۔ جتنا وقت اسکول میں گزرتا وہ خوش رہتی' ساری دنیا کو بھول جاتی۔

اس دن دوپہر میں جب وہ سو رہی تھی تو اماں کے زور زور سے باتیں کرنے کی آواز نے اسے جگا دیا تھا۔ ابا کی آواز مدھم مگر جھلائی ہوئی تھی۔ وہ گھبرا کر دالان میں آگئی جہاں آپا پہلے سے کھڑی تھیں۔ اس کی سمجھ میں نہ آیا کہ آخر بات کیا ہے۔

ذرا دیر بعد باہر سے رائے صاحب کی آواز آئی اور ابا باہر چلے گئے۔ آپا ابا کے جانے سے پہلے ہی اپنے کمرے میں چلی گئیں۔

"اس گھر میں صفدر دولھا بن کر اسی وقت آئے گا' جب میری لاش نکل جائے گی۔" ابا نے جاتے جاتے اماں کی بات ایک لمحے کو رک کر سنی اور پھر چلے

گئے۔

ابا جیسے ہی بیٹھک میں گئے' اماں نے آکر آپا کو لپٹا لیا۔

"دیکھ لینا میں زہر کھا لوں گی' وہ تم کو اس کمینے صفدر کے ساتھ بیاہنے کی سوچ رہے ہیں' ہائے ان کا تو دماغ خراب ہو گیا ہے' یہ اس شخص سے شادی کریں گے جس کے باپ دادا نے خاندانی عزت لوٹ لی' میرا راج پاٹ چھین لیا"—— اماں روتے روتے پلنگ پر بیٹھ گئیں—— "اب اس کمینے کو بی اے کرنے کے لئے علی گڑھ بھیج رہے ہیں۔ میں آج ہی تمہارے ماموں کو خط لکھوں گی' پھر دیکھوں گی کہ سب کچھ کیسے ہوتا ہے۔"

وہ ڈر گئی کہ ماموں میاں جانے کیا کریں گے' مگر پھر یہ سوچ کر اسے کچھ تسلی ہوئی کہ اماں تو ہمیشہ ہی ماموں میاں کو خط لکھا کرتی ہیں مگر وہ دو تین مہینے بعد ہی جواب دیتے ہیں۔

"تمہاری دادی بے شرم تھیں جو صفدر کے باپ کو داماد بنا کر اب تک زندہ بیٹھی ہیں' میں تو اسی وقت زہر کھا لوں گی۔"

"آپ کیوں پریشان ہوتی ہیں' کچھ بھی نہ ہو گا۔" آپا جیسے کنوئیں کی تہ سے بولیں' ان کا چہرہ سفید ہو رہا تھا۔

"اے ہمارے آسمانی باپ تو ہمارے گھر سے لڑائیاں ختم کرا دے! صفدر بھائی کے کمرے میں جاتے ہوئے وہ چپکے چپکے دعا کر رہی تھیں۔ مس مرسی کی یاد کرائی ہوئی یہ دعا اسے بہت سے دکھوں سے نجات دلا دیتی تھی۔

کمرے میں جا کر دیکھا کہ وہاں تو صفدر بھائی بھی رو رہے تھے۔ کچھ نہیں کرتا یہ آسمانی باپ بھی' وہ آسمانی باپ سے بھی روٹھ گئی تھی اور روتے روتے صفدر بھائی سے لپٹ گئی۔

"سب رو رہے ہیں' اللہ کرے میں مر جاؤں۔" وہ بہت سنجیدہ ہو رہی تھی۔

"ارے میں تو علی گڑھ جا رہا ہوں نا' اس لئے رو رہا ہوں' مجھے اپنی عالیہ بٹو یاد آئے گی۔" انہوں نے ہنستے ہوئے آنسو پونچھ لئے۔ "تم دس گیارہ سال کی ہو کر کتنی بڑی ہو گئی ہو۔" انہوں نے قہقہہ لگایا۔

"مجھے معلوم ہے سب جھوٹ بول رہے ہیں۔"

صفدر بھائی صرف ایک ہفتے بعد علی گڑھ جا رہے تھے۔

ایک ہفتہ ماہ پوس کے سورج کی طرح جلدی جلدی ڈوبا جا رہا تھا اور وہ بیتے ہوئے دنوں کو انگلیوں پر گنتی رہ جاتی۔ وہ کتنی رنجیدہ رہنے لگی تھی۔ اسے یقین تھا کہ آپا کے بعد صرف صفدر بھائی اس کا خیال کرتے ہیں۔ آپا خاموشی سے محبت کرتی ہیں، مگر صفدر بھائی تو اس کے ساتھی ہیں جن سے وہ کھیلتی ہے، کہانیاں سنتی ہے۔ وہ چلے جائیں گے تو پھر وہ کیا کرے گی؟

صفدر بھائی نے یہ دن اپنے کمرے میں بند ہو کر گزار دیئے۔ ان دنوں آسمان پر بادل چھانے لگے تھے۔ بھیگی بھیگی ہوائیں چلتی رہتیں۔

اماں نے صفدر بھائی کی صورت دیکھنے سے انکار کر دیا تھا۔ ابا نے اماں سے بات کرنی چھوڑ دی تھی۔ وہ دس گیارہ بجے رات تک انگریز دشمنی کے زبانی اظہار میں مصروف رہتے۔ آپا کا مطالعہ بہت ترقی کر گیا تھا۔ وہ جو کچھ پڑھتیں، اسے حفظ کرنے لگی تھیں۔ گھنٹوں گزر جاتے مگر صفحہ الٹنے کی نوبت نہ آتی۔

وہ گھر کے ماحول سے گھبرا کر باہر چبوترے پر جا بیٹھتی جہاں چپراسی بیٹھا گڑ گڑی پیا کرتا۔ وہ چپراسی سے باتیں کرنے لگتی۔

"تمہاری کتنی تنخواہ ہے؟"

"پندرہ روپے۔"

"تم نے اپنا گھر اینٹوں کا کیوں نہیں بنایا؟"

"ہم غریب جو ہیں بیٹا، پکا گھر بنا کر لوگوں کی برابری تھوڑی کر سکتے ہیں۔"

اسے ایک دم صفدر بھائی کے ابا یاد آ جاتے جو جیتے جی کسی سے عزت نہ کرا سکے۔ اسے وہ ساری کہانی یاد آنے لگتی جو کتنی بار آپا کو سنائی تھی۔ اس کا کلیجہ دکھتا تو وہ اٹھ کر صفدر بھائی کے پاس چلی جاتی مگر وہ تو ان دنوں بات کرنا بھول گئے تھے۔

دوسرے دن صبح صفدر بھائی علی گڑھ جا رہے تھے۔ ان کا سامان بندھا رکھا تھا۔ کمرہ بالکل اجاڑ معلوم ہو رہا تھا۔ اماں اس دن بڑی بیتابی سے سارے گھر میں

ٹہلتی رہیں۔ ذرا ذرا سی بات پر ماما کو ڈانٹتیں اور آپ ہی آپ بڑبڑاتی رہیں۔ "گھر سے نکالنے کی بجائے اسے پڑھنے کو بھیجا جا رہا ہے' اس مردود کو ہماری دولت سے پڑھا کر ہمارے سر پر بٹھانا چاہتے ہیں' اللہ اسے واپسی نصیب نہ کرے!"

شام کو ابا صفدر بھائی کے کمرے میں گئے اور بڑی دیر بعد باہر نکلے' پھر بیٹھک میں چلے گئے۔ اتنی دیر اماں تلملائی تلملائی پھرتی رہیں۔

وہ رات بڑی اندھیری تھی۔ آندھی بارش کے آثار تھے۔ اس رات دالان میں بستر لگائے گئے تھے۔ کھانے کے بعد سب لوگ لیٹ گئے۔ بڑے طاق میں رکھی ہوئی لالٹین کی بتی نیچی کر دی گئی۔

سونے سے پہلے اس نے بڑے انہماک سے دعا کی تھی کہ آسمانی باپ صفدر بھائی کو روک لے اور صبح کبھی بھی نہ ہو۔ اس دعا کے بعد وہ سو گئی تھی۔

صبح کے خوف نے ایک بار اس کی آنکھ کھول دی تھی۔ اس نے دیکھا کہ آپا صفدر بھائی کے کمرے کی طرف سے دبے قدموں آ رہی ہیں۔ پھر وہ اپنے بستر پر لیٹ گئیں' اس نے ان کی دھیمی سی سسکی کی آواز سنی اور پھر سو گئی۔

صفدر بھائی صبح تانگے پر بیٹھ کر چلے گئے۔ جانے سے پہلے وہ اماں کے پاس آئے تھے۔ ذرا دیر کھڑے رہے مگر جب اماں نے ان کی طرف دیکھا تک نہیں تو ماما کی دعائیں لیتے چلے گئے۔

وہ دروازے تک ان کے ساتھ گئی مگر جب تانگہ کچی سڑک پر دھول اڑاتا چل دیا تو وہ ابا کی ٹانگوں سے لپٹ کر رونے لگی۔ وہ پہلا موقعہ تھا کہ وہ ابا کی ٹانگوں سے لپٹ گئی تھی اور وہ سر پر ہاتھ پھیر رہے تھے ورنہ ابا کو فرصت ہی کب ملتی جو کسی سے محبت کا اظہار کرتے۔

دوپہر کسم دیدی آ گئیں جو چپکے چپکے آپا سے باتیں کرتی رہیں۔ شام کو چائے کے بعد ابا نے اماں سے پورے ہفتے کے بعد بات کی تھی۔

"جب وہ بی اے کر لے گا تو وہ کام ضرور ہو گا' سمجھ گئیں؟"

"ہم بھی دیکھیں گے۔" اماں کی آواز میں چیلنج تھا۔

دن گزرتے گئے' صفدر بھائی کی یاد مدھم پڑنے لگی۔ اسکول سے آکر وہ کسم دیدی کے گھر چلی جاتی اور وہاں ہارمونیم پر "کون گلی گیو موزے شیام" کی مشق کرتی رہتی۔ وہ ان کے گھر میں کتنی خوش رہتی۔ اسے اپنے گھر کی فضا راس نہ آتی۔ اماں اب بھی ہروقت فکر مند اور بپھری ہوئی نظر آتیں' آپا اسی طرح یا تو کتاب کے ایک ہی صفحے پر نظریں گاڑے پڑی رہتیں یا پھر نظریں جھکائے کسی نہ کسی کام میں اماں کا ہاتھ بٹاتی رہتیں —— اس نے جی میں فیصلہ کرلیا کہ صفدر بھائی کے علاوہ بھی یہاں کچھ گڑ بڑ ہے۔

صفدر بھائی کے کمرے میں بڑا سا تخت ڈال دیا گیا تھا جس پر سفید چاندنی بچھی ہوئی تھی۔ کھانے کے لئے اسی پر دستر خوان سج جاتا۔ جب سے صفدر بھائی کے کمرے میں کھانا شروع ہوا تھا۔ آپا کی خوراک بہت کم ہوگئی تھی۔

صفدر بھائی نے علی گڑھ جاکر صرف ایک خط لکھا تھا۔ اس کے بعد انہوں نے کوئی خط نہ لکھا' ابا نے منی آرڈر سے روپے بھیجے تو وہ بھی واپس کردیئے تھے۔ اس روز ابا بہت رنجیدہ تھے مگر اماں بے حد خوش نظر آرہی تھیں۔ وہ بڑے طنز سے ہنس رہی تھیں اور ابا نظریں چرا رہے تھے۔

"وہ جانتا ہے کہ تم انہی روپوں کی وجہ سے اس سے نفرت کرتی ہو۔" آخر ابا کو بولنا ہی پڑا۔

اماں مارے غصے کے بکھر گئیں —— "تو کیا میں اس پنچ کسان کے بیٹے کو سینے سے لگائے رکھتی' کیا ہماری اولاد نہیں جو اس پر دولت خرچ کی جائے' وہ احسان فراموش کمینہ' اس نے روپے واپس کر کے تمہارے منہ پر مارے ہیں۔ اسے اب تمہاری ضرورت ہی کیا ہے' بی' اے کرے گا تو عیش کرے گا۔ سچ کہا

ہے کسی نے' اصل سے خطا نہیں کم اصل سے وفا نہیں۔"

"میری بہن کا بیٹا کم اصل ہے اور تمہارے بھائی کی بیوی' پتہ نہیں کس بھنگی کی اولاد ہوگی۔ تمہارے بھائی نے اس سے شادی کر کے تمہاری قوم کے منہ پر تھپڑ مارا ہے' خدا کی شان ہے انگریز بھنگی بھی ہمارے حکمران ہیں۔"

"میرے بھائی بھاوج کو کچھ کہا تو اچھا نہ ہوگا' وہ تم کو جانتی ہے نا اسی لئے منہ نہیں لگاتی' میری وجہ سے چپ رہتی ہے ورنہ کب کا تم کو جیل بھجوا دیتی۔" اماں کی آواز بھرا رہی تھی۔

"وہ بھنگن مجھے جیل بھجوا دیتی؟" ابا غصے سے چیخے۔

اماں زور زور سے رونے لگیں۔ آپا کا چہرہ سفید ہو رہا تھا اور وہ دل ہی دل میں بلک رہی تھی۔ وہ جتنی بڑی ہوتی جاتی اتنی ہی حساس۔ اسے ابا سے شدید محبت ہوتی جا رہی تھی اور اماں کی جھگڑالو طبیعت سے بیزاری بڑھتی جاتی مگر جب اماں کو روتے دیکھتی تو اس کا دل تڑپ اٹھتا۔ یہی جی چاہتا کہ اماں کو کلیجے میں چھپا لے۔

"اب آئے تمہارا وہ پنچ بھانجہ' اگر بھنگی سے جوتے نہ لگوائے ہوں تو میرا نام نہیں۔" اماں نے روتے ہوئے چیلنج کیا۔

"ضرور آئے گا اور یہیں اس کی بارات آئے گی"——ابا جلدی سے باہر چلے گئے۔

اماں دیر تک بڑبڑاتی رہیں——"ایک دن اس گھر کا انجام بہت برا ہوگا۔"

وہ کمرے میں چلی گئی۔ آپا کھرے پلنگ پر اوندھی پڑی تھیں——"عالیہ بٹو' میں انہیں خط لکھ دوں گی کہ اب وہ یہاں کبھی نہ آئیں۔" آپا نے سر اٹھا کر اس کی طرف دیکھا۔ ان کا چہرہ کتنا زرد ہو رہا تھا۔

"مگر ابا جو کہتے ہیں کہ تمہاری شادی ہوگی صفدر بھائی سے؟" اس نے آپا پر جھک کر کہا۔

"افوہ! اماں یہ شادی کبھی نہ ہونے دیں گی' اور مجھے بدنامی سے بھی بہت ڈر لگتا ہے' اس لئے کچھ نہیں ہو سکتا"—— آپا نے بازوؤں میں منہ چھپا لیا۔ وہ

چپ چاپ بیٹھی آپا کا ہاتھ سہلاتی رہی۔ اس وقت وہ کیسی بچی بچی باتیں سوچ رہی تھی ـــــ صفدر بھائی تو مزے سے پڑھتے ہوں گے اور انہیں کوئی یاد بھی نہ آتا ہو گا مگر یہاں سب انہیں یاد کرکے لڑے مرتے ہیں۔ سب کتنی فضول باتیں ہیں صفدر بھائی نے اسے بھی تو ایک خط نہ لکھا۔ کیا وہ آپا کو یاد کرتے ہوں گے۔

"اماں سے نہ کہنا کہ میں رو رہی تھی۔" آپا نے آنسوؤں سے بھیگا ہوا چہرہ اٹھا کر کہا۔

"میں نے کب کبھی کچھ کہا ہے اماں سے۔" وہ جل ہی تو گئی۔

کسم دیدی کمرے میں آگئیں تو وہ اٹھ کر دالان میں چلی گئی۔ اسے معلوم تھا کہ اب وہ دونوں کس قسم کی باتیں کریں گے۔ پھر بھی سب اس سے ہر بات چھپاتے صرف اس لئے کہ خاصی بڑی ہونے کے باوجود وہ سب سے چھوٹی تھی۔ کوئی بھی اس کی دلی کیفیت نہ جانتا تھا۔ کوئی بھی تو یہ نہ سوچتا تھا کہ اس کے دماغ کی کیا حالت ہے۔ کوئی اسے سمجھنے کی کوشش نہ کرتا۔ کوئی یہ نہ جانتا تھا کہ وہ تو اب اسکول میں دعا کرتے ہوئے آسمانی باپ تک سے اپنے گھر میں رحمتیں نازل کرنے کی دعائیں کیا کرتی تھی۔

کئی خزائیں اور بہاریں آکر گزر گئیں' پر اس کے گھر کی خزاں بہار میں نہ بدلی- صحن میں لگے ہوئے مہندی کے پودے کو آپا کتنا ہی پانی دیتیں مگر اس کی پیاس نہ بجھتی' پتلی پتلی ہری شاخیں سیاہ پڑ گئی تھیں- آپا ان کئی برسوں میں کتنی کمزور ہو گئی تھیں- ابا گھر سے بالکل بے تعلق سے نظر آتے' دفتر سے آنے کے بعد بیٹھک آباد ہو جاتی اور انگریز حکمرانوں سے نفرت کے اظہار میں ابا کی آواز سب سے اونچی ہوتی- اماں اس وقت بڑی بے چینی سے صحن میں ٹہلتی رہتیں-

"ہائے وہ کون سا منحوس دن تھا- جب میری شادی ہوئی تھی' سب کچھ ختم ہو گیا' جو رہا ہے وہ بھی ختم ہو جائے گا-" وہ ٹہلتے ٹہلتے رک کر آپا سے کہتیں اور جواب نہ پا کر پھر بڑبڑانے لگتیں-

ویسے اب وہ صفدر بھائی کی طرف سے کسی قدر مطمئن تھیں- علی گڑھ سے بی اے کرنے کے بعد وہ نہ جانے کہاں چلے گئے تھے- ابا نے بہت سر مارا مگر ان کا پتہ نہ معلوم ہوا- اماں بہت جلدی میں تھیں کہ کسی طرح آپا کی شادی کر دی جائے- انہیں خطرہ تھا کہ صفدر بھائی کا بھوت پھر کہیں سے نہ آنکلے-

ماما جب کھانا پکا چکتی تو اماں اس سے شادی کے متعلق باتیں کرتی رہتیں- ابا کو تو گھر کی کسی بات سے دلچسپی رہی نہ تھی- رات جب وہ بستر پر آتے تو کوئی کتاب اٹھا لیتے- شادی کی بات ہوتی تو ہوں ہاں کر کے ٹال دیتے-

اس دن جب اماں نے کسم دیدی سے سنا کہ ابا کے ایک دوست گرفتار کر لیے گئے ہیں تو اماں مارے دہشت کے کانپ گئیں-

"تم ہم سب کو بھیک منگوا دو گے' اگر دشمنوں کو کسی نے پکڑ لیا تو کیا ہو گا؟" رات اماں بلک کر روئیں-

ابا کچھ بے چین سے ہو کر اٹھ بیٹھے —— "میں تو تم لوگوں کی وجہ سے خود ہی کچھ نہیں کرتا، اور مجھے تو کچھ کرنا بھی نہیں آتا، بس یہ نفرت ہے جو چھپائے نہیں چھپتی۔"

اس کے بعد ماں دیر تک روتی اور بولتی رہیں مگر ابا ایک لفظ بھی نہ بولے۔

دوست کی گرفتاری کے بعد اماں کو آپا کی شادی کی فکر اور بھی بری طرح ستانے لگی۔ ایک بھائی اور بھاوج کے سوا ان کا اپنا تو کوئی بھی نہ تھا، ہاں ابا کے عزیزوں میں ڈھیروں لڑکے تھے۔ اماں نے ان دنوں اپنے بھائی کو بھی خط لکھا تھا کہ آپا کی شادی کا ٹھکانہ کریں۔ ان کے بھائی نے جواب میں لکھا تھا کہ تمہاری بھابی کہتی ہیں کہ شادی لڑکی کی پسند سے ہونی چاہئے، اس لئے آپ خاندان کے لڑکوں کو تہمینہ سے ملائیں اور وہ جسے پسند کرے شادی کردیں اور وہ کہتی ہیں کہ ہم تہمینہ کی شادی میں ضرور آئیں گے۔

یہ خط پڑھ کر اس کی تو جان پھنک گئی تھی مگر اماں سارا دن مسکراتی رہیں۔ وہ بار بار خوش ہو کر کہتی تھیں —— "لو بھلا بیچاری بھابی کو کیا خبر کہ یہاں ایسی رسمیں نہیں ہوتیں۔"

اماں یہ خط پڑھ کر خود ہی خوش ہوتی رہیں مگر ابا سے ذکر تک نہ کیا، ہاں ابا کے پیچھے پڑی رہتیں کہ تہمینہ کی شادی کا انتظام کرو۔

ابا یا تو چپ رہتے یا پھر یہ کہہ کر جان چھڑاتے کہ جہاں جی چاہے کردو۔

اماں یہ جواب سن کر لڑنے بیٹھ جاتیں —— "پھر تم یہ کہہ دو کہ باپ نہیں ہو تو میں خود ہی باہر نکل کر لڑکا ڈھونڈ لوں گی۔"

ابا ان باتوں سے بچنے کے لئے آواز دے کر آپا کو اپنے پاس بلا لیتے تو اماں کو مجبوراً" خاموش ہونا پڑتا۔

انہیں دنوں بڑی چچی کا خط آگیا۔ وہ جمیل بھیا کے لئے تہمینہ آپا کو مانگ رہی تھیں۔ اماں کو ایسے وقت میں یہی پیغام غنیمت لگا اور ابا سے پوچھ کر منظوری کا خط لکھ دیا۔

اسی دن ہولی جلی تھی۔ دوسرے دن کسم دیدی ہمارے ہاں بہت سا پکوان

لے کر آئیں اور جب آپا سے گلے ملنے لگیں تو ان کے منہ پر ڈھیر سا عبیر مل دیا پھر اس کی طرف جھپٹیں مگر وہ کسم دیدی کے ہتے نہ چڑھی۔ آپا کی رنگی ہوئی صورت دیکھ کر اماں کو بے ساختہ ہنسی آگئی شاید اس وقت وہ رنگ کھیلنے کو گناہ سمجھنا بھول گئی تھیں۔

"تم نے ہولی نہیں کھیلی کسم؟" اماں نے پوچھا تھا۔

"میں ودھوا جو ہوں موسی" —— کسم دیدی کی ہنستی ہوئی صورت لملا گئی۔

"ہوں!" اماں نے شاید پہلی بار انہیں سے دیکھا تھا۔

"جی چاہتا ہے کہ خوب رنگ کھیلوں موسی، رنگین ساری پہنوں، من کو مارنا کتنا مشکل کام ہوتا ہے، پر پتی نے تو یہ کچھ بھی نہ تھا۔" کسم دیدی پھوٹ پھوٹ کر رونے لگیں۔

"چپ رہو کسم تہوار کے دن رونا منحوس ہوتا ہے۔" اماں نے انہیں سمجھانا چاہا تو کسم دیدی نے جلدی سے آنسو پونچھ لئے اور پھر آپا سے باتیں کرنے لگیں۔

دوسرے دن دوپہر میں ماما نے آنکھیں پھاڑ پھاڑ کر اماں کو بتایا کہ کسم دیدی بھاگ گئیں، مارے حیرت کے اماں کی آنکھیں کھلی کی کھلی رہ گئیں۔

"ارے کیا سچ مچ کسم دیدی بھاگ گئیں؟" وہ خود بھی چونک کر اماں کا منہ تکنے لگی، مگر آپا کے چہرے پر ذرا بھی حیرت کے آثار نہ تھے، وہ مہندی میں پانی دے رہی تھیں، جس کی پتیاں اب ہری ہو چلی تھیں۔

"ہے، رائے صاحب کی ناک کٹ گئی، کیسے عزت والے لوگ تھے" —— ماما ماتھا پیٹ پیٹ کر باتیں کئے جا رہی تھی۔

"اب خوب ہولی کھیلے گی، رنگین ساریاں پہنے گی، اماں بادا کی ناک کٹ گئی تو کیا ہوا، ارے میں ہوتی تو بھاگنے والوں کو زندہ دفنا دیتی۔ سگی بہن نکلی سلمہ کی، توبہ! اور نہ کریں دوسری شادی، اپنے دھرم کو لے کر چاٹیں اب، بیٹی ہر وقت گاتی رہتی تھی تب کسی کو پتہ نہ چلا۔" اماں باتیں کرتے ہوئے آپا کو بڑے غور سے دیکھ رہی تھی —— "ارے اگر مجھے پتہ ہوتا تو اپنی تہمینہ کے پاس ایک منٹ کو نہ بیٹھنے

دیتی۔

"میرے پاس بیٹھنے نہ بیٹھنے سے کیا ہوتا ہے اماں؟" آپا نے شاید زندگی میں پہلی بار تلخی سے جواب دیا تھا۔

"اللہ کرے کسم دیدی اپنے گھر خوش رہیں"——وہ برابر دعائیں کئے جا رہی تھی اور اسے بار بار سلمی پھوپھی یاد آ رہی تھیں۔

چند دن تک رائے صاحب ابا کی بیٹھک میں بھی نہیں آئے اور جب آئے تو سب سے یہی کہتے رہے کہ کسم اپنی نانی کے گھر گئی ہے' روٹھ کر گئی ہے' اس لئے مارے اداسی کے کہیں نہیں آیا گیا۔

کسم دیدی کی ماتاجی نے بھی تو اماں سے یہی کہا تھا کہ "کسم روٹھ کر اپنی نانی کے گھر ہردوار چلی گئی ہے۔ جب وہ واپس آئے گی تو پھر افواہیں اڑانے والوں سے پوچھوں گی۔" مگر جب اس نے یہی بات آپا سے کہی تو ان کا چہرہ فق پڑ گیا۔ "خدا نہ کرے وہ واپس آئے۔" انہوں نے دھیرے سے کہا۔

کسم دیدی کے بھاگنے کے بعد اماں کی فکروں میں اور بھی اضافہ ہوگیا۔ وہ چاہتی تھیں کہ کسی طرح بھی آپا کو ان کے گھر کا کر دیا جائے۔ اماں سارا دن جمیل بھیا کے حسن اور لیاقت کا ذکر کرتی رہتیں۔ وہ ان باتوں کو بڑی دلچسپی سے سنتی مگر آپا کو جانے کیا ہوگیا تھا کہ ایک دم گھر کے کام میں جٹ گئی تھیں۔ سارے کمروں کا سامان الٹ کر پھر سے سجایا گیا۔

"آپا تم نے تو جمیل بھیا کو دیکھا تھا' وہ کیسے ہیں۔" اسے اپنی آپا کے ہونے والے شوہر سے سخت دلچسپی ہوتی جا رہی تھی۔

"پتہ نہیں!" آپا اس کے سوال پر ہنس پڑیں۔ وہ خاصی خوش نظر آ رہی تھیں——"عالیہ اب تم کو صفدر بھائی نہیں یاد آتے؟"

"قطعی نہیں' سخت بے مروت آدمی نکلا' جو مجھے یاد کرے میں اسے یاد کرتی ہوں۔" اس نے بڑے کھرے پن سے جواب دیا۔ "میں تو اب صرف اپنے جمیل بھیا کو یاد کرتی ہوں۔" اس نے شرارت سے آپا کو دیکھا تو وہ بڑے زور سے ہنسنے لگیں۔

"آپا اللہ کرے میرے امتحان کے بعد آپ کی شادی ہو' ورنہ سارا مزہ کرکرا ہو جائے گا۔" اس نے بڑی فکر سے کہا۔ نویں کلاس کی پڑھائی نے اس کو کس قدر سنجیدہ بنا دیا تھا۔

"میں تمہارے امتحان سے پہلے شادی کر ہی نہیں سکتی' مجھے دلہن تو تم ہی بناؤ گی۔" آپا نے اسے غور سے دیکھا اور پھر کمرے سے نکل گئیں۔

ان دنوں مہندی کی پتیوں کا رنگ کتنا گہرا سبز ہو رہا تھا۔ آپا صبح شام لوٹے بھر بھر کر پانی ڈالتیں۔ ماما انہیں بڑی شفقت سے دیکھ کر ہنستی "خوب سینچو بٹیا' یہ مہندی تمہارے ہاتھوں میں لگنی ہے۔"

آپا بڑی ڈھٹائی سے مسکراتیں۔ کیا مجال تھی جو وہ کسی کی بات پر ذرا سا شرماتیں۔ اماں کے سامنے اپنے جہیز کی تیاریوں میں مگن رہتیں۔ ایسے خوبصورت میز پوش اور تکیے کے غلاف کاڑھ رہی تھیں کہ ہاتھ چوم لینے کو جی چاہتا۔ اس سے کسی کام کو نہ کہا جاتا کیونکہ وہ تو نویں کلاس کی تعلیم کے پہاڑ کو سر کر رہی تھی۔

ان دنوں گھر کی فضا میں چاندنی کی ٹھنڈک محسوس ہوتی۔ اماں' ابا کے وجود کو اس طرح بھول گئی تھیں کہ لڑنے کا نام بھی نہ لیتیں۔ درزی اور سنار سارا دن گھر کے چکر لگاتے رہتے۔ نمونوں کی کتابوں کو دیکھ دیکھ کر اماں کی آنکھیں نہ تھکتیں اور وہ بڑے سکون سے اپنی کتابیں پڑھتی رہتی۔

پر ہائے یہ سکون کتنا عارضی تھا۔ ایک دن صبح صبح ماما نے آکر بتایا کہ اپنی تہمینہ بٹیا کی سہیلی گسم واپس آگئی ہے۔

"چل جھوٹی!" اماں مارے حیرت کے چیخ پڑیں۔

"اللہ قسم بی بی جی وہ واپس آگئی ہے۔ میری نند نے خود اسے دیکھا ہے۔ اس کے ساتھ ایک آدمی بھی ہے' مکان لے رکھا ہے کرائے پر۔"

"ہے اتنی بے شرمی' ایک تو بھاگی اور پھر ماں باپ کے سینے پر مونگ دلنے یہیں آگئی' ارے اسے رہنے کو کوئی اور جگہ نہ جڑی تھی۔ اگر اس نے میرے گھر کا رخ کیا تو ٹانگیں چیر کر پھینک دوں گی۔" اماں نے آپا کی طرف دیکھ کر کہا اور آپا کا چہرہ ہلدی کی طرح زرد ہوگیا۔ وہ میز پوش چھوڑ کر اٹھیں ——— اور جلدی سے

اپنے کمرے میں چلی گئیں۔

جب وہ ان کے پاس گئی تو آپا بڑی بے چینی سے ہاتھ مل رہی تھیں۔

"اری عالیہ' وہ یہاں کیوں آ گئی۔ یہاں تو سب اسے ذلیل کریں گے۔ وہ بے وقوف اسے یہاں کیوں لے آیا؟"

"شاید وہ اپنے ماں باپ سے ملنے آئی ہوں' چھ مہینے بھی تو ہو گئے۔ شاید وہ معافی مانگنا چاہتی ہوں۔" اس نے کہا۔

"اری بے وقوف!" آپا کچھ سوچنے لگیں۔

"جانے کسم دیدی کس گھر میں ہوں گی' کیسے ملوں ان سے جو اماں کو بھی پتہ نہ چلے۔" اس کا جی چاہ رہا تھا کہ کسی طرح کسم دیدی سے مل لے۔

"تم ان سے نہ ملنا ورنہ اماں مار ہی ڈالیں گی۔" آپا نے ہدایت کی مگر وہ برابر یہی سوچ رہی تھی کہ اگر مکان معلوم ہو جائے تو اسکول جاتے ہوئے ضرور ملے گی۔

اس رات آپا سخت بے چین رہیں۔ رائے صاحب کے گھر میں ایسا سناٹا تھا کہ کسی کے بولنے کی آواز نہ آتی۔ آپا شاید ساری رات نہ سوئی تھیں۔ صبح ان کی آنکھیں سرخ ہو رہی تھیں۔

ماما کام کرنے آئی تو اس نے پھر بے حد اہم خبر سنائی کہ وہ آدمی راتوں رات کسم دیدی کو چھوڑ کر چلا گیا۔ باقی رات کسم دیدی روتی رہیں۔ آس پاس کے سارے لوگ جمع ہو گئے۔ ماں باپ سے ملانے کے بہانے اور معافی دلانے کے لئے لایا تھا۔ رائے صاحب نے ملنے سے انکار کر دیا تھا مگر ان کی بیوی آج صبح منہ اندھیرے کسم کے گھر گئی تھیں۔

"یہی سزا ہوتی ہے ایسی حرافاؤں کی' بہت اچھا ہوا جو چھوڑ کر چلا گیا' لو بھلا گھر سے بھاگ کر بیوی بننے کے خواب دیکھ رہی تھی۔ کر لئے مزے اب بھگتے۔" اماں زہر میں بجھی ہوئی باتیں کر رہی تھیں اور آپا پر جیسے سکتہ طاری ہو گیا تھا۔

"میں ابا سے کہوں گی کہ رائے صاحب کو سمجھائیں' وہ کسم دیدی کو گھر لے آئیں' ہائے وہ اکیلے کیا کریں گی۔" اس نے بڑے جوش سے کہا تھا۔ اس مرد کی

طرف سے اسے کیسی سخت نفرت محسوس ہو رہی تھی۔ یہاں لا کر اس نے کون سا کارنامہ انجام دیا۔ وہیں کہیں دیارِ غیر میں چھوڑ کر بھاگ جاتا تاکہ وہ سر پٹک پٹک کر مر جاتیں، یہ اپنوں کی ذلت تو نہ نصیب ہوتی۔

"کیا کہو گی تم اپنے ابا سے، یہی ناکہ بھاگی ہوئی بیٹی کو گھر بٹھا لیں، شرم نہیں آئے گی تم کو ایسی باتیں کرتے؟" اماں نے سخت غصے سے پوچھا تھا۔

"ہاں یہی کہوں گی!" وہ اماں کے سامنے سے ہٹ گئی۔

شام کو جب ابا دفتر سے آئے تو وہ ان کے سامنے جا کر کھڑی ہو گئی ——

"ابا کسم دیدی اکیلے گھر میں رو رہی ہیں، رائے صاحب کو سمجھایئے وہ اسے لے آئیں، کوئی انہیں چھوڑ کر بھاگ گیا۔"

"مجھے سب معلوم ہے میں تمہارے کہنے سے پہلے ہی رائے صاحب کو سمجھاتا، بڑی سمجھ دار ہے میری بیٹی۔" ابا نے اس کے سر پر ہاتھ پھیرا اور مسکرانے لگے۔

"اسے کیا ضرورت ہے کہ ایسی بے شرمی کی باتوں میں حصہ لے؟" اماں غصے سے بے تاب ہو رہی تھیں۔

"کیوں نہ حصہ لے، مشن اسکول میں پڑھاتی ہو اور بولنے تک کا حق نہیں دیتیں۔"

"صاف بات کیوں نہیں کرتے کہ انگریز بے شرم ہوتے ہیں؟" اماں لڑنے پر تل گئیں تو ابا جلدی سے بیٹھک میں چلے گئے۔

"رات ابا نے چپکے سے بتایا کہ رائے صاحب نے بات مان لی ہے، وہ کسم کو گھر لے آئیں گے اور شاید لے بھی آئے ہوں۔"

ابا کے اس سلوک پر وہ کتنی خوش ہوئی تھی، اس دن اسے اپنی اہمیت کا اندازہ ہوا تھا۔ پھر بھی وہ باوجود کوشش کے کسم دیدی سے ملنے نہ جا سکی۔

وہ رات کتنی لمبی ہو گئی تھی۔ اسے نیند نہ آ رہی تھی۔ کب صبح ہو اور وہ اسکول جاتے ہوئے کسم دیدی سے ملے۔ آوارہ کتوں نے بھونک کر رات کو اور بھی ویران کر دیا تھا۔

اسکول جانے سے پہلے وہ کسم دیدی کے گھر پہنچ گئی۔ ماں جی رسوئی میں تھیں۔ رائے صاحب آرام کرسی پر آنکھیں بند کیے لیٹے تھے۔ انہوں نے انگلی کے اشارے سے بتایا کہ کسم ادھر ہے۔

وہ کمرے میں گئی مگر کسم دیدی وہاں نہ تھیں۔ کوٹھڑی میں جھانکی' وہاں وہ کھرے پلنگ پر گڑی مڑی پڑی ہوئی تھیں۔ اسے دیکھ کر وہ جھجک گئیں تو وہ خود ہی آگے بڑھ کر ان سے لپٹ گئی۔

"بہت یاد آتی تھیں کسم دیدی۔" اس نے غور سے انہیں دیکھا۔ فصل کٹ چکی تھی' کھیت ویران پڑا تھا۔

اس نے ہاتھ پکڑ کر انہیں اٹھانا چاہا——"یہاں اندھیری کوٹھڑی میں کیوں گھسی ہیں باہر چل کر بیٹھئے نا۔"

"وہاں بیٹھوں تو سب لوگ مجھے دیکھنے آتے ہیں۔ ماں جی نے کہا کہ چھپ کر بیٹھو۔ پھر پتا جی میری صورت دیکھ کر دکھی ہوتے ہیں' میں بدنام ہو گئی ہوں نا۔ تہمینہ کیسی ہے؟"

"گھر چل کر دیکھ لو دیدی۔"

"اب میں کہیں نہیں جاسکتی۔" ان کی آنکھوں کی ویرانیاں رو رہی تھیں۔

"میں اپنی دیدی کو خود لے جاؤں گی۔"

اسکول کا وقت قریب تھا اس لئے وہ شام کو آنے کا وعدہ کر کے چلی گئی۔ راستے بھر وہ کسم دیدی کے عاشق کو کوستی رہی تھی۔

جب گھر آئی تو آپا نے اسے پکڑ لیا اور کسم دیدی کے لئے اکٹھے بہت سے سوال کر ڈالے مگر وہ کیا بتاتی۔ کسم دیدی سے تو کوئی بات ہی نہ ہوئی تھی۔

"ان سے جا کر مل لو نا آپا۔"

"اب اگر ان سے ملی تو لوگ انگلیاں اٹھائیں گے' وہ بدمعاش جو مشہور ہو گئیں۔"

"مگر لوگ اس آدمی کو برا کیوں نہیں کہتے جو انہیں چھوڑ کر بھاگ گیا؟"

"بس نہیں کہتے' لڑکی ہی کو برا سمجھتے ہیں' تم بھی اب بڑی ہو گئی ہو' ان کے

گھر نہ جانا ورنہ لوگ انگلیاں اٹھائیں گے۔"

اس شام اس نے پہلی بار محسوس کیا کہ اس کی عجیب سی کیفیت ہو رہی ہے۔ عشق اور عاشقی کے الجھے الجھے سے خیالات اسے چکرائے دیتے تھے۔ یہ عشق و محبت کیا ہے جس کے لئے انسان بڑے سے بڑا گھاٹا اٹھا لیتا ہے' آخر کیوں' کس لئے——اس کی سمجھ میں کچھ بھی نہ آ رہا تھا۔

سوچتے سوچتے وہ تھک گئی تھی۔ اس نے سب سے پہلے کھانا کھا لیا اور اپنے بستر پر لیٹ کر کورس کی کتابوں سے الجھنے لگی۔ پھر اسے پتہ بھی نہ چلا کہ کس وقت سو گئی۔

سوتے سوتے ایک بار اس کی آنکھ کھل گئی۔ باہر سے کتوں کے بھونکنے اور رونے کی آوازیں آ رہی تھیں۔ رات سچ مچ منحوس ہو رہی تھی۔ اچانک اس کی نظر سامنے اٹھ گئی۔ چاندنی میں رائے صاحب کی چھت کا کمرہ صاف نظر آ رہا تھا اور اس میں دیئے کی روشنی ادھر ادھر پھر رہی تھی۔ پھر اسے کوئی نظر آیا جو سر سے پاؤں تک سفید کپڑوں میں لپٹا ہوا تھا۔ اس نے مارے خوف کے آنکھیں بند کر لیں۔ اس کمرے میں تو کوئی بھی نہ رہتا تھا۔ خود کسم دیدی نے اسے بتایا تھا کہ جب سے دادا جی اس کمرے میں مرے ہیں' تب سے یہ بند پڑا ہے۔ وہاں جاتے ہوئے سب لوگ ڈرتے ہیں۔

اس نے ڈر کر سوچا کہ شاید کسم دیدی کے دادا کی روح آ گئی ہو مگر پھر اسے یاد آیا کہ ہندوؤں کے گھروں میں بھوت آتے ہیں۔ اس نے ڈر کر آپا کو پکارا لیکن وہ کروٹ لے کر پھر سو گئیں۔

ذرا دیر بعد روشنی بجھ گئی اور سایہ غائب ہو گیا' تو اس نے اطمینان کی سانس لی۔ صبح سب لوگ چائے پی رہے تھے کہ رائے صاحب کے گھر سے رونے پیٹنے کی آواز آنے لگی۔

"میں جانوں وہ کسم پھر بھاگ گئی۔" ماما بڑے چاؤ سے باہر بھاگی' ساتھ ہی ابا بھی باہر لپکے۔

"چلو فرصت ہوئی' کسم تالاب میں جا ڈوبی' پتہ نہیں چلا کہ رات کس وقت

گھر سے نکل گئی"—— ابا چند منٹ بعد واپس آ کر جیسے کرسی پر گرے پڑے —— سارا دن، لوگ اسے دیکھنے اور معلومات حاصل کرنے آتے رہے۔ شاید وہ دیکھنا چاہتے تھے کہ بھاگنے والی کے سر پر سینگ تو نہیں نکل آئے ہیں۔ "میرے کپڑے لاؤ، مجھے رائے صاحب کے گھر جانا ہے۔"

اماں بالکل دم بخود تھیں۔ آپا رو رہی تھیں اور وہ ابا کے کاندھے پر سر رکھے سر سے پاؤں تک لرز رہی تھی۔ ابا اس کا سر سہلا رہے تھے، اسے تھپک رہے تھے مگر اسے جانے کیا ہو گیا تھا کہ رویا بھی نہ جاتا تھا۔

کسم دیدی کھاٹ پر ڈال کر گھر لائی جا چکی تھیں۔ عورتوں کے ہجوم کو چیر کر جب اس نے ان کے کھلے چہرے کو دیکھا تو چیخ پڑی۔ سوجا ہوا نیلا چہرہ جذبات سے خالی تھا۔ سب ان کو دیکھ رہے تھے مگر انہوں نے سب کو دیکھنے سے انکار کر دیا تھا۔ ان کے ہونٹ عجیب انداز سے کھلے ہوئے تھے جیسے "کون گلی گیو شیام" کے بول ہمیشہ کے لئے ٹوٹ گئے ہوں۔ کھاٹ سے لٹکی ہوئی سفید ساری کے پلو سے پانی کی آخری بوند بھی ٹپک کر کچے صحن میں جذب ہو چکی تھی۔

اکتوبر کا مہینہ تھا۔ ہلکی ہلکی سردی پڑنی شروع ہو گئی تھیں۔ دلائیاں اوڑھ اوڑھ کر سب لوگ اندر سونے لگے تھے۔ سردیوں میں اسے کیسے مزے کی نیند آتی مگر آپا کو جانے کیا ہو گیا تھا کہ رات کا زیادہ حصہ جاگ کر گزار دیتیں۔ ان کی صحت خراب ہو رہی تھی۔ رنگ مدھم پڑ گیا تھا اور چہرے پر خشکی دوڑ گئی تھی۔ اماں ان کی غذا کا خاص طریقے سے خیال رکھتیں۔ صبح چائے کے بجائے باداموں کا حریرہ پلایا جاتا۔

آپا کا جہیز سل گیا تھا اور اماں بے چین تھیں کہ کسی طرح شادی کی تاریخ مقرر ہو جائے۔ ادھر بڑی چچی کے خط پر خط آ رہے تھے کہ جلدی سے تاریخ مقرر کرا دی جائے مگر ابا ڈھیل دیئے جاتے کہ تہمینہ کی صحت ٹھیک ہو گی جب دیکھیں گے۔

ایک بار بڑی چچی کا خط آیا تو اس میں جمیل بھیا کی تصویر تھی۔ وہ تصویر لے کر آپا کے پاس گئی تو انہوں نے منہ پھیر لیا۔

"انسان صرف ایک ہی بار کسی کا بنتا ہے" ——— انہوں نے غصے سے کہا پھر ایک دم ہنس دیں ——— "اب اکٹھے ہی دیکھ لیں گے۔" ان کی ہنسی میں کتنی بے بسی تھی۔

"کیا آپ کو صفدر بھائی یاد آتے ہیں اپا؟" اس نے گھبرا کر پوچھا تھا۔

"توبہ! کیوں یاد آنے لگے۔" آپا نے سرہانے رکھی ہوئی کتاب اٹھالی۔

ابا دفتر سے آئے تو بہت رنجیدہ نظر آ رہے تھے۔ ماما نے میز پر چائے کا سامان لگا دیا مگر ابا اسی طرح آرام کرسی پر لیٹے رہے۔

"کیا آج چائے نہیں پیو گے، ٹھنڈی ہو رہی ہے۔ پھر آج تم کوئی اچھا سا

دن دیکھ کر شادی کی تاریخ بھی مقرر کردو' تمہاری بھابی کے خط پر خط آ رہے ہیں۔" اماں نے اپنی کرسی ابا کے قریب کھسکالی۔

"تمہاری وجہ سے وہ اس گھر کو چھوڑ گیا' وہ غلط قسم کی پارٹی کے ساتھ ہو گیا اس نے اپنے آپ کو تباہ کرلیا ہے۔ اس کی تباہی کی ذمہ دار تم ہو۔"

آپا کا چہرہ فق پڑ گیا۔ سب سمجھ گئے تھے کہ ابا کس کی بات کر رہے ہیں۔

"کس کم بخت کو تباہ کیا ہے میں نے؟" اماں بنیں۔

"صفدر کی بات کر رہا ہوں' اب آیا عقل میں؟" ابا نے تڑ سے جواب دیا۔

"ہائے وہ اس گھر سے جا کر بھی نہیں گیا' وہ یہاں سے کبھی نہیں جائے گا۔" اماں نے رونے کا حربہ استعمال کر دیا۔

"تم اطمینان رکھو' اب وہ کبھی نہ آئے گا۔" ابا نے آہستہ سے کہا اور چائے پئے بغیر بیٹھک میں چلے گئے۔

جب وہ ابا کے لئے چائے لے کر بیٹھک میں گئی تو وہ آنکھیں بند کئے تخت پر لیٹے تھے۔ اسے دیکھ کر اٹھ گئے اور مسکرانے لگے——"تمہاری ماں کو میں کیسے سمجھاؤں' انہوں نے تمہارے بھائی کو تباہ کر دیا ہے۔ کلکتے سے اس کا ایک دوست آیا ہے' اس نے یہ سب کچھ بتایا ہے' تمہارا بھائی تم کو بے حد پوچھ رہا تھا۔"

"ابا وہ کون سی پارٹی ہے؟"

"بیٹا وہ دہریوں کی پارٹی ہے۔" ابا نے ٹھنڈی سانس بھری——میں تو اسی کو اپنا بیٹا سمجھتا تھا۔"

وہ کب کسی کو باپ سمجھتے تھے۔ جا کے ایک خط بھی نہ لکھا' کسی کی محبت کی قدر نہ کی۔ ابا خواہ مخواہ ان کے پیچھے دیوانے ہو رہے ہیں' اس نے دل ہی دل میں سوچا مگر ابا سے کچھ نہ کہہ سکی۔

"تمہاری پڑھائی کا کیا حال ہے؟"

"ٹھیک ہے ابا!"

"تم انگریزوں کے مذہب سے تو متاثر نہیں ہو؟"

"توبہ توبہ!"

"شاباش تم بڑی سمجھ دار ہو' میری ساری امیدیں تم سے وابستہ ہیں' تم کو پتہ ہے نا کہ مجھے ان بے ایمان تاجروں سے نفرت ہے' انھوں نے ہمیں غلام بنا لیا ہے۔"

"مجھے بھی نفرت ہے ابا!" اس نے ابا کو خوش کرنے کے لیے کہا تھا۔

ابا نے تپائی پر پیالی رکھتے ہوئے اس کی طرف دیکھا۔ ان کی آنکھیں خوشی سے چمک رہی تھیں اور وہ سوچ رہی تھی کہ ابا آخر سارے انگریزوں سے کیوں نفرت کرتے ہیں۔ خود اس کے اسکول کی نگران کتنی اچھی اور پیاری ہیں' وہ آخر کب ملک پر حکومت کر رہی ہیں۔

"انشاء اللہ ایک دن یہ سب اپنے ملک واپس چلے جائیں گے' میں تم لوگوں کے خیال سے کچھ نہیں کر سکتا مگر اتنا بڑا ملک تو پڑا ہے نا؟"

"جی ہاں بہت بڑا ملک ہے!" اس نے کس قدر احمقوں کی طرح کہا تھا کہ ابا بھی مسکرا پڑے۔

جانے کس نے دروازہ کھٹکھٹایا تو وہ کشتی اٹھا کر جلدی سے اندر آگئی۔

"مجھے سب معلوم ہے کہ وہ اپنے آپ کو کیوں تباہ کر رہے ہیں؟" رات کو آپا نے اس سے سرگوشیوں میں کہا تھا مگر وہ چپ رہی' کسم دیدی ڈوب مری' پھر بھی آپا کو صفدر بھائی یاد آتے ہیں' اس نے بڑی نفرت سے سوچا۔

اماں برآمدے میں بیٹھی بڑی چچی کے خط کا جواب لکھ رہی تھیں۔ ابا جب کھانا کھانے آئے تو اماں نے جیسے اعلان کیا۔ "میں نے تمھاری بھاوج کو عید کی دس تاریخ لکھ دی ہے۔"

ابا چپ رہے' انھوں نے کوئی جواب نہ دیا۔ لالٹین کی پیلی پیلی روشنی میں وہ کس قدر دکھی نظر آ رہے تھے۔

شادی کی تاریخ قریب آتی جا رہی تھی۔ اماں کی مصروفیت بڑھ گئی تھی۔ بارہ ایک بجے کے قریب چپراسی کی بیوی برقع اوڑھ کر آ جاتی اور چاولوں کے دھان صاف کرنے لگتی۔ ادھر سیروں خشک میوے کاٹنے کو پڑے تھے۔ اماں اس سے کام لیتے ہوئے کس قدر بے رحم نظر آتی تھیں۔ سارے دن کی تھکی ہاری چپراسی کی بیوی جب شام کو اپنے گھر جانے کے لئے اٹھتی تو لڑکھڑا جاتی۔

جنوری کے آخری دن تھے۔ ایک روز پہلے بارش کے ساتھ اولے پڑے تھے۔ رات اس قدر سرد ہو گئی تھی کہ لگتا برف کی سل پر بیٹھے ہیں۔ مندروں سے آتی ہوئی گھنٹوں کی صدائیں جیسے ٹھٹھر کر رہ گئی تھیں۔

بڑی دیر تک باتیں کرنے کے بعد آپا نے اس کی طرف سے کروٹ لے لی تھی۔ وہ سونے ہی والی تھی کہ آپا نے پھر باتیں شروع کر دیں۔ جانے ان کی نیند کو کیا ہو گیا تھا۔

"ایسا لگتا ہے کہ مسافروں کی طرح بیٹھی ہوں۔" انہوں نے بڑے کھوئے ہوئے انداز میں کہا۔

"مسافر تو ہیں ہی، کچھ دن بعد دلہن بن کر چلی جائیں، دلہن بن کر آپ کیسی خوب صورت لگیں گی۔"

"اور میرے ہاتھ ہیں نا خوب صورت؟" —— آپا نے اپنے ننھے ننھے ہاتھ لحاف سے نکال کر لہرائے —— "ان میں مہندی رچے گی، اسی دن کے لئے تو میں نے مہندی کے ذرا سے پودے کو سینچا تھا، اب وہ کتنا بڑا ہو گیا ہے، جی چاہتا ہے کہ اس کے سائے میں پڑ کر سو رہوں۔ یہ مہندی بھی کیسی عجیب چیز ہوتی ہے، اس سے سہاگ کی مہک آتی ہے، محبت کی ٹھنڈک محسوس ہوتی ہے اور یہ بات بھی ہے کہ

اُس کی سرخی سے تمناؤں کے خون کا پتہ چلتا ہے۔"

"اونہہ! آپ بھی کیسی باتیں کرتی ہیں آپا" —— اس نے الجھ کر آپا کی طرف دیکھا، اس وقت اسے خیال آیا تھا کہ اماں ٹھیک ہی تو کہتی ہیں کہ صفدر بھائی نے الم غلم کتابیں دے دے کر آپا کو تباہ کر دیا ہے۔

"میں کیسی باتیں کرتی ہوں" —— وہ مسکرائیں —— "باتیں ہی تو سب کچھ ہوتی ہیں، انہیں باتوں نے مجھے مسافر بنا دیا اور یہی باتیں میرے سفر کو ختم کر سکتی ہیں۔

"آپا آپ کو صفدر بھائی یاد آتے ہیں، سچ بتایئے؟"

"کون صفدر بھائی، اری بے وقوف، تیرے پاس تو عقل نام کو نہیں" —— آپا نے ہنستے ہوئے اس کے ہاتھ پر ہاتھ مارا —— "چلو اب سو جائیں، اتنی رات ہو گئی۔"

شادی میں صرف چند دن رہ گئے تھے۔ اماں سخت مصروف اور خوش تھیں۔ کسی کسی وقت انہیں یہ فکر بھی ستانے لگتی کہ ان کے بھائی اور بھاوج نے ہفتے پہلے پہنچنے کو لکھا تھا مگر کسی وجہ سے نہ پہنچ سکے۔ وہ برابر ان کا ذکر کرتی رہتیں —— "اس ملک کی بدلتی ہوئی رتیں بھی تو بھابی کی طبیعت کو راس نہیں آتیں۔ ذرا میں انہیں زکام ہو جاتا ہے، معدہ الگ خراب رہتا ہے۔ کہیں نہ کہیں دعوت میں اس غریب کو مرچیں کھانی پڑ جاتی ہیں۔ بھلا مرچ بھی کھانے کی چیز ہے؟" اماں آپا سے جواب چاہتیں مگر وہ خاموش رہتیں۔

آپا نے اپنے کمرے سے نکلنا چھوڑ دیا تھا۔ ابا گھر میں آتے تو اپنے کمرے کے دروازے بھیڑ لیتیں۔ اماں کو ان کی اس شرمانے والی ادا پر بڑا پیار آتا۔ وہ بڑے فخر سے کہتیں کہ شرم ہو تو ایسی ہو۔

اس نے آپا کے چہرے پر شرم و حیا تلاش کرنے کی لاکھ کوشش کی پر رتی بھر بھی نہ ملی۔ آپا کو تو جب شرم آتی تو جاپانی گڑیا کی طرح گلابی پڑ جاتیں، مگر وہ تو بالکل سفید ہو رہی تھیں، ان کی آنکھوں میں ایسی گہرائی تھی، ایسا اندھیرا تھا کہ ان کی طرف دیکھ کر لگتا کنویں میں جھانک رہے ہوں۔

بارات آنے میں جب سات دن رہ گئے تو آپا کو نہلا دھلا کر اور پیلے کپڑے پہنا کر مانجھے بٹھا دیا گیا۔

رات میراثیں اور ڈومنیاں ڈھول لے کر آ گئیں اور برآمدے میں بچھی ہوئی دری پر بیٹھ کر قسم قسم کی آوازوں میں گانے لگیں۔ کتنا ارمان' کتنی آرزوئیں تھیں ان گانوں میں' جو کچھ کنواری زندگی میں نصیب نہ ہوا تھا اسے پا لینے کی تمنا میں گیت کا ایک ایک بول ہاتھ پھیلائے ہوئے تھا۔

گیت ہوتے رہے اور آپا پیلے دوپٹے کی اوٹ سے آنسو پونچھتی رہیں۔ ابا کے دوستوں کی بیویاں ایک ایک گیت کو دو دو بار سننے کی فرمائش کرتیں مگر گانے والیوں کے گلے نہ تھکتے۔ دری پر وقفے وقفے سے دو دو چار چار آنے داد کے طور پر گرتے رہے۔

رات دیر تک جاگنے کی وجہ سے اماں دوپہر میں تھک کر گہری نیند سو رہی تھیں' ماما بہت دنوں بعد دو گھنٹے کی چھٹی لے کر اپنے گھر چلی گئی تھی۔ آپا لیٹی تھیں مگر انہیں نیند نہ آ رہی تھی۔ وہ بار بار کروٹیں بدلتیں۔ سامنے صحن کی نیچی دیوار پر کوا بیٹھا ایک ساں بولے جا رہا تھا۔ اس کی آواز سے دوپہر کا سناٹا اور بھی گہرا ہو گیا تھا۔

"مہمان آنے والے ہیں' اس لئے کوا بول رہا ہے۔" اس نے خوش ہو کر آپا سے کہا۔

"اور مہمان جانے والے بھی تو ہیں۔" آپا بڑی مدت بعد خوش اور مطمئن نظر آ رہی تھیں مگر پھر ایک دم کچھ سوچ کر اٹھ بیٹھیں——"عالیہ تم کو کیا پتہ' میری اتنی عمر کچھوے کی طرح رینگ رینگ کر گزری ہے"——ان کا چہرہ سرخ پڑ گیا۔

"تم مجھ سے بہت اچھی رہیں' میری حیثیت تو ایسی رہی جیسے کوٹھری میں کوئی کباڑ ڈال کر بھول جائے' اماں——" اس کے ہونٹ کانپنے لگے۔

"اماں مجھے بھی تو ڈانٹتی ہیں مگر میں تو خوش رہتی ہوں۔"

"انہوں نے تو سب کچھ صفدر بھائی کی دشمنی میں کیا' انہیں مجھ سے خطرہ تھا

نا۔"

"مگر اب تو آپ آزاد ہو جائیں گی' صفدر بھائی اب آپ کی زندگی تلخ کرنے نہ آئیں گے۔ خدا سمجھے ان سے بھی۔"

"ارے کو سوتو نہیں!" وہ ننگے پاؤں باہر پانی پینے چلی گئیں۔

جب وہ پانی پی کر آئیں تو ان کی پلکیں بھیگی ہوئی تھیں۔ انہوں نے لیٹتے ہی آنکھیں بند کر لیں۔

حد ہے' آپا اب تک اس کمینے کے لئے سوچتی ہیں' کسم دیدی کا انجام دیکھنے کے بعد بھی عقل ٹھکانے نہ آئی۔

وہ سونے کی کوشش کر رہی تھی کہ چپراسی ڈاک لے کر آ گیا۔ آپا بھی اٹھ گئیں۔ اس نے خط الٹ کر دیکھا' اماں کے نام تھا اور ایک کونے میں صفدر لکھا تھا۔ آپا نے تڑپ کر خط کھول لیا اور پڑھنے کے بعد اس کی طرف بڑھا دیا۔ پڑھ کر وہ مارے خوف کے لرزنے لگی تھی۔ "چچی' تہمینہ کی شادی مبارک ہو' آپ اسے کسی کا بھی بنا دیں پھر بھی وہ میری رہے گی۔ وہ صرف میری ہے"——

آپا کے چہرے پر ایسا سکون تھا جیسے دنیا جہان کی دولت مل گئی ہو' اس نے جلدی سے خط پھاڑ کر اس کی کرچیاں چولھے میں ڈال دیں۔ دوسرا خط ماموں کا تھا جو اس نے احتیاط سے سرہانے رکھ لیا۔

"بھیا ہم تو سوتے ہیں' سخت نیند آ رہی ہے۔" آپا بڑی چالاکی سے سوتی بن گئیں مگر وہ صفدر بھائی کو دل ہی دل میں گالیاں دے رہی تھی۔ اگر یہ خط اماں کو مل جاتا تو پھر کیا ہوتا؟ اس خیال ہی سے اس کا دل ڈوبنے لگتا۔

"آپا کتنے کمینے ہیں صفدر بھائی!" اس نے آپا کو ہلایا۔

"اور نہیں تو کیا ہے' خدا کے لئے اماں سے ذکر نہ کرنا ورنہ جانے کیا ہوگا" ——انہوں نے دھیرے سے کہا۔

رات کھانے پینے کے بعد دالان میں دری بچھا دی گئی۔ ماما نے ڈھول کس کر بیچ میں لڑھکا دی اور مانگے کا گیس کا ہنڈا دالان کے درمیان لٹکا دیا' ذرا دیر بعد مہمان آنے لگے۔

رات گیارہ بجے کے بعد جب میرا ثنیں گا بجا کر چلی گئیں تو آپا ہولے ہولے کمرے سے نکل کر دالان میں آگئیں۔ شکنیں پڑی ہوئی دری پر لڑھکی ہوئی ڈھول بڑی سونی معلوم ہو رہی تھی۔ ماما کرسیاں اٹھا اٹھا کر کمرے میں رکھ رہی تھی اور ساتھ ہی جانے کیا تلاش کئے جا رہی تھی——"ہائے جانے کہاں گئی ہلتی ہی نہیں' ناس جائے اس یاد کا۔"

"عالیہ بٹو' سنو جب میں چلی جاؤں اور تم کو کبھی صفدر ملیں تو میرا ایک پیغام کہہ دینا' کہہ دو گی نا؟" بستر پر لیٹتے ہی آپا نے بڑی بیچارگی سے کہا۔

"کیا آپا؟" آپا کو عجیب سی حالت میں دیکھ کر اس کا دل ٹوٹ گیا تھا۔

"یہی کہ میں ان کو کبھی نہیں بھولی اور بس۔"

"اب سو جائیے آپا۔"

باہر کتوں کے بھونکنے کی آواز آ رہی تھی۔ وہ جانے کس وقت سو گئی۔

صبح جب اس کی آنکھ کھلی تو آپا بے خبر سوئی ہوئی تھیں۔ وہ اسکول جانے کے لئے تیار ہوتی رہی مگر آپا نہ اٹھی۔ جب سب لوگ چائے پینے کے لئے اٹھے تو اماں نے ماما کو بھیجا کہ آپا کو جگا کر چائے دے دے۔

ماما کی چیخ کی آواز سن کر ابا اور اماں آپا کے کمرے کی طرف بھاگے۔ ماما سینے پر دوہتڑ مار مار کر کہہ رہی تھی —— "تہمینہ بٹیا نہیں رہیں۔"

"کہاں گئیں' کہاں چلی گئیں۔" وہ مارے خوف کے کانپنے لگی۔ وہ جانے کیسے کمرے تک گئی جہاں ابا بے ہوش اماں کو تھامے کھڑے تھے مگر ایسا محسوس ہو رہا تھا کہ وہ بھی گر پڑیں گے۔

آپا سچ مچ نہیں رہی تھیں۔ ان کے مہندی رچے ہاتھ بڑی بے بسی سے پھیلے ہوئے تھے اور ہونٹ اس طرح سیاہ ہو رہے تھے جیسے کسی نے مسی لگا دی ہو۔

اماں ہوش میں آتے ہی پچھاڑیں کھا رہی تھیں۔ ابا بچوں کی طرح رو رہے تھے اور وہ آپا کے ٹھنڈے جسم سے لپٹی بلک رہی تھی۔

ابا نے جلدی سے آنسو پونچھ لئے —— "ہمیشہ سے دل کمزور تھا' اس لئے دل کی حرکت بند ہو گئی ہے' ماما تم جا کر پانی گرم کرنے کا انتظام کرو' اللہ کو یہی منظور تھا۔" ابا کی آواز کانپ رہی تھی۔

ماما کے باہر جاتے ہی ابا نے اماں سے سرگوشی کی —— "تم ہمت سے کام لو' ہم مصیبت میں پھنس گئے ہیں' میت کو جلدی سے اٹھانا ہے۔" اماں کو چھوڑ کر انہوں نے اسے لپٹا لیا اور دوسرے کمرے میں لے گئے۔ "تم تو بڑی سمجھدار ہو' تم یہیں بیٹھو۔"

ابا اسے اکیلے کمرے میں چھوڑ کر چلے گئے مگر اس وقت تو ابا کا حکم ماننا اس

کے بس میں نہ تھا' وہ جا کر دروازے کی اوٹ میں کھڑی ہو گئی۔ ابا اماں کو سمجھا رہے تھے۔ ان کے ہاتھ میں کاغذ کا ایک پرزہ تھا جسے انہوں نے ماچس سے جلا دیا اور پھر اماں کو تھام کر دالان میں لے آئے۔

ماما نے پتیلے میں پانی چڑھا کر اس وقت صبح ہی صبح دری بچھا دی' پر ڈھول کس کر نہ ڈالی۔ ابا کے دوستوں کی بیویاں آ رہی تھیں پر کوئی دری پر پیسے نہ پھینک رہا تھا' سب رو رہی تھیں اور ان کے بیچ میں بیٹھی ہوئی اماں کو بار بار غش آ رہا تھا۔

آپا کو جلدی جلدی نہلا دھلا کر رخصت کر دیا گیا۔ اماں پاگلوں کی طرح ان کے پیچھے بھاگ رہی تھیں۔

"ارے بٹیا' بڑی بٹیا رخصت ہو گئیں تم گاوَنا' کاہے کو بیاہی بدیس لکھیا بابل مورے۔"

ماما کی بات پر جیسے کہرام مچ گیا۔ وہ آپا کے کمرے میں بھاگ گئی تھی اور زمین پر بیٹھ کر دل کی بھڑاس نکال رہی تھی۔ جلے ہوئے کاغذ کے ٹکڑے ادھر ادھر اڑتے پھر رہے تھے۔

"ہائے کیسی ارمانوں بھری چلی گئی"——ماما بولائی ہوئی کمرے میں آئی اور ادھر ادھر کچھ تلاش کرنے لگی——"کل سے افیم کی ڈبیا کھوئی تو پھر نہ ملی' ایک ذرا سی کھا لیتی تو دل ٹھہر جاتا۔"

بڑے چچا' بڑی چچی اور ماموں آئے' دو دن رہے پھر سب رو پیٹ کر چلے گئے۔ ماموں کی انگریز بیوی نہ آسکی تھی کیونکہ ان دنوں وہ ماں بننے والی تھی اور جمیل بھیا بھی تو نہ آئے تھے۔ ذرا اپنی ہونے والی دلہن کی تربت ہی دیکھ لیتے۔

اس قصے کے بعد اماں کیسی چپ اور گھٹی گھٹی رہتیں' اس کے بعد تو صرف وہی ان کی محبت کا مرکز رہ گئی تھی۔ ہر وقت نظروں میں رکھتیں' ذرا دیر کو پاس سے ہٹتی تو اماں کو اختلاج کے دورے پڑنے لگتے۔

ابا اماں سے کتنے دور ہو گئے تھے۔ دفتر سے آکر بیٹھک ہی میں ہاتھ منہ دھوتے' وہیں چائے پیتے اور کھانا کھا کر رات کے گیارہ بارہ بجے تک دوستوں کے جمگھٹ میں بحث و مباحثہ کرتے۔ رات جب سب سو جاتے تو چپکے سے آکر اپنے بستر پر دبک جاتے۔ آپا کے مرنے کے بعد سناٹا ہر طرف ڈراتا پھرتا اور کوئی بھی نظر نہ آتا جو اس سناٹے کو توڑ دے۔

صفدر بھائی کی پھر کوئی خبر نہ لگی۔ انہیں زمین نگل گئی یا آسمان۔ وہ تو ان کے پتے کے لئے ترستی تھی۔ وہ انہیں لکھنا چاہتی تھی کہ قبر کے پاس کافی جگہ ہے۔ اگر محبت کرتے ہو تو پھر آجاؤ۔

اس دن جب ابا بیٹھک میں آئے تو کوئی ساتھ نہ تھا۔ وہ جلدی سے ان کے پاس چلی گئی۔ کتنی مدت ہوگئی تھی کہ وہ ابا کے پاس نہ بیٹھ سکی تھی۔ ان سے کوئی بات نہ کر سکی تھی۔

"ابا آپ گھر میں نہیں آتے' کسی سے نہیں بولتے۔" اس نے جاتے ہی ابا سے کہا تھا' اس کی آواز بھرا رہی تھی۔ ابا نے گھبرا کر اس کا سر سینے سے لگا لیا تھا۔

"تمہاری ماں نے مجھے گھر سے دور کر دیا ہے' تم کو سب کچھ معلوم ہے۔"

اس کا کتنا جی چاہا تھا کہ اماں نے کسی کو گھر سے دور نہیں کیا' صفدر بھائی نے سب کو ایک دوسرے سے جدا کردیا ہے' پھر آپ تو انگریز دشمنی میں ایسے مصروف ہیں کہ پیچھے مڑ کر دیکھتے ہی نہیں۔ آپ محبت کو پہچانتے ہی نہیں' —— مگر وہ یہ سب کچھ نہ کہہ سکی۔ اسے خود حیرت تھی کہ ابا کی بے اعتنائیوں کے باوجود وہ انہیں سب سے زیادہ کیوں چاہتی تھی۔ کیسا جہاں آباد تھا ابا کی شفیق آنکھوں میں۔ وہ ابا کے خلاف کبھی ایک لفظ بھی تو نہ کہہ سکی۔

"تمہاری ماں نے مجھے کبھی نہ سمجھا' انہوں نے میری کسی خواہش کا ساتھ نہ دیا اگر مجھ میں بھی تمہارے بڑے چچا جیسی جرات ہوتی تو آج میں اتنا مجبور نہ ہوتا" —— ابا جانے اور کیا کہنے والے تھے کہ رائے صاحب آگئے۔

آپا کی موت نے اسے اپنی عمر سے دس سال آگے بڑھا دیا تھا۔ وہ اماں کی دلجوئی کرنا چاہتی تھی۔ ابا کو گھر واپس لانے کے لئے بے قرار تھی۔ وہ انہیں سیاست بازی سے ہٹانا چاہتی تھی۔

اس کی شکایت کے بعد ابا تھوڑی دیر کے لئے گھر میں بیٹھنے لگے مگر ایسا لگتا کہ اماں سے کترا رہے ہیں اور اماں جب ان سے آنکھیں چار کرتیں تو چہرے پر بیتے دنوں کی یاد لرزنے لگتی اور وہ صفدر بھائی کے لئے سوچتی رہ جاتی۔ کس قدر ٹھاٹ سے اس شخص نے ایک خط لکھ کر آپا کو موت کے منہ میں دھکیل دیا تھا۔

آپا کی موت کو کئی مہینے ہو گئے تھے مگر اماں نے ان کی کسی چیز کو ادھر سے ادھر نہ کیا تھا۔ آپا کا پلنگ اسی طرح پڑا تھا' ان کی کتابیں اسی طرح رکھی تھیں۔ وہ جب ان کے کمرے میں جاتی تو ایسا محسوس ہوتا کہ دل ڈوب جائے گا۔ اماں نے ان کے جہیز کے بکس بھی اسی کمرے میں لگوا دیئے تھے۔ انہیں دیکھ کر اسے عجیب سی بے بسی کا احساس ہوتا۔ کچھ دن بعد آپا کے جہیز کے بکس میں جھینگر گھس کر سب کچھ چاٹ جائیں گے' برسات میں لچکا گوٹا سیاہ پڑ جائے گا۔ وہ سوچا کرتی۔

میٹرک کا امتحان دینے کے بعد وہ بالکل بیکار ہوگئی تھی۔ دن کاٹے نہ کٹتے۔ اس دن وہ یوں ہی آپا کی کتابیں اٹھا کر پڑھنے لگی۔ کتنے عشق و محبت سے بھرپور

قصے تھے۔ عورتیں محبت میں خودکشی کر کے مثالی وفا پیش کرجاتیں اور مرد کسی تاریک رات میں قبر پر شمع روشن کر کے چلے جاتے اور بس۔

کتابوں کو الماری میں پٹخ کر وہ مارے جھلاہٹ کے روتی رہی اور آپا آنسوؤں کے پردوں کے اس پار کھڑی بڑی حقارت سے اس کو دیکھتی رہی تھیں۔

دو تین دن سے ابا سخت مصروف تھے۔ دفتر سے بھی بڑی دیر میں آتے۔ ان کا انگریز افسر معائنے کے لئے آنے والا تھا۔ ابا ہر چیز ٹھیک کرانے کے علاوہ ڈاک بنگلے میں اس کے رہنے کا انتظام بھی کرا رہے تھے۔ آپا کے ہاتھوں کے کڑھے ہوئے کئی میز پوش اور گلدان بھی چپراسی مانگ لے گیا تھا۔

"خوب! انگریزوں کو گالیاں دیتے ہیں اور اب وہ آ رہا ہے تو مارے ڈر کے سٹی گم ہے حضرت کی' زبانی جمع خرچ کرنے میں کیسے تیز ہوتے ہیں لوگ بھی۔" اماں بڑے فخر اور طنز سے ہنستیں تو اس کے تن بدن میں آگ لگ جاتی۔ کاش وہ ایک ذرا دیر کو اماں کی اماں بن سکتی تو پھر بتاتی کہ چھیڑ خانی کرنے کا کیا فائدہ ہوتا ہے۔ ابا گھر سے دور ہوتے جا رہے تھے اور اماں اپنے حال میں مست تھیں۔

رات ابا تھکے ہارے واپس آئے تو اس سے کہا تھا —— "بیٹی تم رات کے کھانے کا ذرا اچھا سا انتظام کرا دینا' ایک چھ سات آدمیوں کا کھانا ہوگا بس' صبح وہ معائنے کو آ رہا ہے رات ہمارے گھر دعوت ہوگی۔"

"بھئی حد ہے' خالی خولی نفرت کرتے ہو اور خوشامد میں لگے ہو اس کی' ارے مجھ سے کہو میں خود دعوت کا انتظام کر دوں گی" —— آخر اماں ابا کے سامنے بھی نہ چوکیں۔

"میں نے خوشامد نہ کی تو پھر تم بھیک جو مانگنے لگو گی۔" ابا جلدی سے باہر چلے گئے اور وہ اماں سے ایک لفظ نہ کہہ سکی۔ ان کی اجاڑ صورت دیکھ کر رحم آنے لگتا۔

دوسرے دن ابا تاروں کی چھاؤں میں اٹھ کر اسٹیشن چلے گئے۔ اماں اپنے پلنگ پر پاؤں لٹکائے بیٹھی بڑے طنز سے ہنستی رہیں' مگر ابا نے ان کی طرف نہ دیکھا۔

دن کا ایک بج گیا مگر ابا کھانے پر بھی نہ آئے۔ وہ اماں کے ساتھ رات کی دعوت کے انتظام میں مصروف رہی۔ اس نے بیٹھک کو بڑے نئے طریقے سے سجایا تھا اور گیس کے دو دو ہنڈے منگوا کر اچھی طرح صاف کرالئے تھے۔

اماں کئی قسم کے کوفتے اور کباب تیار کرا رہی تھیں اور ایک سال چیختے جا رہی تھیں کہ مصالحہ بغیر مرچ کا پیسا جائے۔ اماں نے اتنی لگن سے کبھی کسی کی دعوت کا انتظام نہ کیا تھا۔

کھانا بس تیار ہی تھا کہ چپراسی بوکھلایا ہوا بغیر آواز دیئے گھر میں گھس آیا۔ ایسا معلوم ہوتا تھا کہ بڑی دور سے بھاگتا ہوا آرہا ہے۔

"بیگم صاحب اپنے بابو جی کو پولیس پکڑ لے گئی' معائنے کے وقت افسر سے جھگڑا ہو گیا اور اپنے بابو جی نے رول سے اس کا سر پھاڑ دیا۔"

اماں نے آنکھیں پھاڑ کر اس طرح دیکھا جیسے ان کے چاروں اور اندھیرا چھا گیا ہو۔ پھر انہوں نے چیخنا چاہا تو بس منہ کھول کر رہ گئیں۔ دعوت کے سامان پر مکھیاں بھنک رہی تھیں۔

"کہاں ہیں ابا' میں ان کے پاس جاؤں گی۔" وہ پاگلوں کی طرح اٹھ کر بھاگی تھی مگر چپراسی اس کے سامنے دیوار بن گیا تھا ——— "آپ کہاں جائیں گی بٹیا بیبی؟"

"تو میرے سر چڑھتا ہے!" اس نے چپراسی کو مارنے کے لئے دونوں ہاتھ اٹھا دیئے تھے۔ "میں تو بٹیا بیبی کا غلام ہوں' آپ کہاں جائیں گی' بابو جی تو تھانے میں ہیں۔" چپراسی نے صافے کا پلو آنکھوں پر رکھ لیا ——— "ڈیم پھول کہتا تھا اپنے بابو جی کو' حرم زادہ" ——— چپراسی نے سرخ سرخ آنکھوں سے اس کی طرف دیکھا ——— "مجھے مل جائیں تو ایک ہزار ایک انگریز صدقے کر کے پھینکوں اپنے بابو جی پر سے' خون چڑھ گیا ہے میری آنکھوں میں' خون!"

ذرا دیر میں رائے صاحب آگئے۔ اماں دروازے کی اوٹ میں کھڑے ہو کر ان سے باتیں کر رہی تھیں۔ انہوں نے ماموں کا پتہ دے دیا تھا کہ انہیں تار کر دیا جائے' مگر اس نے جلدی سے بڑے چچا کا پتہ بھی دے دیا۔ وہ تو بڑے چچا کو صرف

دو ہی بار دیکھ کر ان کی گرویدہ ہو گئی تھی۔ اگر بڑے چچا نہ ہوتے تو پھر کیا ہوتا۔ ماموں کتنی صفائی سے کہہ گئے تھے کہ اقدام قتل بہت بڑا جرم ہے' ایسے آدمی کے بیوی بچوں کی سرپرستی کرنے میں انہیں بھی خطرہ تھا۔

اماں تو اس سے یہ بات صاف چھپا گئی تھیں مگر اس نے برآمدے میں کھڑے ہو کر خود اپنے کانوں سے سنا تھا۔ اسے ماموں اور انگریزوں سے اس دن اتنی نفرت ہوئی تھی کہ جی چاہتا سب کی بوٹیاں چبا ڈالے۔

بڑے چچا نے آکر سب کے سروں پر ہاتھ رکھ دیا۔ دو دن کے اندر اندر سامان بندھوا کر تانگوں پر لدوا دیا۔ بڑے چچا کھلے خزانے انگریزوں کو گالیاں دے رہے تھے۔ ابا کے انجام سے ان کا جوش اور بھی بڑھ گیا تھا۔

جب بڑے چچا ابا کے دوستوں سے رخصت ہو رہے تھے اور اس کا تانگہ آہستہ آہستہ رینگنے لگا تھا تو اس نے دیکھا کہ اس کے اسکول کی نگران بڑی تیزی سے چلی آرہی ہے۔

تانگے کے پاس آکر اس نے اپنی پھولی ہوئی سانس درست کی اور پھر پیار سے اس کا ہاتھ تھام لیا——— "تم لوگ کھوش رہنا' گم نہ کرنا' تمہارا فادر بوت اچھا آدمی تھا' تمہارا ملک جرور آجاد ہوگا۔" نگران رینگتے ہوئے تانگے سے الگ ہو گئی——— "گڈ بائی' گڈ بائی۔"

"ابا جیل کی سلاخوں کے پیچھے تمہارا کیا حال ہو گا؟" وہ اپنے بستر پر اٹھ کر بیٹھ گئی۔ کھڑکی کے پٹ کھول دیئے تو ہوا کا ایک سرد جھونکا اسے چھو کر گزر گیا۔ اس کا سر مارے درد کے پھٹا جا رہا تھا۔

کاش نیند آجائے یا پھر صبح ہو جائے۔ وہ پھر سونے کے لئے لیٹ گئی۔

حال

صبح ہوگئی' بادل پھٹ گئے تھے اور ادھر کھلی کھڑکی سے سورج کی کرنیں اندر داخل ہو رہی تھیں۔ رات صرف ایک آدھ گھنٹہ سونے کی وجہ سے آنکھوں میں کھٹک ہو رہی تھی۔ ایسا معلوم ہوتا جیسے آنکھ میں پلک ٹوٹ کر گر پڑی ہو۔

"ارے واہ آپ ابھی تک سو رہی ہیں——" شمیمہ کا رنگ اس وقت بڑا نکھرا ہوا لگ رہا تھا۔ عالیہ نے اسے بڑے غور سے دیکھا' ایسی معصوم صورت کہ لگتا فرشتوں نے سایہ کر رکھا ہے۔

"میں تو دیر سے جاگ رہی ہوں!" وہ ہمیشہ کی طرح بستر سے اچھل کر اٹھی لیکن ایک دم اسے یاد آیا کہ وہ نئی جگہ پر ہے' یہ نئی دنیا ہے اور ابا کا مشفقانہ ٹھنڈا سایہ اس سے بہت دور ہے۔

"میں نے ابھی ناشتہ نہیں کیا۔ آپ کا انتظار کر رہی تھی اور سب لوگ تو کب کا کھا پی چکے۔" شمیمہ نے بڑے فخر سے کہا۔

"بھئی تم نے بھی ناشتہ کر لیا ہوتا چھمی۔" وہ جلدی سے اس کے ساتھ ہولی۔

"واہ میں کیوں ناشتہ کرتی آپ کے بغیر' یہاں تو کسی کو کسی کا خیال نہیں سب کے سب خود غرض ہیں۔" چھمی نے برا سامنہ بنالیا۔

سیڑھیاں طے کر کے دونوں نچلی منزل میں آگئیں۔ برآمدے میں پڑے ہوئے ٹاٹ کے پردوں کے سوراخوں سے دھواں نکل رہا تھا۔ اماں اور بڑی چچی تخت پر بیٹھی بد قلعی پاندان سے پان بنا بنا کر کھا رہی تھیں۔ تخت پر بچھی ہوئی میلی چادر پر کتھے چونے کے پچاسوں دھبے لگے ہوئے تھے اور کریمن بوا چولھے کے پاس

پیڑھی پر بیٹھی دھواں دھار قسم کی باتوں میں مصروف تھیں۔

"اٹھ گئیں عالیہ! میں نے تم کو اس لئے جلدی نہیں اٹھایا کہ جانے نئی جگہ پر اچھی نیند آئی ہو یا نہیں۔" بڑی چچی نے اسے اپنے پاس بٹھالیا۔

"میں تو خوب سوئی تھی بڑی چچی۔" اس نے اپنی اماں کی طرف دیکھا' ان کے چہرے پر شب بیداری اور فکروں کی دھول اڑ رہی تھی۔

"اللہ مارا پراٹھا تو رکھے رکھے سوکھ گیا' اب کیا سواد رہ گیا ہوگا۔" کریمن بوا نے توا چڑھا کر پراٹھا گرم ہونے کے لئے ڈال دیا —— "گھی میں گندھی ہوئی پوریاں ہوں تو دس دن بھی نہ سوکھیں' بس زمانے زمانے کی بات ہے۔" کریمن بوا نے ٹھنڈی سانس بھری۔

"سارا سامان اسی طرح بندھا پڑا ہے' ناشتہ کر چکو تو اسے کھلواؤ۔" اماں نے آہستہ سے کہا۔

"لو بھلا' یہ کیا کھلوائے گی جمیل اور شکیل آکر سب کرلیں گے' عالیہ تو اوپر کا کمرہ پسند کرے گی۔ اکیلے میں مزے سے پڑھے گی' پہلے وہاں جمیل رہتا تھا مگر اس نے رات ہی کہہ دیا کہ وہ کمرہ عالیہ کو دے دو اور دلہن تم تو یہیں میرے پاس رہو گی نا؟" بڑی چچی نے اماں سے پوچھا۔

"ہاں یہیں رہوں گی۔" اماں ایک لمحے تک کچھ سوچنے کے بعد بولیں۔ شاید انہیں وہ زمانہ یاد آگیا ہوگا۔ جب وہ بڑی چچی کو منہ لگانا پسند نہ کرتی تھیں' بے چاری بڑی چچی لٹے پٹے گھر کی لڑکی تھیں' منگنی ہوگئی تھی' اس لئے دادی نے مجبور ہو کر بیاہ لیا تھا کیونکہ بڑے چچا ضد کر رہے تھے' ویسے دادی کا تو پکا ارادہ تھا کہ جب دولت نہ رہی تو منگنی بھی توڑ دی جائے۔

سوکھی ہوئی گھی چپڑی روٹی اور تھوڑے سے دودھ میں اونٹی ہوئی چائے پیتے ہوئے عالیہ کو احساس ہوا کہ گھر کی اقتصادی حالت اچھی نہیں ہے۔

"کیسے مزے کا پراٹھا ہے' واہ وا بالکل کریمن بوا کی کھال کی طرح خشک۔ ہے نا بجیا۔" آخری بات چھمی نے اتنے دھیرے سے کہی کہ کریمن بوا سن نہ سکیں۔

"مزے کے تو ہیں چھمی۔" عالیہ نے اپنی ہنسی روکی۔

"اللہ نے چاہا تو عالیہ کو اور مظہر کی دلہن کو یہاں کوئی تکلیف نہ ہوگی' اچھے دن نہیں رہے مگر جمیل پاس ہوگیا تو پھر اس گھر کے دن پلٹ جائیں گے اور پھر اپنا مظہر بھی تو چھٹ کر آ جائے گا——" بڑی چچی کچھ کہتے کہتے چپ ہو گئیں۔

انہیں اگر اپنے بال بچوں کی فکر ہوتی تو آج جیل میں کیوں ہوتے' انگریزوں نے ان کا کیا بگاڑا تھا بھلا؟" اماں نے لمبی سانس بھری اور پھر سر نیچا کر کے چپکے سے آنسو پونچھ لئے' ذرا دیر کے لئے سب چپ ہوگئے جیسے کچھ سوچنے لگے۔

"اللہ تو اس گھر کو بھی مصیبت سے بچانا۔" کریمن بوا آہستہ سے بڑبڑائیں۔

"کریمن بوا' دکان جانے کی دیر ہو رہی ہے' ناشتہ بھجوا دو!" بیٹھک سے ایک بڑی نحیف سی آواز آئی اور کریمن بوا نے جھلا کر چمٹا پٹکا' پھر ڈلیا سے ایک روٹی کھینچ کر نکال لی' میلی کچیلی پیالی میں چائے انڈیل کر کمر ٹیڑھی کئے کئے برآمدے سے نکل گئیں۔

"خوب ہیں یہ اسرار میاں بھی' بھئی حد ہے بے شرمی کی' جب تک کھانے کو نہ مل جائے' مجال ہے کہ چین لے لیں' انہیں تو بس کریمن بوا ٹھیک کرتی ہیں۔" چھمی زور سے ہنسی۔

"اچھا تو یہ اب تک یہیں ہے' یہ بڑے بھائی کا کارنامہ ہوگا۔"

"ہاں وہی ہے' کہاں جائے یہ بیچارہ بھی' پھر دکان بھی تو دیکھتا ہے"—— بڑی چچی نے مجرموں کی طرح سر جھکا کر اماں کو نیچی نیچی نظروں سے دیکھا۔

"خوب!" اماں نے بڑے معنی خیز انداز سے کہا اور چھالیہ کاٹنے لگیں۔ یہاں وہ کس قدر الگ تھلگ اور اونچے پر بیٹھی ہوئی نظر آ رہی تھیں۔

عالیہ نے سب کچھ خاموشی سے سنا اور ہمدردی کی ایک لہر اس کے سینے کے پار ہوگئی۔ "ہائے! اگر بیچارے اسرار میاں کے دوسرے بھائی آموں کی مکھیاں بھنکی گٹھلیاں نہ چوستے تو شاید آج زندہ ہوتے۔ اسرار میاں کے ساتھی تو ہوتے۔ اب یہ بیچارے تنہا اتنے بہت سے جائز لوگوں کے بیچ میں کیسے زندہ ہوں گے۔"

"ذرا دیر اپنی دادی کے پاس جا کر بیٹھو۔" اماں نے اسے حکم دیا اور وہ

جلدی سے جانے کے لئے اٹھ کھڑی ہوئی۔ آپا کی موت اور ابا کی گرفتاری نے اسے بڑا سعادت مند بنا دیا تھا۔ شاید اس طرح اماں کو خوشی محسوس ہو۔

شام کے وقت تو دادی سے کوئی بات ہی نہ ہوئی تھی۔ ایک تو سفر کی تکان تھی۔ دوسرے دادی پر دمے نے حملہ کر رکھا تھا۔

عالیہ کو دیکھتے ہی دادی نے اپنے دونوں ہاتھ پھیلا دیئے۔ دبلے دبلے مرجھائے ہوئے ہاتھوں کی کھال لٹکی ہوئی تھی۔ مگر انتہائی کمزوری کے باوجود ان کے چہرے سے رعب داب برس رہا تھا۔ عالیہ نے بڑی عقیدت سے ان کے پھیلے ہوئے ہاتھ تھام لئے اور اپنا سر ہولے سے ان کے سینے پر ٹکا دیا۔ چھمی اپنے الٹے پلٹے بستر کو ٹھیک کر رہی تھی۔ طاق میں رکھی ہوئی لالٹین کو اب تک کسی نے نہ بجھایا تھا۔

"مظہر تو پھر کبھی نہ آیا' میری آنکھیں اسے دیکھنے کو ترس رہی ہیں" —— دادی نے ٹھنڈی سانس بھری اور عالیہ نے ہونٹ بھینچ لئے۔ دادی سے تو سب نے چھپایا تھا کہ ان کا بیٹا جیل میں ہے اور وہ بھی اقدام قتل کے سلسلے میں۔

"چھٹی نہیں ملتی دادی' اب ان کا کام بہت بڑھ گیا ہے' اسی لئے تو انہوں نے ہم سب کو یہاں رہنے کے لئے بھیج دیا ہے۔" وہ دادی کی نظروں سے بچنے کے لئے ادھر ادھر دیکھنے لگی۔

"شکر ہے کہ پھر سب اکٹھے ہو رہے ہیں' کیا پتہ تمہارا چھوٹا چچا بھی آ جائے۔" دادی کی آنکھوں میں ہلکی سی چمک آ گئی۔

چھمی نے لالٹین کی چمنی اونچی کر کے پھونک مار دی۔ لمبے سے کمرے میں دو اونچی اونچی سیاہ رنگ کی مسہریوں اور دو کرسیوں کے سوا کچھ بھی نہ تھا۔ دیوار پر مولانا محمد علی جوہر کی ایک تصویر لگی ہوئی تھی جس کے فریم پر جانے کتنی آندھیوں کا غبار جمع تھا۔

"مظہر بیٹے کا کوئی خط بھی آیا؟"

"نہیں دادی' وہ بہت مصروف رہتے ہیں۔" ابا کی یاد سے اس کا دل کٹ رہا تھا۔

"ٹھیک ہے، مردوں کی یہی شان ہے کہ کام کریں، تمہارا چھوٹا چچا——"
دادی تکیے کے سہارے ذرا سی اونچی ہوگئیں——"تم کو پتہ ہے نا کہ وہ خلافت کے زمانے میں چلا گیا، پھر نہیں آیا۔ اس وقت خلافت کا بڑا زور تھا، مجھے ایسی باتیں پسند نہیں، مگر دوسرے گھروں میں عورتیں ٹوپیاں کاڑھ کاڑھ کر چندے دیتی تھیں۔ انہوں نے گانے بنا رکھے تھے، کیا تھا وہ بھلا سا گانا"——دادی تیوریوں پر بل ڈال کر سوچنے لگیں——"ہاں وہ یاد آیا۔

بوڑھی اماں کا کچھ غم نہ کرنا

جان بیٹا خلافت پہ دے دو

یہ سب فضول باتیں ہیں، اسی طرح تمہارے بڑے چچا بے وقوفی میں پھنس گئے ہیں——مگر اب میری بات سنتا کون ہے، خیر کبھی تو عقل آئے گی، اور——"

"ہے کتنا گندہ کمرہ ہو رہا ہے، اس پر سے دادی کے تھوک اور پیشاب کی بو، مگر میں اپنی دادی کو کسی اور کمرے میں تھوڑی رہنے دوں گی، یہ تو میرا اپنا کمرہ ہے، بڑی چچی کہتی ہیں کہ میں اسی کمرے میں پیدا ہوئی تھی۔" چھمی جلدی سے کمرے سے چلی گئی اور پھر جھاڑو لئے ہوئے واپس آگئی۔ آج اسے صفائی کا بہت خیال آرہا تھا۔ گندے کمرے کی وجہ سے وہ شرما شرما کر عالیہ کی طرف دیکھ رہی تھی اور عالیہ سوچ رہی تھی کہ ابا کہاں ہوں گے، کس جیل میں ہوں گے، ان کا خط کب آئے گا۔

اتنی سی باتیں کرنے سے بھی دادی کی سانس پھولنے لگی مگر جب چھمی نے جھاڑو دے کر دھول اڑانی شروع کی تو انہیں زور کا دورہ پڑ گیا۔ مارے کھانسی کے ان سے سانس نہ لی جاتی۔ عالیہ گھبرا کر ان کا سینہ سہلا رہی تھی مگر چھمی بڑے اطمینان سے جھاڑو دے رہی تھی۔

دادی کے چہرے سے پسینہ بہہ رہا تھا اور مارے کرب کے آنکھیں ابلی پڑتی تھیں، عالیہ گھبرا کر کھڑی ہوگئی۔ کریمن بوا جھپٹ کر اندر آئیں اور دادی کے پاس بیٹھ گئیں۔ ان کے دونوں ہاتھ آٹے سے بھرے ہوئے تھے۔

"مالکن——مالکن"——کریمن بوا عجیب سی بیتابی کے ساتھ دادی کو

سہلا رہی تھیں اور ایک ہاتھ اپنے سینے پر رکھے جیسے اپنے ڈوبتے ہوئے دل کو روک رہی تھیں۔

"ارے چھمی بڑی چچی سے کہو جلدی سے ڈاکٹر کو بلائیں۔" عالیہ پہلی دفعہ دمے کا اتنا شدید حملہ دیکھ رہی تھی۔

"حد کردی بجیا' بھلا اتنی سی بات پر ڈاکٹر آیا کرتے ہیں' دادی کو تو اسی طرح دورہ پڑتا ہے' سرہانے خمیرے کی ڈبیا رکھی ہے' ذرا سا چٹا دیجئے' اتنے پیسے کہاں کہ ہر وقت ڈاکٹر کو بلایا جائے' آپ تو خواہ مخواہ گھبرا گئیں"—— چھمی دوپٹے میں منہ چھپا کر اپنی ہنسی روکنے لگی۔

عالیہ نے حیران ہو کر چھمی کو دیکھا' وہ دہلیز سے باہر کوڑا پھینک رہی تھی۔ کیا وہ بھی یہاں بیمار پڑے گی؟ اس نے ڈر کر سوچا—— ابا تو ذرا سی چھینک پر ڈاکٹر کو بلوا لیتے تھے' لیکن یہاں تو چھمی ڈاکٹر کے نام پر ہنستی ہے۔ کھانسی کی آواز سارے گھر میں گونج رہی ہے مگر یہ آواز صرف کریمن بوا کو سنائی دیتی ہے۔ سب اپنے کاموں میں لگے ہیں۔ کوئی ادھر نہیں آتا۔

ذرا دیر بعد دادی کی سانس ٹھیک ہو گئی اور وہ جیسے تھک کر لیٹ گئیں۔ کریمن بوا ان کے چہرے سے پسینہ پونچھ رہی تھیں—— "اب کیا حال ہے مالکن؟" کیسی تڑپ تھی کریمن بوا کی آنکھوں میں۔ دادی نے "ہوں" کر کے آنکھیں بند کر لیں تو پھر کریمن بوا کو آٹا گوندھنا یاد آ گیا۔

"چھمی کو بلاؤ۔" دادی نے آہستہ سے کہا تو وہ کمرے کی دہلیز پر کھڑے ہو کر چھمی کو آواز دینے لگی۔

"کہہ دے جب منہ دھو لوں گی تو آؤں گی' ہر وقت بلاتی رہتی ہیں۔" صحن میں بچھی ہوئی چوکی پر چھمی بیٹھی منہ ہاتھ دھو رہی تھی۔ جانے وہ اور کیا بڑبڑاتی رہی۔ دادی کے رعب کی ساری کہانیاں اس کی آنکھوں کے سامنے اڑ اڑ دھم ہو گئیں۔

"جلدی چلو عالیہ' سامان ٹھیک کرا لو۔" برآمدے سے اماں کی آواز آئی تو وہ چپکے سے دادی کے پاس سے سرک آئی۔ وہ اس وقت آنکھیں بند کئے بڑے سکون سے سو رہی تھیں۔

جمیل بھیا کو اس وقت اس نے بڑے غور سے دیکھا۔ وہ اچھے خاصے تھے مگر ان کی آنکھیں چھوٹی اور اندر کو دھنسی ہوئی تھیں، پھر ان آنکھوں میں ایسی گہرائی تھی کہ غور سے دیکھتے ہوئے جھجک محسوس ہوتی۔ اس وقت وہ سب سامان ٹھکانے لگانے کے بعد جیسے تھک کر دالان کی محراب کے بیچوں بیچ اکڑوں بیٹھے تھے۔ اماں بہت بیزار نظر آ رہی تھیں۔ بس کچھ ایسی کیفیت جیسے کسی طویل سفر سے دو چار ہو گئی ہوں اور منزل بہت دور ہو۔

"یہ سفر کب ختم ہو گا؟" عالیہ نے اپنے آپ سے پوچھا اور پھر اپنے بستر بند کی طرف بڑھی جو صحن میں ایک طرف پڑا ہوا تھا۔ اس کا بکس اور بستر اوپر کی منزل کے چھوٹے کمرے میں جانا تھا۔

"میں لے چلتی ہوں بجیا۔" چھمی کے غرارے کی پھٹی ہوئی گوٹ زمین پر لوٹ رہی تھی۔ وہ بستر بند کے تسمے گھسیٹنے لگی۔

"تم ہٹ جاؤ بے وقوف۔" جمیل بھیا بڑی تندہی سے اٹھ کر چھمی کے ہاتھ سے تسمے کھینچنے لگے۔

"ذرا ہوش میں رہیے گا بھیا، ہاں۔ میں بجیا کی وجہ سے آپ کو جواب نہیں دینا چاہتی ورنہ" —— چھمی کا چہرہ سرخ ہو گیا —— "ہٹ جایئے میں خود لے جاؤں گی بجیا کا بستر۔" چھمی نے جمیل بھیا کا ہاتھ جھٹک دیا اور بستر بند گھسیٹ گھسیٹ کر زینوں پر چڑھنے لگی۔ جمیل بھیا چوکی پر بیٹھ کر جیسے بڑے مزے سے تماشہ دیکھنے لگے۔ بستر بند کی رگڑ سے ڈھیروں دھول اڑ رہی تھی۔

"ارے چھمی، گر جائے گی، کیوں اپنی جان کے لاگو رہتی ہے۔" بڑی چچی پان لگاتے لگاتے گھبرا کر اٹھ گئیں۔

"گرنے دو اماں کبھی تو میں بھی اسے بے بس دیکھوں۔" جمیل بھیا کھسیا کر ہنسے۔

"واہ کیا بات ہے، بے بس دیکھ کر خوش ہوتے ہیں جمیل بھیا، پھر اس سے اور اماں سے تو بہت خوش ہوں گے" —— عالیہ نے طنز سے جمیل بھیا کی طرف دیکھا اور پھر نظریں جھکا لیں۔ وہ تو پہلے ہی اسے کنکھیوں سے دیکھ رہے تھے۔ وہ

جلدی سے چھمی کے پیچھے ہولی مگر بستر بند پہلے ہی اوپر جا چکا تھا۔ چھمی اسے دیکھ کر بڑے فخر سے مسکرائی۔

"دیکھئے بجیا میں لے آئی نا اکیلے' بڑے آئے جمیل بھیا' ذرا سا سامان اٹھا کر تھک بیٹھے تھے' بستر بند اوپر چڑھاتے تو ہانپنے لگتے۔" ——— وہ زور سے ہنسی ———

"ارے یہ گوٹ بھی پھٹ گئی" ——— اس نے پاجامے کی گوٹ اس طرح دیکھی جیسی ابھی دیکھ رہی ہو۔ اب بھلا وہ کیسے کہتی کہ یہ گوٹ تو اس وقت بھی پھٹی ہوئی تھی جب اسے پہننے کے لئے بکس سے نکالا تھا۔ یہ برسوں پرانے کپڑے تو اس کی اماں مرحومہ کے تھے جو اب اس کا تن ڈھانک رہے تھے۔

عالیہ چھمی کے ساتھ مل کر بستر بند کھولنے لگی۔ شام کا جھٹپٹا ہو چلا تھا مگر ابھی گلی میں روشنی نہ ہوئی تھی۔

رات کو وہ جس بستر پر لیٹی تھی اسے سمیٹ کر اپنا بستر لگا دیا۔ اتنے میں جمیل بھیا اس کا بکس اٹھائے آگئے ——— "عالیہ یہ کمرہ تمہارے لئے ٹھیک رہے گا نا' پہلے میں اس کمرے میں رہتا تھا' اس کا سب سے بڑا فائدہ یہ ہے کہ گلی سے بجلی کی خیراتی روشنی بھی مل جاتی ہے' میں نے یہیں بی۔ اے کی تیاری کی ورنہ لالٹین کی روشنی میں تو آنکھیں پھوٹ جاتیں۔ یہ بڑا کمرہ بھی خالی رہتا تھا۔ یہاں کوئی نہ آتا تھا۔ بس کسی کسی وقت کوئی چمگادڑ آ جاتی تھی۔" جمیل بھیا نے کنکھیوں سے چھمی کو دیکھا مگر وہ بڑی خاموشی سے کمرے کے باہر کھلی چھت پر جا کھڑی ہوئی تھی۔

"کیا آپا کی شادی اسی بد تمیز سے ہو رہی تھی" ——— اس نے سخت ناگواری سے سوچا ——— "ارے تو وہ اس کے ساتھ چند دن بھی نہ جیتیں' کیا یہ وہی شخص ہے جس کا نام آپا کے ساتھ لے کر وہ خوش ہوتی تھی ———"

عالیہ نے اپنا بکس ٹھکانے لگا دیا اور جمیل بھیا سے کوئی بات کئے بغیر چھمی کے پاس چلی گئی' جاتے ہوئے اس نے مڑ کر دیکھا' جمیل بھیا جہاں کھڑے تھے وہیں کھڑے رہ گئے تھے۔

"آپ سے ملنے کا اتنا شوق تھا بجیا کہ بس کیا بتاؤں۔" چھمی بولی "بڑے چچا اور بڑی چچی آپ کی بڑی تعریف کرتے تھے۔ آپ پڑھی ہوئی ہیں نا' اسی لئے بڑے

چچا تہمینہ آپا سے جمیل بھیا کی شادی کرنا چاہتے تھے۔ میں تو جاہل ہوں نا بجیا؟"

"تم تو بغیر پڑھے اتنی پیاری ہو چھمی، میں تو تم سے مل کر سب سے زیادہ خوش ہوئی ہوں۔" اس نے کہا۔

"میں خط بھی لکھ لیتی ہوں اور پڑھ بھی لیتی ہوں، بس اسکول نہیں گئی نا۔" چھمی نے بڑے غرور سے بتایا۔

"تم اس سے مل کر ذرا بھی خوش نہیں ہو، تم یہاں کسی سے بھی مل کر خوش نہیں ہو گی، تم تو محض پڑھی لکھی لڑکیوں والا اخلاق دکھا رہی ہو۔" جمیل بھیا نے بڑے مزے میں کہا اور ہاتھ ہلا ہلا کر چھت پر ٹہلنے لگے۔ کسی نے دیکھا ہی نہیں کہ وہ کب آ کر پیچھے کھڑے ہو گئے تھے۔

"پتہ نہیں آج جمیل بھیا کو کیا ہو گیا ہے، آپ کو دیکھ کر ان میں کچھ شان آ گئی ہے بجیا، ویسے تو یہ حال تھا کہ میرے بغیر کوئی کام نہ ہوتا۔" چھمی نے ترچھی نظروں سے جمیل بھیا کو دیکھا۔

"میں کہہ رہا ہوں چھمی کہ اب تم نیچے چلی جاؤ۔" جمیل بھیا جانے کیوں ایک دم سنجیدہ ہو گئے۔

"کیوں جاؤں، اس گھر میں میرے باپ کا بھی حصہ ہے، جہاں چاہوں گی بیٹھوں گی، بڑے آئے ——"

"اچھا تو پھر میں ہی چلا جاتا ہوں۔" جمیل بھیا بڑی تیزی سے سیڑھیاں طے کرنے لگے۔

عالیہ کے لئے یہ ساری باتیں کتنی عجیب تھیں۔ اس نے حیران ہو کر چھمی کو دیکھا۔

"بجیا آپ پروا نہ کریں، یہاں تو ہر دم ایسی باتیں ہوتی رہتی ہیں۔" چھمی سخت شرمندہ نظر آ رہی تھی۔

"چلو میں اپنی کتابیں ٹھیک کر لوں۔" اسے اچانک اپنی تعلیم کا خیال ستانے لگا۔ اللہ میاں اب وہ کیسے پڑھے گی، روپے کہاں سے آئیں گے، مگر جیسے ہی اسے یاد آیا کہ ماموں کے پاس اماں نے ڈھیر سے روپے جمع کرا رکھے ہیں تو اس نے

اطمینان کی ایک لمبی سانس لی۔

چھمی کو دادی کا کوئی کام یاد آگیا اور وہ جلدی سے نیچے بھاگ گئی۔ عالیہ جب اپنی کتابیں میز پر رکھ رہی تھی تو اسے یہ دیکھ کر خوشی ہوئی کہ جمیل بھیا اس پر میز پوش بچھا گئے تھے۔ یہ وہی میز پوش تھا جو رات جمیل بھیا کی میز پر بچھا ہوا تھا —— چلو جمیل بھیا اس کی تو عزت کرتے ہیں۔

کتابیں ٹھیک کر کے وہ کھڑکی سے نیچے گلی میں جھانکنے لگی۔ بجلی کے کھمبے کے تلے روشنی کا گول دائرہ پڑا ہوا تھا اور گلی کے دوسرے سرے سے کوئی پھیری والا آرہا تھا۔ اس کے سر پر رکھے ہوئے تھال میں دو لوؤں والا چراغ جل رہا تھا۔

"نیچے آؤ عالیہ بیٹی۔" بڑی چچی کی بھاری سی آواز سن کر وہ جلدی سے اٹھ پڑی۔

اماں نے دادی کے کمرے سے نکلتے ہوئے کہا۔ "رات کی بارش سے سردی بڑھ گئی تھی، اس لئے تمہاری دادی کی طبیعت زیادہ خراب ہے، سردی تو اس مرض کی دشمن ہوتی ہے۔" وہ بھی دادی کے کمرے میں چلی گئی۔ چھمی اپنی مسہری پر بیٹھی پرانے کپڑوں کی مرمت کر رہی تھی اور بڑے مزے میں کوئی پرانی غزل گنگنا رہی تھی۔

'جگر کے ٹکڑے ہیں یہ ہمارے جو بن کے آنسو نکل رہے ہیں'

عالیہ کو دیکھ کر وہ گانا بھول گئی اور پرانے کپڑوں کے ڈھیر کو لحاف کے اندر چھپانے لگی —— "اب تو دادی بالکل ٹھیک ہیں بجیا۔"

عالیہ دادی کی پٹی پر ٹک گئی۔ وہ آنکھیں بند کئے بے سدھ پڑی تھیں۔ ان کا سینہ اب تک ابھر ابھر کر ڈوب رہا تھا۔ اسے بچپن میں دیکھی ہوئی لوہار کی دھونکنی یاد آگئی، جانے یہ زندگی کی آگ کب بجھ جائے، مارے ہمدردی کے اس کی آنکھوں میں آنسو آگئے۔ بڑے طاق میں رکھی ہوئی لالٹین کی روشنی ایک دم مدھم لگنے لگی۔ عالیہ نے دادی کے کھلے ہوئے ہاتھ کو چپکے سے لحاف میں چھپا دیا۔

کریمن بوا کمر ٹیڑھی کئے ہوئے کمرے میں آئیں اور جھک کر دادی کو دیکھنے لگیں —— "مالکن" انہوں نے دھیرے سے پکارا اور جواب نہ پا کر دبے قدموں

چلی گئیں۔ ان کے ہاتھوں میں گیلی راکھ بھری ہوئی تھی۔

"کیا دادی سو رہی ہیں؟" شکیل دہلیز پر کھڑے کھڑے کمرے میں جھانکا۔

"سو رہی ہیں' پھر تم کو کیا؟" چھمی نے اسے چڑانے کے انداز سے جواب دیا۔

"بکو مت' بڑی آئیں۔" شکیل بنکارا۔

"ارے دادی سو رہی ہیں' چپ رہو شکیل' میرے بھیا۔" عالیہ گھبرا کر کھڑی ہو گئی۔

"مجھے کچھ پیسے چاہئیں عالیہ بجیا' کتابیں خریدنی ہیں۔"

"دادی کی طبیعت خراب ہے اس وقت۔" عالیہ نے اسے سمجھانا چاہا۔

"اب دھری ہے نا ان کے پاس روکڑ' سب کچھ تو لے گیا پاؤں دبا دبا کر چالاک" —— چھمی مارے غصے کے بول رہی تھی —— "اتنی بہت سی تھیں گنیاں' کھا گئے سارے مل کر۔"

"تم سے تو کبھی پاؤں بھی نہ دابے گئے' بیچاری دادی پڑی تڑپتی ہوتی ہیں اور یہ لاٹ صاحب مزے کرتی ہیں۔" شکیل نے جواب دیا۔

"میرے منہ نہ لگا کر کمینے' دیکھ تو ابھی بتاتی ہوں——" چھمی اپنی مسہری سے کودی۔ دادی نے ایک لمحے کو آنکھیں کھولیں اور پھر کراہ کر کروٹ بدل لی۔

عالیہ شکیل کو کھینچتی ہوئی باہر لے آئی۔ کریمن بوا صحن میں بچھی ہوئی چوکی پر لالٹین رکھ رہی تھیں۔ انہوں نے منہ ہی منہ میں کچھ کہا اور پھر برآمدے میں چلی گئیں۔

"ارے شکیل اب تو تم بڑے ہو رہے ہو پھر بھی لڑتے ہو' چھمی بھی تو تم سے کتنی بڑی ہے۔" عالیہ نے اس کے شانے کو دبایا مگر وہ کچھ بھی نہ بولا۔ آستین سے آنسو پونچھ کر سر جھکائے کھڑا رہا۔

"لڑنا بری بات ہے میرے بھیا۔" عالیہ نے اسے لپٹا لیا۔

"دادی مجھ سے محبت کرتی ہیں' وہ کہتی ہیں کہ میں چھوٹے چچا کی طرح ہوں' بس اس لئے چھمی مجھ سے جلتی ہے' پھر دادی اب تک مجھے کتابوں کے لئے

پیسے دیتی رہیں۔ یہ بات ممی کو سب سے زیادہ بری لگتی ہے' آپ ہی بتایئے کہ میں کس سے مانگوں۔ ابا' جمیل بھیا' اماں' سب پیسوں کے نام پر چیخنے لگتے ہیں۔" شکیل نے معصوم بچوں کی طرح سسکی بھری۔

"میرے پاس دو روپے ہیں' لوگے؟" عالیہ نے پوچھا تو شکیل مارے خوشی کے اور زور سے لپٹ گیا "صبح مجھ سے روپے لے کر کتابیں لے آنا۔"

"اچھا بجیا۔"

ٹاٹ کا پردہ سرکا کر وہ دالان میں چلی گئی۔ اماں اور بڑی چچی تخت پر بیٹھی تھیں' اماں بالکل چپ تھیں مگر بڑی چچی بڑی خندہ پیشانی سے باتیں کرتے ہوئے چھالیہ کاٹ رہی تھیں' شکیل کو دیکھتے ہی اس کی طرف پلٹیں —— "پڑھتا بھی ہے یا گھومتا پھرتا ہے' امتحان میں فیل نہ ہو تو جب کی بات۔"

"کہاں گھومتا ہوں' پڑھتا ہوں اپنے دوس کے ساتھ' میرے پاس تو پوری کتابیں بھی نہیں' خواہ مخواہ ٹوکتی رہتی ہیں۔" شکیل نے بھی سختی سے جواب دیا۔ عالیہ نے دیکھا کہ اماں حیرت اور نفرت سے شکیل کو رہی ہیں۔

"بجیا جب میں مڈل کرلوں گا تو اسی سامنے والے اسکول میں پڑھوں گا کتنا بڑا اسکول ہے۔" شکیل کریمن بوا کے پاس چولھے کے سامنے بیٹھ گیا۔

"بسنت آنے والا ہے۔" کریمن بوا لالٹین جلا کر بیٹھک میں رکھنے کو چلی گئیں' پھر واپس آکر آٹا گوندھنے بیٹھ گئیں —— "اللہ سلامت رکھے بڑے میاں کو' وہ ہوں نہ ہوں کمرے میں روشنی تو رہے۔"

"بڑے چچا کب آئیں گے؟" عالیہ نے پوچھا۔

"جب ان کا جلسہ ختم ہوگا" —— بڑی چچی بے بسی سے ہنسیں —— "جمیل بھی آجاتا تو گرم روٹی کھالیتا۔"

"اللہ کرے مظہر میاں کا جیل سے خیریت کا خط آجائے' مولا تو ہی اپنی امان میں رکھنے والا ہے۔" کریمن بوا نے آٹا گوندھ کر توا چولھے پر رکھ دیا۔

عالیہ کے دل میں ہوک سی اٹھی۔ اسے ابا سے کتنی محبت تھی' حالانکہ اس نے اپنے گھر میں کبھی ہنستی کھیلتی زندگی کو نہ دیکھی تھی وہ ابا کو اماں کی تلخ زندگی کا

ذمے دار سمجھتی تھی، اسے سیاست سے نفرت ہو گئی تھی، ابا کے مقاصد اس کی نظر میں کتنے بھونڈے تھے، پھر بھی وہ انہیں بے تحاشہ چاہتی تھی۔ ابا کی حفاظت میں کتنا سکون محسوس کرتی تھی، مگر اب وہ اس محبت کی حفاظت سے محروم ہو گئی تھی۔

"بجیا اب آپ کالج میں نہیں پڑھیں گی؟" شکیل دو روپوں کے تصور سے کتنا خوش نظر آ رہا تھا۔ گھر کے سامنے، گلی کے اس پار بڑے سے میدان میں بنی ہوئی اسکول کی لال عمارت اس کی تمناؤں کا مرکز تھی۔ اپنے گھٹیا سے مڈل اسکول سے بھاگ جانے کی کتنی خواہش تھی۔

عالیہ چپ رہی، اماں نے اسے بڑی دکھی نظروں سے دیکھا مگر ایسی نظریں جن میں عزم بھی تھا۔

ابا کی یاد نے اسے اتنا بے کل کر دیا تھا کہ وہ کریمن بوا اور بڑی چچی کے اصرار کے باوجود اچھی طرح کھانا بھی نہ کھا سکی اور جلدی سے اٹھ گئی۔ کریمن بوا بڑبڑاتی رہ گئیں —— "گھر والوں کی تو یہ چڑیوں جیسی خوراکیں رہ گئی ہیں اور اسرار مسٹنڈا اتنا کھائے کہ پکا پکا کر ہاتھ ٹوٹ جائیں، اور ——"

تھوڑے دنوں میں عالیہ کو گھر کے سارے حالات معلوم ہوگئے۔ بڑے چچا نے جاگیر بیچنے کے بعد کپڑے کی دو بڑی بڑی دکانیں کھول لی تھیں جن کی نگرانی کسی زمانے میں وہ خود کرتے تھے۔ انھوں نے یہ خوبصورت سا گھر بڑے چاؤ سے بنوایا تھا۔ گھر میں مثالی خوشحالی تھی مگر جب وہ بڑی سرگرمی سے سیاست میں حصہ لینے لگے تو دکانیں اسرار میاں کی نگرانی میں لشتم پشتم چلنے لگیں۔ وہ بھی ان کی آمدنی چندوں اور سیاسی ورکروں پر خرچ ہو جاتی۔ بڑے چچا کئی بار جیل جا چکے تھے' انھیں قید تنہائی اور بیڑیاں پہننے کی سزا بھی مل چکی تھی۔ ان کے پیروں میں موٹے موٹے سیاہ گھٹے پڑے ہوئے تھے۔ پاؤں دھوتے ہوئے وہ ان سیاہ گھٹوں کو بڑے فخر اور پیار سے دیکھا کرتے۔ وہ اس قدر کٹر کانگریسی تھے کہ خالص مسلمانوں کی کسی بھی جماعت کو برداشت نہ کرسکتے تھے۔ انھیں تو ان کے مسلمان ہونے پر بھی شبہ رہتا۔ کانگریس کے سوا ہر جماعت کے لوگ ان کی نظر میں ملک کے غدار تھے۔

بڑے چچا اپنی دنیا میں اس قدر مگن رہتے کہ اپنے گھر کی دنیا کو بھول چکے تھے۔ اپنی پہلوٹھی کی اکلوتی بیٹی کو ایک معمولی سے لڑکے سے بیاہ دیا تھا۔ وہ بھی صرف اس لئے کہ لڑکا کانگریسی تھا' اس وقت سے اب تک ان کی بیٹی چار عدد بچوں کے ساتھ اپنے آنگن میں گوبر تھاپ تھاپ کر زندگی گزار رہی تھی۔ بڑے چچا کو بھلا اتنی فرصت کہاں تھی کہ اپنی بیٹی کے مستقبل کی فکر کرتے یا کوئی کھاتا پیتا گھرانا تلاش کرتے۔ بڑی چچی نے جب بیٹی کی جوانی کی بہت دہائی دی تو انھیں اپنے سیاسی کارکن سے زیادہ بہتر آدمی نظر نہ آیا۔ مگر چند ہی دنوں بعد بڑے چچا کو اس بہتر آدمی سے بھی نفرت ہوگئی کیونکہ وہ سیاست سے الگ ہو کر اپنی چند بیگھے زمین اور بیوی بچوں میں کھو گیا تھا۔ بڑے چچا پھر کبھی اپنی بیٹی کے گھر نہ گئے۔

جمیل بھیا کو انہوں نے ایک مفت کے پرائمری اسکول میں داخل کرا دیا تھا۔ جمیل بھیا نے بی۔ اے تک کس طرح پڑھا' اس کی انہیں کوئی خبر نہ تھی۔ شکیل جب پڑھنے کے لائق ہوا تو جمیل بھیا نے اس کو مار مار کر اسی پرائمری اسکول میں پڑھنے کو بٹھا دیا جہاں خود پڑھا تھا۔

جمیل بھیا کی اپنے باپ سے نہ بنتی تھی' وہ خالص عشقیہ تک بندی کرتے تھے۔ مشاعروں میں جاتے تھے اور رسالوں میں بھیجی ہوئی غزلیں واپس پا کر ایڈیٹروں کو برا بھلا کہتے تھے۔

بڑے چچا جب تک گھر میں رہتے بڑی چچی اور کریمن بوا مہمانوں کے کھانے کے انتظام میں سارا دن گزار دیتیں۔ بڑے سے پتیلے میں بڑا گوشت سرسوں کے تیل میں پکایا جاتا' ہندوؤں کے لئے دکان سے پوری ترکاری خریدی جاتی۔ کریمن بوا ڈھیروں روٹیاں پکاتے ہوئے بڑبڑاتی رہتیں' خالص گھی کی خوشبو یاد کر کر کے ان کی آنکھوں میں آنسو آتے رہتے پھر بھی یہ گھر چل رہا تھا' سب کو پیٹ بھر روٹی ضرور مل جاتی۔

بڑے چچا سے جب گھر کی ضرورتوں کا ذکر کیا جاتا تو وہ سرخ پڑ جاتے۔ جانے کیوں جھینپ جھینپ کر سب کی طرف دیکھتے' اپنے بڑھے ہوئے پیٹ پر ہاتھ پھیرتے اور پھر بڑی امنگ سے سب کو سمجھانا چاہتے۔ "جب ملک آزاد ہو جائے گا تو سب تکلیفیں دور ہو جائیں گی' تم لوگ ذرا گہرائی میں جا کر سوچو۔"

"کہاں تک جائیں گہرائی میں؟" بڑی چچی کبھی کبھی جھلا اٹھتیں۔

"بڑے چچا کا مطلب ہے کہ کنوئیں میں گر جاؤ۔" چھمی ایسی باتیں سن کر ضرور مذاق اڑاتی اور وہ اس کی باتیں اس طرح نظرانداز کر جاتے جیسے کچھ سنا ہی نہیں۔ جانے بڑے چچا میں اتنا صبر کہاں سے آگیا تھا' وہ گھر میں ہوتے تو کوئی نہ کوئی تیر و نشتر بنا رہتا مگر وہ ہنس ہنس کر سہتے' یا پھر باہر بیٹھک کی راہ لیتے۔

بڑی چچی اس گھر میں اسے عبرت کی لاش معلوم ہوتیں۔ ان کی آنکھوں میں جیسے صدیوں کا دکھ سمایا ہوا تھا۔ اتنی بہت سی جانوں کی فکر صرف ان کے کاندھوں پر سوار رہتی۔ اسرار میاں دکانوں سے کچھ کاٹ پیٹ کر بڑی چچی کی فکروں کو کبھی

ابھی کم کر دیا کرتے مگر خود دیر دیر تک بیٹھک میں پڑے، سائلوں کی طرح چند روٹیوں کے لئے آوازیں لگاتے رہتے۔

ان ساری باتوں کے باوجود عالیہ کو بڑے چچا بہت اچھے لگے تھے۔ بس بالکل اسی طرح جیسے اسے اپنے ابا سے شکایتوں کے بعد بھی آفاقی سے محبت تھی۔ اس کی سمجھ میں نہ آتا تھا کہ یہ گھروں کے دکھوں اور تباہیوں کے علمبردار اس کے دل میں محبت کی ہلچل کیوں مچاتے رہتے ہیں، یہ کیسا خلوص تھا، کیسی محبت تھی کہ وہ ذرا سی بات پر ان کے لئے تڑپ اٹھتی۔ بڑے چچا جب گھر میں آتے تو وہ سب کام چھوڑ کر ان کے ہاتھ منہ دھونے کے لئے چوکی پر پانی رکھ دیتی، جب وہ ہاتھ منہ دھو کر تھکے تھکے سے اپنے بستر پر لیٹ جاتے تو وہ ان کے سرہانے بیٹھ کر ہولے ہولے ان کا سر سہلانے لگتی۔ بڑے چچا اس کا سر اپنے سینے سے لگا کر اسے دعائیں دیتے اور پھر سکون سے آنکھیں بند کر لیتے اور ممی دوپٹے کے پلو کو منہ میں اڑس کر اپنی ہنسی روکنے لگتی —— "ہائے بڑے چچا بیچارے تھک کر چور ہو جاتے ہیں، کام ہی ایسا ٹھہرا نا۔"

عالیہ کو اس گھر کی زندگی اپنے گھر سے زیادہ جھگڑالو اور تھکی ہوئی معلوم ہوئی، مگر وہ کسی نہ کسی طرح خود کو بہلا رہی تھی۔ بڑے چچا نے اس کو اپنی کتابوں کی الماریوں کی چابیاں دے دی تھیں کہ وہ انہیں پڑھے اور دل و دماغ روشن کرے۔ ساتھ ہی یہ ہدایت بھی کر دی تھی کہ یہ چابی جمیل بھیا کے ہاتھ نہ لگنے پائے۔ اس بے کار تک بند کے لئے یہ کتابیں کوئی حیثیت نہیں رکھتیں۔ دوپہر کے سناٹوں میں وہ بڑی احتیاط سے ایک ایک کتاب نکال کر لاتی اور پڑھتی۔ اس کا دل ان کتابوں کے ہر اس کردار سے ہمدردی رکھتا تھا جنہوں نے آزادی اور انسان کی فلاح و بہبود کے لئے گولیاں کھائیں، مگر وہ ان سے خوف بھی محسوس کرتی تھی۔ اسے یقین تھا کہ ایسے لوگ کسی سے محبت نہیں کرتے، یہ لوگ شادیاں کرتے ہیں، بچے ہوتے ہیں اور انہیں تباہ کر دیتے ہیں۔ ان کا اپنا گھر دنیا کے کسی حصے میں شامل نہیں ہوتا۔ ان کے گھر والے انسان نہیں ہوتے، یہ محبت کے قدموں کے کانٹے ہوتے ہیں جو ذرا دیر میں لہولہان کر دیتے ہیں۔ اماں، بڑی چچی، کسم دیدی اور تہمینہ

آپا کا انجام اس کے سامنے تھا۔ سترہ اٹھارہ سال کی عمر میں وہ کتنی سمجھ دار ہو گئی تھی۔ فکروں اور غموں نے اس کا بچپن کتنی جلدی چھین لیا تھا۔

ماموں کا خط آیا تھا۔ انہوں نے اماں کو لکھا تھا کہ ان کی بھابی کے مشورے کے مطابق وہ سارا روپیہ اکٹھے نہیں بھیجیں گے بلکہ تیس روپیہ مہینہ عالیہ کی تعلیم کے لئے بھیجتے رہیں گے، جس سے کپڑا وغیرہ بھی بن جائے گا۔ برے وقت میں زیادہ روپیہ پاس نہیں رکھنا چاہئے ہر ایک کی نظر پڑتی ہے۔

اماں یہ خط پا کر بہت خوش تھیں اور تین مہینے بعد منی آرڈر وصول کرتے ہوئے ان کے ہاتھ خوشی سے کانپ رہے تھے مگر عالیہ کو غصہ آ رہا تھا کہ ایک تو تین مہینے بعد پوچھا ہے۔ اس پر سے صرف تیس روپے مہینہ بھیجنے کا فیصلہ۔ کیا وہ ان خراب حالات میں بھی بڑے چچا پر بوجھ بنی رہے گی۔ اماں سے کچھ کہنا بیکار تھا۔ ماموں کے خلاف کچھ کہہ کر وہ اماں کا دل نہ دکھانا چاہتی تھی۔ وہ بڑی خاموشی سے اپنے کمرے میں چلی گئی۔ ماموں کے خط سے اس کی جان جل گئی تھی۔ جس کے خط کا بے چینی سے انتظار تھا وہ نہ آیا۔ ان تین مہینوں میں ابا نے صرف ایک خط لکھا تھا جس میں بڑے چچا کے پاس آ جانے پر اظہار خوشی کیا تھا اور عالیہ کو تعلیم جاری رکھنے کی ہدایت کی تھی۔ اپنے لئے ایک لفظ بھی نہ لکھا تھا۔

ابھی وہ سوچ ہی رہی تھی کہ اماں اوپر آ گئیں۔ سیڑھیاں چڑھنے کی وجہ سے وہ ہانپ رہی تھیں مگر ان کا چہرہ خوشی سے سرخ ہو رہا تھا —— بھابی کتنی ہوشیار ہیں، انہیں تو معلوم ہی ہو گیا ہو گا کہ یہاں سب ننگے بھوکے ہیں، لوٹ کھائیں گے —— اماں سرگوشیوں میں باتیں کر رہی تھیں —— "جمیل سے کہہ کر تم ایک ماسٹر کا انتظام کرالو اور گھر بیٹھے امتحان دو۔"

"مگر اماں ان روپوں سے کیا ہو گا، ہمیں اپنے سارے اخراجات برداشت کرنے چاہئیں، کچھ دن کی بات ہے پھر ابا آ جائیں گے، بڑے چچا نے بہت اچھا وکیل

کیا ہے' ابا کو کم سے کم سزا ہو گی۔"

"کیا پتہ' وہ افسر مرا تو نہیں مگر الزام تو قتل کا ہے' جانے وہ کب آئیں' ہائے اگر ان میں ذرا بھی شرافت ہوتی تو اپنے گھر کا خیال کرتے" ——— اماں کو شاید بیتے ہوئے تلخ دن یاد آ رہے تھے۔ وہ جانے کیا سوچ رہی تھیں۔

"دلہن' اے دلہن!" نیچے صحن میں کھڑی ہوئی بڑی چچی اماں کو آواز دے رہی تھیں۔ ساتھ ہی شکیل اور مُمی کے تو تو میں میں کرنے کی آوازیں آ رہی تھیں۔

"آتی ہوں! اللہ کس مصیبت میں پھنس گئے" ——— اماں بڑبڑائیں ——— "ہم اس سے زیادہ روپے نہیں منگائیں گے' تمہارے بڑے چچا کا فرض ہے کہ وہ ہماری ہر ضرورت کو پورا کریں' آخر تو ان کے بھائی کا قصور ہے' ہم خود سے تو ان کے گھر آکر نہیں بیٹھ گئے" ——— اماں جواب سنے بغیر چلی گئیں۔

تیسرا پہر تھا۔ دھوپ لوٹ چکی تھی۔ وہ بڑی دیر تک اپنے بستر پر اوندھی پڑی رہی۔ گلی میں کھلونے والا جھنجھنا بجاتا اور بڑی سریلی آواز میں صدا لگاتا جا رہا تھا' "یہ ربڑ والا ببوا' یہ مستانہ ببوا۔" مُمی لڑنے بھڑنے کے بعد اب گھسی ہوئی سوئیوں سے گراموفون ریکارڈ بجا رہی تھی۔ اس نے سوچا اس طرح تو سارے ریکارڈ خراب ہو جائیں گے' وہ شکیل سے کہہ کر مُمی کے لئے سوئیوں کی ایک ڈبیا ضرور منگا دے گی۔

دھوپ پیلی پڑ چکی تھی۔ کریمن بُوا چائے پینے کا شور مچا رہی تھیں' مگر اس کا جی نہ چاہا کہ نیچے جائے۔ وہ کھلی چھت پر آکر اس کھرے پلنگ پر لیٹ گئی جو سارا دن دھوپ میں پڑا تپتا رہا تھا۔ آس پاس کی چھتوں پر بچوں کا شور بڑھتا جا رہا تھا اور مکانوں سے اٹھتے ہوئے دھوئیں کی وجہ سے فضا سرمئی ہو رہی تھی۔

پلنگ اب تک ہلکا سا گرم تھا' وہ اٹھ کر ٹہلنے لگی۔ کیسا بجھا بجھا سا جی ہو رہا تھا۔ اس وقت تو یہی دل چاہ رہا تھا کہ گھر سے نکل کر کہیں ہو آئے' مگر کہاں' وہ تو جب سے آئی تھی اس گھر سے باہر قدم نہ نکالا تھا۔ مُمی کا جب جی چاہتا برقع اوڑھ کر گھروں گھروں پھر آتی' وہ بھی صرف مسلمان گھروں میں' ہندوؤں سے

اسے للّٰہی بغض تھا۔ اس گھر میں تو اس کی دنیا صرف کتابیں رہ گئی تھیں۔ بڑے چچا کی کتابوں کی الماری کی چابی اس نے سنبھال کر اپنے بستر میں چھپا دی تھی۔

کریمن بوا چائے پینے کے لئے پکار رہی تھیں' وہ مجبوراً" نیچے جا رہی تھی کہ چمی اس کی چائے کی پیالی لئے آگئی' اس وقت چمی کا گول گول چہرہ بے وقوفی کی حد تک سنجیدہ ہو رہا تھا اور آنکھیں ہلکی سی سرخ پڑی ہوئی تھیں۔

"کیا بات ہے چمی؟" پیالی لیتے ہوئے اس نے پوچھا۔

"کچھ نہیں' ابا میاں کا خط آیا ہے۔"

"پھر سب خیرت ہے نا؟" وہ چمی کی سنجیدگی سے ڈر رہی تھی۔

"نہیں بجیا' انہوں نے لکھا ہے کہ اب تم کو صرف دس روپے مہینہ ملا کرے گا کیونکہ تمہارا ایک بھائی اور پیدا ہو گیا ہے' اس کا خرچ بھی بڑھا ہے' انہوں نے پورے پانچ روپے کم کر دیئے ہیں۔"

"ارے یہ بات ہے' بھائی مبارک ہو چمی۔"

"میرا بھائی کیوں ہونے لگا' اللہ کرے مرجائے وہ' میری اماں کے ساتھ میرے سارے بھائی بہن مر گئے' میں اکیلی ہوں' میرا کوئی نہیں۔" اس نے ہونٹ لٹکا لئے۔

"ایسی باتیں نہ کرو چمی۔"

"پھر آپ ہی بتایئے نا کہ ہمارے ابا جتنی شادیاں کریں اور ان سے جتنے پلے ہوں' وہ سب میرے بھائی بہن ہوں گے؟" اس کی آنکھوں میں آنسو آگئے۔ اس وقت وہ کتنی معصوم نظر آ رہی تھی۔ اس کے چہرے کی ساخت ہی کچھ ایسی تھی کہ وہ لڑتے بھڑتے اور غصے سے پاگل ہوتے وقت بھی معصوم ہی رہتی۔

عالیہ نے چمی کو لپٹا لیا' اس وقت منجھلے چچا اسے دنیا کے عظیم بے درد نظر آ رہے تھے۔ انہوں نے دنیا میں بیویاں بدلنے کے سوا کوئی کام نہ کیا۔ چمی کی ماں کے انتقال کے بعد انہوں نے دو شادیاں کیں اور دونوں کو ذرا ذرا سی بات پر طلاق دے دی۔ ان کا طلاق دینے کا بھی عجیب طریقہ تھا۔ بیٹھک میں جا کر طلاق لکھتے اور بیوی کو اندر بھجوا دیتے' بس اسی وقت سے بیوی سے پردہ کرنے لگتے مگر

چوتھی بیوی نے ان پر مصیبتوں کا پہاڑ توڑ دیا تھا۔ تابڑ توڑ بچے پیدا کر کے انھیں ایسا جکڑا کہ دنیا کا نہ رکھا۔ ادھر چھمی سب کے لئے آزار بنی ہوئی تھی' باپ نے محبت سے ہاتھ کھینچ کر اسے دکھوں کا پوٹ بنا دیا تھا۔

"میں تو بالکل اکیلی ہوں بجیا' آپ کو تو سب چاہتے ہیں' جمیل بھیا بھی آپ کو بہت چاہتے ہیں' باہر سے آکر آپ ہی کے اردگرد پھرتے ہیں۔" وہ طنز سے ہنسی۔

عالیہ نے کانپ کر چھمی کو دیکھا' اس کے سامنے مہندی کا لہلہاتا پودا سوکھ کر سیاہ پڑ گیا اور پھر کسم دیدی کی سفید ساری سے پانی کی بوندیں ٹپک کر زمین میں جذب ہو گئیں۔

لاحول ولا' وہ اتنی بدھو نہیں ہے' اس کے ساتھ یہ کچھ نہیں ہو سکتا' وہ بے وقوف آدمی! جسے بڑے چچا اپنی کتابوں کی الماری کی چابی تک نہیں دیتے۔ "چھمی تم تو بالکل بچہ ہو بس' تم مجھے سمجھتی کیا ہو' ایسے ایسے دس جمیل بھیا آ جائیں تو میرا کیا بگاڑ لیں گے۔"

چھمی نے عالیہ کی آنکھوں میں غور سے جھانکا جیسے وہ سچ کی تلاش میں ہو' پھر کچھ مطمئن سی ہو کر عالیہ کے لپٹ گئی ——"میں خود یہی سمجھتی ہوں کہ ہماری بجیا ایسی تھوڑی ہو سکتی ہیں۔" وہ بڑے فخر سے ہنسی ——"پر بجیا آپ یہ تو بتائیں کہ اب اتنے روپوں میں گزارہ کیسے ہوگا۔"

"مجھے تو کوئی دس روپے بھی بھیجنے والا نہیں چھمی۔" اسے ابا یاد آگئے۔

"واہ میرے دس روپے جو ہوں گے' وہ آپ کے نہیں ہوں گے بجیا؟" چھمی نے روٹھ کر پیالی اٹھالی۔

"بس یہ ٹھیک ہے' میں تم کو اس میں سے ایک پیسہ نہ دوں گی۔" عالیہ نے اسے خوش کرنے کو کہا۔

"ارے ہاں بجیا وہ کل ہمارے کمرے میں جلسہ ہوگا۔" چھمی سب کچھ بھول کر چونکی۔

"کیسا جلسہ؟" عالیہ نے اسے حیرت سے دیکھا۔

"ارے مسلم لیگ کا جلسہ، بجیا۔"

"پر بڑے چچا جو ناراض ہوں گے، تم دل سے رہو نا مسلم لیگی۔" عالیہ نے اسے سمجھانا چاہا۔

"وہ کون ہوتے ہیں ناراض ہونے والے، میں کیا انہیں منع کرتی ہوں کہ کافروں کے جلسوں میں نہ جایا کریں۔"

"مگر تمہارے مسلم لیگی ہونے سے کیا فائدہ ہوگا؟" عالیہ کو دکھ ہو رہا تھا کہ یہاں تو سب پاگل ہیں۔

"کچھ نہیں ہوتا، بس میں مسلمان ہوں اس لئے مسلم لیگی ہوں۔" وہ بڑے فخر سے ہنسی—— "بتاشے بٹیں گے بجیا، ٹھیک رہیں گے نا؟"

"چھمی اتنے سے روپے آئے ہیں اور تم کو پورا مہینہ گزارنا ہے، کیوں خواہ مخواہ یہ حرکتیں کرتی ہو۔" عالیہ نے اسے پھر سمجھانا چاہا۔

"واہ پیسے روپے کی کیا بات ہے، میں تو اپنی جان تک نچھاور کر دوں مسلم لیگ پر، پھر ہمارے کافر چچا کو پتہ چلے۔" وہ جیسے کچھ یاد کر کے تیزی سے سیڑھیاں پھلانگتی نیچے چلی گئی۔

"اری چھمی کیوں اپنی جان کے لاگو ہو رہی ہے۔" نیچے سے بڑی چچی کی آواز آ رہی تھی۔ عالیہ چھت سے ہٹ کر بڑے کمرے کی اس کھڑکی کے پاس کھڑی ہو گئی جس سے نچلی منزل کا صحن نظر آتا تھا۔

"واقعی بڑی بے کہی لڑکی ہے، ہم نے یہ نیا طریقہ دیکھا کہ عورتیں بھی جلسے جلوس کریں، مردوں نے کیا کم گھروں کا ستیا ناس کر رکھا ہے۔" اماں صحن میں بچھے ہوئے پلنگ پر بیٹھی چھالیہ کاٹ رہی تھیں۔

"ہمارا جو جی چاہتا ہے کرتے ہیں۔" چھمی نے اپنے مخصوص لہجے میں کہا اور ہاتھ پر پڑا ہوا برقع اوڑھ کر باہر چلی گئی۔

"میں کیا کروں اگر اس کے بڑے چچا اس پر ناراض ہوتے ہیں تو بھی میرا ہی جی دکھتا ہے۔" بڑی چچی بھی اماں کے پاس ٹک گئیں۔ دادی کے زور سے کھانسنے کی آواز آئی تو کریمن بوا جلدی سے ادھر بھاگیں۔

شام کو چھمی کے کمرے میں جگہ جگہ سے پھٹی ہوئی لمبی سی دری بچھ گئی اور اس پر سارے محلے کے بچے آ آکر بیٹھنے لگے۔ صحن کے ایک کونے میں دادی کا بستر لگا ہوا تھا۔ ان کے پلنگ کے آس پاس کریمن بوا نے پانی چھڑک دیا تھا۔ وہ ننھی سی پنکھیا ہاتھ میں لئے ہولے ہولے ہلا رہی تھیں اور بڑی عبرت ناک خاموشی کے ساتھ چھمی اور بچوں کا شور سن رہی تھیں۔ ان کے چہرے سے کرب کے آثار ظاہر ہو رہے تھے۔ عالیہ ان کے سرہانے بیٹھ گئی اور ان کے ہاتھ سے پنکھیا لے کر جھلنے لگی۔

"چلئے نا بجیا آپ بھی میرے جلسے میں۔" چھمی نے عالیہ کا ہاتھ پکڑ کر کھینچا۔

"میں نہیں جاؤں گی چھمی، مجھے یہ باتیں ذرا نہیں اچھی لگتیں۔"

"مت جائیے، آپ کے بغیر جلسہ تھوڑی ختم ہو جائے گا"——وہ روٹھ گئی——"مجھے پتہ ہے نا کہ آپ بڑے چچا کا ساتھ دیں گی۔"

"تم کو معلوم ہے تو ٹھیک ہے، عالیہ ایسی بے ہودہ باتوں میں نہیں جاتی۔" اماں نے بھی چھمی کو گھر کا، مگر چھمی نے کوئی جواب نہ دیا، اس کا منہ اتر گیا تھا، وہ جلدی سے کمرے میں چلی گئی اور بچوں سے نعرے لگوانے لگی۔

"ہائے اب میں کیا کروں دلہن، اس کے بڑے چچا بیٹھک میں ہیں، وہ یہ نعرے سنیں گے تو کیا ہو گا، دس بار کہا کہ جب جلسہ کرو تو میلاد پڑھا کرو مگر نہیں سنتی"——بڑی چچی چھمی کے جلسے سے بہت پریشان نظر آ رہی تھیں——"ارے اس کے باوا کو ہوش ہی کہاں جو اس کے دو بول پڑھا کر ٹھکانے سے لگا دیں۔"

"جسے شوق ہو وہ خود اپنے دو بول پڑھوالے۔" چھمی نے کمرے کی دہلیز پر آ

کر جواب دیا اور پھر مصروف ہو گئی۔

"ارے شکیل اٹھ کر بیٹھک کا دروازہ بند کر دے تا کہ آواز نہ جائے۔" بڑی چچی چھمی کی بات کا برا ماننے کے بجائے اس کی حفاظت کے سامان کر رہی تھیں۔

"میں کیوں بند کروں، اچھا ہے ابا ایک دن اس کی ہڈیاں توڑیں۔" شکیل اپنے بستے میں پیوند لگاتے ہوئے بڑے مزے میں اچکا۔

"بکواس کرتا ہے، کتنی بڑی ہے تجھ سے چھمی۔" بڑی چچی نے غصے سے اس کی طرف دیکھا اور کریمن بوا کشتی میں چائے کے برتن رکھتے ہوئے اٹھ پڑیں۔ بیٹھک کے دروازے بند کر کے وہ بھر پرتن لگانے لگیں۔

نعرے لگانے کے بعد سارے بچے چھمی کے ساتھ گا رہے تھے۔

کاشی میں تلسی تو بوئی بکریاں سب چر گئیں
گاندھی جی ماتم کرو ہندو کی نانی مر گئیں

چھمی کے اس خود ساختہ گیت کو سن کر عالیہ ہنس پڑی مگر جیسے ہی اس نے دیکھا کہ بڑے چچا بیٹھک کے دروازے کے پاس کھڑے ہیں تو گھبرا کر چھمی کو پکارنے لگی۔ چھمی نے مڑ کر دیکھا اور پھر آرام سے بچوں میں بتاشے بانٹنے لگی۔

"ارے اس پاگل، جاہل کو کوئی نہیں سمجھاتا، میں ایک دن اس کی ہڈیاں توڑ دوں گا۔" بڑے چچا صحن میں آکر کھڑے ہو گئے۔ غصے سے ان کا منہ سرخ ہو رہا تھا۔

بچے بھرا مار کر بھاگ پڑے۔ ایک بچے کے بتاشے گر کر ٹکڑے ٹکڑے ہو گئے تھے اور وہ بڑے چچا کی طرف سہمی ہوئی نظروں سے دیکھ دیکھ کر انہیں چن رہا تھا۔

"آپ تو بہت قابل ہیں نا، مجھے بہت پڑھایا لکھایا ہے جو جہالت کے طعنے دیتے ہیں۔" چھمی بھلا کیوں چپ رہتی۔

بڑے چچا اس کی طرف لپکے تو بڑی چچی بیچ میں آگئیں —— "ہے کیا دیوانے ہو گئے ہو، جوان لڑکی پر ہاتھ اٹھاؤ گے؟" بڑی چچی ہانپنے لگیں۔

"بھئی مار لینے دیجئے' دل کی حسرت تو نکل جائے۔" چھمی ڈٹ کر کھڑی ہو گئی۔

عالیہ اس کا ہاتھ پکڑ کر کمرے میں لے جانا چاہتی تھی مگر وہ اسے بھی دھکے مار رہی تھی۔ کریمن بوا دم بخود کھڑی تھیں۔ کچھ کہنے کی کوشش میں دادی کی سانس چڑھ گئی تھی اور اماں تماشائیوں کی طرح پلنگ پر بیٹھی سب کچھ دیکھ رہی تھیں۔

"چھمی اندر چلو میری بہن' میرا کہنا نہیں مانتیں؟" عالیہ نے منت کی تو چھمی اسے عجیب سی نظروں سے دیکھتی اپنے کمرے میں چلی گئی۔

"میں کیا کروں' مجھے کس قدر عاجز کیا ہے سب نے' عالیہ بیٹی تم ہی ان لوگوں کو سمجھایا کرو۔" بڑے چچا کا غصہ رفو چکر ہو چکا تھا اور وہ بڑی بیچارگی سے عالیہ کو دیکھ کر اپنی بے بسی کی داد چاہ رہے تھے۔ چند منٹ بعد وہ سر جھکائے بیٹھک میں چلے گئے اور ذرا دیر کو سناٹا چھا گیا۔

"ہائے اپنے زمانے میں کاہے کو یہ سب کچھ دیکھا ہو گا۔" کریمن بوا پیڑے پر بیٹھ کر اپنے آپ سے کہہ رہی تھیں ——— "یہ مالک مظفر مرحوم کا خاندان ہے' انہیں تو قبر میں بھی چین نہ ملتا ہو گا' مالک ———"

رات کا اندھیرا پڑنے لگا تو کریمن بوا نے لالٹینیں جلا کر ہر طرف رکھ دیں اور صحن میں بچھے ہوئے کھرے پلنگوں پر بستر لگا دیئے۔ چھمی کے کمرے سے اس کی دھیمی دھیمی سسکیوں کی آواز آ رہی تھی۔

"چھمی کا کیا بنے گا؟" دادی نے عالیہ کی طرف دیکھ کر دھیرے سے پوچھا۔ اب ان کی سانس قابو میں آ چکی تھی ——— محبت نے دم اٹکا رکھا ہے۔"

عالیہ سے کچھ بھی نہ کہا گیا' اس نے دادی کا ہاتھ تھام لیا۔ اس زندگی کے ساتھ کتنے بکھیڑے ہوتے ہیں۔ چھمی دادی کو کچھ بھی نہ سمجھتی تھی مگر وہ بستر پر پڑے پڑے اس کا سہارا بنی ہوئی تھیں۔

"کیا ہوا ہے عالیہ بیگم؟" جمیل بھیا نے گھر میں داخل ہوتے ہی سوال کیا اور پھر لوہے کی زنگ آلود کرسی پر بیٹھ گئے ——— "اس وقت بڑا سناٹا چھایا ہے۔"

جمیل بھیا جب اسے عالیہ بیگم کہتے تو اسے ایسا محسوس ہوتا کہ وہ زہر اگل رہے ہیں' وہ چپ رہی۔

مسلم لیگ کا جلسہ ہوا تھا یہاں' بڑے بھیا نے ڈانٹا تھا بس اتنی سی بات" اماں نے بڑے فسادی انداز میں کہا۔

"خوب! خوب!" —— وہ زور سے ہنسے "پھر ہمارے ابا کی رگ حمیت پھڑک اٹھی ہوگی' واہ کیا عظیم آدمی ہیں ہمارے ابا بھی' یہ گھران کی عظمت کا مثالی نمونہ ہے۔ برسوں سے کانگرس کی غلامی کر رہے ہیں اور مجھے ایک نوکری نہ دلا سکے' حالانکہ اب کانگرس کی وزارت بھی بن گئی ہے۔" جمیل بھیا پھر ہنسے۔

"ہاں اب تم آگ لگاؤ' ذرا پاس لحاظ نہیں باپ کا" —— بڑی چچی بپھر گئیں —— "کانگرس کی خدمت کرتے ہیں۔ تو کسی لالچ سے تھوڑی کرتے ہیں۔"

"اماں آپ کیا جانیں' ارے مجھے سخت بھوک لگی ہے' اگر ابا کے مہمانوں سے کچھ بچا ہو تو مجھے بھی کھلا دیجئے۔" جمیل بھیا مذاق پر تل گئے۔

"بس ہر دم بکواس کرتا ہے' کہیں اور سے کھا کھا کر اتنا بڑا ہو گیا ہے' یہاں تو بھوکا مرتا ہے نا۔" بڑی چچی چیخ پڑیں۔

"بھئی اماں تو خواہ مخواہ نارض ہوتی ہیں" —— جمیل بھیا ہنس پڑے —— اچھا تم ہی بتاؤ عالیہ بیگم کہ ہمارے ابا یہاں جس دنیا کو بنانے کی فکر میں ہیں' کیا ہم اس کے باشندے نہیں ہیں' آخر ہمیں کیوں تباہ کیا جائے؟ اور مظہر چچا جو ایک انگریز کا سر پھاڑ کر جیل چلے گئے تو انہوں نے کون سا کارنامہ انجام دیا؟ کیا انہوں نے تم سب کو تباہ نہیں کیا؟ اب تم کو اس گھر میں کتنی تکلیف ہوگی' تم لوگوں نے کتنے ٹھاٹ کی زندگی گزاری تھی' ابھی تو میں بھی کسی لائق نہیں ورنہ" —— وہ ایک لمحے کو رک کر عالیہ کو دیکھنے لگے۔

"آپ ایسی باتیں نہ کیجئے جمیل بھیا' دادی کہیں سوتے میں بھی نہ سن لیں"۔ وہ جلدی سے جمیل بھیا کے پاس آکر آہستہ سے بولی۔

"جانے بھابی کس طرح یہ سب کچھ برداشت کرتی ہیں' میں تو ان سے لڑ لڑ کر تھک گئی تھی' بھلا کیا ملا انہیں انگریز دشمنی میں؟" اماں نے ٹھنڈی آہ بھر کر یان

کی گلوری منہ میں رکھ لی۔

"کیا تم میرے ساتھ کھانا نہ کھاؤ گی' عالیہ بیگم؟" جمیل بھیا نے کریمن بوا کے ہاتھ سے کشتی لیتے ہوئے پوچھا۔

"نہیں بھئی' ابھی ہمیں بھوک نہیں۔"

وہ اٹھ کر چھمی کے کمرے میں چلی گئی۔" وہ اب تک اپنے بستر پر اوندھی پڑی سسک رہی تھی۔

"چلو باہر چلیں چھمی' اندر تو بڑی گرمی ہے۔" عالیہ نے اسے زبردستی اٹھایا ——"چھت پر چل کر ٹہلیں گے۔"

چھمی کمرے سے تو نکل آئی مگر جمیل بھیا کو دیکھ کر وہیں بیٹھ گئی——" آپ جائیے ٹہلئے۔"

نیچے کے گھٹے ہوئے ماحول سے اوپر کی کھلی فضا میں آکر اسے بڑا سکون محسوس ہوا۔ گرمیوں کے غبار میں ڈوبی ہوئی چاندنی میں بھی بڑی میٹھی سی خنکی تھی۔ گلی میں بچے بڑے جوش و خروش سے ریل ریل کھیل رہے تھے۔ زیادہ خوش ہوتے تو مسلم لیگ زندہ باد اور کانگرس زندہ باد کے دو چار نعرے بھی لگا دیتے۔ جب وہ سیٹی بجاتے اور چھک چھک کرتے اور چلے جاتے تو ایکدم سناٹا چھا جاتا۔

چھت کی منڈیر کے پاس کھڑے ہو کر اس نے دیکھا کہ ہائی اسکول کی عمارت درختوں کے گھنے سائے کی وجہ سے اندھیرے میں ڈوبی ہوئی تھی۔

وہ دیر تک اس عمارت کو خالی خالی نظروں سے دیکھتی رہی——ایک دن شکیل اسی اسکول میں پڑھے گا' اسے اپنے خواب کی تعبیر ضرور ملے گی۔ مگر اس کے سارے خواب اڑا دھم ہو گئے' اب وہ کسی کالج میں نہ پڑھ سکے گی' پھر بھی اسے پڑھنا ہے' اپنے پیروں پر کھڑا ہونا ہے' ابا کب آئیں گے یہ کوئی نہ جانتا' بڑے چچا اسے کتنے مایوس نظر آتے۔ جب وہ ابا کے مقدمے کے سلسلے میں بات کرتی ہے تو وہ ادھر ادھر کی باتیں چھیڑ دیتے۔

سوچتے سوچتے جب عالیہ نے آسمان کی طرف دیکھا تو چاند اسے بڑا مٹیالا معلوم ہوا۔

"عالیہ۔"

اس نے چونک کر دیکھا تو جمیل بھیا اس کے پیچھے کھڑے تھے —— "یہاں اکیلے کیا کر رہی ہو؟"

"کچھ نہیں بھیا۔" تنہائی میں بھیا کے وجود سے وہ گھبرا گئی۔ بھیا ادھر ادھر دیکھ رہے تھے۔

"یہاں گھبراتی ہو گی عالیہ' اگر تہمینہ زندہ ہوتی تو شاید تم خوش رہتیں اور شاید ہماری شادی بھی ہو چکی ہوتی' یقین جانو کہ شادی میری انتہائی مخالفت کے باوجود ہو رہی تھی' پھر بھی جب وہ مری ہے تو ایک بار مجھے ایسا محسوس ہوا کہ میں رنڈوا ہو گیا ہوں۔" جمیل بھیا نے جیسے دکھ سے آنکھیں بند کر لیں۔

"مگر اب آپ ان باتوں کا ذکر کیوں کر رہے ہیں؟"

"ویسے ہی' مجھے اس سے ہمدردی تھی نا' مجھے سب کچھ معلوم تھا نا' اور مجھے تو یہ بھی یقین ہے کہ وہ اپنی موت نہیں مری۔" جمیل بھیا نے اس کی آنکھوں میں آنکھیں ڈال دیں۔

"اب تو میں آپ کے گھر میں ہوں' جو چاہے کہئے۔" اس نے منہ پھیر لیا مگر جمیل بھیا پھر اس کے سامنے آ گئے —— "سنو تو عالیہ' میں اتنا برا تو نہیں ہوں' بات یہ ہے کہ صفدر کا میرے پاس خط آیا تھا' اس نے التجا کی تھی کہ تہمینہ سے شادی نہ کرو' مجھے اس سے محبت ہے' پھر بھی میں اس شادی کو رکوا نہ سکا۔ آج تک اپنے کو مجرم سمجھتا ہوں۔ اگر میرا بس چلتا تو صفدر اور تہمینہ کی شادی کرا کے دم لیتا' مگر ——" وہ ایک لمحے کو چپ ہو گئے۔ "تم تو مجھے مجرم نہیں سمجھتیں؟"

"ارے یہ تو سب کچھ جانتے ہیں۔" اس نے حیران ہو کر جمیل بھیا کی طرف دیکھا اور پھر نظریں جھکا لیں۔ آپا کا راز افشا دیکھ کر اسے جمیل بھیا کی صورت سے نفرت ہونے لگی۔ ساری باتیں تیر کی طرح اس کے کلیجے میں چھد کر رہ گئی تھیں۔

"اگر میں چاہوں تو ابھی اپنے ماموں کے گھر جا سکتی ہوں۔" ماموں کی حقیقت جانتے ہوئے بھی وہ اور کس کا نام لے کر دھمکاتی۔

تم جا ہی نہیں سکتیں، مجھے تم سے محبت ہے، پھر میں کیا کروں گا۔" جمیل بھیا کا پسیجا ہوا ٹھنڈا ہاتھ اس کے ہاتھ کو دبوچنے لگا اور اسے ایسا محسوس ہوا کہ وہ چھت میں دھنس رہی ہے، مارے کمزوری کے وہ اپنے کو بچا بھی نہیں سکتی۔ اس نے بڑی بے بسی سے جمیل بھیا کے ٹھنڈے ہاتھ کی طرف دیکھا اور اسے ایک دم وہ مینڈک یاد آگیا جو برسات کے دنوں میں اس کے ہاتھ پر کود گیا تھا۔ اس نے ڈر کر آنکھیں بند کرلیں اور اس کے منہ سے چیخ نکل گئی۔ پھر جانے اسے کیا ہوا کہ وہ چیختی ہی چلی گئی۔ جب اس نے آنکھ کھولی تو سب لوگ اس کے پاس جمع تھے۔ اماں رو رہی تھی، اور بڑے چچا کوئی معجون چٹا رہے تھے مگر جمیل بھیا وہاں نظر نہ آئے۔

"آس پاس کمبخت ہندوؤں کے مکان ہیں، کوئی بھوت دکھائی دے گیا ہوگا۔" چھمی نے اس کے آنکھ کھولتے ہی اظہار خیال کیا اور اماں بے تاب ہو ہو کر اس کے ہاتھ چومنے لگی۔

"پھر وہی جہالت کی باتیں، کسی خیال سے ڈر گئی ہوگی، ——— ذہنی بیماری ہے۔ تم یہ معجون روز کھانا، دماغ مضبوط ہو جائے گا بیٹی۔" بڑے چچا چھمی کو پھٹکار کر عالیہ کو نصیحت کرنے لگے تھے، اس لئے انہوں نے دیکھا بھی نہیں کہ چھمی اپنی جہالت کا بدلہ لینے کے لئے کس قدر بے چین تھی مگر جانے کیا سوچ کر چپ ہو رہی تھی۔

"آخر ہوا کیا تھا عالیہ؟" بڑی چچی نے پوچھا تو اس نے گھبرا کر اس طرح آنکھیں بند کرلیں جیسے سونا چاہتی ہو۔ اب بھلا وہ سب کو کیا بتاتی؟

ابا کا مقدمہ ختم ہو گیا۔ اقدام قتل کے سلسلے میں سات سال کی قید کا حکم سنا دیا گیا۔

دوپہر ڈھل چکی تھی۔ ہلکی سی بوندا باندی کے بعد اب آسمان بالکل صاف ہو گیا تھا۔ جب بڑے چچا نڈھال سے گھر میں داخل ہوئے تو جیسے وہ بات کرنے کی طاقت کہیں باہر ہی چھوڑ آئے تھے۔ اماں ان کی کمر سے لپٹ گئیں ——— "بڑے بھیا مجھے اچھی خبر سنانا" ——— اماں منہ اٹھائے انہیں بڑی امید و بیم سے تک رہی تھیں۔ بڑے چچا صحن میں بچھی ہوئی چوکی پر آہستہ سے بیٹھ گئے تو عالیہ نے لوٹے میں پانی بھر کر ان کے پاس رکھ دیا۔ کیسی دھول اڑ رہی تھی بڑے چچا کے منہ پر۔

بڑے چچا کٹھ پتلیوں کی طرح منہ پر پانی کے چھینٹے دینے لگے۔ وہ سب سے نظریں بچا رہے تھے۔ اماں کا صبر جواب دے گیا۔ بری خبر تو بڑے چچا کی آنکھوں سے جھانک رہی تھی۔ اماں ان کا منہ تکتے تکتے دھاڑ کر روئیں تو بڑی چچی اور کریمن بوا نے جلدی سے انہیں سنبھال لیا۔

"اماں بی کے کمرے کے دروازے بند کر دو، کہیں وہ رونے کی آواز نہ سن لیں" ——— بڑے چچا نے عالیہ کی طرف دیکھ کر کہا اور پھر اماں سے مخاطب ہو گئے ——— "مظہر کی دلہن صبر سے کام لو، یہ سات سال بھی گزر جائیں گے اور یہ بھی ہو سکتا ہے، مظہر ایک سال بھی جیل میں نہ رہے، کیا پتہ ہم آزاد ہو جائیں۔"

"سب بیکار باتیں ہیں بڑے بھیا، انہوں نے بھرا گھر اجاڑ دیا، اب سات سال کون گزارے گا، ہائے سات سال نہیں گزرتے۔" اماں بلک بلک کر رو رہی تھیں۔

"ارے حاکموں نے نہیں دیکھا اس گھر کا زمانہ، انہیں پتہ نہیں یہ کس کا بیٹا

ہے۔ اپنے مالک مرحوم تو لوگوں کو پھانسی کے تختے سے اتروا لیتے تھے۔ حاکم ان کی ڈالیوں پر جیتے تھے' پر اب زمانہ بگڑ گیا۔" گزرا زمانہ یاد کر کے کریمن بوا کا منہ سرخ ہو رہا تھا اور وہ روتی ہوئی اماں کو لپٹائے کمرے میں لے جانے کی کوشش کر رہی تھیں۔

"ہم اجڑ گئے' تباہ ہو گئے' انہیں مجھ سے کون سی دشمنی تھی جو یہ سب کردیا۔" اماں بے قابو ہو کر اپنے کو چھڑا رہی تھیں۔

جب اماں کو زبردستی کمرے میں لے جایا گیا تو وہ صحن میں تنہا کھڑی رہ گئی۔ اماں کی گریہ و زاری نے کسی کو بھی اس کی طرف متوجہ نہ کیا' کسی نے بھی نہ دیکھا کہ اس کے دل پر کیا گزر گئی۔ ایک بار تو اسے ایسا محسوس ہوا کہ اس کے پیروں تلے کنواں کھد گیا ہے' وہ دھیرے دھیرے گر رہی ہے۔ جانے کس طرح اس نے آگے بڑھ کر لوہے کی کرسی تھام لی۔ صحن میں کیسا سناٹا چھایا تھا۔

چند لمحوں بعد سیڑھیوں کو طے کرتے وہ اپنے کمرے میں چلی گئی اور پھر اپنے بستر پر گر کر ایک دم سسکنے لگی۔

اچھی طرح رو چکنے کے بعد جب اس کا دل ٹھکانے آیا تو وہ بالکل خالی الذہن ہو رہی تھی۔ اس نے یوں ہی اپنے کورس کی کتابیں اٹھا کر پھر سے رکھ دیں۔ پانچ بجے ماسٹر کو پڑھانے کے لئے آنا تھا۔ اس نے کتابوں پر تکیہ رکھ دیا جیسے آج تو وہ ان کتابوں کی صورت سے بھی بیزار ہو ——

آج کون سی تاریخ ہے —— اس نے اپنی یاد کو کریدا —— آج رات سزا کا ایک دن گزر جائے گا' شام تو ہونے والی ہے —— اس نے بڑی امید سے ایک دن کو آگے دھکیل دیا۔

سیڑھیوں پر کسی کے قدموں کی چاپ ہو رہی تھی۔ اس نے دیکھا کہ بڑے چچا اس کی طرف بڑھ رہے ہیں۔ وہ اپنے بستر پر بیٹھ گئی۔ اس نے بڑے صبر سے ان کا اترا ہوا چہرہ دیکھا لیکن جب بڑے چچا نے اس کی آنکھوں میں جھانکتے ہوئے سر پر ہاتھ پھیرا تو وہ کانپ کر رہ گئی۔ آنسوؤں کے پردے کے اس پار سب کچھ دھندلا کر رہ گیا۔

"تمہیں اپنی ماں کو سنبھالنا ہے بیٹی، تم ہمت سے کام لو، مجھے امید ہے کہ جیل کی دیواریں اسے زیادہ دن نہ روک سکیں گی، ٹھیک ہے نا؟" بڑے چچا نے لمبی سانس بھری۔ کیسا یقین تھا چچا کی آنکھوں میں کہ وہ سر جھکانے پر مجبور ہو گئی۔

بڑے چچا چلے گئے تو وہ آنسو پونچھ کر جیسے بڑے سکون سے لیٹ گئی۔

شام ہو رہی تھی، گلی میں موتیے کے ہار بیچنے والے صدا لگاتے گزر رہے تھے۔ کمرے میں ہلکا سا اندھیرا چھا رہا تھا لیکن عالیہ منہ چھپائے بستر پر پڑی رہی۔ بڑی چچی، چھمی، کریمن بوا سبھی تو باری باری اس کے پاس آئیں، اسے نیچے لے جانے کی ضدیں کیں مگر وہ کیسے جاتی، بھلا وہ اپنی اماں کو کس طرح دیکھتی۔ اماں جو ایک سال سے اس گھر میں مسافروں کی طرح بیٹھی تھیں، اب مایوسی نے ان کا سفر ختم کر دیا تھا، بندھا ہوا سامان کھل گیا۔

گلی میں بجلی کا بلب روشن ہو گیا تھا۔ وہ کمرے سے نکل کر چھت پر آ گئی۔ آج تو اسے اندھیرا بڑا اچھا لگ رہا تھا۔ پھر اندھیری رات میں تارے کتنے روشن ہو رہے تھے۔ جیسے دکھ کے اندھیرے میں غم دہک رہے ہوں۔ قریب قریب کی چھتوں سے شور کی آواز آ رہی تھی۔ بچے لڑ جھگڑ رہے تھے۔ گراموفون ریکارڈ بج رہے تھے، کوئی آواز بھجن گا رہی تھی —— "میرا کے پربھو گردھر ناگر ——"

"عالیہ میں تم سے بات کر سکتا ہوں، تم چیخو گی تو نہیں؟" جمیل بھیا جانے کب بلیوں کی چال چل کر اس کے سر پر آ کھڑے ہوئے تھے۔ وہ اس وقت سخت بوکھلائے ہوئے لگ رہے تھے۔ اظہار محبت کے تلخ قصے کے بعد آج وہ اس سے بات کر رہے تھے ورنہ کئی مہینے گزر گئے۔ انہوں نے اس سے بات نہ کی تھی۔ وہ گھر میں بھی کم ہی آتے، چپ چپ رہتے۔ بڑی چچی اپنے بیٹے کو یوں دیکھ کر فکر مند رہتیں، ان کا خیال تھا کہ اچھی سی ملازمت نہ ملنے کی وجہ سے یہ حالت ہے۔ چند نالائق لڑکیوں کی ٹیوشنوں پر ان کا گزارہ ہو رہا تھا۔

عالیہ اپنے حال میں مگن سی بیٹھی رہی۔

"کیا تم کو مجھ سے اتنی نفرت ہے کہ جواب تک نہ دو گی؟" انہوں نے جیسے بے اختیاری میں اپنا ہاتھ اس کی طرف بڑھایا اور پھر جھجک کر کھینچ لیا۔ شاید انہیں

پہلا قصہ یاد آ گیا تھا ——— "منجھلے چچا سے ملنے جیل نہ چلو گی؟"

"میں ابا کو جیل میں نہیں دیکھ سکتی' بھلا میں انہیں مجرم کی حیثیت سے دیکھوں گی؟" وہ دھیرے سے بولی۔

"واہ وہ مجرم کب ہیں' انگریزی حکمران کو مارنا جرم کہاں ہوتا ہے؟"

"ہوں!" اس نے جیسے چونک کر جمیل بھیا کی طرف دیکھا۔ وہ تو اسے اس اندھیرے میں بھی بڑے سرکش اور سنجیدہ نظر آ رہے تھے۔ وہ کچھ نہ بولی۔ بھیگی بھیگی ہوا کے ہلکے ہلکے جھونکے آ رہے تھے اور اب پھر بادلوں کے چند ٹکڑے ادھر ادھر تیرتے پھر رہے تھے۔

"نیچے چلو بھئی' سب کے ساتھ بیٹھ کر جی بہل جائے گا۔" جمیل بھیا نے اس طرح سے کہا جیسے جی بہلنے کی بات سراسر جھوٹ ہو۔

"آپ جایئے' میں تھوڑی دیر میں آ جاؤں گی۔"

جمیل بھیا کچھ دیر تک خاموش کھڑے رہے اور پھر چلے گئے۔ وہ اپنے کمرے میں آ گئی اور میز پلنگ کے پاس کھینچ کر ابا کو خط لکھنے بیٹھ گئی۔ وہ بہت سوچ سوچ کر لکھ رہی تھی ——— جدائی کے یہ سات سال ملاپ کی چمک سے ہمیشہ کے لئے ماند پڑ جائیں گے۔ میں ہر وقت آپ کا انتظار کروں گی۔

خط ختم کرنے کے بعد اس نے وہیں میز پر سر ٹیک دیا۔ اس وقت سات سال کتنے طویل معلوم ہو رہے تھے۔ اللہ' رام جی نے بن باس کے چودہ سال کس طرح گزارے ہوں گے ———؟

"کریمن بوا گھر میں کہو کہ مظہر بھائی کے جیل کی خبر سے بہت افسوس ہوا' اگر بدلے میں کوئی مجھے جیل دے دے تو ابھی تیار ہوں۔ اپنی بیکار زندگی ———" بیٹھک کی دہلیز سے اسرار میاں کی بھرائی ہوئی آواز گھر کے سناٹے کو چیرتی ہوئی اسے صاف سنائی دے گئی۔ اس نے میز سے سر اٹھا کر خط لفافے میں بند کر دیا۔

اسرار میاں کے پیغام کا کوئی جواب نہ تھا' صرف کریمن بوا کے چمٹا پٹخنے کی آواز آ رہی تھی۔ اللہ کرے اسرار میاں بڑھاپے سے پہلے ہی دادی کی طرح اونچا سننے لگیں' انہیں یہ شک تو رہے گا کہ جواب تو دیا گیا ہے مگر انہوں نے سنا نہیں۔

بڑے کمرے کی کھڑکی سے جھانک کر اس نے نیچے دیکھا۔ صحن میں بچھے ہوئے پلنگوں پر سب لوگ چپ چاپ بیٹھے تھے۔ صرف بڑے چچا لیٹے ہوئے اپنے سینے پر ہاتھ پھیرا رہے تھے۔ بڑی چچی کا سروتہ ہولے ہولے چھالیہ کتر رہا تھا اور کریمن بوا بڑی پھرتی سے روٹیاں پکا رہی تھیں۔ جمیل بھیا لوہے کی کرسی پر بیٹھے انگلیاں مروڑ رہے تھے۔ چھمی کا پتہ نہ تھا۔ اس واقعہ کے بعد سے تو اس کی آواز بھی نہ سنائی دی تھی۔ سارا لڑنا بھڑنا بھول گئی تھی۔

وہ دبے قدموں نیچے اتر آئی۔ لالٹین کی پیلی روشنی میں اماں اسے بڑی بے بس نظر آ رہی تھیں۔ وہ جلدی سے بڑے چچا کے پاس بیٹھ گئی۔ آج تو اس نے بڑے چچا کا سر بھی نہ سہلایا تھا۔

"ماسٹر صاحب روز آتے ہیں نا؟" آخر بڑے چچا نے بات کرنے کے لئے موضوع ڈھونڈ ہی لیا اور خاموشی کا ڈیرا اٹھ گیا۔

"آتے ہیں۔" وہ کھسک کر بڑے چچا کا سر سہلانے لگی۔

"اب اگر تم محنت سے نہ پڑھو گی تو ہم کیا کریں گے' میرا کون سا لڑکا بیٹھا ہے جو ان برسوں کو بتا دے گا۔" اماں پر پھر سے رونے کے آثار طاری ہو رہے تھے۔ وہ جلدی سے اٹھ کر دادی کے کمرے میں چلی گئی۔ جب سے رات کو شبنم پڑنی شروع ہوئی تھی' دادی کا بستر کمرے میں چلا گیا تھا۔ مئی جون کے سوا ان کا سارا زمانہ کمرے میں گزرتا۔

وہ دادی کی پٹی سے ٹک گئی۔ چھمی اپنی مسہری پر منہ چھپائے پڑی تھی۔ اس نے عالیہ کو دیکھا اور پھر منہ چھپا لیا۔

"مظہر بیٹے کا کوئی خط آیا؟" دادی نے بے چین سانس کو قابو میں کرتے ہوئے پوچھا۔ ادھر کچھ دنوں سے تو ان پر ہر وقت دمے کا حملہ رہتا۔

"خط آیا تھا دادی' کام بہت ہے چھٹی نہیں ملتی۔" اس کی آواز گھٹ رہی تھی۔ چھمی نے ایک لمحے کو سر اٹھایا تو دو آنسو لڑھک کر تکیے میں جذب ہو گئے۔

ایسا معلوم پڑتا ہے کہ اب زندگی ختم ہو رہی ہے' تمہارا چھوٹا چچا جانے کب واپس آئے گا' وہ مجھ سے بہت محبت کرتا تھا' اٹھارہ سال کا ہو گیا تھا مگر میری

گود میں منہ چھپا کر سوتا تھا، جانے وہ کب——"

دادی کی سانس تیز ہونے لگی تو انہوں نے گھٹنے پیٹ میں اڑا لئے۔

"عالیہ، چھمی کھانا کھانے آ جاؤ۔" صحن سے بڑی چچی کی آواز آئی تو عالیہ اٹھ کھڑی ہوئی۔ کریمن بوا دادی کا کھانا لئے اندر آ رہی تھیں۔

اماں نے وقت سے سمجھوتہ کر لیا تھا۔ بہت اونچے پر بیٹھے بیٹھے وہ ذرا نیچے سرک آئی تھیں، پر اتنی بھی نہیں کہ چچی کے قریب بیٹھ گئی ہوں۔ ان کے چہرے پر اب بھی تیس روپے مہینے کا غرور اور اس دولت کا سکون تھا جو ان کے بھائی کے پاس جمع تھی اور حفاظت کا وہ سایہ بھی ان کے ساتھ لگا ہوا تھا جسے اکلوتے بھائی کے اونچے عہدے اور انگریز بھابی نے جنم دیا تھا۔

مقدمے کے فیصلے کے بعد اماں نے ماموں کو کئی خط لکھے تھے جن میں اس گھر اور یہاں کی فضا کی برائیاں کی تھیں۔ ان کے پاس رہنے کی خواہش کا اظہار کیا تھا مگر ماموں نے بڑی بے بسی سے جواب دیا تھا کہ اس طرح وہ بھی حکومت کی نظروں میں آ جائیں گے اور ان کا عہدہ خطرے میں پڑ جائے گا۔

عالیہ نے اماں سے اس خط کا ذکر نہ کیا تھا جو انہوں نے اسے لکھا تھا اور بڑی صفائی سے اعتراف کیا تھا کہ ان کی بیوی آزاد فضا کی پروردہ ہے۔ اس کے ملک میں یہ رواج نہیں کہ خواہ مخواہ خاندانی جھمیلوں کو پال کر زندگی تلخ کی جائے اس لئے ضروری ہے کہ کسی بہانے وہ اپنی ماں کو وہیں رہنے پر مجبور کرے۔

اس نے یہ خط پڑھ کر پھاڑ دیا تھا۔ وہ اماں کا دل نہ توڑنا چاہتی تھی۔ آس ٹوٹنے کے بعد انسان کے پاس کیا بچ رہتا ہے۔ سہارے چاہے دھوکا ہی کیوں نہ دے جائیں مگر کچھ دن تو کام آ ہی جاتے ہیں۔ اسے ماموں سے سخت نفرت ہو گئی تھی۔ یہ ہنس کی چال چلنے والا کوا اپنی چال بھی بھول گیا —— ماموں کا خط پا کر اس نے بڑی حقارت سے سوچا تھا —— جب وہ خود کسی قابل ہو جائے گی تو اماں کے اس سہارے کو نوچ کر دور پھینک دے گی۔ اس نے فیصلہ کیا کہ اب وہ اور بھی محنت سے پڑھے گی۔

ان دنوں بڑے زور کی سردی ہو رہی تھی، پھر بھی وہ رات کو بارہ بارہ بجے تک پڑھتی رہتی اور جب شکیل آوارہ گردی کر کے ہولے ہولے صدر دروازہ کھٹکھٹاتا تو وہ دبے قدموں جا کر زنجیر کھول دیتی۔ شکیل ہائی اسکول میں داخل ہو چکا تھا۔ فیس کے روپے اس نے اماں سے چھپا کر اسے دیئے تھے مگر اتنی بہت سی کتابیں خریدنے کے لئے وہ کہاں سے روپے لاتی۔ شکیل کے پاس بھی یہی بہانہ تھا کہ دوستوں کے ساتھ مل کر پڑھتا ہے۔ اس کی آنکھوں میں کیسی ڈھٹائی آگئی تھی۔ عالیہ دروازہ کھولتے ہوئے کبھی کبھی تنبیہہ کرتی تو بڑی بے اعتنائی سے ہنس پڑتا۔

آج بھی رات کو جب وہ پڑھ رہی تھی تو دروازہ کھٹکا۔ وہ کتابیں رکھ کر جلدی سے سیڑھیاں اترنے لگی اور جب دروازہ کھول رہی تھی تو جمیل بھیا کانوں پر مفلر لپیٹے اپنے کمرے سے باہر نکل آئے۔ عالیہ کو دیکھ کر ایک لمحے کو ٹھٹکے اور پھر شکیل کا بازو پکڑ کر اس کے منہ پر دو تین تھپڑ مار دیئے——"لے یہ سبق بھی یاد کر لے۔"

شکیل نے جمیل بھیا کو ایسی نظروں سے دیکھا جن میں مقابلے کی طاقت تھی مگر وہ جلدی سے بڑی چچی کے کمرے میں چلا گیا۔

"خواہ مخواہ مارتے ہیں، اسے کتابیں خرید دیجئے، پھر کیوں جائے گا دوستوں میں پڑھنے۔" وہ دھیرے سے بولی۔

"کتابیں؟ مجھے بھی کسی نے کتابیں نہیں دی تھیں مگر میں ایسا نہ تھا۔ یہ اتنا بڑا اونٹ کا اونٹ کچھ نہیں سوچتا۔ گھنٹے دو گھنٹے پڑھ کر بھی آسکتا ہے اور پھر تم دیکھتی نہیں ہو کہ اسے سلک کی قمیض کس نے بنوا کر دی ہے۔ میرا تو کوئی ایسا دوست نہ تھا۔"

بھیا غصے سے ہاتھ مل رہے تھے اور وہ بے وقوفوں کی طرح انہیں دیکھ رہی تھی۔ "پھر کیا ہوا جو کسی دوست نے قمیض بنوا دی۔"

بھیا سر جھکائے کھڑے تھے۔ اسے ان کی حالت پر رحم آنے لگا۔ بیچارے روپے کی قلت کی وجہ سے کوئی ٹریننگ بھی نہ لے سکے، ڈھنگ کی ملازمت نہیں

ملتی۔ ٹیوشنوں کے روپے بھی بڑی چچی کے ہاتھ میں ٹکا دیتے ہیں۔ اس پر یہ شکیل الو تنگ کرتا ہے' کہنا نہیں سنتا۔

وہ اوپر جانے کے لئے مڑی تو جمیل بھیا بھی ساتھ ہو لئے —— "میں بھی تمہارے ساتھ چلوں ذرا دیر باتیں کریں گے؟"

"بھلا یہ کون ساوقت ہے باتوں کا' سو رہیے۔" اس نے جلدی سے کہا' اور زینے پر قدم رکھ دیا۔

"واہ یہ آپ اس وقت کیا کر رہی ہیں بجیا؟" چھمی جانے کس کام سے اٹھی تھی۔

"میں شکیل کے لیے دروازہ کھولنے آئی تھی؟"

"خوب! آپ دونوں دروازہ کھولنے آئے تھے' ہے' کتنی سخت زنجیر تھی" —— وہ بڑے طنز سے ہنسی —— "سب کے سامنے بجیا سے بات کرتے آپ کو شرم آتی ہے کیا؟" اس نے بھیا سے پوچھا۔

"چھمی اتنی فضول باتیں تو نہ کرو۔" جمیل بھیا گڑگڑائے۔

"ان کے دھوکے میں نہ آیئے گا بجیا' یہ پہلے مجھ سے عشق کرتے تھے اور اب آپ سے ——" چھمی کچھ کہتے کہتے رک گئی۔

عالیہ تیزی سے زینے پر قدم رکھتی اوپر آگئی۔ اس کی سانس پھولی ہوئی تھی —— اللہ کیا مصیبت ہے' کیا اسی لئے چھمی جمیل بھیا کا سایہ بنی ہوئی تھی اور اب جمیل بھیا اسے چھوڑ کر ادھر لپک رہے ہیں۔ سردی اور نفرت سے وہ کانپنے لگی۔ لحاف میں گھس کر اس نے پھر سے کتاب اٹھالی مگر ایک لفظ نہ پڑھا گیا۔ ان چند مہینوں میں جمیل بھیا کی خاموشی اور سنجیدگی نے ان کی جتنی عزت بنائی تھی وہ ساری کی ساری تباہ ہو کر رہ گئی۔

گلی میں کتے اس زور سے بھونک کر رو رہے تھے کہ اسے رات سے دہشت آنے لگی۔

صبح روز کی طرح چھمی اسے پیار سے جگانے نہ آئی۔ عالیہ بڑی دیر تک پڑی اس کا انتظار کرتی رہی۔ گلی میں اخبار فروش چیختے پھر رہے تھے —— "یورپ میں

لوہے سے لوہا بجے گا' جنگ سر پر کھڑی ہے——آگیا' آگیا آج کا اخبار——جنگ کو کوئی نہیں ٹال سکتا'——چودہ سال کی لڑکی کو اغواء کرلیا گیا"——

وہ بستر سے جھنجلا کر اٹھ گئی——جنگ یورپ میں ہوگی تو اسے کیا' کون سے اماں کی بھابی کے عزیز کٹ کر مرجائیں گے' اور لڑکیوں کا تو مصرف ہی صرف یہ ہے کہ وہ محبت کریں' بھاگیں یا اغوا کرلی جائیں' سب بھاڑ میں جائیں——سیڑھیاں طے کرتے ہوئے وہ بڑے دکھ سے سوچ رہی تھی——مگر چھمی اس پر کیوں شبہ کرتی ہے——ارے بے وقوف پاگل——

چھمی تخت پر بیٹھی ہوئی تھی اور ہاتھ میں پکڑے ہوئے پراٹھے کو دانتوں سے کاٹ کاٹ کر کھا رہی تھی۔ اس کی آنکھیں سوجی ہوئی تھیں۔ عالیہ کو دیکھ کر اس نے منہ پھیر لیا اور پیالی کی ساری چائے ایک ہی سانس میں پی گئی۔

اسے چھمی کی بیوقوفی پر ہنسی آ رہی تھی۔ وہ چھمی کے پاس گھس کر بیٹھ گئی تو اس نے بڑے کرب سے پہلو بدلا اور ایک طرف سرک گئی۔ پھر اٹھ کر اپنے کمرے میں چلی گئی۔

"رات شکیل کس وقت آیا تھا عالیہ؟" بڑی چچی نے پوچھا۔

"کوئی بارہ کے قریب' جمیل بھیا بھی جاگ گئے تھے' انہوں نے اس کے دو ہاتھ بھی جڑ دیئے تھے۔"

"اس لڑکے کے لچھن اچھے نہیں دکھائی دے رہے۔" اماں نفرت سے بولیں۔

"میں کیا کروں مظہر کی دلہن' میں پاگل ہو جاؤں گی۔" بڑی چچی نے ٹھنڈی سانس بھری۔

"بڑے بھیا سنبھالیں نا اپنی اولاد کو۔" اماں نے بھڑکایا مگر بڑی چچی بھلا کاہے کو کسی کے بھڑکانے میں آتیں' ان کا خود جب جی چاہتا تو بڑے چچا سے لڑ لیا کرتیں۔

"زمانے زمانے کی بات ہے' ایک زمانہ تھا کہ بڑے سرکار کے سب بچے سات بجے کے بعد گھر سے قدم نہ نکالتے۔" گزرا زمانہ کریمن بوا کا سایہ بنا ہوا تھا۔

چائے پی کر وہ چھمی کے کمرے میں چلی گئی۔ دادی اس وقت سو رہی

تھیں۔ رات کو تو سانس انہیں ایک منٹ کو آنکھ نہ جھپکانے دیتی۔ وہ دبے قدموں جا کر چھمی کے پاس بیٹھ گئی۔ چھمی سر سے پاؤں تک لحاف اوڑھے پڑی تھی۔ جگہ جگہ سے پھٹا ہوا لحاف فقیر کی گدڑی معلوم ہو رہا تھا۔

"چلو اوپر دھوپ میں بیٹھیں چھمی۔" عالیہ نے اس کے منہ پر سے لحاف سرکا دیا۔

"ہم آپ سے نہیں بولتے۔"

"اوپر تو چلو پگلی پھر باتیں ہوں گی۔"

چھمی اٹھ کر اس کے ساتھ ہولی۔ اس کی آنکھوں میں عجیب سا کرب تھا۔

"صبح سے تم مجھ سے بولیں کیوں نہیں؟" چھمی کو اپنے لحاف میں بٹھا کر اس نے پوچھا۔

"واہ مجھے کیا پڑی ہے جو آپ سے بول چال بند کروں! کوئی میں اس گدھے سے محبت کرتی ہوں جو آپ سے جلوں گی۔" چھمی نے برا سا منہ بنایا۔

"تم نے آپ ہی آپ یہ سمجھنا شروع کر دیا کہ جمیل بھیا مجھ سے محبت کرتے ہیں، میں نے تو پہلے بھی تم سے کہا تھا کہ مجھے ایسی باتوں سے سخت نفرت ہے اور پھر جمیل بھیا نے بھی کبھی مجھ سے کوئی بات نہیں کی۔" وہ صاف جھوٹ بول گئی۔

جمیل بھیا خود ہی مجھ سے محبت کرتے تھے، مجھے تو پتہ بھی نہیں تھا کہ محبت کیا ہوتی ہے، مگر اب وہ بدل گئے تو بدل جائیں میں کب اس الو سے محبت کرتی ہوں۔"

"تم محبت کرو یا نہ کرو، مگر مجھے یہ معلوم ہو گیا کہ تم مجھ سے کتنی محبت کرتی تھیں۔" اس نے بڑی ملامت سے چھمی کو دیکھا تو وہ ایک دم اس سے لپٹ گئی —— "بھلا میں اپنی بجیا پر شبہ تھوڑی کر رہی ہوں، مجھے تو بس رنج تھا ایک بات کا۔"

چھمی کی معصومیت پر اس کا جی چاہا کہ بس اسے کلیجے میں دھر لے۔ پھر بھی وہ اس سے روٹھی رہی۔

"ارے منے تو میں آپ کو سب کچھ بتاتی ہوں" —— چھمی نے عالیہ کا منہ

اپنی طرف کر لیا ——"جس سال بھیا ایف اے کا امتحان دے رہے تھے تو انہوں نے مجھ سے روپے مانگے۔ میں نے انکار کر دیا تو انہوں نے مجھے ایسی نظروں سے دیکھا کہ میں نے سارے جمع روپے انہیں دے دیئے اور انہوں نے مجھے زور سے لپٹا لیا مجھے بڑا اچھا لگا ان کا لپٹانا" —— وہ مارے شرم کے سرخ پڑ گئی۔

"پھر کیا ہوا؟"

"پھر بجیا جمیل بھیا مجھے اچھے لگنے لگے۔ اپنے کھانے کے پانچ روپے بڑی چچی کو دے دیتی' باقی سارے جمیل بھیا کو۔ میں نے ان تین برسوں میں ایک کپڑا بھی نہیں بنوایا' دیکھا ہے نا آپ نے' میرے سارے کپڑے پھٹے ہوئے ہیں؟" وہ ایک لمحے کو کچھ سوچنے لگی —— "جب آپ نہیں آئی تھیں تو جمیل بھیا اسی کمرے میں رہتے تھے۔ میں رات کو ان کے پاس آ جاتی تھی پر بجیا اللہ قسم انہوں نے کبھی بدتمیزی نہیں کی۔ ایک بار میں ان کے پاس لیٹ گئی تھی تو وہ خود ہی اٹھ کر بیٹھ گئے' انہوں نے صرف پیار کیا تھا" —— چھمی کا منہ چقندر ہو رہا تھا۔

"پھر کیا ہوا چھمی؟"

"پھر بجیا' بڑی چچی نے بھیا کی شادی طے کر دی —— بڑی چچی کا خیال تھا کہ اگر جمیل بھیا مظہر چچا کے داماد بن گئے تو وہ آپ ہی ایم اے کرا دیں گے اور ٹریننگ بھی دلا دیں گے' ویسے میں چپکے سے آپ کو بتا دوں کہ بڑی چچی آپ کی اماں سے بہت ڈرتی ہیں' بس اسی لئے بغیر رشتے کے کیسے کہتیں کہ آگے پڑھا دو' میرا میاں تو نکما ہے۔ بڑی چچی نے بڑے ڈرتے ڈرتے تہمینہ آپا کا رشتہ مانگا تھا اور جس دن منجھلی چچی نے منظور کا خط بھیجا تھا اس دن بڑی چچی خوشی سے روتی رہی تھیں اور میں صدمے سے رو رہی تھی۔ بھلا میں کیسے کہتی کہ میں نے بی اے کرا دیا ہے تو ایم اے بھی کرا دوں گی۔ کسی کو کیا پتہ کہ میں نے کتنے دکھ جھیلے" —— وہ سر جھکا کر کچھ سوچنے لگی۔

"پھر چھمی؟"

"یہ دنیا سچ مچ بڑی بری ہے بجیا' جمیل بھیا بھی تو بی اے کرنے کے بعد بدلے بدلے نظر آنے لگے۔ میں اگر ان کے پاس زیادہ بیٹھتی تو بہانوں سے اٹھا

دیتے۔ سب کچھ بھول گئے نا' اور اب تو کچھ بھی یاد نہیں رہا انہیں! سب کے سامنے میرا مذاق اڑاتے ہیں' الٹی سیدھی باتیں کرتے ہیں۔ خیر' کرتے رہیں' میں بھی تو کوئی کتیا نہیں ہوں جو ان کے پیچھے پھروں۔" چھمی نے گھٹی گھٹی آہ بھر کر اسے ایسی نظروں سے دیکھا کہ اس کا جی دکھ کر رہ گیا۔ اسے تہمینہ آپا یاد آگئیں' کہیں یہ چھمی بھی کوئی بے وقوفی نہ کر بیٹھے' پھر کیا ہوگا۔

"کیا پتہ چھمی' جمیل تم سے محبت کرتے ہی ہوں' اور نہ بھی کرتے ہوں تو کیا محبت کے بغیر انسان خوش نہیں رہ سکتا؟"

تو' تو کیا میں ان پر نچھاور ہوتی پھروں گی' بھئی جو ہم سے محبت کرے گا' ہم اس سے کریں گے' یہ تو بدلہ ہے' اس ہاتھ دے اس ہاتھ لے"——وہ ہنستی ہوئی اٹھ گئی——"رات دادی کی طبیعت بڑی خراب رہی تھی بجیا' میں سو نہیں سکی۔"

چھمی کے جانے کے بعد وہ دیر تک یوں ہی لحاف میں بیٹھی جھومتی رہی اور پھر کتابیں اٹھا کر دھوپ میں جا بیٹھی——ہائے کیا مل گیا جمیل بھیا کو اس بیچاری سے کھیل کر۔ مگر یہ عورتیں محبت کی اتنی بھوکی کیوں ہیں اللہ؟

رات کے بارہ بج رہے تھے۔ اب وہ پڑھتے پڑھتے تھک چکی تھی۔ اس نے کتابیں میز پر رکھ دیں۔ وہ سونا چاہتی تھی کہ مگر سو نہ سکی۔ اور جب نیند نہ آئے تو کتنی بہت سی باتیں ذہن میں کلبلانے لگتی ہیں۔ ابا کا خط کیوں نہیں آیا—— آپا تہمینہ نے عشق کے پیچھے جان گنوا دی اور اب وہ بالکل تنہا ہے' کسی کی رفاقت نصیب نہیں—— اماں اپنے دکھوں میں مبتلا ہیں' انہوں نے کبھی اپنی اس اولاد کے دل میں جھانک کر نہیں دیکھا' اس کے لئے کچھ نہیں سوچا اور جمیل بھیا خواہ مخواہ اس کی راہ کا روڑا بن رہے ہیں' کیا انہیں زندگی میں اور کوئی کام نہیں —— لاحول ولا' مگر وہ ان کے لئے سوچ ہی کیوں رہی ہے؟ کھڑکی سے روشنی اندر آ رہی ہے' اس لئے نیند نہیں آتی' اس نے دنوں پٹ بھیڑ دیئے۔

نچلی منزل میں اچانک سب کے باتیں کرنے کی آواز آنے لگی۔ وہ دم سادھ کر باتیں سننے کی کوشش کرنے لگی—— بارہ بجے ہیں' شاید شکیل آیا ہوگا اور سب اس کی تاک میں ہوں گے۔

زینوں پر قدموں کی چاپ ہوئی تو وہ گھبرا کر اٹھ بیٹھی۔ جمیل بھیا اس کی طرف آ رہے تھے۔

"عالیہ' دادی کی طبیعت سخت خراب ہے' ذرا دیر کو نیچے چلو"—— وہ بہت سنجیدہ ہو رہے تھے—— "تم گھبراؤ گی تو نہیں' ایک دن سب پر یہ آنا ہے۔"

اس کا دل زور سے دھڑکا۔ وہ سب سمجھ گئی تھی۔ اسے محسوس ہوا کہ اس کے پاؤں کانپ رہے ہیں مگر وہ بڑی ہمت سے جمیل بھیا کے ساتھ ہولی۔ جمیل بھیا اس کا ہاتھ تھامے ہوئے تھے مگر اسے تو پتہ ہی نہ چل رہا تھا کہ یہ ہاتھ اس کا ہے یا کسی غیر کا۔

دادی کی مسہری کھینچ کر ان کا منہ قبلے کی طرف کر دیا گیا تھا۔ اماں' بڑی چچی اور بڑے چچا مسہری کے ارد گرد خاموشی سے کھڑے ہوئے تھے۔ دادی کی وہ جھگڑالو سانس جانے کتنی پرسکون ہو گئی تھی۔ دور دور زندگی کی آہٹ بھی نہ محسوس ہوتی۔ دادی کی آنکھیں دروازے پر ٹکی ہوئی تھیں۔ ابھی ان میں انتظار کا نور باقی تھا۔ شاید وہ اس وقت بھی اپنے سب سے لاڈلے چھوٹے بیٹے کا انتظار کر رہی تھیں۔ اور چھمی' دادی کے قدموں سے لپٹی گھٹی گھٹی سسکیاں بھر رہی تھی۔

ظالم چھوٹے چچا —— عالیہ کی نظروں میں ان دیکھے چھوٹے چچا کا بھیانک نقشہ پھر گیا۔ اس کا جی چاہ رہا تھا کہ وہ چیخ کر کہے —— دادی اب تو ایسی بے کار اولاد کا انتظار نہ کرو۔

کریمن بوا بڑی بے تابی سے مسہری کے چاروں طرف گھوم گھوم کر دعائیں کر رہی تھیں —— "مولا مالکن کو صحت دے دے اور بدلے میں مجھے اٹھا لے۔ مولا' مولا۔"

بابر نے بھی تو اسی طرح ہمایوں کی جان کی امان چاہی تھی —— ہے کریمن بوا یہ کون سی محبت ہے جو تمہارے دل میں ٹھاٹھیں مار رہی ہے —— عالیہ نے بڑھ کر کریمن بوا کو بٹھانا چاہا' انہیں لپٹانا چاہا مگر وہ اپنے کو چھڑا کر پھر دعائیں کرنے لگیں' —— "مولا' مولا" ——

ایک ہچکی کے ساتھ دادی کو دائمی سکون مل گیا۔ کریمن بوا ہاتھ جوڑ کر کھڑی ہو گئیں' ان کی آنکھوں میں ایک بھی آنسو نہ تھا۔ بڑے چچا نے نبض پر سے ہاتھ ہٹا کر دادی کے ہاتھ سینے پر باندھ دیئے اور لحاف سے منہ چھپا دیا۔ کریمن بوا سر جھکائے کمرے سے نکل گئیں۔

"چھمی' اب اٹھ جا' بیٹی۔" بڑی چچی نے چھمی کو اٹھایا تو دادی کا ڈھکا ہوا منہ دیکھ کر وہ بے قابو ہو گئی۔ بڑے چچا کا منہ ضبط کی وجہ سے سرخ ہو رہا تھا اور ان کی آنکھوں سے ماں کی محبت بھری کہانیوں کی یادیں جھانک رہی تھیں اور دائمی جدائی کا صدمہ لرز رہا تھا۔

بڑے چچا سر جھکائے بیٹھک میں چلے گئے شاید اسرار میاں کو اطلاع دینے۔

اماں اور بڑی چچی چھمی کو چپ کرانے کی کوشش کر رہی تھیں مگر وہ ہاتھوں سے نکلی جاتی- پھر جب جمیل بھیا نے بڑھ کر اس کے شانے پر ہاتھ رکھ دیا تو چھمی کا سر جیسے خود بخود ان کے سینے پر آٹکا اور وہ اس طرح چپ ہو گئی جیسے کبھی روئی نہ تھی-

وہ کمرے سے باہر آ گئی- کریمن بوا صحن میں اینٹوں کا چولھا بنا کر بڑے سے پتیلے میں پانی گرم کر رہی تھیں اور وہ جو اب تک دادی کی موت پر ایک آنسو بھی نہ بہا سکی تھی اندھیرے میں آگ کے لرزتے شعلوں کو دیکھ کر سسک اٹھی- کریمن بوا نے اس کی طرف دیکھا اور سر جھکا لیا-

رات دادی کی مسہری کے پاس بیٹھ کر کٹ گئی- اماں اور بڑی چچی آج دادی کے سارے ظلم و ستم بھول کر انہیں اس طرح بلک بلک کر یاد کر رہی تھیں جیسے ان کے بغیر دنیا سونی ہو گئی ہو' جب تک دادی زندہ رہیں' ان کے ظلم و ستم نے سب کے کلیجے چھلنی رکھے- بڑھاپے کے آتے ہی سب نے انتقام لے لیا- بیکار چیز کی طرح اٹھا کر ایک طرف ڈال دیا اور پھر زندگی کی مصروفیتوں کے اتنے دورے پڑے کہ دادی ٹکڑ ٹکڑ منہ تکنے کے سوا کچھ نہ کر سکیں-

عالیہ کا جی چاہا کہ وہ اپنے کانوں میں روئی ٹھونس لے- اماں اور بڑی چچی کی محبت کی داستانیں اس سے نہ سنی جا رہی تھیں- آخر اس وقت سب کو ان کے ظلم و ستم کیوں نہیں یاد آتے؟ اسے تو صرف چھمی اچھی لگ رہی تھی جو کوئی بات نہ کر رہی تھی بلکہ تھوڑی دیر رو لینے کے بعد دری کے ایک کونے پر لیٹی بڑے سکون سے سو رہی تھی' جیسے اب بھی اس کا سر جمیل بھیا کے سینے سے ٹکا ہو——اور کریمن بوا جو سامنے ٹھنڈی ہوا میں بیٹھی گیلی لکڑیاں پھونک رہی تھیں اور گود میں رکھے ہوئے قرآن پاک کو ہل ہل کر پڑھے جا رہی تھیں- کتنے صبر اور خاموشی سے انہوں نے دادی کی موت کو برداشت کر لیا تھا- چھ سال سے تن تنہا دادی کی خدمت کرنے والی کریمن بوا نے ایک آنسو بھی نہ بہایا تھا-

اس کا جی چاہ رہا تھا کہ وہ بھی دری کے ایک کونے پر سکڑ کر سو رہے- اسے دادی سے نہ تو شدید محبت تھی اور نہ کوئی شکایت' بس وہ اس کی دادی تھیں

——— پھر بھی وہ لیٹ نہ سکی کیونکہ اماں نے چھمی کے سو جانے پر بڑی نفرت سے نکتہ چینی کی تھی۔

آخر صبح ہوگئی۔ کریمن بوا نے صحن میں دری بچھا دی تھی اور محلے کی عورتیں آ آ کر جمع ہو رہی تھیں۔ وہ سب اپنے اپنے دکھوں کو یاد کر کے آنسو بہا رہی تھیں اور چھمی انہیں دیکھ دیکھ کر اپنی جان ہلکان کر رہی تھی۔

جب دادی کو نہلا دھلا کر آخری سفر کے لئے تیار کر دیا گیا تو تمام عورتیں برآمدے میں ٹاٹ کے پردے کے پیچھے چھپ گئیں۔ صرف کریمن بوا ہاتھ جوڑے لاش کے پاس کھڑی جانے کیا کہہ رہی تھیں۔

جب میت اٹھانے کے لئے مرد اندر آئے تو اسرار میاں سب سے آگے تھے۔

"خبردار! زندگی میں کبھی مالکن نے منہ نہ لگایا، اب ان کی لاش خراب کرنے آئے ہو۔" کریمن بوا اسرار میاں کے سامنے آگئیں اور وہ چوروں کی طرح جمیل بھیا کے پیچھے چھپنے لگے۔ تمام لوگوں کی نظریں سوالیہ نشان بن کر اسرار میاں کا تعاقب کر رہی تھیں۔

"ارے شکیل کہاں ہے، اپنی دادی کو قبر تک تو پہنچا آتا۔" بڑی چچی ٹاٹ کے سوراخ سے شکیل کو تلاش کر رہی تھیں مگر وہ کہاں تھا۔

"اندر جاؤ کریمن بوا۔" بڑے چچا نے کریمن بوا کے شانے پر ہاتھ رکھ دیا۔

"اللہ کو سونپا مالکن، اللہ کو سونپا۔" کریمن بوا صحن سے ہٹ کر برآمدے میں آگئیں۔

دادی کی لاش جب صدر دروازے سے پار ہو رہی تھی تو ایک بار سب چیخ کر رو پڑے مگر کریمن بوا سر جھکائے صحن میں بکھرا ہوا سامان بٹور رہی تھیں۔

ذرا دیر بعد سب مہمان چلے گئے تو جیسے گھر ایک دم ویران ہو گیا۔ اس کی سمجھ میں نہ آیا کہ وہ کیا کرے۔

رات نو بجے بڑے چچا کسی کام سے کانپور چلے گئے۔ عدم تعاون کی تحریک زوروں پر تھی اور وہ بہت دن سے مصروف تھے۔ بڑے چچا کا اسی دن چلے جانا

اسے سخت برا لگا —— کیا وہ دو دن گھر میں بیٹھ کر اپنی ماں کا سوگ بھی نہیں منا سکتے تھے۔ کیا ان کی سیاست بازی انہیں اتنا بھی وقت نہیں دے سکتی ——؟

مگر جب اماں نے ان کے جانے پر اعتراض کیا تو وہ چپ چاپ سنتی رہی۔ جانے کیوں وہ بڑے چچا کے خلاف ایک لفظ بھی نہ بول سکی تھی۔

جمیل بھیا نے نجمہ پھوپھی' ابا اور چھمی کے ابا کو تار کر دیئے تھے اور اب سب لوگ ان کی آمد کا انتظار کر رہے تھے۔

دوسرے دن سے سب کام اس طرح ہونے لگے جیسے کوئی بات ہی نہ ہوئی ہو' صرف اس وقت دادی کی موت کا احساس شدید ہو جاتا جب کریمن بوا کام سے فارغ ہو کر قرآن شریف پڑھنے بیٹھ جاتیں اور تو گھر میں کسی نے ایک آیت بھی نہ پڑھی۔ عالیہ کو کریمن بوا کی محبت پر رشک آنے لگا تھا۔ اس نے کتنی بار چاہا تھا کہ ایک آدھ پارہ پڑھ کر دادی کی روح کو بخش دے' مگر اسے فرصت ہی نہ ملتی۔ امتحان کی تیاری سر پر سوار تھی' وہ اب پھر دھیان سے پڑھنا چاہتی تھی۔ وہ اپنا ایک سال دادی کو بخشنے کے لئے تیار نہ تھی۔ وہ کریمن بوا کی محبت کے مقابلے میں خود کو کمتر سمجھ کر صبر کر لیتی۔

چھمی چند دن تک اپنے کمرے میں جانے سے گھبراتی رہی۔ پرانے رفیق کا ساتھ چھوٹنے کے بعد وہ کمرہ شاید اس کے لئے جنگل بن گیا تھا۔ وہ ادھر ادھر ماری ماری پھرتی یا پھر صحن میں چوکی پر بیٹھ کر پھٹے ہوئے کپڑوں کی مرمت کرتی رہتی یا پھر لوٹوں پانی بھر کر کیاری میں ڈالنے لگتی اور جب اس سے بھی اکتا جاتی تو برقع اوڑھ کر محلے کے گھروں گھروں پھرا کرتی۔

پھر ایک دن اس نے جھاڑو اٹھا کر اپنا کمرہ صاف کرنا شروع کر دیا۔ سارے جالے چھڑا دیئے۔ محمد علی جوہر کی تصویر سے گرد جھاڑی گئی۔ اس نے سفید کڑھی ہوئی پرانی چادروں پر پیوند لگا کر انہیں دونوں مسہریوں پر بچھا دیا اور صاف ستھرے بستر پر لیٹ کر ہمیشہ کی طرح گانے لگی۔ —

مال سوزِ غم ہائے نہانی دیکھتے جاؤ

چھمی کو گراموفون ریکارڈوں کے سارے گانے اور فقیروں کی گائی ہوئی

ہماری غزلیں یاد تھیں۔ اسے ہر موقع کی غزل اور گیت گانے میں ملکہ حاصل تھا۔ آج جب چھمی بڑے اسٹائل سے لیٹی گا رہی تھی تو عالیہ کا جی چاہا کہ جا کر اسے لپٹا لے مگر چھمی تو اب تک اس سے سیدھے منہ نہ بولتی تھی۔ سب کچھ بتانے کے باوجود اس کے دل میں کوئی پھانس رہ گئی تھی جسے نکالنا عالیہ کے بس میں نہ تھا۔

نجمہ پھوپھی اور چھمی کے ابا کا خط آیا تھا۔ انہوں نے لکھا تھا کہ جب اماں رخصت ہو گئیں تو پھر آنے سے کیا فائدہ۔ کاش انہیں کوئی پہلے سے اطلاع کر دیتا۔

چھمی اپنے ابا کا خط پڑھ کر آپے سے باہر ہو گئی —— "ہاں اب آنے کا کیا فائدہ۔ ایک دن کے لئے بیوی کے پہلو سے الگ ہو کر انہیں کب قرار آتا۔ میرا بس چلے تو اپنے والد صاحب قبلہ کا گلہ اپنے ہاتھوں گھونٹ دوں۔"

"چھمی کہیں تو زبان کو لگام بھی دیا کرو۔" عالیہ کی اماں نے گھرکا تو چھمی ایک دم گھٹ گھٹ کر رونے لگی۔ جانے کیوں وہ اتنے دن گزرنے کے بعد بھی اماں کو جواب دینے سے چوک جاتی تھی۔

ابا کو بھی دادی کی موت کی اطلاع مل گئی تھی۔ ان کا خط آیا تھا۔ انہوں نے لکھا تھا کہ تصور کی دنیا کو کوئی جیل بند نہیں کر سکتا۔ اس پر کوئی پابندی نہیں لگائی جا سکتی۔ میں نے اپنی ماں کو کاندھا دیا تھا' میں نے انہیں قبر میں اتارا تھا —— خیر تم رنج نہ کرنا میری بیٹی۔ تم کو دل شکستہ نہ ہونا چاہئے۔ موت بھی زندگی کی ایک حقیقت ہے۔ محنت سے پڑھو اور اپنے پاس ہونے کی خوش خبری سناؤ۔

خط پڑھ کر عالیہ بڑی دیر تک سر جھکائے بیٹھی رہی۔ دوپہر ہو گئی مگر اس کا پڑھنے میں جی نہ لگا۔ ایک تو ابا کے خط نے اسے رنجیدہ کر دیا تھا۔ اس پر سے دوپہر کے سناٹے میں کریمن بوا کے ہولے ہولے قرآن پاک پڑھنے کی آواز جیسے فریاد کرتی معلوم ہو رہی تھی۔

اپنے کمرے سے نکل کر وہ نیچے اتر گئی اور تخت پر کریمن بوا کے پاس جا بیٹھی۔ اماں اور بڑی چچی شاید سو رہی تھیں کیونکہ ان کے باتیں کرنے کی آواز نہ آ رہی تھی۔

کریمن بوا جب تک پڑھتی رہیں وہ ان کے پاس سر جھکائے بیٹھی رہی اور

جب وہ قرآن شریف بند کر کے دعا کرنے لگیں تو عالیہ کی آنکھوں میں آنسو آ گئے ــــــ کریمن بوا محبت کی کیسی مثال پیش کر رہی ہیں۔ کام سے تھک کر وہ بھی تو دن میں سو سکتی ہیں۔

"تم سوئی نہیں عالیہ بٹی؟" دعا ختم کر کے کریمن بوا نے پوچھا۔

"نیند نہیں آئی کریمن بوا اور ــــــ" وہ چپ ہو گئی ــــــ

"کیا بھوک لگی ہے بٹیا کو؟ ایک روٹی الٹ دوں آگ جلا کر؟"

"نہیں کریمن بوا، تمہارے پڑھنے کی آواز سے جی بھر رہا تھا۔"

"منجھلے میاں کو اور نجمہ بٹیا کو ضرور آنا چاہئے تھا۔ جمی بھی اپنے باپ کو دیکھ لیتی اور پھر کچھ نہیں تو اس مسہری کا دیدار کر لیتے جس پر ان کی ماں نے دم توڑا تھا۔ زمانے زمانے کی بات ہے کبھی ماں کے بغیر چین نہ پڑتا تھا" ــــــ کریمن بوا کے لہجے میں شکایت تھی۔

"تم کو دادی سے کتنی محبت تھی کریمن بوا، شاید دادی بھی تم کو اتنا ہی چاہتی ہوں گی۔"

"کیا مالکن مجھے چاہتی تھیں ــــــ؟" کریمن بوا نے الٹا سوال کر دیا ــــــ تم نے اپنی دادی کا زمانہ نہیں دیکھا بٹیا، پتہ نہیں وہ کسی کو چاہتی بھی تھیں یا نہیں۔ ہاں صرف چھوٹے میاں کو چاہتی تھیں جو پتہ نہیں کہاں کھو گئے، انہیں خلافت کے جلسے لے گئے، ہم تو نوکر لوگ تھے عالیہ بٹیا، ہماری کیا حیثیت"۔ کریمن بوا نے اپنی قمیض پیٹھ پر سے سرکا دی اور اس کی طرف گھوم کر بیٹھ گئیں۔ ان کی پیٹھ پر سیاہ نشان تھے اور ایک جگہ سے سفید سفید چربی سی نکلی ہوئی تھی۔

"یہ کیا ہوا تھا کریمن بوا؟" اس نے جلدی سے قمیض نیچے کھینچ دی۔

"میری اماں مالکن کے جہیز میں آئی تھیں، میرے ابا مر گئے تھے، میں چھوٹی سی تھی، پھر جب ذرا بڑی ہوئی تو مالکن نے اپنے گھر کے ایک نوکر سے میری شادی کر دی۔ نئی نئی شادی ہوئی تھی۔ اسے لئے مالکن کی خدمت میں ذرا سی کوتاہی ہو گئی، بس یہ اسی کی سزا تھی" ــــــ کریمن بوا سر جھکا کر کچھ سوچنے لگیں۔

اللہ، یہ کریمن بوا بھی کیسی معمہ ہیں۔ اتنے ستم سہنے کے بعد بھی جب تک

ادی زندہ رہیں ان پر نچھاور ہوتی رہیں اور اب بھی انہیں نہیں بھولتیں ——— وہ حیران ہو کر ان کا منہ تک رہی تھی۔

"میں نے ساری زندگی ان کا نمک کھایا تھا اور اب بھی ان کی اولاد کا نمک کھا رہی ہوں۔ نمک کا بڑا حق ہوتا ہے بٹیا عالیہ' میری اماں' اللہ انہیں جنت نصیب کرے' کہتی تھیں کہ جس نے نمک کا حق نہ ادا کیا وہ خدا کے ہاں بھی معاف نہ کیا جائے گا۔ مالکن کوئی غلطی ہو گئی تو معاف کر دینا مجھے' دوسری دنیا میں تو سکھ کی سانس لے سکوں ———"

کریمن بوا اٹھ کر جھوٹے برتن سمیٹنے لگیں اور عالیہ کو ایسا محسوس ہوا کہ کریمن بوا نے نمک کا سارا ڈبہ اس کے منہ میں انڈیل دیا ہے جو اسے زہر سے زیادہ کڑوا لگ رہا تھا۔

سورج ڈوب رہا تھا اور اس وقت گلی میں سودے والوں نے جیسے دھاوا بول دیا تھا۔ سب ایک دوسرے سے بڑھ کر آواز لگا رہے تھے اور چھتوں سے کھلی کھڑکیوں سے بچوں اور مردوں کی آوازیں آ رہی تھیں۔ روزہ افطار نے کے لئے سب اپنی پسند کے سودے والے کو آواز دے رہے تھے۔

کھڑکی کھول کر وہ ایک منٹ کے لئے گلی میں جھانکی۔ سامنے ہائی اسکول کا سیاہ پھاٹک بند پڑا تھا اور درختوں کے جھنڈ سے کوئل کے کوکنے کی آواز آ رہی تھی ——— جانے شکیل اسکول جاتا بھی ہے کہ نہیں ——— اس نے سوچا ——— پر کون ہے جو یہ سب کچھ معلوم کرے۔ اگر بڑے چچا گھر پر ذرا ہی بھی توجہ دے دیں تو سب کچھ ٹھیک نہ ہو جائے، مگر ——— اسے ایک دم ابا یاد آگئے۔ اس بار وہ انہیں عید کارڈ ضرور بھیجے گی ——— کھڑکی بند کر کے وہ چھت پر آگئی تو اسے ہلکی سی سردی محسوس ہونے لگی پھر بھی وہ ٹہلتی رہی۔ چھتوں سے بچے پتنگیں اڑا رہے تھے اور شور ہو رہا تھا۔ عالیہ کو یاد آیا کہ ایک بار بچپن میں اس نے بھی بھنگی کے لڑکے کے ساتھ پتنگ اڑانے کی کوشش کی تھی اور ابا نے اسے سختی سے ڈانٹا تھا مگر آج تک اسے پتنگ بڑی اچھی لگتی۔

"عالیہ ———" بڑی چچی ہانپتی ہوئی اوپر آ کر اس کے پاس کھڑی ہو گئیں۔ ان کا منہ سرخ ہو رہا تھا جیسے بڑی مشقت کی ہو۔ ایسی ہی مجبوری ہوتی جو وہ سیڑھیاں چڑھتیں، انہیں تو اوپر چڑھنے کے خیال ہی سے اختلاج ہونے لگتا ——— "یہ لو اپنے کپڑے" ——— انہوں نے سانس درست کرتے ہوئے ہنس کر ایک بنڈل اس کی طرف بڑھا دیا ——— "دوپٹہ رنگ کر چن لو اور پاجامہ بھی مشین پر کھٹکھٹالو، جمپر تو تمہارے پاس ہیں ہی۔"

اس نے بڑے چاؤ سے بنڈل کھول کر دیکھا۔ ڈھاکہ کی ململ کا دوپٹہ اور نیلی ساٹن چمک رہی تھی۔

"مگر بڑی چچی اس کی کیا——"

"بس بس، تم آج رات ضرور سی ڈالو اور ہنسی خوشی عید مناؤ"—— وہ جانے کے لئے مڑیں—— "روزہ کھولنے کا وقت ہو رہا ہے، تم نیچے نہیں آتیں۔"

اللہ یہ کپڑے کہاں سے آگئے، کون لے آیا—— عید کے لئے کسی کے بھی تو کپڑے نہ بنے تھے۔ بڑی چچی نے تو کئی بار بڑے چچا سے کپڑوں کے لئے کہا تھا مگر وہ ہر بار شرمندہ سے ہو کر بیٹھک میں چلے گئے تھے۔ پھر اس کے کپڑے کس نے خریدے ہیں؟ کیا جمیل بھیا نے اپنی ٹیوشن کے روپے اس پر خرچ کر دیئے ہیں، یا پھر بڑے چچا نے ابا کی جگہ کو پر کیا ہے؟ مارے خوشی کے اس کا دل دھڑکنے لگا۔ ضرور بڑے چچا نے خریدے ہوں گے۔

مگر ذرا ہی دیر میں اسے معلوم ہو گیا کہ کپڑے کس نے خریدے ہیں۔ نیچے سے شکیل کی آواز بڑی صاف سنائی دے رہی تھی—— "جمیل بھیا نے بجیا کے کپڑے بنوا دیئے، میرے لئے کچھ نہیں آیا، کیا دوست عید بھی منوا دیں؟"

"بکواس نہ کر نامراد"—— بڑی چچی اسے ڈانٹ رہی تھیں—— "کیا وہ تیری بہن نہیں، تو خود اس کے کپڑے بنا، ارے تیرے جتنے لڑکے تو ایک کنبے کا پیٹ بھرتے ہیں۔"

"ہاں جب تم باہر رہتے ہو تو وہیں کپڑے بھی پہنو، جمیل تو بہت شریف لڑکا ہے۔" اماں بھی شکیل کا کلیجہ جلا رہی تھیں۔

"مجھے اس گھر سے ملا ہی کیا ہے کبھی، کپڑے بھی دوست ہی دے دیں گے"۔ شکیل نے بڑے پکے پن سے جواب دیا۔

"تم بھی اگر بجیا کی طرح بن جاؤ تو اللہ قسم جمیل بھیا تمہارے دس جوڑے بنا دیں ویسے تم کو کون پوچھے۔" چمّی بھی تیر برسا رہی تھی، جو سیدھے عالیہ کے کلیجے میں اتر رہے تھے۔

اس نے کپڑے پلنگ پر ڈال دیئے۔ ایک لمحے کو اسے ایسا محسوس ہوا کہ یہ کپڑے جمیل بھیا کی انتہائی محبت کا تحفہ ہیں مگر دوسرے ہی لمحے یہ کپڑے ٹھنڈے اور کفن کی طرح محسوس ہونے لگے۔ ان کپڑوں میں لپٹا ہوا نیلے ہونٹوں والا ایک چہرہ جھانک رہا تھا۔ اس نے کانپ کر کپڑوں کو سمیٹ لیا اور اپنے کمرے میں جا کر انہیں بکس میں ٹھونس کر تالا لگا دیا —— لاحول ولا' کیا وہ بھی کبھی بے وقوف ہو سکتی ہے۔ یہ سب اسی تھیلی کے چٹے بٹے ہیں' مرد کی فطرت تو پارے کی طرح ہے۔ ذرا سی گرمی ملی اور چڑھ گیا۔ کل چھمی تھی آج وہ منظور نظر ہے۔ پھر کسی اور کی باری ہوگی۔

جب وہ نیچے گئی تو سب لوگ افطاری کے نشے میں مست سے بیٹھے تھے۔ کریمن بوا روٹیاں پکانے میں لگی ہوئی تھیں۔ برآمدے میں بچھے ہوئے پلنگوں پر بیٹھی ہوئی بڑی چچی اور اماں پان بنا بنا کر کھا رہی تھیں اور جمیل بھیا اس سردی میں اپنی لوہے کی کرسی پر بیٹھے' اسٹول پر رکھی ہوئی لالٹین کی روشنی میں کچھ پڑھ رہے تھے۔ جب زور کی سردی ہوتی تو شام کو یہ کرسی بڑی سونی سونی لگتی' دوپہر میں چھمی اس کرسی پر بیٹھ کر دھوپ سینکتی' جاڑا گرمی' برسات' یہ کرسی ہمیشہ کیاری کے پاس اسی طرح پڑی رہتی' اسے کوئی بھی نہ اٹھاتا۔

عالیہ کو ایک لمحے کو خیال آیا کہ کہیں جمیل بھیا کو سردی نہ لگ جائے۔ اب تو اچھی خاصی ٹھنڈی ہوا چل رہی تھی۔

"اب تمہاری پڑھائی کا کیا حال ہے' امتحان کے تو بہت تھوڑے دن رہ گئے ہیں۔" جمیل بھیا نے اسے دیکھتے ہی سوال کیا اور اس کے ساتھ برآمدے میں چلے آئے۔

"بس ٹھیک ہی ہے۔" وہ اماں کے پاس بیٹھ گئی۔ اسے تو ڈر ہی لگتا کہ کہیں جمیل بھیا امتحان نہ لینے لگیں۔ بڑے چچا لاکھ انہیں اپنی لائبریری کی چابی نہ دیتے پھر بھی وہ جمیل بھیا کی ذہانت کی قائل تھی۔

"میاں تم بھی ذرا عالیہ کی پڑھائی دیکھ لیا کرو۔" اماں نے کہا۔

"ہاں میں ضرور دیکھوں گا' ویسے تو آج کل میں بھی ایم اے کی تیاری کر

رہا ہوں۔" جمیل بھیا نے خوش ہو کر بتایا اور پھر کنکھیوں سے عالیہ کی طرف دیکھا۔
چھمی جانے کس وقت اپنے کمرے کی دہلیز پر آ کر بیٹھ گئی تھی۔
"یہاں آ جاؤ چھمی، سردی ہے، ادھر برآمدے میں بیٹھو۔" بڑی چچی نے کہا۔

"میں ٹھیک بیٹھی ہوں۔" چھمی نے تلخی سے جواب دیا۔

"پہلے بھی جب جنگ ہوئی تھی تو یہاں مہنگائی ہو گئی تھی، مگر وہ تو اور ہی زمانہ تھا ہمارے گھروں میں تو پتہ بھی نہ چلا۔ بس پتہ چلا بھی تو اس وقت جب میرا بھائی——" بڑی چچی چپ ہو گئیں اور پھر ٹھنڈی سانس بھر کر بولنے لگیں——
"ان دنوں یہ جمیل پیدا ہوا تھا۔ جب اس کے ماموں کے مرنے کی خبر آئی تھی"
—— بڑی چچی نے سب کی طرف دیکھا مگر سب نظریں جھکائے خاموش رہے
—— "مگر اب کی تو مہنگائی کا پتہ چل رہا ہے۔ اب تو وہ حالت بھی——" بڑی چچی چپ ہو گئیں کیونکہ اماں کے ماتھے پر شکنیں پڑ گئی تھیں۔ جب بھی بڑی چچی مہنگائی کی بات کرتیں تو اماں کے ماتھے کی شکنیں گہری ہو جاتیں۔
"سب لوگ کھانا کھا لو، نہیں تو ٹھنڈا ہو جائے گا۔" کریمن بوا نے تخت پر دسترخوان بچھا دیا۔
چھمی جیسے جھپٹ کر اپنی جگہ سے اٹھی اور پلیٹ میں اپنا کھانا نکال کر تیزی سے اپنے کمرے میں چلی گئی۔ عالیہ اس کا منہ دیکھتی رہ گئی——ہائے یہ چھمی یوں ہی ناراض ہو گئی، کوئی بات ہوتی تو پھر ٹھیک تھا، اس کا کیسا جی چاہتا کہ چھمی ایک بار پھر پہلے جیسی ہو جائے، اب اتنے پیار سے کوئی بھی تو بجیا کہنے والا نہ تھا——
اس نے بڑی ملامت بھری نظروں سے جمیل بھیا کی طرف دیکھا مگر وہ تو جیسے اسی کو تک رہے تھے۔ اس نے گھبرا کر نظریں نیچی کر لیں——ایک جوڑا کپڑے کا لا کر شاید وہ اسے اپنی ملکیت سمجھنے لگے ہیں——اس کا جی چاہا کہ کوئی بہت سخت سی بات بھیا کے منہ پر کھینچ مارے۔
"آخر یہ جنگ ہوتی کیوں ہے؟" بڑی چچی نے جمیل کی طرف دیکھ کر پوچھا۔
ہر چیز میں جو دھیلے پیسے کا فرق پڑا تھا اس سے کھانے کا معیار اور بھی گر گیا تھا۔

"ویسے تو آپ ابا کی بڑی حامی ہیں مگر کبھی کبھی لڑ کیوں پڑتی ہیں؟" جمیل بھیا نے الٹا سوال کر دیا۔

"اور تم تو اپنے ابا کے دشمن ہو!" بڑی چچی نے الٹی جھونک دی۔

"لیجئے بات صاف ہو گئی' جب بھی فائدے پر چوٹ پڑتی ہے یا ہوس میں آگ لگتی ہے تو جنگ ہوتی ہے" —— جمیل بھیا نے جواب دیا' وہ تو بالکل اس طرح بات کر رہے تھے جیسے بڑی چچی دو سال کی بچہ ہوں۔

"چل ہٹ' بڑا آیا' یوں ہی بکواس کرتا ہے' کبھی ڈھنگ سے بات نہ کی' ایسی مذاق کی عادت پڑی ہے۔" بڑی چچی ہنسنے لگیں۔

"فائدے وائدے کی کیا بات ہے جمیل میاں' بس زمانے زمانے کی بات ہے سب بدل گیا۔" کریمن بوا بھلا کیوں چپ رہتیں۔

"یہ سب تمہارے ابا اور عالیہ کے ابا جیسے لوگوں کے کام ہیں۔ یہی گڑ بڑ کرتے ہیں جو جنگ ہوتی ہے' ابا جو انگریزوں کے خلاف ہو رہے ہیں تو جنگ نہ ہو گی؟" اماں نے بھی اپنی رائے ظاہر ہی کر دی اور جمیل بھیا بڑے زور سے ہنسے —— "آپ ٹھیک کہہ رہی ہیں منجھلی چچی۔"

"سب کھا چکے ہوں تو مجھے بھی کھانا بھجوا دو کریمن بوا۔" سنسان بیٹھک سے اسرار میاں کی مری ہوئی آواز آئی۔

بڑے چچا کی کہیں دعوت تھی' اس لئے وہ اپنے مہمانوں کے ساتھ جا چکے تھے اور اب اسرار میاں بیسن کی دو پھلکیوں سے روزہ کھول کر کھانے کے انتظار میں گھل رہے تھے۔

"ذرا صبر سے بھی کام لیا کرو اسرار میاں صاحب' کیا گھر والوں سے پہلے تمہاری کشتی سجا کر بھیج دیا کروں۔" کریمن بوا نے جھلا کر جواب دیا۔

اس "اسرار میاں" میں کتنا طنز چھپا تھا۔ کیسا مذاق قہقہے لگا رہا تھا مگر جب بڑے چچا انہیں اسرار میاں کہتے تو کتنا خلوص اور کتنی برابری کا درجہ ہوتا۔ جانے یہ سب لوگ اسرار میاں کے لئے کچھ سوچتے کیوں نہیں۔

"ہے اسرار میاں آ سب سے پہلے تمہاری کشتی سجا کر لے

آؤں۔" اس نے دل ہی دل میں کہا اور کھانا ختم کر کے جلدی سے اوپر چلی گئی۔ جمیل بھیا ایک ساں الٹی پلٹی نظروں سے دیکھتے جاتے' اس کا جی دب رہا تھا۔ سکون سے کھانا بھی نہ کھانے دیا۔

اپنے بستر پر آکر اس نے بڑے سکون سے کتابیں سمیٹ لیں اور تکیہ سرکا کر اس طرح لیٹ گئی کہ گلی کے بلب کی روشنی سیدھی کتاب پر پڑ رہی تھی۔

سیڑھیوں پر چاپ ہوئی تو اس نے پلٹ کر دیکھا۔ جمیل بھیا چلے آ رہے تھے ——"میں نے سوچا کہ آج تمہارا امتحان لے ڈالوں۔" وہ اس کے قریب بیٹھ گئے۔

"مجھے سب آتا ہے' آپ اپنا وقت نہ خراب کریں۔ فیل ہو گئی تو فکر نہیں' اگلے سال پھر سہی۔" عالیہ نے بڑی روکھائی سے کہا۔ جمیل بھیا کی آنکھیں وہ سبق فرفر سنا رہی تھیں جو وہ پڑھانے آئے تھے۔

"تم کو پڑھا کر میرا وقت خراب ہوگا عالیہ؟ کچھ تو سوچو' ایسی باتیں کر کے تم مجھے کتنا پریشان کر دیتی ہو' اگر تم مجھ سے محبت نہیں کر سکتیں تو دکھ تو نہ دو۔"

"جمیل بھیا" —— آج تو وہ بھی انہیں جھاڑنے پر تل گئی —— "جب آپ ایسی باتیں کرتے ہیں تو آپ کو شرم نہیں آتی؟ کیا آپ چھمی کو بھول گئے' وہ آپ کے ساتھ آپ کے گھر رہتی ہے۔ مجھے سب معلوم ہے۔"

"چھمی!" جمیل بھیا نے گردن جھکا لی —— "تم کو معلوم ہے تو اچھا ہی ہے مگر میں ٹھیک بتا دوں کہ مجھے چھمی سے کبھی بھی ویسی محبت نہ تھی' میں اسے چاہتا ہوں مگر بہن کی طرح۔ تم کو معلوم ہے کہ ابا نے سیاست کے پیچھے اس گھر کو لٹا دیا مگر میں اپنے کو لٹانے کے لئے تیار نہ تھا۔ میں نے جانے کس کس طرح پڑھا۔ کچھ اسرار میاں میرے لئے بچت کر لیتے اور کچھ دادی کے چوری چھپے کے روپے کام آتے' مگر ایف اے کرنے تک گھر کی حالت بگڑ چکی تھی۔ یہ سارے اخراجات چھمی نے برداشت کئے۔ میں کبھی نہیں بھولوں گا' مگر وہ مجھے غلط سمجھنے لگی اور میں ڈر کی وجہ سے اسے سمجھا بھی نہ سکا اور ——"

"اور پھر اچانک بی اے کرنے کے بعد آپ اس کا مذاق اڑا اڑا کر اسے

سمجھانے لگے، ایں نا؟" جمیل بھیا پر ترس آنے کے باوجود وہ چوکی نہیں۔

"اب میں کیا کر سکتا ہوں؟" انہوں نے پوچھا۔

"اس سے شادی کر لیجئے جمیل بھیا' وہ آپ سے محبت کرتی ہے!"

"شادی؟" وہ جیسے اچھل پڑے ——— "مجھے معلوم نہ تھا کہ تم مجھ سے اتنی نفرت کرتی ہو' عالیہ' میں نے تمہارے سوا کسی سے محبت نہیں کی' ادھر دیکھو عالیہ۔" انہوں نے اس کے دونوں ہاتھ تھام لئے اور پھر اس کی گود میں سر رکھ دیا۔

"میں آج ہی اپنے ماموں کے گھر جا سکتی ہوں' سمجھے آپ جمیل صاحب قبلہ؟" دھونس جمانے کے لئے اور کس کا نام لیتی۔ سخت بے بسی کا عالم تھا۔

"تم کہاں جا سکتی ہو عالیہ بیگم' آج اماں' کریمن بوا اور منجھلی چچی سے کہہ رہی تھیں کہ تم ہمیشہ اسی گھر میں رہو گی۔"

"کون کہہ رہا تھا' کون ہوتے ہیں وہ سب کہنے والے؟" ——— عالیہ نے دیوانوں کی طرح جمیل بھیا کو دھکا دے کر پلنگ سے اٹھا دیا۔ "مجھے کون مجبور کر سکتا ہے' میں تہمینہ آپا نہیں ہوں' بڑے آئے سب لوگ۔"

جمیل بھیا نے حیرت سے اس کے لال بھبو کا چہرے کو دیکھا اور پھر کھسیانے سے ہو کر چپکے سے مڑ گئے۔

جب وہ سیڑھیاں اتر رہے تھے تو عالیہ بڑبڑا رہی تھی ——— "بیکار تک بند جسے بڑے چچا اپنی لائبریری کی کنجی تک نہیں دیتے۔"

کل عید تھی۔ آج چھمی کے ابا کا منی آڈر آیا تھا۔ چھمی بڑے چاؤ سے بھاگ کر دستخط کرنے آئی مگر جب پانچ روپے دیکھے تو اس کا منہ سرخ ہو گیا۔ کوپن پر لکھا تھا کہ ان روپوں سے عید کے کپڑے بنوالے۔ چھمی نے پانچ کا نوٹ وصول کیا اور بیچ صحن میں کھڑے ہو کر نوٹ کے پرزے پرزے کر کے پھینک دیا۔ سب ہائیں ہائیں کرتے رہ گئے۔

"اتنے روپوں سے تو ہمارے ابا کی تیسری بیوی صاحبہ کا کفن تک نہ آئے گا۔ جانے لوگ بچے پیدا ہی کیوں کرتے ہیں' اس سے تو کتے کے پلے پال لیں۔" چھمی پلنگ پر بیٹھ گئی۔

"ارے چھمی تم پاگل ہو گئی ہو' پانچ روپے میں کتنا اچھا جوڑا بنتا۔" بڑی چچی نے لپک کر نوٹ کے پرزے اٹھا لئے اور اس طرح ہتھیلی پر رکھنے لگیں جیسے جوڑ رہی ہوں۔

"آپ سے کس نے کہا ہے بولنے کو" ——— وہ کھڑی ہو گئی ——— "اگر میرے جوڑے کی فکر ہوتی تو پہلے سے منی آرڈر نہ کرتے؟ اب کیا راتوں رات پریاں آ کر میرے کپڑے سی دیں گی؟" ——— چھمی پاؤں پٹختی اپنے کمرے میں چلی گئی۔

بڑی چچی نے پھونک مار کر نوٹ کے پرزے اڑا دیئے اور چوکی پر بیٹھ کر پاندان کھول لیا۔

کریمن بوا پتیلی مانجھتے مانجھتے ہاتھ دھو کر اٹھیں اور نوٹ کے پرزے چن کر آنچل میں باندھ لئے' پھر پتیلیوں کی کالک صاف کرنے بیٹھ گئیں ——— "اللہ مارے یہ کاغذ کس کام کے' وہ ہوتے تھے اپنے زمانے میں کھری چاندی کے روپے' سونے

کی اشرفیاں اور گنیاں، کوئی انہیں پھاڑتا تو دیکھتے۔"

کریمن بوا بڑبڑاتی رہیں اور عالیہ دالان کے محراب کے بیچ بیٹھی چپ چاپ سنتی رہی۔ وہ بار بار چھمی کے کمرے کی طرف دیکھ رہی تھی جواب خود کو ایذا پہنچانے کے لئے اتنے لق و دق کمرے میں تنہا پڑی جانے کیا کر رہی تھی۔

عالیہ کو تو اس کمرے سے ہول آتا۔ دادی کے انتقال کو کتنے بہت سے دن گزر گئے مگر اسے تو آج تک دادی کی منتظر نظریں کمرے میں ڈوبتی ابھرتی نظر آتیں۔ ان کی تیز تیز سانس اب بھی سائیں سائیں کرتی محسوس ہوتی۔ اب بھلا چھمی کو کس طرح منایا جائے وہ سخت بیزار ہو رہی تھی —— ارے ظفر چچا کیا یہ چھمی آپ کی بیٹی نہیں؟ کیا بیوی کے ساتھ اولاد بھی مرجاتی ہے؟

وہ اوپر اپنے کمرے میں چلی گئی اور اپنے کورس کی کتابیں الٹنے پلٹنے لگی۔ لاکھ سر مارا مگر پڑھنے میں جی نہ لگا۔ بس اسے بار بار چھمی کا خیال ستا رہا تھا۔ چھمی ایک دن خود کو ایذا پہنچا پہنچا کر ختم کرلے گی۔

کھڑکی سے باہر اسکول کی عمارت کے پیچھے سورج ڈوب رہا تھا۔ نیچے کی منزل میں اب بڑی گہما گہمی تھی۔ روزہ افطارنے کا وقت قریب آرہا تھا۔ عالیہ نے کتابیں سمیٹ کر تپائی پر رکھ دیں اور کھڑکی میں اکڑوں بیٹھ کر باہر دیکھنے لگی۔ گنڈیریوں والے کے سر پر رکھے ہوئے پیتل کے تھال میں پھولوں کے گجرے سجے ہوئے تھے۔ وہ گا گا کر گنڈیریاں بیچ رہا تھا۔ عالیہ کو اس کی اس قدر بھونڈی آواز بھی جانے کیوں بڑی اچھی لگ رہی تھی اور اس نے ایک دم محسوس کیا کہ وہ اداس ہو رہی ہے۔ شامیں اسے ہمیشہ اداس کر دیتیں، جانے کیسی نامعلوم سی کیفیت طاری ہو جاتی۔

وہ کھڑکی سے کود کر نیچے آگئی۔ روزہ کھلنے کا وقت اب بالکل قریب آگیا تھا۔ وہ کریمن بوا کا ہاتھ بٹانے کے خیال سے نیچے چلی گئی۔ کریمن بوا پر اسے کتنا رحم آتا، سارا دن چولھے کی کوکھ میں بیٹھے بیٹھے ان کی کمر ٹیڑھی ہو جاتی۔ اس نے کتنی بار سوچا تھا کہ یہ کریمن بوا یہاں سے بھاگ کیوں نہیں جاتیں۔ یہاں صرف پھٹے پرانے کپڑے اور روٹی اور حق نمک پر زندگی بتائے دیتی ہیں۔ اتنی مشقت پر تو

انہیں کسی بھی گھر میں دس پندرہ روپے مہینے کی نوکری مل جائے گی۔ محنت کا پھل روپیہ ہی تو ہوتا ہے مگر شاید کریمن بوا نے تو کبھی خواب میں بھی ایسی باتیں نہ سوچی ہوں گی۔ کریمن بوا کس قدر فخر سے کہتیں کہ میری ماں مالکن کے جہیز کے ساتھ آئی تھیں۔ مالکن کی خدمت کرتے کرتے خدا کو پیاری ہو گئیں اور اب خدا مجھے بھی بڑے میاں کے ہاتھوں سوارت کرے۔

عالیہ کیسی حیران ہوتی ان باتوں پر' اس نے کبھی کریمن بوا کو اس گھر سے بیزار ہوتے نہ دیکھا۔ وہ کام سے کبھی نہ تھکتیں۔ بگڑے ہوئے وقت کے ساتھ ان کا احترام کرنے کا طریقہ بھی نہ بگڑا۔ کیا مجال تھی جو کبھی اونچی آواز سے بات کی ہو۔

تخت پر دسترخوان بچھا کر افطاری کا سامان چنا جا چکا تھا۔ بڑی چچی تلے ہوئے چنوں پر لیموں نچوڑ رہی تھیں۔ کریمن بوا کو شاید روزہ لگ رہا تھا' اس لئے نڈھال سی بیٹھی تھیں۔ بڑے چچا برآمدے میں بچھے ہوئے کھرے پلنگ پر بیٹھے تھے۔ جیب سے نکلی ہوئی گھڑی سینے پر لٹک رہی تھی اور ان کے پاس بیٹھا ہوا شکیل بار بار جھک کر گھڑی دیکھ رہا تھا۔ کچھ دن سے جمیل بھیا نے اس پر سختی شروع کر دی تھی۔ اس لئے وہ گھر سے زیادہ دیر غائب نہ رہ پاتا۔

چھمی اپنے کمرے کی دہلیز پر کھڑی تھی۔ پاجامے کی پھٹی ہوئی میلی گوٹ سے اس کے گٹے نظر آ رہے تھے۔ جب اس نے عالیہ کو دیکھا تو آہستہ آہستہ چلتی ہوئی پاس آ گئی اور بغیر کچھ بولے شکیل کے پاس بیٹھ گئی۔

باہر بیٹھک میں بڑے چچا کے کئی مہمان براجمان تھے اور اسرار میاں بیٹھک کے دروازے سے کئی بار سر نکال کر جھانک چکے تھے۔

"کریمن بوا ذرا جلدی سے باہر افطاری بھیج دو' روزہ کھلنے میں صرف دو منٹ رہ گئے ہیں۔" بڑے چچا نے سینے پر لٹکتی ہوئی گھڑی کو دیکھ کر کہا اور کریمن بوا کمر ٹیڑھی کئے کئے اٹھیں اور تخت پر رکھی ہوئی دو پلیٹیں اٹھا کر بیٹھک کی طرف لپکیں۔ اسرار میاں تو جیسے تاک ہی میں تھے' جب مہمان ہوتے تو ان کے مزے ہو جاتے ورنہ وہ غریب تو روزہ بھی اس وقت ہی کھولتے جب مکروہ ہو چکا ہوتا۔

اماں تخت پر ایک کونے میں اس طرح بیٹھی چھالیہ کاٹ رہی تھیں جیسے افطاری پر پہرہ دے رہی ہوں۔ گھٹیا کام تو انہوں نے کبھی کئے ہی نہ تھے۔ بس یہی کہ کھانے پینے کی چیزوں کے حصے بخرے کر دیئے یا اسرار میاں کا لایا ہوا سودا سلف دیکھ کر اعتراضات کر لئے، شک و شبہ کے ساتھ حساب جوڑ لیا۔

قریب کی مسجد میں گولا چھوٹا اور پھر نقارہ بجنے کی تیز آواز آنے لگی تو اماں نے پلیٹوں میں رکھا ہوا سب کا حصہ بانٹنا شروع کر دیا۔ عالیہ نے تانبے کا منقش جگ اٹھا کر سب کے گلاسوں میں لیموں کا شربت بھر دیا۔

چھمی کی پلیٹ یوں ہی پڑی تھی۔ اس نے صرف شربت کے گھونٹ سے روزہ کھول لیا تھا۔

"چھمی کچھ تو کھالو، خالی پیٹ میں شربت لگے گا۔" بڑی چچی نے پلیٹ اٹھا کر اس کے ہاتھ میں پکڑانا چاہی تو اس نے بڑی چچی کا ہاتھ جھٹک دیا۔

"جب بھوک لگے گی تو خود ہی کھالے گی۔" اماں نے کہا، مگر چھمی خاموش رہی۔

"اپنے نوٹ کا دکھ ہو گا نا، منجھلے چچا نے بھیجا تھا۔ انہوں نے پھاڑ کر پھینک دیا۔ ہمیں کو دے دیتیں۔" شکیل روزہ کھول کر ترنگ میں آچکا تھا۔

"تم جیسے فقیروں کو نہیں دیتی۔" چھمی نے تڑسے جواب دیا۔

"بھئی یہ تو سخت بدزبان لڑکی ہے" —— بڑے چچا نے گھور کر چھمی کو دیکھا —— "کسی دن زبان کھینچ لوں گا۔"

"آپ کو تو میں اپنی زبان چھونے بھی نہ دوں۔ ہر وقت کافروں کی جماعت میں رہتے ہیں اور دنیا کو دکھانے کے لئے روزے رکھتے ہیں، بس حد ہے" —— چھمی نے نفرت سے ہونٹ سکوڑ لئے۔

"شرم نہیں آتی، کوئی اپنے بڑے چچا سے یوں بات کرتا ہے، کوئی لحاظ پاس نہیں۔" بڑی چچی نے فوراً ڈانٹا۔ مارے غصے کے منہ سرخ ہو رہا تھا۔ یعنی ان کے سامنے چھمی ان کے شوہر سے اس طرح بات کرے۔

"میرے کوئی چچا وچا نہیں۔" چھمی نے سخت بے اعتنائی سے کہا۔

"بھئی تم چپ رہو کیوں اس جاہل کے منہ لگتی ہو۔" بڑے چچا گاؤ تکئے سے ٹک کر نیم دراز ہو گئے۔

"ہاں ہمارے کوئی منہ نہ لگے، ہم جاہل ہیں، ساروں کی ڈگریاں کھا جائیں گے اور ڈکار بھی نہ لیں گے۔" چھمی پاؤں پٹختی اپنے کمرے میں چلی گئی۔

"چودھویں صدی ہے، گائے سینگ بدلے گی اور قیامت آ جائے گی۔" کریمن بوا کسی کو کچھ نہیں کہہ سکتی تھیں، اس لئے انہیں قیامت یاد آ رہی تھی۔

"بھئی حد ہے بد زبانی کی، گھر میں سانڈ پالا ہے تم نے بھابی۔" اماں نے فوراً بڑی چچی پر حملہ کر دیا۔

"اب دیکھو نا دلہن، یہ تو اس کے باپ کا قصور ہے، اب کیا پہنے گی یہ بچی۔" جب کوئی چھمی کے پیچھے پڑنے لگتا تو بڑی چچی فوراً آڑے آ جاتیں۔

ذرا دیر کو سب خاموش ہو گئے۔ بڑے چچا نے آنکھیں موند لیں۔ شکیل اپنے اسکول کے کام میں جٹ گیا۔ کریمن بوا لالٹینوں کی چمنیاں صاف کرنے لگیں۔ مگر چھمی کیسے چپ رہتی، کپڑے نہ بننے کا انتقام ابھی پورا نہیں ہوا تھا۔ وہ اپنے اندھیرے کمرے میں اپنی تک بندی کو لہک لہک کر گانے لگی:۔

کاشی میں تلسی بوئی سب بکریاں چر گئیں
گاندھی نہرو ماتم کرو کاشی کی میا مر گئیں

بڑے چچا ایک دم چونک پڑے —— "دیکھو اسے منع کر لو، باہر مولانا صاحب وغیرہ بیٹھے ہیں، سب کیا کہیں گے، ساری آواز باہر جائے گی۔" بڑے چچا غصے سے سرخ ہو رہے تھے۔

"چھمی خدا کے لئے کچھ تو سوچا کر، باہر مہمان بیٹھے ہیں" —— بڑی چچی چھمی کے کمرے کی طرف لپکیں۔

"آپ کو کیا، ہم اپنے کمرے میں گا رہے ہیں، یہ کمرہ ہمارا ہے، جب آپ کے کمرے میں آ کر گائیں تو منع کیجئے گا، باہر سنتے ہوں تو سنیں، ذرا انہیں بھی تو معلوم ہو کہ یہاں سب کافر نہیں رہتے" —— وہ بڑے چچا کو چڑانے کے لئے پھر گانے لگی —— کاشی میں تلسی ——

"اری جاہل پاگل، میں کچھ بولتا نہیں اور تو آپے سے باہر ہے، اب گا اچھی طرح۔" بڑے چچا تیزی سے کمرے کی طرف لپکے —— بیٹھک کا دروازہ بند کر دو شکیل"۔

انہوں نے مڑ کر کہا اور پھر پورے جوش سے بڑے چچا نے چھمی کے منہ پر کئی تھپڑ جڑ دیئے۔ شکیل دروازہ بند کر کے اس طرح کھڑا تھا جیسے تماشہ دیکھ رہا ہو۔

"کاشی میں تلسی بوئی" —— چھمی زور سے چیخی —— "میں گاؤں گی گاؤں گی" ——

"چپ!" بڑے چچا نے اس کے منہ پر ہاتھ رکھ کر دبا دیا۔

بڑی چچی ہانپ ہانپ کر اپنے شوہر کو الگ ہٹا رہی تھیں اور عالیہ کمرے کی دہلیز پر کھڑی آنکھیں پھاڑے بڑے چچا کو دیکھ رہی تھی۔ بڑے چچا آج کتنے عجیب طریقے سے اس گھر میں اپنی اہمیت جتا رہے تھے اور وہ بھی صرف اس لئے کہ ان کے سیاسی عقائد کو ٹھیس لگ رہی تھی، اس وقت بڑے چچا اسے سیاسی ڈاکو معلوم ہو رہے تھے۔

"غضب خدا کا، جوان لڑکی پر ہاتھ اٹھاتے ہو، بن ماں کی بچی پر ——" بڑی چچی کی آواز بھرا رہی تھی۔ وہ بڑے چچا کو کھینچتی ہوئی کمرے سے باہر لے گئیں تو عالیہ دوڑ کر چھمی کے لپٹ گئی جو پرانی مسہری پر پڑی سسک سسک کر رو رہی تھی۔

"بجیا باہر بھاگ جایئے۔" روتے روتے چھمی ایک دم چپ ہو کر جیسے بڑے سکون سے چت لیٹ گی۔

عالیہ باہر آ کر برآمدے کی محراب سے ٹک کر کھڑی ہو گئی۔

بڑی چچی زارو قطار رو رو کر چپکے چپکے کہہ رہی تھیں۔ "اب اگر کبھی ہاتھ لگایا تو یاد رکھنا اپنی جان دے دوں گی، میرا تو کلیجہ پھٹ گیا، بن ماں کی بچی، میں نے اسے پالا ہے، میرے دل میں اس کی مامتا ہے۔" اس وقت انہیں یہ احساس ہی نہ رہا تھا کہ چھمی غریب تو خود سے پل گئی۔ بڑی چچی اسے پالنا تو چاہتی تھیں مگر

ڈھیروں کاموں کے ملبے میں دبنے کے بعد انہیں فرصت ہی کہاں ملتی جو چھمی کو بھی اس کا پیدائشی حق دے سکتیں۔

"میں تو خود گھر میں کسی سے نہیں بولتا مگر یہ لڑکی عذاب ہے، کل ہی ظفر میاں کو خط لکھتا ہوں کہ کسی کے ساتھ اس کے دو بول پڑھا کر اس گھر سے یہ لعنت دور کر دو۔" بڑے چچا نے کروٹ لے کر آنکھیں بند کر لیں اور بڑی چچی آنسو پونچھ کر پان بنانے لگیں۔ اماں ایسے آرام سے بیٹھی تھیں جیسے کچھ ہوا ہی نہیں۔

ہنگامے کے بعد کا سناٹا چھایا ہوا تھا۔ بڑے چچا کا چہرہ تمتمایا ہوا تھا۔ وہ بار بار آنکھیں کھولتے اور بند کر لیتے۔ اسی وقت جمیل بھیا آ گئے۔

"سب چپ کیوں ہیں، کل عید ہے بھئی۔" جمیل بھیا نے عالیہ کی طرف دیکھا جو اونگھتی ہوئی معلوم ہو رہی تھی۔

"پٹائی ہوئی ہے۔" شکیل نے جمیل بھیا کی طرف جھک کر کہا۔

"کس کی پٹائی ہوئی ہے؟"

"ارے کچھ بھی نہیں، وہی چھمی، کاشی میں تلسی بوئی، کی رٹ لگا رہی تھی۔ باہر مہمان بیٹھے تھے، تمہارے ابا نے ایک تھپڑ لگا دیا۔" بڑی چچی نے بات کو بالکل ہلکا پھلکا بنا کر کہا اور پھر جلدی سے ایک پان کلے میں ٹھونس لیا۔

"مگر آپ نے اسے مارا کیوں، آپ اسے سمجھا سکتے تھے، اس کی بدتمیزی کو روک سکتے تھے، مگر مارنا کہاں کا انصاف ہے، وہ اپنے خیال کا اظہار کرتی ہے تو آپ چڑتے کیوں ہیں۔ جب آپ لوگوں کو نظریے کی آزادی نہیں دیتے تو اپنا ملک کس طرح آزاد کرائیں گے اور اگر آپ کا ملک آزاد بھی ہو گیا تو اس آزادی کو کیسے برقرار رکھیں گے؟" جمیل بھیا نے بڑے جوش سے ایک ہی سانس میں اتنا کچھ کہہ ڈالا۔

"صاحبزادے تم گھریلو باتوں کو ملکی معاملات سے مت ٹکرایا کرو اور نہ زیادہ قابلیت جھاڑا کرو، تم کچھ نہیں جانتے۔" بڑے چچا نے سخت حقارت سے دیکھ کر پھر آنکھیں موند لیں۔

"آپ میری قابلیت کی بات نہ کیا کریں، آپ نے تو مجھے صرف پرائمری تک

پڑھا کر گلی ڈنڈا کھیلنے کو چھوڑ دیا تھا اور پھر ملک آزاد کرانے لگے تھے' جیسے میں تو آپ کے ملک کا باشندہ تھا ہی نہیں' جیسے مجھے تو اچھی زندگی گزارنے کا کوئی حق ہی نہ تھا۔ میں نے بی اے نہیں کیا ہے' لوہے کے چنے چبائے ہیں۔ ذرا آپ یہ تو بتائیں کہ جب آپ کو ایک گھر کا خیال نہیں تو اتنے بڑے ملک کے اتنے بہت سے گھروں کا کس طرح خیال کریں گے۔ یہ بھی خوب رہی کہ ایک گھر کو قربان کر کے دو گھروں کو بچالو۔"

"لاحول ولا' کیا بے تکی تقریر کر کے دماغ چاٹ رہے ہو' میاں آزادی اور قربانی کا مفہوم تمہاری سمجھ سے بالا ہے' بس اپنی شاعری کرو اور داد پاؤ' رگ گل سے بلبل کے پر باندھو اور خوش رہو۔" بڑے چچا نے کروٹ لے لی۔

"جی بالکل درست ہے مگر——" جمیل بھیا بھلا عالیہ کے سامنے کس طرح ہار مانتے۔ وہ پھر کچھ کہنا چاہتے تھے کہ بڑی چچی ماتھا پیٹنے لگیں—— "ہائے میں کہتی ہوں کہ اس گھر کا آوا ہی بگڑ گیا ہے' حد ہے کہ بیٹے صاحب اپنے باپ سے بحث کر رہے ہیں' خدا کی قسم ایک دن زہر کھالوں گی۔" بڑی چچی پر رقت طاری ہونے لگی۔

"بھئی ٹھیک تو کہتا ہے جمیل۔" اماں نے جمیل کی حمایت کی مگر وہ تو چپ ہو کر بڑی بے بسی سے اپنی لوہے کی کرسی پر جا بیٹھے تھے اور ہاتھ مل مل کر کچھ سوچ رہے تھے۔

"دونوں وقت مل رہے ہیں اور یہ لڑائی جھگڑے' اس ملک کے دکھ نے تو سب کچھ تباہ کر دیا۔" کریمن بوا ہر طرف جلی ہوئی لالٹینیں رکھتی پھر رہی تھیں۔

"بڑے آئے ہمدردی کرنے والے"—— چھمی چھپا کے سے باہر نکل آئی اور بڑے چچا کے پلنگ کے پاس کھڑی ہو گئی—— "ہمیں کون روک سکتا ہے' ہاں کاشی میں تلسی بوئی سب بکریاں چر گئیں"—— وہ زور سے چیخی۔

"لاحول ولا"—— بڑے چچا بے ساختہ ہنس پڑے—— "قطعی پاگل ہے۔"

بڑے چچا کے ہنستے ہی شکیل' اماں' بڑی چچی اور جمیل بھیا بھی ہنسنے لگے۔

"ہاں، اب ٹھیک ہے۔" چھمی جمیل بھیا کی طرف بڑھی —— تم ہنسو، تم سے کس نے کہا تھا کہ میری حمایت کرو، میں تم جیسوں کو منہ نہیں لگاتی، اب میں ان جیسوں سے محبت کروں گی۔ خواہ مخواہ بی اے کرنے کے لئے میرے سامنے ناک رگڑتے تھے۔" چھمی پھر اپنے کمرے میں جانے کے لئے مڑ گئی مگر کمرے کی دہلیز پر ہی بیٹھ رہی۔ چند لمحوں کے لئے کیسا سناٹا چھا گیا۔

سب نے جیسے چونک کر جمیل بھیا کی طرف دیکھا، سب سے زیادہ گہری نظریں اماں کی تھیں مگر جمیل بھیا بڑی سنجیدگی سے نظریں جھکائے شکیل کی کتاب کے ورق الٹ رہے تھے اور اس سناٹے میں بڑے چچا اس طرح کھنکار رہے تھے جیسے گلے میں کچھ پھنس گیا ہو۔

"آج انہوں نے اپنا پانچ روپے کا نوٹ بھی پھاڑ ڈالا، مجھے دے دیتیں تو میں منٹوں میں اپنے عید کے کپڑے سلوا لیتا۔ اب میں ان کے خط نہیں لے جایا کروں گا۔" شکیل نے نوٹ پھٹنے کی اطلاع کے ساتھ ایک اور انکشاف کر دیا۔

"کہاں لے جاتے تھے خط؟" اماں نے گھبرا کر پوچھا۔

"تھانیدار کے بیٹے منظور صاحب کو دیتا تھا۔" شکیل نے چھمی کی طرف دیکھ کر بڑی معصومیت سے کہا۔

"ارے ارے۔" اماں اور بڑی چچی اس دھماکے سے خائف ہو کر رہ گئیں۔ سب خاموش تھے۔ کوئی کسی کی طرف نہ دیکھ رہا تھا۔ کتنی گہری خاموشی چھا گئی تھی۔

چھمی اٹھی اور بڑی بے نیازی سے سب کے احساسات پر دراتی زینے پر ہو لی۔

عالیہ نظریں گڑو گڑو کر شکیل کو دیکھ رہی تھی، وہ ڈر رہی تھی کہ اب بڑے چچا چھمی کا برا حشر کریں گے۔ گیارہ بارہ سال کا شکیل اسے پاجی مرد نظر آ رہا تھا۔

بڑے چچا نے کروٹ بدلی تو عالیہ سر سے پاؤں تک کانپ گئی، اسے ایسا محسوس ہوا کہ بڑے چچا چھمی پر حملہ کرنے کے لئے اٹھ رہے ہیں۔ مگر بڑے چچا کروٹ لے کر گم سم پڑے رہے تو اس نے اطمینان کی سانس لی۔

"بھئی حد ہے بڑے بھیا"——اماں نے پھر کر بڑے چچا کی طرف دیکھا ——"کیا پیسے کے ساتھ ساتھ اس گھر کی حیا بھی اڑ گئی۔ پہلے بھی اس خاندان میں کیا کچھ نہیں ہو چکا جو اب چھمی کسر پوری کرے گی۔ مار مار کر اس کا بھرکس نکال دیجئے' نہ کہ چپ چاپ لیٹے ہیں۔"

بڑے چچا اٹھ کر بیٹھ گئے——"شکیل بیٹھک سے قلم کاغذ لے آؤ' میں ظفر میاں کو خط لکھ دوں' وہ شادی کی اجازت دے دیں تو پھر کوئی لڑکا ڈھونڈ لوں گا۔"

شکیل بھاگ کر قلم کاغذ لے آیا اور بڑے چچا خط لکھنے بیٹھ گئے۔

کیا بڑے چچا اپنی بیٹی کی طرح چھمی کو بھی کہیں دھکیل دیں گے۔ عالیہ نے دکھے دکھے جی سے پوچھا اور آنسو ضبط کرنے کی کوشش میں منہ چھپا کر بیٹھ گئی۔

"میرا بس چلے تو ہڈیاں توڑ دوں' کیا مزے سے چھلاوہ اوپر چلی گئی۔"

اماں برابر بپھرے جا رہی تھیں۔

"واہ سب لوگ عید کا چاند دیکھنا تو بھول ہی گئے۔" شکیل ہڑبڑا کر پلنگ سے کودا اور اسی بہانے باہر بھاگ گیا۔ جمیل بھیا اس کی طرف سے بالکل بے خبر بیٹھے تھے۔

دروازہ زور سے کھڑکا۔ نجمہ پھوپھی کا تار تھا۔ وہ کل صبح پہنچ رہی تھیں۔

نجمہ پھوپھی اپنے ڈھیروں سامان کے ساتھ آگئیں۔ وہ صرف بڑی چچی سے گلے ملیں اور سب کو نظرانداز کردیا۔

عالیہ نے اپنے ہوش میں انہیں پہلی بار دیکھا تھا۔ نچی ہوئی بھنویں پہلی تاریخ کے چاند کی طرح تیکھی ہو رہی تھیں' پٹے بکھرے ہوئے تھے اور میک اپ کے مارے اصلی صورت پہچانی نہ جاتی تھی۔

چھمی سب کچھ بھول گئی تھی اور صبح صبح سنگھار کرکے اپنی اماں مرحومہ کے جہیز کا گلا ہوا جوڑا پہن کر بڑی خوب صورت لگ رہی تھی۔ نجمہ پھوپھی نے اسے لفٹ نہ دی تھی مگر وہ تھی کہ ان کے پاس گھسی جارہی تھی۔ اسے پتہ تھا ناکہ اماں اور بڑی چچی نجمہ پھوپھی سے کد رکھتی ہیں۔

جمیل بھیا اپنی لوہے کی کرسی پر خاموش بیٹھے تھے' وہی تو انہیں اسٹیشن لینے گئے تھے۔ بڑے چچا صبح ہی صبح نماز کے بعد ادھر ہی سے کہیں چلے گئے تھے۔

"نجمہ پھوپھی' گھر میں اور لوگ بھی ہیں۔" جمیل بھیا نے انہیں یاد دلایا۔ شاید انہیں برا لگا تھا کہ انہوں نے عالیہ اور ان کی اماں سے ایک بات بھی نہ کی تھی۔

"دیکھ رہی ہوں بھئی' اتنے لمبے سفر سے تھک گئی ہوں' بڑے بھیا کہاں ہیں' وہ اپنی سیاست بگھارنے گئے ہوں گے کہیں ـــــ اور تم عالیہ' کہو کچھ پڑھ رہی ہو کہ نہیں ـــــ؟"

"جی ایف اے کا امتحان دینے والی ہوں۔" عالیہ نے دھیرے سے جواب دیا۔

"خوب! خوب!" نجمہ پھوپھی کے چہرے پر سخت ناگواری کے آثار تھے

——"اور تم جمیل میاں کیا کر رہے ہو؟" انہوں نے جمیل بھیا سے پوچھا۔

"بس بی اے کر کے بیٹھ رہا ہوں۔" جمیل بھیا نے جواب دیا۔

"واہ صرف بی اے سے کیا ہوتا ہے' آدمی جاہل ہی رہ جاتا ہے' تھوڑی تعلیم خطرناک ہوتی ہے۔ کرنا ہے تو ایم اے بی ٹی کرو' اب مجھے دیکھو جس کالج میں جاؤں ہاتھوں ہاتھ لی جاتی ہوں مگر ایم اے بھی کرو تو انگلش میں' اردو ایم اے تو ہر جاہل کر سکتا ہے۔"

"درست ہے' میں بھی انگریزی ہی میں ایم اے کر لوں گا کبھی۔"

"مظہر بھیا نے بھی جیل جا کر جانے کون سا تیر مار لیا' بس حد ہے بھئی' کوئی خط وط بھی آیا ان کا کہ نہیں؟ یا شرمندگی کے مارے چپ ہیں؟ مجھے تو ایک خط بھی نہ لکھا۔" نجمہ پھوپھی اماں سے مخاطب تھیں مگر اماں اس طرح پان بناتی رہیں جیسے کچھ سنا ہی نہیں۔

عالیہ کا جی کڑھ گیا۔ یعنی کہ ابا کی بہن بھی انہیں مجرم سمجھتی ہیں' اس کا جی چاہا کہ نجمہ پھوپھی کی زبان کاٹ لے —— اچھا ہی ہوا جو اماں نے ان کی بات کا جواب نہ دیا۔

"ارے بھئی چھمی' تم نے بھی کچھ پڑھا لکھا یا نہیں؟" چھمی کے انتہائی عشق کے اظہار پر انہوں نے اس کی پیٹھ پر تھپکی دی۔ چھمی نے شرما کر سر جھکا لیا۔ جہالت کے احساس سے وہ سخت شرمندہ نظر آ رہی تھیں۔

"اب تو یہیں نوکری کرنی ہے' اس لئے بس کل سے چھمی کو پڑھانا شروع کر دوں۔ گی ہے بیچاری جاہل ہی رہ گئی اور کسی نے توجہ نہ دی۔ اس خاندان کی یہی تو بدنصیبی ہے کہ کوئی لڑکی پڑھی لکھی نہ نکلی" —— نجمہ پھوپھی نے عالیہ کو بھی جاہلوں میں شمار کر لیا —— "تو اب چھمی تم میری تولیہ صابن وغیرہ غسل خانے میں تو رکھ آؤ' ذرا ہاتھ منہ دھو کر عید منانے کی سوچوں۔"

نجمہ پھوپھی اٹھیں تو چھمی پاجامے کی گوٹ سے الجھتی غسل خانے کی طرف بھاگی۔ آج بن ٹھن کر تو اس نے جمیل بھیا کو بالکل ہی نظرانداز کر دیا تھا۔ اس نے ایک بار بھی ان کی طرف نہ دیکھا۔ جیسے ظاہر کر رہی ہو کہ یہ سنگھار تمہارے لئے

نہیں، منظور کے لئے ہے۔

کریمن بوا نے نجمہ پھوپھی کے لئے چائے بنا کر بڑے سلیقے سے تخت پر لگا دی اور پھر سویاں پکانے میں منہمک ہو گئیں —— "عید میں منوں کے حساب سے سویاں پکتی تھیں، مگر اب تو وہ دن نہیں رہ گئے۔ اللہ بڑے میاں کو عقل دے، سب لٹا بیٹھے۔" دو سیر سویوں کا زردہ پکاتے ہوئے کریمن بوا بڑبڑا رہی تھی۔

بڑی چچی بولیں "تم بھی کپڑے بدل لو عالیہ میری بچی، پھر محلے والیاں آنے جانے لگیں گی تو دیکھ کر کیا کہیں گی۔ تم نے نئے کپڑے بھی تو نہیں سیئے۔"

فرصت ہی نہیں ملی بڑی چچی۔" اس نے آہستہ سے کہا۔ جمیل بھیا اسے بڑی شاکی نظروں سے دیکھ رہے تھے —— "میں ابھی کپڑے بدل لوں گی۔"

وہ اپنے کمرے میں جانے کے لئے اٹھ کھڑی ہوئی۔ نجمہ پھوپھی غسل خانے سے آ کر چائے پینے بیٹھ گئی تھیں۔

زینوں پر چڑھتے ہوئے اس نے مڑ کر دیکھا کہ شکیل پان کھائے اور گلے میں ہار ڈالے گھر میں داخل ہو رہا تھا مگر سامنے ہی جمیل بھیا کو دیکھ کر اس نے ہار گلے سے نوچ کر مٹھی میں چھپا لئے۔

کپڑے تبدیل کر کے عالیہ اپنے کمرے میں چپ چاپ بیٹھی رہی —— جیل میں ابا کی عید کس طرح آئی ہو گی —— اس کا جی دکھ رہا تھا۔

"مجھ سے عید نہیں ملو گی عالیہ؟" جمیل بھیا بھی اوپر آ گئے۔

گلی میں بچوں اور سودے والوں نے کتنا اودھم ڈھا رکھا تھا۔ اس نے کھڑکی کے پٹ بھیڑ دیئے۔

"پھر؟"

"پھر کیا، عید نہ ملو گی؟ آج کے دن تو دشمن بھی دشمن سے مل لیتا ہے، پھر میں دشمن تو نہیں ہوں۔"

"میں تو آپ کو کچھ بھی نہیں سمجھتی۔"

"کچھ نہ سمجھنا تو انتہائی ہتک کی بات ہے۔"

"خدا کے لئے جمیل بھیا یہ ٹیڑھی باتیں نہ کیا کیجئے، اچھے بھلے انسان

بن جائیے۔ مجھے محبت و جبت سے کوئی دلچسپی نہیں۔ جو مرد عورت ایک دوسرے کو محبت کے دھوکے دیتے رہتے ہیں ان سے مجھے سخت چڑ ہے۔"

"کیا ابا کی لائبریری سے اس موضوع پر کوئی کتاب مل گئی ہے؟" جمیل بھیا نے بڑے طنز سے اس کی طرف دیکھا۔

"ہاں اسی لائبریری سے مل گئی تھی جس کی کنجی آپ کو نہیں دی جاتی۔" وہ زور سے ہنسی، جمیل بھیا ایک دم سنجیدہ ہو رہے تھے۔

"عالیہ تم مجھے جتنا ٹھکرا رہی ہو، اتنا ہی تم سے قریب ہوتا جارہا ہوں، اگر تم نے میرا ساتھ نہ دیا تو میں دنیا میں کچھ نہ کرسکوں گا۔" جمیل بھیا کا منہ تمتما گیا، ان کی آنکھوں سے دکھ چھلکا پڑتا۔ عالیہ نے سر جھکا دیا۔ اس وقت اسے محسوس ہو رہا تھا کہ اگر اسے جمیل بھیا کی نظروں سے پناہ نہ ملی تو جانے کیا ہو جائے گا۔

"اگر میں کسی اور سے محبت کروں تو آپ کہے گا۔"

"سب جھوٹ، عورت مرد سے محبت کئے بغیر رہ ہی نہیں سکتی، روایت کے مطابق پیدا بھی مرد کی پسلی سے ہوئی ہے۔" جمیل بھیا جوش میں آگئے۔

"اچھا اب میں سمجھی"——وہ ایک دم ہنس پڑی——"یہ مرد اسی لئے تو عورت کو فریب دیتا ہے کہ اسے حضرت آدم کی پسلی کا درد یاد آتا ہوگا۔"

جمیل بھیا بھی اس کے ساتھ بے ساختہ ہنس پڑے مگر پھر سنجیدہ ہوگئے۔ "تم میری ہو عالیہ، میں سچ کہتا ہوں کہ میں زندگی میں سب کچھ کروں گا، میں صفدر نہیں ہوں جس نے تہمینہ کو ختم کردیا۔" پھر وہ جیسے سرگوشی کرنے لگے۔ صفدر بمبئی میں ہے۔ وہ کمیونسٹ پارٹی کا ممبر ہے، آج کل جیل میں ہے۔"

عالیہ ذرا دیر کو بالکل چپ ہوگئی۔ وہ خالی خالی نظرں سے جمیل بھیا کا منہ تک رہی تھی۔ بیتی ہوئی باتیں کس تیزی سے انسان کے دماغ پر جھپٹ پڑتی ہیں۔

"عالیہ، میں اپنی ساری زندگی تمہارے لئے وقف کردوں گا، یقین کرو عالیہ کہ میں تمہارے لئے سب کچھ کروں گا لیکن اگر تم نے زندگی کے سفر میں میرا ساتھ نہ دیا تو میں تھک جاؤں گا، میں تو کچھ بھی نہ کرسکوں گا۔"

اس نے غور سے جمیل بھیا کی طرف دیکھا——ہے، کیسی سڑی بسی باتیں

ہیں، وہی باتیں جو آپا تہمینہ کہانیوں میں پڑھ پڑھ کر مر گئیں۔ یہ عاشق کس قدر گھٹی صفت ہوتے ہیں —— اس نے نظریں جھکالیں، بھیا کی آنکھوں کی گہرائی سے کیسا عجیب سا لگتا۔

"تو پھر جمیل بھیا آپ آج ہی تھک جائیے، چائے وغیرہ کا انتظام کراؤں؟"

وہ زور سے ہنسی۔ بات مذاق میں اڑ جائے تو شاید جان چھوٹے مگر جمیل بھیا پر تو سنجیدگی کا بھوت نازل تھا۔

"دیکھو عالیہ ——" وہ اس کی طرف جھپٹے اور پھر جم کر کھڑے ہو گئے۔

"یہ لیجئے اپنا خط، مسلم لیگ کے دفتر کانپور سے آیا ہے، میں نے بڑی چچی کی نظریں بچا کر اڑا لیا ہے، ارے ہاں خواہ مخواہ بے چاری بڑی چچی اس صدمے سے بھی دوچار ہوتیں۔" عالیہ نے کاپی کے بیچ سے لفافہ نکال کر اس طرح جمیل کے ہاتھ میں ٹکا دیا جیسے کہ بات ختم ہو گئی ہو۔

جمیل بھیا مجرموں کی طرح سر جھکائے کھڑے تھے۔ جس بات کو اتنے دنوں سے چھپائے تھے وہ درا کر سامنے آ گئی تھی —— "اچھا بھائی عید مبارک ہو، اماں سے خط کا ذکر نہ کرنا۔" وہ جلدی سے چلے گئے۔

چھمی، نجمہ پھوپھی کا بستر بند کھینچ کر اوپر بڑے کمرے میں لا رہی تھی اور اس مشقت میں اس کی اماں مرحومہ کے بری کے جوڑے کی گوٹ پھٹ گئی تھی۔

"چھمی، نجمہ پھوپھی تمہاری اس محبت کی کیا قدر کریں گی، تم مجھ سے کیوں روٹھ گئیں" —— عالیہ نے بڑے پیار سے چھمی کی طرف دیکھا اور پھر اپنے کمرے کے دروازے بند کر کے کپڑے تبدیل کرنے لگی۔

عید گاہ سے واپس آتے ہوئے بچے گلی میں بڑے زور سے اودھم مچا رہے تھے۔

"کریمن بوا، منجھلی بھابی اور بڑی بھابی کو میرا سلام کہو اور عید مبارک بھی۔"

سیڑھیوں کو طے کرتے ہوئے عالیہ نے اسرار میاں کا خوشی سے لرزتا ہوا پیغام سنا۔ کیسا جی چاہا کہ آج تو وہ بھی اسرار میاں کو سلام کر لے۔ عید کا دن ہے

آخر۔

"صبر کرو، تم کو بھی سویاں بھجوا دوں گی۔" کریمن بوا نے اس طرح جواب دیا جیسے مذاق اڑا رہی ہوں۔

نجمہ پھوپی، کریمن بوا کو تہواری کا ایک روپیہ دے رہی تھیں۔ انہوں نے عالیہ کی طرف دیکھا تو وہ الٹے پیروں اپنے کمرے کی طرف چل دی۔

اتوار کا دن تھا۔ چائے پینے کے بعد بڑے چچا بیٹھک میں جانے کے لئے اپنے بستر پر لیٹ گئے۔ کچھ بجھے بجھے سے نظر آ رہے تھے۔ عالیہ ان کے پاس جا بیٹھی۔ بڑے چچا کو اس طرح دیکھ کر وہ بے چین ہو گئی تھی۔ ہے' بیچارے بڑے چچا' کوئی ان کی پروا نہیں کرتا۔ اگر بڑی چچی اس گھر میں نہ ہوتیں تو سب انہیں بھون کھاتے' جو اٹھتا ہے اپنی تکلیفوں کا رونا روتا ہے۔ کوئی ان کی تکلیفوں کو نہیں پوچھتا اور یہ ہیں کہ سب کچھ سہے جاتے ہیں' اپنی سگی بہن کس طرح شرمندہ کرتی ہے' صرف اس لئے کہ اپنے کھانے کے روپے دینا پڑتے ہیں۔ وہ یہ بھول گئیں کہ کبھی بڑے چچا کے روپوں سے ہی تعلیم حاصل کی تھی۔

"پڑھائی کا کیا حال ہے بیٹا؟"

"ٹھیک ہے بڑے چچا' آپ کی طبیعت تو خراب نہیں؟" وہ بھرے بھرے جی سے بولتی چلی گئی۔ "آپ اپنی صحت کی ذرا فکر نہیں کرتے۔ آپ کتنے کمزور ہو رہے ہیں' انسان کچھ اپنے لئے بھی تو کرتا ہے۔"

"ایں' بیٹا میں تو ٹھیک ہوں۔" بڑے چچا حیران ہو کر عالیہ کا منہ تک رہے تھے —— "ارے کیا کوئی میری فکر کرنے والا بھی ہے' کیا کسی کو مجھ سے بھی ہمدردی ہو سکتی ہے۔ میں تو اس گھر کا بھوت ہوں جو سب کچھ کھا گیا۔"

بڑے چچا کی آنکھوں میں اس نے دکھ کی وہ مدھم سی تحریر پڑھ لی جسے چھپانے کے لئے وہ خواہ مخواہ ہنس رہے تھے۔

"واہ ری پگلی' مجھے آرام کی کیا ضرورت ہے' ہٹا کٹا ہوں' خواہ مخواہ فکر کرتی ہے۔ اچھا یہ تو بتاؤ کہ میری لائبریری سے کتابیں پڑھتی ہو کہ نہیں؟"

"پڑھتی تھی بڑے چچا مگر اب امتحان سر پر ہے نا اس لئے سب چھوڑ بیٹھی

ہوں۔"

"تمہارے جیسے ذہن کی لڑکی کے لئے یہ کتابیں پڑھنا ضروری ہیں۔" بڑے چچا جب خوش ہوتے تو اپنی لائبریری کی کتابیں پڑھنے کی نصیحت شروع کر دیتے۔

"بڑے چچا جب آزادی مل جائے گی تو پھر کیا ہوگا؟" اس نے سخت بے وقوفی کے ساتھ بڑے چچا کی دل پسند باتیں چھیڑنا چاہیں۔ بڑے چچا کے سامنے اس نے سیاست سے نفرت کا کبھی اظہار نہ کیا تھا۔

"آزادی مل جائے تو پھر کیا رہ جاتا ہے۔ مرنا اور جینا دونوں آسان ہو جاتے ہیں۔ دعا کرو کہ میں غلامی کے دور میں نہ مروں۔"

"بڑے چچا خدا آپ کو ہمیشہ سلامت رکھے۔" اس نے دل ہی دل میں دعا کی۔ گھروں کی اتنی ساری تباہیوں اور بربادیوں کو دیکھنے کے بعد بھی وہ اپنے ابا اور بڑے چچا سے نفرت نہ کر سکتی تھی۔

صدر دروازے کی زنجیر بڑے زور سے کھڑکی تو وہ ایک دم کھڑی ہو گئی۔

"ٹھہر جاؤ، تم مت جاؤ میں دیکھ لوں گا۔" بڑے چچا باہر جا کر فوراً ہی پلٹ آئے۔ بڑی چچی برآمدے میں تخت پر بیٹھی ڈلیا سامنے رکھے پالک کے پتے چن رہی تھیں۔ بڑے چچا ان کے پاس جا کر کھڑے ہو گئے۔ "میرا بلاوا آگیا ہے۔" ان کی پیشانی پر ہلکی سی فکری تھی۔

"کہاں کا؟"

"انگریز بہادر کا، چار چھ مہینے بعد واپس آجاؤں گا، تم میرا سامان ٹھیک کر دو۔"

عالیہ جہاں کھڑی تھی وہیں کھڑی رہ گئی۔ بڑی چچی ڈلیا پھینک کر ایک دم اٹھ پڑیں۔ کریمن بوا میلے برتنوں کے ڈھیر سے ابھریں اور ٹکر ٹکر سب کا منہ تکنے لگیں۔

بڑی چچی کمرے میں جا کر بڑے چچا کے کپڑے بکس میں ٹھونسنے لگیں۔ "بھلا ان حرام زادوں کا کیا بگاڑا ہے کسی نے جو روز روز پکڑتے ہیں، کیا کر لیں گے پکڑ کر، بھلا کسی کی زبان بھی بند کی ہے کسی نے۔" بڑی چچی اماں کی طرف دیکھ کر کہہ

رہی تھیں، اور اماں اس نئی مصیبت پر چچا کو ذمے دار ٹھہراتے ہوئے سخت حقارت سے دیکھ رہی تھیں۔ "بڑے بھیا اب تو توبہ کر لو، اپنا گھر اپنے بچے سنبھالو، سب تباہ ہو گیا۔" اماں نے نصیحت کی مگر بڑے چچا کچھ نہ بولے۔ برآمدے کے کونے میں کھڑی ہوئی چھڑی اٹھا کر ایک ہاتھ میں سوٹ کیس تھام لیا۔

"کیا ساری زندگی اسی لئے مصیبت جھیلی ہے میں نے کہ یہ توبہ کر لیں، بھلا کیا برا کام کرتے ہیں۔" بڑی چچی غصے اور غم سے رو پڑیں۔

زنجیر پھر زور سے کھڑکی اور بڑے چچا دروازے کی طرف لپکے۔ "اپنی بڑی چچی کو سمجھانا بیٹی، چھمی کے رشتے کی بات کی تھی شاید ادھر سے جواب آئے تو فیصلہ کر لینا۔" عالیہ کی پیٹھ پر ہاتھ پھیر کر وہ باہر نکل گئے۔

بڑے چچا باہر چلے گئے، کھلے دروازوں سے سناٹا ڈراتا ہوا اندر داخل ہو گیا، وہ بیچ میں کھڑی رہ گئی۔ سامنے گلی میں بڑے چچا آٹھ آدمیوں کے بیچ میں گھرے ہوئے بڑے چچا اسے بالکل دولھا سے نظر آ رہے تھے۔ پر یہ کیسی برات تھی کہ کلیجہ مسلا جاتا تھا۔

بڑی چچی نے پالک کی ٹوکری پھر اٹھا لی تھی، کریمن بوا پھر برتنوں کے انبار تلے کھو گئی تھیں۔ نل سے بہتی پتلی سی دھار کا سارا پانی کیاریوں میں جا رہا تھا۔ گیندے کے پھول ہلکی سی ہوا میں ڈول رہے تھے۔ ارے اس نے ایک پھول ہی بڑے چچا کو توڑ کر دے دیا ہوتا، بہار کا تحفہ، مگر اب تو وقت گزر چکا تھا۔

بڑی چچی اپنے میاں کے جیل جانے کی تفصیلیں سنا سنا کر گرفتار کرنے والوں کے ہاتھ ٹوٹنے کی دعائیں کر رہی تھیں۔ عالیہ کو حیرت ہو رہی تھی کہ نہ تو بڑی چچی رو رہی تھیں، نہ سینہ کوٹ رہی تھیں، جب کہ اس کا دل ہلا جا رہا تھا۔ اسے اپنے ابا کی گرفتاری کا وقت یاد آ رہا تھا۔ شاید بڑی چچی کو جیل اور پولیس کے مطلب ہی نہیں معلوم تھے۔ اس کے بچپن کے حافظے میں ایک قصہ اب تک محفوظ تھا۔ ایک بار دینو کے کوارٹر میں پولیس کے دو سپاہی آ گئے تھے تو ان چھٹیوں کی پوری کی پوری آبادی خوف سے گھروں میں چھپ گئی تھی اور عورتیں ماتم کر کر کے رونے لگی تھیں۔ تو کیا بڑی چچی پر ذرا بھی دہشت طاری نہیں ہوئی ——— کیا انہیں کچھ

بھی نہیں معلوم۔

دھوپ اونچی اونچی دیواروں سے اتر کر صحن میں رینگ گئی تھی۔

"مجھ پر ان قصوں کا کوئی اثر نہیں ہوتا بڑی بھابی۔" اماں بڑے جوش سے کہہ رہی تھیں۔ "اگر آپ بڑے بھیا کو ان کی حرکتوں سے روکتیں تو آج لاکھ کا گھر خاک نہ ہوتا' آپ تو ان کی حمایت کر کے ہمت بڑھاتی ہیں' بس حد ہے۔"

عالیہ صحن میں پڑی ہوئی لوہے کی کرسی پر اس طرح بیٹھ گئی جیسے اسے کسی نے گرا دیا ہو۔ بڑی چچی نے اماں کو کوئی جواب نہ دیا' وہ جانے کیا سوچ رہی تھیں۔

"دلہن" بڑی چچی دھیرے دھیرے بولنے لگیں۔ "تم نے مظہر میاں پر سختی کی تھی تو کیا ہوا؟ کوئی کسی کے شوق پر پابندی نہیں لگا سکتا' سب جھیل گئی' اب اللہ کرے گا تو جمیل سکھ دے گا' تمہارے بڑے بھیا کے ساتھ تو ساری جوانی یوں ہی گزر گئی' انہیں تو اس کا بھی وقت نہ ملا کہ بیوی کو نظر بھر کر ہی دیکھ لیتے"——

بڑی چچی ایک دم رو پڑیں تو اماں نے گھٹنوں میں سر چھپا لیا۔ "اللہ میاں تو ہی اس گھر کا بیڑا پار لگانے والا ہے' قربان تیری شان کے' تو جو چاہے کر دے" کریمن بوا نے آہ بھری۔

"کریمن بوا اگر"—— بیٹھک سے اسرا میاں کی مری سی آواز آئی او کریمن بوا بیچ ہی میں چیخ پڑیں—— "ایک دن چائے نہ پیو گے تو کیا جان نکل جائے گی' بیچارے کو اپنی چائے کی پڑی ہے"—— کریمن بوا نے اسرار میاں کے حصے کے چائے نالی میں انڈیل دی "مردود' سبز قدم' یہ یہاں سے نہیں جائے گا۔"

"کریمن بوا' میں کہہ رہا تھا کہ اطہر بھائی کا سامان نہ گیا ہو تو میں پہنچا دوں؟

"سب چلا گیا ہے"—— کریمن بوا چولھے کے پاس جھاڑو دینے لگیں۔

تو یہاں جو کچھ ہوتا ہے اس کے ذمے دار صرف اسرار میاں ہیں—— گناہوں کی برسات سے پیدا ہونے والے کیڑے جلدی سے کیوں نہیں مرجاتے؟ اسرار میاں اب تم دو بجے تک آرام سے بھوکے پھرو' عالیہ کرسی سے اٹھ کر

جلدی سے اوپر چلی گئی۔ اماں اور کریمن بوا کی موجودگی میں وہ اسرار مہمان کے لئے چائے تو بنا نہیں سکتی تھی، پھر یہاں بیٹھنے کا کیا فائدہ۔

چار دن بعد امتحان شروع ہونے والے تھے مگر اس کی سمجھ میں نہ آتا تھا کہ اب کس طرح پڑھے۔

دن کے دو بج گئے، گلی کے اس پار ایک اجڑے سے درخت سے الو کے بولنے کی آواز آ رہی تھی اور یہ آواز اس کے ذہن کے سناٹے کو اور بھی بڑھائے چلی جا رہی تھی مگر ظالم بھوک تھی کہ دراتی چلی آ رہی تھی۔ چاہے صدمے سے دماغ پھٹ جائے مگر بھوک نہیں رکتی۔ یعنی کہ آج وہ بڑے چچا کے جیل جانے کے غم میں معدے سے جواب نہیں پا سکتی۔

وہ بستر سے اٹھ کر نیچے چلی گئی۔ تخت پر پلیٹیں لگی ہوئی تھیں۔ اماں نل کے پاس بیٹھی پان تھوک کر سرخ کلیاں کر رہی تھیں اور بڑی چچی دسترخوان کے پاس بیٹھی جیسے اونگھ رہی تھیں۔ چھمی اور نجمہ پھوپھی صبح سے بازار گئی تھیں اور اب تک واپس نہ آئی تھیں۔

کھالو، سب کا کہاں تک انتظار کروں؟" بڑی چچی نے کہا اور وہ ان کے پاس بیٹھ گئی۔ اتنے میں جمیل بھیا بھی شکیل کو گھسیٹتے آ گئے اور جیسے ہی گھر میں داخل ہوئے، شکیل پر تھپڑ برسانے لگے۔

"یہ کچھ نہیں پڑھتا لکھتا، سارا دن آوارہ گھومتا رہتا ہے، میں نے ابھی ابھی اسے سخت لفنگوں کے ساتھ گھومتے دیکھا ہے۔"

"اور مارو بدذات کو" —— بڑی چچی نے جل کر کہا —— "جب یہ حالت ہے تو اس گھر کو کون سنبھالے گا۔"

"انہیں کی کتابوں سے تو پڑھتا ہوں" —— شکیل بھیا کے وار روکنے کے لئے ادھر ادھر بچ رہا تھا اور عالیہ کو نجات طلب نظروں سے دیکھ رہا تھا۔

"بس بھی کیجئے جمیل بھیا، اب نہیں گھومے گا۔" عالیہ نے سفارش کی تو جمیل بھیا الگ ہو گئے اور نل کے نیچے ہاتھ دھونے لگے۔

"ارے اسے کیوں بچاتی ہو، یہ کبھی نہیں ٹھیک ہو گا، میں یوں ہی تڑپ

تڑپ کر مر جاؤں گی، ان کا ٹھکانہ تو جیل میں ہے۔"

"کیا ابا پھر گئے؟" جمیل بھیا ہاتھ دھونا بھول گئے۔

"اور نہیں تو کیا، آج نو بجے کے قریب پولیس آ کر لے گئی، اللہ سے توبہ ہے بس۔" اماں نے فوراً جواب دیا۔

"خوب!" جمیل بھیا پھر ہاتھ دھونے لگے —— "یہ کانگریسی لیڈر تو جیسے جیل جائے بغیر کچھ کر ہی نہیں سکتے، خالص ہندوؤں کی جماعت کے لئے اتنی قربانیاں دے کر جانے انہیں کیا مل جائے گا، کس قدر ہندو طبیعت ہے ان صاحب کی بھی، کیسے کیسے ہندو مسلم فساد ہوئے مگر ان پر ذرا بھی اثر نہیں ہوتا۔"

"شرم نہیں آتی اپنے باپ کو ہندو کہتے، وہ ہندو تھے تو تم کہاں سے مسلمان پیدا ہو گئے۔" بڑی چچی مارے غصے کے آپے سے باہر ہو گئیں۔ یعنی ان کے شوہر کو ہندو کہا جائے جب کہ انہوں نے ہندوؤں کے تہواروں میں آئے ہوئے حصوں کو چکھا تک نہیں۔ کبھی بھلا ایسی عورت کا شوہر ہندو ہو سکتا ہے؟

"اچھا بھئی کٹر ہندو نہ سہی مسلمان سہی مگر ——" جمیل بھیا کھسیا کر ہنسنے لگے۔ کھانا یوں ہی پڑا ٹھنڈا ہو رہا تھا۔

"اب تم سنبھالو نا گھر کو، کیا میری موت کا انتظار کر رہے ہو؟" بڑی چچی کھانا بھی چین سے نہ کھا رہی تھیں۔

"میں —— میں —— بس اب یہی سوچ رہا ہوں" —— جمیل بھیا بوکھلا گئے تھے۔ —— "دو چار دن میں لاہور جا رہا ہوں، وہاں سے آ کر نوکری کروں گا۔" وہ کچھ سوچ سوچ کر کھا رہے تھے۔ ذرا دیر کے لئے خاموشی چھا گئی۔

نجمہ پھوپھی اور چھمی بنڈلوں سے لدی پھندی اندر داخل ہوئیں تو خاموشی ٹوٹ گئی۔

"ارے شکیل ذرا تانگے والے کو یہ روپیہ تڑا کر تو دے دو" —— نجمہ پھوپھی نے پرس سے روپیہ نکال اس کی طرف بڑھا دیا۔ شکیل اب تک صحن میں لوہے کی کرسی پر بیٹھا تھا۔ اسے کھانے کے لئے بھی کسی نے نہ پوچھا تھا۔

"پہلے ہاتھ دھو کر کھانا کھا لو۔" بڑی چچی نے کہا، مگر نجمہ پھوپھی تو بنڈل

کھول کر سب کو دکھانے کے لئے بے تاب تھیں۔

"حد ہے بھئی ہر کپڑے پر دام بڑھا دیئے ہیں۔ اب بھلا کوئی بتائے کہ یہ ریشمی کپڑا کیا گوروں کے کفن کے لئے جاتا ہے؟" نجمہ پھوپھی نے داد طلب نظروں سے سب کی طرف دیکھا۔ مگر یہاں تو سب اپنے غم میں مبتلا تھے۔ چھمی کو ان کی بات پر بڑے زور سے ہنسی آئی۔

"تم لاہور جا کر کیا کرو گے؟ کیا وہاں ملازمت کرنے کا ارادہ ہے؟" بڑی چچی نے جمیل بھیا کی طرف دیکھا۔

"وہاں مسلم لیگ کا ایک بڑا زبردست جلسہ ہے' ذرا اس میں شریک ہوں گا۔" جمیل بھیا جانے کیا سوچتے ہوئے بولے۔

"کیا کہا؟ جلسہ؟" بڑی چچی اپنی جگہ سے اچھل پڑیں —— "ارے تو بھی؟ تجھ پر جوگ سادھا تھا تو اب تو بھی؟" بڑی چچی دیوانوں کی طرح جمیل بھیا کی طرف دیکھ رہی تھیں۔ ان کی آنکھوں سے ایسا معلوم ہوتا کہ اچھل کر گردن دبوچ لیں گی۔

"بس حد ہے' اس گھر کا خدا ہی مالک ہے۔" اماں نے بھی ہاتھ کا نوالہ رکھ دیا تھا۔ عالیہ کو ٹھکانے لگانے کی امید نے شاید دم توڑ دیا تھا اور جمیل بھیا تھے کہ چپ چاپ بیٹھے گردن جھکائے کھائے جا رہے تھے۔ تیر جو کمان سے نکل چکا تھا۔

"اگر تو نے اس سیاست بازی کو اپنایا تو جان دے دوں گی' زہر کھالوں گی ایک دن' میری زندگی تڑپ تڑپ کر گزری ہے' اب میں آرام کرنا چاہتی ہوں۔ مجھے سب کچھ چاہئے باؤلے' تو سیاست میں نہیں جا سکتا —— بڑی چچی کی دیوانگی کم ہو رہی تھی۔ جمیل بھیا کھانا دانا بھول کر اپنی اماں کے گلے میں ہاتھ ڈالے ہنس رہے تھے "بھئی بس بھی کیجئے اماں۔"

نجمہ پھوپھی نے کپڑے کے بنڈل سمیٹ کر پلنگ پر ڈال دیئے۔ کوئی کمبخت دیکھتا ہی نہ تھا' جان جل کر رہ گئی۔ کریمن بوا نے سینی میں کھانا لگا کر ان کے سامنے رکھ دیا تھا' وہیں بنڈلوں کے ڈھیر کے پاس بیٹھ کر بڑی بے دلی سے کھانے لگیں۔ ان کے چہرے سے نفرت برس رہی تھی مگر چھمی آج بڑی مدت بعد جمیل بھیا کو

بڑے اشتیاق سے دیکھ رہی تھی۔
"میں نہ کہتی تھی ہر مسلمان مسلم لیگ میں شامل ہو، مسلم لیگ زندہ باد۔" چھمی نے نعرہ بھی لگا دیا مگر اس وقت کسی نے اس کی خوشی اور نعرے کی پروانہ کی' بڑی چچی جو ہاتھوں سے نکلی جا رہی تھیں۔ رو رو کران کی آنکھیں سرخ پڑ گئی تھیں۔ جمیل بھیا انہیں تھپک رہے تھے' پانی پلا رہے تھے مگر ان کی دیوانی آنکھوں میں ذرا بھی ٹھہراؤ نہ پیدا ہو رہا تھا۔

عالیہ حیران نظروں سے بڑی چچی کو دیکھ رہی تھی ——— ارے کیا یہ وہی بڑی چچی ہیں جنھوں نے اتنے برسوں تک بڑے چچا کی سیاسی زندگی میں ساتھ دیا تھا۔ بڑے چچا کی حمایت میں سب سے آگے آگے رہیں' جب اپنا جی جلا تو انہیں جلی کٹی سنا ڈالیں مگر کسی دوسرے کی زبان سے ایک لفظ نہ سنا۔ بڑے چچا جو بھی کرتے رہے اسے اپنے سر سے گزارتی رہیں اور آج صبح تک وہ تھکنے کے بجائے گرفتار کرنے والوں کو کوس رہی تھیں۔ کیا یہ صبر و ضبط اس لئے تھا کہ انہوں نے اپنی ساری امیدیں اور آرزوئیں جمیل بھیا کے گلے میں ہار بنا کر ڈال دی تھیں۔

"اماں اب آپ دیکھیے گا کہ میں کیسی ٹھاٹ کی نوکری کرتا ہوں' آپ کو چاندی کے تخت پر بٹھا دوں گا اور بس آپ کا یہی کام ہو گا کہ پان کھاتی رہیں اور میری دلہن آپ کے پان دھو دھو کر لاتی رہے۔" جمیل بھیا خدمت کے وعدوں کے ساتھ ساتھ اپنی اماں کو ہنسانے کی کوشش کر رہے تھے مگر جانے کیوں عالیہ نے دلہن کے نام پر ان کی آنکھوں کو اپنی طرف اٹھتا دیکھ کر نظریں جھکا لی تھیں۔

"واہ' کوئی یوں نوکری مل جاتی ہے' چاندی کے تخت ایسے نہیں ملا کرتے' نہ کوئی ٹریننگ' نہ انگریزی ایم اے۔" نجمہ پھوپھی بڑی حقارت سے بولیں اور چھمی کو پھر ہنسی آنے لگی۔ وہ نجمہ پھوپھی کے ساتھ بڑے فخر سے کھانا کھا رہی تھی۔

"ہونہہ! مجھے تو مارتے تھے' اب دیکھئے کہ بیٹا بھی لیگی ہو گیا۔" چھمی کو بڑے چچا کی مار یاد آ گئی تھی۔ اس وقت کسی کو بڑی چچی سے ہمدردی نہ ہو رہی تھی۔

"ایم اے پاس کچھ نہیں جانتے اماں' مجھے بڑی ٹھاٹ کی نوکری ملے گی۔"

جمیل بھیا نے سیدھا وار کیا۔

نجمہ پھوپھی بلبلا اٹھیں۔ "خدا کی شان ہے، اب ایسے ایسے لوگ ایم اے پاس کو جاہل کہیں۔ سچ ہے تھوڑی تعلیم خطرناک ہوتی ہے۔ اب ایسے لوگ بیچارے سیاست میں حصہ نہ لیں تو کیا کریں' بڑے بھیا نے بھی تو تیر مارلیا اور بیچارے کرتے بھی کیا۔" نجمہ پھوپھی نے کھانا چھوڑ کر بنڈل سمیٹ لئے۔ وہ جانے کتنی بار بڑے چچا پر طنز کرچکی تھیں۔ ان کے لیے عربی اور فارسی دان ہونے کی پھبتی اڑائی تھی —— کئی بار کہا تھا کہ جب کوئی ڈگری لینے کی صلاحیت نہ ہو تو لوگ عربی فارسی پڑھتے ہیں۔

"نجمہ پھوپھی' آج صبح نو بجے آپ کے بڑے بھیا جیل جا چکے ہیں۔ جب وہ آئیں تو ان سے پوچھ لیجئے گا کہ مارا ہوا تیر کہاں لگا ہے۔" جمیل بھیا نے مڑ کر نجمہ پھوپھی کو دیکھا۔ ایک لمحے کو ان کا رنگ فق پڑ گیا تھا۔ —— "ہے بڑے بھیا پھر چلے گئے!" نجمہ پھوپھی نے سر تھام لیا —— "اس گھر کی کیسی بدنامی ہو رہی ہے' جسے دیکھو جیل کاٹ رہا ہے۔"

جمیل بھیا کی تھپکیاں بڑی چچی کو پر سکون کر چکی تھیں اور اب وہ ٹکر ٹکر نجمہ پھوپھی اور جمیل بھیا کو لڑتے دیکھ رہی تھیں۔

اب کسی نے بھی نجمہ پھوپھی کو جواب نہ دیا۔ وہ اپنے کپڑوں کے بنڈل چھمی پر لدوا کر اوپر اپنے کمرے میں چلی گئیں۔

نجمہ پھوپھی کے جاتے ہی ایک بار پھر سناٹا چھا گیا۔ عالیہ نے دیکھا کہ جمیل بھیا اپنی اماں سے لپٹ کر بیٹھے ہوئے بڑے اچھے لگ رہے تھے اور شکیل اب تک تانگے کا کرایہ ادا کر کے نہ آیا تھا۔ عالیہ اس سناٹے میں چپکے سے اٹھ کر اپنے کمرے میں چلی گئی۔

جمیل بھیا کو لاہور گئے چوتھا دن تھا۔ ان کے جانے سے پہلے بڑی چچی کی حالت دیکھنے کے لائق تھی۔ بس جیسے ان سے کچھ بن نہ پڑ رہا تھا کہ اس مصیبت سے کس طرح خود کو بچالیں۔ پر جمیل بھیا چلے گئے اور وہ کچھ بھی نہ کر سکیں۔

جمیل بھیا کے جاتے ہی اخباروں کی خبریں آنکھیں دکھانے لگیں —— اخبار فروش کلیجہ پھاڑ پھاڑ کر چیختے رہتے —— "پولیس اور خاکساروں کے درمیان تصادم" —— کتنے ہی خاکسار گولیوں کا نشانہ بن گئے —— "مسلم لیگ کے اجلاس میں رکاوٹ کا امکان۔"

بڑی چچی اخبار فروشوں کی آواز پر دل تھام تھام لیتیں۔ عالیہ انہیں ہر طرح تسلی دیتی، لاکھ سمجھاتی کہ جمیل بھیا تو لیگی ہیں، خاکسار نہیں، مگر بڑی چچی کسی طرح چین نہ لیتیں۔ چھمی بھی ایک دم خاموش رہنے لگی تھی۔ وہ صبح صبح جاکر محلے سے اخبار مانگ لاتی اور بڑے انہماک سے پڑھ کر گھنٹوں اپنے بستر پر اوندھی پڑی رہتی۔ جب سے بڑے چچا گئے تھے اخبار آنا تو بند ہو گیا تھا۔ اب اس مد پر خرچ کرنے کے لئے کس کے پاس پیسے رکھے تھے۔ چھمی اگر مہربانی کے موڈ میں ہوتی تو مانگا ہوا اخبار پڑھنے کو دے دیتی اور بڑی چچی موٹے شیشوں کی عینک لگا کر پڑھ لیا کرتیں۔ ویسے تو وہ کسی کو بھی اخبار چھونے تک نہ دیتی۔ "پرایا ہے پھٹ جائے گا۔"

ان دنوں چھمی نے پڑھنا لکھنا بھی چھوڑ دیا تھا۔ نجمہ پھوپھی لاکھ کہتیں مگر وہ کتاب اٹھا کر نہ دیکھتی، ورنہ اس سے پہلے تو یہ حال تھا کہ نجمہ پھوپھی کا دیا ہو سبق گھنٹوں ٹہل ٹہل کر یاد کیا کرتی اور عالیہ کو اس طرح دیکھتی جیسے کہہ رہی ہو کہ تم سے آگے نکل کر نہ دکھاؤں تو میرا نام چھمی نہیں۔

کالج سے آنے کے بعد نجمہ پھوپھی بڑے نخرے سے چند لفظ پڑھاتیں اور بدلے میں اسے ڈھیروں کام بتا دیتیں۔ سبق یاد کرنے کے بعد بس یہی کام رہ جاتے۔ ابھی کپڑوں پر استری ہو رہی ہے تو ابھی سینڈلیں پالش سے چمکائی جا رہی ہیں۔ دوپٹے رنگ رنگ کراتنے باریک چنتی کہ انگوٹھے اور انگلیاں چھل کر رہ جاتیں۔

"میں اب ایک لونڈا کام کے لئے رکھ لوں گی۔" نجمہ پھوپھی اسے اتنا کام کرتے دیکھ کراوپری دل سے کہا کرتیں۔

"لیجئے' بھلا میں کس کام کے لئے ہوں' واہ' اب میں آپ سے نہیں بولوں گی۔" چھمی مارے خلوص کے نجمہ پھوپھی کے لپٹ جاتی اور وہ نہال ہو کر اسی وقت کوئی اور کام بتا دیتیں۔

چھ دن گزر گئے' جمیل بھیا نہیں آئے۔ بڑی چچی تڑپی تڑپی پھر رہی تھیں اور اماں ان کی اس بے چینی پر بھپر بھپرا اٹھتیں ——— "ارے بڑی بھابی کیوں اپنی جان جلاتی ہیں' بیٹا بھی باپ کے نقش قدم پر چلے گا' بس اب اس سے بھی ہاتھ دھو لیں۔"

"مجھے تو اسی کے سائے میں بیٹھنا ہے۔" بڑی چچی سے زندگی کی چلچلاتی ہوئی دھوپ اب برداشت نہ ہو رہی تھی۔

بڑی چچی نے یہ چھ راتیں چھالیہ کاٹ کر گزاری تھیں۔ جب برآمدے سے کٹر کٹر کی آوازیں آتیں تو عالیہ اپنے بستر پر کروٹیں بدلنے لگتی۔ رات کا سناٹا اور گہرا ہو جاتا۔ بڑی چچی کے لئے اس کا دل بھرنے لگتا۔ ——— یہ سب کیا ہے' یہ کون سا جذبہ ہے جو اپنے پیاروں کو دکھ کی بھٹی میں جلنے کے لئے چھوڑ دیتا ہے۔

قرار داد لاہور منظور ہو گئی' آٹھ کروڑ مسلمان اپنا حق لے کر رہیں گے ——— صبح تڑکے تڑکے اخبار فروش چیختا بھاگا جا رہا تھا ——— اخبار والے' اخبار والے ——— کھڑکیوں اور دروازوں سے جھانک جھانک کر لوگ آوازیں دے رہے تھے۔ آج اخبار خریدنے میں سارا محلہ پیش پیش تھا۔

عالیہ نے کھڑکی سے جھانک کر دیکھا۔ صبح کیسی نکھری ہوئی تھی۔ کان میں جنیو

ڈالے اور ہاتھ میں پیتل کی چمچماتی لٹیا پکڑے کوئی شخص سڑک کے نل پر نہانے کے لئے جا رہا تھا —— اب یہ نہا کر پوجا کرے گا' ہاتھ جوڑ کر بھگوان کی مورتی کے سامنے جھک جائے گا- یہ ہندو پوجا کرتے ہوئے اتنے خوبصورت کیوں معلوم ہوتے ہیں- اسے ایک دم کسم دیدی یاد آگئیں-

نچلی منزل میں جانے کے لئے جب اس نے نجمہ پھوپھی کے کمرے کو طے کیا تو کسی نے اس کی طرف دیکھا تک نہیں- نجمہ پھوپھی کالج جانے کی تیاریوں میں مصروف تھیں اور چھمی باندیوں کی طرح انہیں چیزیں اٹھا اٹھا کر دے رہی تھی- "اللہ کرے نجمہ پھوپھی تم کو پڑھا ہی دیں چھمی" —— عالیہ نے دل ہی دل میں دعا کی- چند لفظ پڑھنے کا کتنا سخت معاوضہ ادا کرنا پڑتا ہے غریب چھمی کو-

چائے تیار تھی- کریمن بوا گرم گرم گھی چپڑی روٹیاں توے سے اتار رہی تھیں- وہ اماں اور بڑی چچی کے پاس تخت پر بیٹھ کر چائے پینے لگی- شکیل اب تک سو رہا تھا- اسکول جانے سے چند منٹ پہلے اٹھتا' وہ بھی ادھر کچھ دنوں سے بڑی چچی اسے زبردستی اٹھاتیں- ابھی چائے ختم بھی نہ ہوئی تھی کہ صدر دروازے کی زنجیر زور سے کھڑکی اور کریمن بوا بوکھلا کر ادھر لپکیں-

جمیل بھیا کا تار تھا- وہ خیریت سے تھے اور جلد آ رہے تھے- بڑی چچی نے تار کے کاغذ کو جھپٹ کر پاندان کی کلھیا میں چھپا لیا اور مارے خوشی کے چائے کی دوسری پیالی بنالی-

اس وقت کریمن بوا کسی ان دیکھی طاقت کی بلائیں لے کر پھر سے روٹیاں پکانے لگیں- اس گھر کی ہر خوشی اور ہر غم ان کا اپنا تھا-

عالیہ ناشتہ کر کے بیٹھک میں آگئی- جب سے بڑے چچا جیل گئے تھے' اس نے پہلی بار بیٹھک میں قدم رکھا تھا- میز کرسیوں اور کتابوں کی الماریوں کے شیشے دھول میں اٹے ہوئے تھے- گاندھی جی کی بڑی سی تصویر دھندلی ہو رہی تھی- تخت کی چاندنی اور گاؤ تکیوں کے غلاف میلے ہو گئے تھے- اسرار میاں کی بیڑیوں کے جلے ہوئے ٹکڑے ہر طرف بکھرے ہوئے تھے- ساری کا پلو کمر میں کھونس کر وہ کمرہ صاف کرنے لگی اور پھر فرش جھاڑ کر وہ گاؤ تکیے سے ٹک کر تخت پر بیٹھ گئی- اسے

بار بار ایسا لگتا جیسے ابھی ابھی دروازہ کھلے گا اور بڑے چچا اندر آجائیں گے۔

بڑے چچا نے جیل جانے کے بعد اسے خط بھی لکھا تھا کہ وہ بہت خوش ہیں۔ سرکار کی روٹیوں میں ایسا مزہ ہے جیسے کریمن بوا کے ہاتھ کے پراٹھے کھا رہا ہوں —— بڑے چچا کا مزے دار خط یاد کرنے کے باوجود اسے بیٹھک بڑی سونی لگ رہی تھی۔ وہ الماری سے ایک کتاب نکال کر باہر آگئی۔

نجمہ پھوپھی کالج جاچکی تھیں اور ممی آج کئی دن بعد اپنا سبق یاد کرتے ہوئے پورے صحن میں ٹہل رہی تھی۔

بڑی چچی نے دن چھک کر گزارا۔ رات کو بھی بڑی چچی کے سروتے کی آواز جلدی سے سو گئی۔ عالیہ بڑے سکون سے رات کے ایک بجے تک پڑھا کرتی۔

امتحان ختم ہو گئے تھے۔ اب وہ کچھ عرصے چھٹی منانا چاہتی تھی۔ وہ کس قدر تھک گئی تھی۔ نصاب کی کتابوں سے جی اکتا گیا تھا۔ اب وہ راتوں اور دوپہروں کو بڑے چچا کی لائبریری سے لائی ہوئی کتابیں پڑھتی رہتی۔ سارا دن گرم گرم لو چلتی رہتی اور اسکول کے درختوں سے الو کے بولنے کی آواز آتی رہتی۔ اتنی لمبی لمبی دوپہریں کاٹے نہ کٹتیں۔ تپتا ہوا ماحول کسی طرح چین نہ لینے دیتا۔ اگر بڑے چچا کی کتابیں نہ ہوتیں تو اتنی لمبی دوپہروں میں پلنگ پر پڑ کر ادھر ادھر کی باتیں سوچتے سوچتے دماغ خراب ہو جاتا۔ ادھر امتحان کے نتیجے کی فکر۔ اسے تو فیل ہونے کے خیال ہی سے خوف آتا۔ اگر وہ فیل ہو گئی تو نجمہ پھوپھی کو اس کی دائمی جہالت پر ذرا بھی شک نہ رہے گا۔ ویسے بھی وہ اس پر انگھر پھینکتی رہتیں۔ "گھر بیٹھ کر امتحان دینا بھی کس قدر آسان بنا لیا ہے لوگوں نے۔ ہم جیسوں نے تو کالجوں اور یونیورسٹیوں میں جھک ماری تھی۔ بس ایک پندرہ روپے مہینے کا ماسٹر رکھ کر کام کی باتیں رٹ لیں۔

ان ساری شاندار باتوں کے بعد بھی وہ چمی کو گھر میں پڑھائے چلی جاتی تھیں اور کئی مہینے گزرنے کے بعد بھی چمی کا دوسرا قاعدہ ختم نہ ہوا تھا۔

جمیل بھیا نے ان دنوں ایک معمولی سی ملازمت کر لی تھی۔ وہ سارے کے سارے روپے بڑی چچی کے ہاتھ پر رکھ دیتے تھے اور گھر میں بس جینے کا سہارا ہو گیا تھا۔ جمیل بھیا کا باقی وقت مسلم لیگ کی حمایت میں گزر جاتا۔ عالیہ تو اب ان کے سائے سے بھی بھاگتی مگر وہ سایہ تو لمبا ہوتا جا رہا تھا۔ محبت کی دھوپ چڑھتی جا رہی تھی۔

آج ابا کا خط آیا تھا۔ انہوں نے لکھا تھا کہ وہ اسکے نتیجے کے منتظر ہیں۔ اچھے

اور ہٹے کٹے ہیں۔ کبھی کبھی اختلاج کی تکلیف ہو جاتی ہے جو شاید گرمی کی وُجہ سے شروع ہوئی ہے۔ جیل کا ڈاکٹر دوا دے رہا ہے جس سے قطعی فائدہ ہو گیا ہے۔

اماں اس خط کو سن کر ذرا دیر کے لئے فکر مند ہو گئی تھیں اور وہ تو اپنے کمرے کے دروازے بند کر کے بڑی دیر تک روتی رہی تھی۔ وہ تو اپنے ابا کی بیماری کا تصور بھی نہ کر سکتی تھی نہ کہ وہ حقیقتاً" بیمار پڑ جائیں اور وہ بھی اس کی نظروں سے دور' جیل کی کوٹھری میں۔

جون کے آخری دن کس قدر گرم تھے۔ دوپہروں میں غضب کا سناٹا چھایا رہتا۔ سودے والوں تک کی آواز نہ سنائی دیتی مگر چھمی پر ان دوپہروں میں پڑھنے کا بھوت سوار تھا۔ جیسے اس نے اپنے جی میں ٹھان لی کہ یا تو پڑھ لکھ کر فاضل بن گئے یا پھر جاہل ہی رہ گئے۔ اتنی محنت کے بعد بھی اس کا دوسرا قاعدہ ختم ہونے کو نہ آرہا تھا۔ لکھتے لکھتے انگلیاں بندھ جاتیں۔ سارا سبق ایک ہی سانس میں اٹکے بغیر سنا دیتی' پر نجمہ پھوپھی کے اعتراض ختم نہ ہوتے۔

اس وقت بھی چھمی کو جماہیوں پر جماہیاں آرہی تھیں مگر وہ ڈھیٹ بنی زور زور سے سبق یاد کئے چلی جا رہی تھی۔ کسی کسی وقت ادھ بھڑے دروازوں سے عالیہ کی طرف بھی دیکھ لیتی۔

پڑھتے پڑھتے تھک کر چھمی نے کتاب میز پر رکھ دی —— "نجمہ پھوپھی' سارا قاعدہ تو یاد ہو گیا ہے' اب تیسرا شروع کرا دیں نا؟"

ابھی نہیں میں جس طرح پڑھاؤں اسی طرح پڑھ' یہ اردو نہیں کہ ہر جاہل پڑھ لیتا ہے' یہ انگریزی ہے۔" نجمہ پھوپھی ایک دم برہم ہو گئیں۔

"اب ہمیں نہیں پڑھنا' یہ قاعدہ کبھی نہ ختم ہوگا' ہونہہ! بڑی آئیں پڑھانے والی۔ جیسے ہم بے وقوف ہیں' اپنے کام کے لئے نوکر رکھ لیجئے۔ نجمہ پھوپھی ہمیں تو اللہ میاں نے پیدا ہی جاہل کیا ہے" —— چھمی نے کتاب' کاپی اور قلم اوپر اچھال دیئے۔

"ارے کیا بکواس کرتی ہے چھمی' بھئی جاہلوں کو سمجھانا کتنا مشکل کام ہوتا ہے' اگر پہلا دوسرا قاعدہ کمزور رہ گیا تو پھر آگے پڑھنا مشکل ہوتا ہے۔ جلدی سے

پڑھو' کل تمہارے لئے تیسرا قاعدہ لے آؤں گی" —— نجمہ پھوپھی گڑبڑا کر اٹھ بیٹھیں۔ بے دام کا غلام ہاتھوں سے نکلا جا رہا تھا۔

"بس بھئی اگر ہم قابل ہو گئے تو آپ جاہل کسے کہیں گی۔" چھمی پاؤں پٹختی نیچے چلی گئی۔

حد ہے بھئی' اس خاندان کی جہالت کبھی نہ جائے گی' کوئی بھی تو اس لائق نہیں کہ بات کر کے جی خوش ہو" —— نجمہ پھوپھی اپنے آپ سے کہہ رہی تھیں۔

عالیہ نے اٹھ کر اپنے کمرے کے دروازے زور سے بند کر لئے —— "ارے نجمہ پھوپھی' میں آپ کو خوب جانتی ہوں۔" وہ بڑبڑائی اور پھر کتاب لے کر لیٹ گئی۔

آج تو ایک دم آسمان پر بادل چھانے لگے تھے۔ کھڑکی سے ہوا کا ایک بھیگا بھیگا ٹھنڈا جھونکا آیا' تو وہ کتاب رکھ کر سو گئی۔ گرمیوں کی ساری دوپہریں جاگ کر اور تڑپ کر گزاری تھیں۔ یہاں تو چھتوں پر کپڑے اور چٹائیوں کا پنکھا بھی نہ لگا تھا۔ پھر یہاں کون سے نوکر لگے تھے جو ساری دوپہر پنکھا کھینچتے۔

چھمی نے جب سے پڑھنا چھوڑا تھا اپنے اصل روپ میں آ گئی تھی۔ گھر میں طوفان برپا رہتا۔ ہر ایک سے لڑتی یا پھر برقع اوڑھ کر محلے میں غائب رہتی۔ سب اس سے نالاں تھے مگر اماں کو تو اس کی صورت سے نفرت ہو گئی تھی —— "اللہ جانے شادی کا پیغام دینے والے کہاں مر گئے۔"

"چھمی میں تم کو پڑھایا کروں؟" —— بہت دن بعد عالیہ اس کے کمرے میں گئی تھی۔ دادی کی سونی مسہری پر نظر پڑتے ہی اس کا جی دکھنے لگا تھا۔

"جمیل صاحب آپ سے ناراض ہو جائیں گے پھر۔" چھمی نے زور سے قہقہہ لگایا۔ "خدا کے واسطے چھمی ایسی باتیں تو نہ کیا کرو۔"

"اچھا تو پھر ہٹایئے' میں خود ان کا منحوس نام لینا پسند نہیں کرتی۔ منظور کے سامنے اب کوئی نہیں جچتا' اللہ قسم کتنا چاہتا ہے مجھے۔" چھمی نے بڑے مزے سے آنکھیں بند کر لیں۔

"چھمی کوئی مرد کسی سے محبت نہیں کرتا' اپنے آپ سے محبت کرو نا۔"

"واہ اچھی پٹی پڑھاتی ہیں' جمیل بھیا یوں ہی آپ کے پیچھے دیوانے پھرتے ہیں یہی تو ایک محبت ہوتی ہے دنیا میں' جب تک چلے چلے' نہ چلے تو کھیل ختم پیسہ ہضم' لو اپنے آپ سے محبت کرو' کچھ دن بعد آپ کہیں گی کہ اپنے ابا اور ان تمام گھر والوں سے محبت کرو۔ یہ باپ بھائیوں وغیرہ کی محبت کچھ نہیں ہوتی' سب الو کے الو ہوتے ہیں' کمینے۔"

عالیہ چھمی کو لاعلاج سمجھ کر ادھر ادھر دیکھنے لگی۔ کمرے میں انور کمال پاشا کی ایک تصویر اور اس سال کے کیلنڈر کا اضافہ ہو گیا تھا۔ جانے کس نے دیئے تھے اسے۔

وہ چپکے سے اٹھ کر چلی آئی۔ چھمی نے اسے بیٹھنے کو بھی نہ کہا۔ ابھی وہ صحن طے کر رہی تھی کہ نجمہ پھوپھی چھمی کے کمرے میں جاتے ہوئے اس سے ٹکراتے بچیں۔ سخت بوکھلائی ہوئی تھیں——ہے۔! اتنی پڑھی لکھی عورت کے کام سے ایک جاہل لڑکی نے ہاتھ اٹھالیا——عالیہ کو ہنسی آرہی تھی۔

چھمی نہ منا تھی نہ منی۔ اور اب نجمہ پھوپھی خود ہی کانکھ کانکھ کر اپنی ساریوں پر استری کرتیں۔ کوئلے دہکاتے ہوئے آنکھوں میں آنسو آجاتے اور سینڈلوں پر پالش کرتے ہوئے قسمت کی ساری لکیریں سیاہ پڑ جاتیں۔

"منجھلے بھیا کو تو فکر ہی نہیں کہ کسی کے ساتھ اپنی اس بیٹی کے دو بول پڑھا دیں۔ کون سے ایم اے تلاش کرنے ہیں' جیسے بڑے بھیا نے اپنی ساجدہ کی شادی کردی۔" نجمہ پھوپھی کا بس چلتا تو چھمی کی ایسی جگہ شادی کرتیں کہ پانی تک نصیب نہ ہوتا' کسی کربلا میں دھکیل دیتیں کم بخت کو تاکہ پیاسی مرجاتی۔

"پہلے آپ کیجئے اپنی شادی نجمہ پھوپھی' بڑھاپا آرہا" جواب میں چھمی ان کا کلیجہ نوچنے کی کوشش کرتی۔

"ہونہہ! مجھے کس بات کی کمی ہے۔ لوگ ناک رگڑیں گے' تجھے تو پندرہ روپے مہینے کا سپاہی بھی نہ جڑے گا۔"

چھمی انہیں جلانے کے لیے ہی ہنستی——"سپاہی مل گیا تو میں سب سے

پہلے نجمہ پھوپھی کو پکڑا دوں گی۔"

نجمہ پھوپھی تنتنا کر اپنے کمرے میں بھاگتیں، بھلا چھمی جیسی جاہل کے منہ کون لگتا۔ گھر میں طوفان اٹھانے کے بعد چھمی برقع اوڑھ کر محلے میں گھروں گھروں گھومنے کے لیے نکل جاتی اور جب واپس آتی تو سخت جوش میں بھری ہوتی۔ سارے قصے فرفر سنانے شروع کر دیتی — "ہے وہ کلو کی اماں کا لڑکا تھانا' وہ مزدوروں کی جماعت میں چلا گیا' وہ جماعت انڈر گراونڈ رہتی ہے۔ اللہ وہ زمین کے اندر کیسے رہتے ہوں گے؟" چھمی کو نجمہ پھوپھی سے سن کر اور پڑھ کر ابتدائی انگریزی کے چند مطلب تو معلوم ہو ہی گئے تھے جن کا وہ لفظ بہ لفظ ترجمہ کر لیتی۔

"ہے بے چاری بیوہ۔" بڑی چچی ٹھنڈی آہ بھرتیں — "جبھی تو اس پٹنا کی ماری نے بہت دنوں سے ادھر آنا بھی چھوڑ دیا' ویسے تو سال چھ مہینے میں نکل ہی آتی تھی۔"

"اور بڑی چچی' وہ محمود کی ماں بیچاری بلک بلک کر رو رہی تھی۔ محمود جنگ پر چلا گیا۔ کیا سوجھی حرام زادے کو کہ ماں کا خیال نہ کیا۔"

"ہے ہے کیا حال ہوگا دکھیا کا؟"

"ہوں۔" خبریں سناتے سناتے جانے کیوں چھمی کا موڈ خراب ہو جاتا — میں نے کہا وہ آپ کا لاڈلا پوت جو رات دن آوارہ گھومتا رہتا ہے نا' اسے کیوں نہیں بھیج دیتیں جنگ پر' کمینہ کل جانے کس وقت میرے تکئے کے نیچے سے اکنی نکال لے گیا۔ ہاتھ ٹوٹیں اس شکیل کے خدا کرے۔"

بڑی چچی ایسے صبر سے ہونٹ سی لیتیں کہ حیرت ہوتی۔ ایک وہی تو تھیں جو چھمی کی ہر اچھی بری بات برداشت کر لیتیں۔ کبھی روٹھ کر نہ بیٹھیں۔ چھمی جب ان سے جواب نہ پاتی تو منہ لپیٹ کر اپنے کمرے میں پڑ رہتی۔

آج گھر میں سخت دھوم مچی تھی۔ اسرار میاں نے تڑکے تڑکے چائے کا مطالبہ کر دیا تھا مگر آج کریمن بوا نے بھی ان کی اس سخت ناجائز حرکت پر معاف کر دیا تھا۔ آج زندگی میں شاید پہلی بار کریمن بوا نے انہیں سب سے پہلے چائے کی کشتی پکڑا دی تھی۔

آج صبح آٹھ بجے بڑے چچا الہ آباد جیل سے رہا ہو کر اسٹیشن پہنچ رہے تھے۔ بڑی چچی کا چہرہ کھلا ہوا تھا۔ وہ سوتے ہوئے جمیل بھیا کو بار بار جھنجھوڑ رہی تھی کہ وہ بھی باپ کے استقبال کے لئے اسٹیشن پر جائیں۔ مگر جمیل بھیا نے ہر بار کوئی بہانہ تراش دیا —— وہ رات بادلوں کی گرج کی وجہ سے سوئے نہیں —— سر میں درد ہے —— آج تو دفتر بھی نہیں جا سکتے —— کچھ حرارت بھی ہو رہی ہے۔

اور جب اسٹیشن جانے کا وقت نکل گیا تو جمیل بھیا بڑی تیزی سے اٹھے۔ چائے پی اور فٹافٹ کپڑے تبدیل کر کے دفتر بھاگ لئے۔

"شکیل میرے بھیا' چار ہار تو لا دو بڑے چچا کے لئے" —— عالیہ نے شکیل کے ہاتھ پر دونی رکھ دی۔ وہ کچھ خوش نظر نہ آ رہا تھا۔ باپ سے کوئی واسطہ ہو نہ ہو پھر بھی پابندی تو محسوس ہوتی ہے۔

"ایک بیس پچیس ہار میرے لئے بھی لیتے آنا کہیں سے مانگ کر شکیل' بڑا تیر مار کر آ رہے ہیں بڑے چچا۔" چھمی کھی کھی ہنسنے لگی اور اپنے کمرے کی دہلیز کے کنڈے میں پڑے ہوئے رسی کے جھولے پر جا بیٹھی اور لمبے لمبے پینگ لینے لگی۔ یہ جھولا ساون میں پڑا تھا جسے آج تک نہ اتارا گیا تھا۔

"بنوا تلے ڈولا رکھ دے مسافر آئی ساون کی بہار رے" —— وہ سب کو چڑا کر گا رہی تھی۔

شکیل باہر چلا گیا۔ کریمن بوا بڑے چچا پر سے خیرات کرنے کے لئے ڈلیا میں سوا سیر گیہوں تول کر رکھ رہی تھیں۔

فوہ! بڑے چچا سے کس طرح ملا جائے گا۔ عالیہ سوچ رہی تھی اور مارے خوشی کے اس کا دل بلیوں اچھل رہا تھا۔ وہ جلدی سے اپنے کمرے میں آ گئی اور کھڑکی میں بیٹھ کر گلی میں جھانکنے لگی۔ وقت کتنی سستی سے گزر رہا تھا۔ ایک دن ابا بھی اسی طرح آ جائیں گے۔ اس نے سوچا اور غم کی ایک ٹیس اس کے کلیجے کو چھلنی کر گئی —— مگر ابھی تو پانچ سال باقی ہیں۔

سامنے سے ایک سادھو بابا جسم پر بھبھوت ملے، سرخ لنگوٹ کسے اور ہاتھ میں چمٹا پکڑے آ رہے تھے۔ "بھکشا دے بچہ تیری سب مرادیں پوری ہوں۔" سادھو بابا دروازے پر کھڑے تھے۔

"معاف کرو بابا۔" کریمن بوا نے باہر جھانک کر جلدی سے سر اندر کر لیا —— "یہ بھی نہیں دیکھتے کہ کس کا گھر ہے، ننگ دھڑنگ سامنے آ کر کھڑے ہو جاتے ہیں کمبخت" —— کریمن بوا نے زور سے کہا اور ہنسنے لگیں۔

"ارے کریمن بوا بڑے چچا کی خیرات تو کسی ہندو ہی کو دو" —— چھمی نے فوراً مشورہ دیا اور پھر گانے لگی —— "اپنے محل میں گڑیاں کھیلت تھی، سیاں نے بھیجے کہار رے۔"

"اللہ بھلا کرے۔" دوسرا فقیر موٹے موٹے موتیوں کی مالا گلے میں ڈالے دروازے پر آ کھڑا ہوا ——

کریمن بوا نے ہاتھ بڑھا کر ادھنا پکڑا دیا —— "تھوڑی دیر بعد آ کر خیرات بھی لے جانا بابا جی۔" کریمن بوا نے کہا —— جب سے جنگ چھڑی تھی فقیر کتنے بڑھتے جا رہے تھے۔

پکی گلی میں تانگے کے پہیوں کی کھڑکھڑاہٹ ہو رہی تھی۔ بڑے چچا آ رہے تھے۔ سب سے آگے وہ ہار پہنے بیٹھے تھے۔ ان کے ساتھ اسرار میاں اور پیچھے ان کے دو تین دوست تھے۔

"بڑے چچا آ گئے ہیں" —— عالیہ نے چیخ کر سارے گھر کو اطلاع دی۔

کریمن بوا گیہوں کی ڈلیا اٹھا کر دروازے پر کھڑی ہو گئیں۔ چھمی جھولے سے اتر کر اپنے کمرے میں چلی گئی۔

شکیل کہاں ہے اللہ' اب وہ بڑے چچا کو کیا پہنائے گی —— آج پہلی دفعہ اسے شکیل کی بے ایمانی پر غصہ آ رہا تھا۔

بڑے چچا نے اندر قدم رکھا تو سب سے پہلے کریمن بوا نے گیہوں کی ڈلیا ان کے ہاتھ سے چھوا دی اور پھر دعائیں دینے لگیں۔ بڑے چچا نے سب کی طرف ایک فاتح کی نظروں سے دیکھا۔

"تم اب بی اے کی تیاری کر رہی ہو؟" بڑے چچا نے پوچھا۔

"جی بڑے چچا —— میں نے شکیل سے ہار منگائے تھے' وہ اب تک نہیں آیا' میں بھی تو آپ کو ہار پہناتی۔"

"ہاں' جبھی شکیل نظر نہیں آ رہا' کیسا ہے وہ؟" بڑے چچا نے جیسے رسماً پوچھا۔ وہ چوکی پر بیٹھ کر جوتے اتار رہے تھے' کریمن بوا نے تانبے کے بڑے سے لوٹے میں منہ دھونے کے لئے پانی بھر کر رکھ دیا تھا۔ عالیہ انہیں چپکے چپکے دیکھ رہی تھی۔ بڑے چچا اسے کتنے کمزور نظر آ رہے تھے۔ توند گھٹ گئی تھی اور داڑھی میں آدھے سے زیادہ سفید بال نظر آ رہے تھے۔

"تمہارا بیٹا رات کو بارہ بجے آتا ہے یا پھر ساری رات غائب رہتا ہے' نہ پڑھتا ہے نہ لکھتا ہے' تم کو کیا' تم تو جیل جا کر سب بھول جاتے ہو۔ اور یہاں رہتے ہو تو بھی بیگانے لگتے ہو' اور تو اور تمہارا بڑا بیٹا بھی مسلم لیگ کے جلسوں میں شریک ہونے لگا ہے" —— بڑی چچی نے ساری شکائتیں کر کے ہی سانس لی۔ بڑے چچا یا تو سخت شرمندہ نظر آ رہے تھے یا آخری بات پر ایک دم چونک پڑے —— "خوب خوب! صاجزادے مسلم لیگی بن گئے؟" بڑے چچا ایک ذرا دیر کو تکیہ سر کے نیچے رکھ کر لیٹ گئے۔ رات بھر کے سفر نے نڈھال کر دیا تھا۔

"اب اپنے صاجزادے کا کچھ بگاڑ لیجئے تو جانوں۔" چھمی اپنے کمرے سے نکل کر وہیں دیوار سے پیٹھ لگا کر کھڑی ہو گئی تھی۔ سلام کئے بغیر ہی اس نے بڑے

چچا سے انتقام لینا شروع کر دیا۔

عالیہ کا جی چاہا کہ اس وقت وہ بڑے چچا کو کہیں چھپا دے' اس وقت تو کوئی ان سے کچھ نہ کہے۔ اس وقت تو کوئی پرانی باتیں نہ یاد دلائے۔ کتنی مدت بعد وہ اپنے گھر آئے ہیں۔ جیل نے انہیں توڑ دیا ہے' انہیں آرام کی ضرورت ہے۔

"ارے تم کیسی ہو چھمی؟" بڑے چچا نے مسکرا کر اس کے طنز کو سہہ لیا اور چھمی جیسے جلبلا کر اپنے کمرے میں چلی گئی۔

"ارے بڑے بھیا' اس چھمی چڑیل کے رشتے والے کہاں مر گئے' پورے چار مہینے ہو گئے انتظار کرتے کرتے۔" اماں ان کے پاس بیٹھ کر پیالی میں چائے انڈیلنے لگیں۔

ابھی چائے کی پیالی ختم بھی نہ ہونے پائی تھی کہ بیٹھک کے دروازے کی زنجیر کھڑکنے لگی۔

بڑے چچا باہر دوستوں میں چلے گئے اور عالیہ ان کے پاس بیٹھ کر ان سے ڈھیر سی باتیں کرنے کو ترستی رہ گئی۔ وہ تو ان سے اس وقت بہت سی باتیں کرنا چاہتی تھی' ان کے اس کارنامے کو سراہنا چاہتی تھی۔ گھر میں سب ان کے لئے بے چین تھے مگر کسی نے بھی تو ان کا سواگت نہ کیا۔ جمیل بھیا بیمار ہو گئے۔ چھمی تیر چلا گئی اور بڑی چچی شکایتوں کا دفتر کھول کر بیٹھ گئیں۔ ہے بڑے چچا آپ کو کیا مل گیا ہے یہ سب کر کے' یہ جو آپ نے ملک کا جوگ سادھ لیا ہے تو تباہیوں اور بربادیوں کے سوا کیا ہوا ہے اور —— گھر والے تک عزت نہیں کرتے۔ کاش اس وقت تو سب خوش ہو کر انہیں سراہتے کاش ——

شام سے کہر پڑنا شروع ہو گئی تھی۔ کریمن بوا کھانا پکاتے ہوئے چولھے کی کوکھ میں سمائی جا رہی تھیں۔ عالیہ کو ڈر لگنے لگا کہ کہیں انکے کپڑوں میں آگ نہ لگ جائے ذرا میں بھن کر راکھ ہو جائیں گی۔ ویسے بھی اب انہیں سجھائی کم دیتا ہے—— کریمن بوا ذرا چولھے سے سرک کر بیٹھو۔" عالیہ نے بے چین ہو کر کہا۔

"ایک جان رہ گئی ہے وہ بھی جل جائے' نصیب تو پہلے ہی جل چکے' عالیہ بٹیا اسی گھر میں جاڑوں کے دنوں میں اپنے ہاتھوں سے منوں لکڑی پھونک دیتے تھے۔ ارے یہ دالان جو آج ٹھنڈا پڑا ہے پہلے آگ کی طرح تپتا تھا' اب کوئی آگ بھی ہے چولھے میں بٹیا' دو تو لکڑیاں لگی ہیں' بھلا اتنے میں کیا جلوں گی——؟" کچھ دنوں سے کریمن بوا بڑی بجھی بجھی اور ہراساں نظر آنے لگی تھیں۔ بیتا زمانہ انہیں بہت شدت سے ستانے لگا تھا—— اتنی تقریر کے بعد بھی وہ چپ نہ رہیں۔ آہستہ آہستہ بڑبڑانے لگیں—— "اللہ مارا سب کچھ جلسوں جلوسوں کی نذر ہو گیا' سب کھا گئے موٹی توندوں والے' لو بھلا کوئی پوچھے گھر پھونک کر بھی کسی کو آزادی ملی ہے' اللہ ہدایت دے بڑے میاں کو۔"

بڑی چچی اور اماں تخت پر بیٹھی تھیں۔ ان کے سامنے مٹی کی کنڈالی میں انگارے رکھے ہوئے تھے' جن پر اب راکھ جم چلی تھی۔ وہ دونوں بار بار اپنے ہاتھوں کو سینک رہی تھیں۔

بڑی چچی نے ایک لمبی آہ بھری اور تخت کے ایک کونے پر رکھی ہوئی لالٹین کی بتی کو ذرا سا اونچا کر دیا۔ لالٹین میں شاید تیل کم تھا جو بتی بار بار نیچی ہو رہی تھی۔ ہر چیز سنبھال سنبھال کر کم سے کم خرچ کی جاتی۔ جنگ کو کئی سال ہو گئے تھے' مہنگائی نے اس گھر کو بالکل ہی لوٹ لیا تھا۔ سب پریشان رہتے۔ کھانے کو جیسے نیسے

مل جاتا تو تن کو کپڑا نہ جڑتا۔ جمیل بھیا کی چھوٹی سی تنخواہ اس گھر کے لئے دال میں نمک کے برابر تھی مگر بڑے چچا کی دکان کی آمدنی پھر بھی اس گھر میں نہ آتی، وہ سب باہر ہی باہر اڑ جاتی۔ بڑی چچی ہر وقت جمیل بھیا کی جان کھاتیں کہ کچھ اور کرو۔ مگر وہ بھی تو ملک آزاد کرانے لگے تھے۔ شکیل نے قبل از وقت مونچھیں نکال دی تھیں مگر دوسروں کے کورس کی کتابیں ساری رات اور کئی کئی دن ختم نہ ہوتیں۔ اسے تو سب عضو معطل سمجھ کر جیسے صبر کر بیٹھے تھے۔

کریمن بوا جیسے سچ مچ آج اپنے کو جلانے پر تل گئی تھیں ——— وہ اور بھی چولھے سے چمٹ کر بیٹھ گئیں۔ عالیہ کو وحشت ہونے لگی ——— "کریمن بوا، ہٹ کر بیٹھو، جلانے کو ایک چنگاری بھی بہت ہوتی ہے۔" عالیہ نے تخت کے پاس کھڑے کڑے کنڈالی پر ہاتھوں کا چھپر چھا دیا ——— ہائے کیسی سردی ہو رہی ہے۔ کم بخت سویٹر بھی تو اتنا پرانا ہو گیا ہے کہ گرمی نام کو نہیں رہ گئی۔

ہاتھوں کو سینک کر ذرا جسم گرم ہوا تو وہ بھی بڑی چچی کے پاس ٹک گئی۔ گلی سے ریوڑیوں والے کی ٹھٹھری ہوئی آواز آہستہ آہستہ دور ہوتی جا رہی تھی۔ کہر کی رات کس قدر ویران معلوم ہو رہی تھی۔

"جاڑوں میں یہی، اس تخت پر بیٹھے بیٹھے سب لوگ مٹھیاں بھر بھر کر ریوڑیاں کھایا کرتے تھے۔ اپنا تو منہ تھک جاتا تھا چباتے چباتے، اب تو جاڑے یوں ہی گزر جاتے ہیں مگر ایک ریوڑی نصیب نہیں ہوتی، واہ رہ زمانے۔" کریمن بوا نے لکڑیاں چولھے میں سرکا دیں۔ کریمن بوا کو اب ہر وقت بولنے کا عارضہ ہو گیا تھا۔

بڑی چچی نے پھر ایک لمبی آہ بھری اور لالٹین کی بتی اونچی کر دی۔

"ہائے کریمن بوا، اتنی سردی میں تمہاری آواز کیسے نکل رہی ہے؟" عالیہ نے جھنجلا کر کہا۔ پیلی پیلی روشنی میں بڑی چچی کا چہرہ کیسا مردوں جیسا نظر آ رہا تھا۔ اگر اس کے پاس پیسے ہوتے تو وہ ابھی ابھی کریمن بوا کو ریوڑیاں منگا کر کھلا دیتی، گزرے ہوئے وقت کو آواز دے دیتی۔ ایسی باتوں سے بڑی چچی کتنی نڈھال ہو جاتی تھیں۔

عالیہ نے اپنی آہ کو سینے میں گھونٹ لیا—— اگر اس وقت جلدی سے کھانا مل جائے تو تھوڑی دیر پڑھ لے۔ سارا دن گزر گیا مگر کتاب کو ہاتھ نہیں لگایا۔ کھری کھاٹ پر دھوپ میں لیٹ کر اونگھتے ہوئے دن گزر گیا۔

سب چپ بیٹھے تھے۔ عالیہ یوں ہی ٹکر ٹکر دالان کی دیواریں اور چھت تک رہی تھی بجلی کا کنکشن کٹے کتنا زمانہ گزر چکا تھا، مگر اس برآمدے میں اب تک بریکٹ میں فیوز بلب لگا ہوا تھا جسے دھوئیں نے بالکل سیاہ کر دیا تھا۔ کسی میں ہمت نہ تھی کہ اس سیاہ بلب کو نکال پھینکے، کریمن بوا ہاتھ نہ لگانے دیتیں—— خواہ مخواہ پرانی نشانیوں کو کلیجے سے لگا کر رکھ چھوڑا ہے—— عالیہ نے الجھ کر نظریں جھکا لیں۔

کریمن بوا، کھانا پک گیا؟ آج تو بڑی سردی ہے"—— ٹھنڈی بیٹھک میں سردی سے سکڑتے ہوئے اسرار میاں نے دوسری بار آواز لگائی تھی۔

"ٹھہر جا لاٹ صاحب۔" کریمن بوا نے دوسری بار جل کر جواب دیا۔

"کیسا مربھکا ہے، ذرا بھی صبر نہیں۔"

"توبہ کیسا مرتا ہے کھانے پر ندیدا، کیسے کیسے لوگ پال رکھے ہیں بڑے بھیا نے بھی۔"

اماں یا تو اتنی دیر سے چپ چاپ بیٹھی ہاتھ سینک رہی تھیں یا ایک دم کلیجہ پھاڑ کر بولیں۔ عالیہ کی جان ہی تو جل گئی مگر اماں کو بھلا کیا کہتی۔ کوئی اتنا نہیں سوچتا کہ سردی کس غضب کی ہو رہی ہے۔ اسرار میاں بھی انسان ہیں پتھر تو نہیں —— عالیہ سوچتی چلی گئی—— کیسے دکھ سے زندگی گزار رہے ہیں۔ وہ تو جب سے آئی ہے اس نے یہی دیکھا کہ بڑے چچا کے پرانے کھدر کے کرتے اور پاجامے پہنے کوڑی کوڑی کے کام کرتے پھرتے ہیں۔ اسی طرح سردیاں اور گرمیاں گزر جاتی ہیں۔ کبھی ان کو ایک گرم کپڑا بھی نصیب نہیں ہوتا، کیا حال ہوگا غریب کا اس سردی میں——

"بس کھانا تیار ہے اسرار میاں!" عالیہ نے کمزور سی آواز میں کہا اور گھبرا کر اماں کا منہ دیکھنے لگی۔

"تم سے کس نے کہا تھا کہ اسے جواب دو' کیا تمہاری بھی شرم اڑ گئی؟" اماں نے فوراً ڈانٹ پلائی۔

عالیہ نے کوئی جواب نہ دیا۔ وہ اماں کا دل نہ دکھانا چاہتی تھی۔ رسی جل جائے مگر بل نہیں جاتے' پرانی شان جھیلنے والی ایک وہی تو رہ گئی تھیں۔

"کیا ہو گیا دلہن جو اس نے جواب دے دیا۔ آخر اسرار بھی تو تمہارے خسر کی اولاد ہے۔" بڑی چچی اپنی طرف سے مذاق کر کے ہنسنے لگیں۔

"ہے تو مگر اپنی اوقات بھی تو پہچانے رہے۔" اماں نے منہ بنا لیا اور پھر انہیں چھمی کی شادی کا خیال ستانے لگا — "بڑی بھابی جب پیغام آ گیا ہے تو شادی کی تاریخ بھی مقرر کرا دیجئے' دیکھئے یہ وقت ہو گیا محلے میں گئی' اب تک نہیں آئی" —

"آ کیوں نہیں گئی' اپنے کمرے میں ہے۔" عالیہ نے جلدی سے کہا۔

"مگر اس کے باپ نے جو پانچ سو شادی کے لئے بھیجے ہیں' اس میں سب کام کیسے ہو گا؟" اب اماں کو دوسری فکر ستانے لگی۔

"بس کچھ ہو ہی جائے گا۔" بڑی چچی نے سر جھکا لیا۔

"بس جیسے کمینوں کے ہاں شادی ہوتی ہے۔" اماں نے کہا۔

"پھر ہزاروں کہاں سے آئیں گے؟" عالیہ سے آج اماں کی باتیں برداشت نہ ہو رہی تھیں۔

"پانچ پانچ سو کی تو آتش بازی چھوڑی جاتی تھی' اپنے گھروں کی شادیوں میں ان آنکھوں نے سب دیکھا ہے۔" کریمن بوا تیزی سے روٹیاں پکا رہی تھیں۔

پردہ سرکا کر چھمی اندر آ گئی اور کریمن بوا کے پاس چولھے کے سامنے بیٹھ گئی تو شادی کی بات وہیں ختم ہو گئی۔ سب چپ ہو گئے۔ چھمی سے تو سب چھپا رہے تھے۔ کسی نے اسے خبر نہ کی تھی کہ شادی کی بات پکی ہو چکی ہے۔ جہیز کے لئے اس کے باپ نے روپے بھیج دیئے ہیں اور وہ ایک دن ڈولے میں سوار ہو کر چلی جائے گی۔ سب اس سے ڈرتے تھے کہ کہیں کوئی طوفان نہ کھڑا کر دے' بھلا اس کا کیا اعتبار۔ سب چپ تھے۔ دالان میں پڑے ہوئے ٹاٹ کے پردوں میں کتنے

بڑے بڑے سوراخ ہو گئے تھے۔ دھوپ اور بارشوں نے ان کا حلیہ بگاڑ دیا تھا۔ اور اب تو ان سوراخوں سے اتنی ہوا اندر آ رہی تھی جیسے کھلی کھڑکی کے سامنے بیٹھ گئے ہوں۔ عالیہ خاموشی سے اکتا کر ٹاٹوں کے سوراخ گننے لگی۔

"اتنی سخت سردی میں بڑے بھیا کانپور چلے گئے' انگریزی لباس سے بھی تو نفرت کرتے ہیں' شیروانی سے کوئی سردی جاتی ہے' ہر طرف سے بھر بھر ہوا لگتی ہے۔ ایک کوٹ پہن لیں تو کیا ہرج ہو گا بھلا۔ بس اللہ ہی رحم کرے" —— اماں نے پھر باتیں چھیڑ دیں —— اس خاندان میں جانے یہ حرکتیں کہاں سے گھس آئیں۔"

"بس ان کی یہی زندگی ہے' اللہ اسی میں بھلا کرے گا' خدا انہیں سردی سے محفوظ رکھے' انگریزی لباس تو انہوں نے کبھی پہنا نہیں' ہمیشہ سے نفرت کی' پھر جب سے گرم شیروانی پھٹی دوسری پہننے کی نوبت نہ آئی' پرانی شیروانی سے کیا سردی جاتی ہو گی۔" بڑی چچی نے کہا اور کوئلوں پر جمی ہوئی راکھ تنکے سے کریدنے لگیں۔

عالیہ نے اپنا سر بازوؤں میں چھپا کر آنکھیں موند لیں۔ اندھیرے میں لال پیلے دھبے ناچنے کودنے لگے اور پھر اس کے سامنے لوہے کی سلاخیں ابھرنے لگیں اور ان سلاخوں کے پیچھے اس کے ابا کا چہرہ چمک رہا تھا —— "ابا وہاں کتنی سردی ہو گی۔ وہاں تو کوئلے دہکا کر کوئی کمرہ بھی نہ گرم کرتا ہو گا' اور وہ گرم کپڑے بھی تو اب پرانے ہو چکے ہوں گے۔ رات کس طرح گزرتی ہو گی" —— اس نے گھبرا کر آنکھیں کھول دیں یہ دل کو کون چٹکیوں سے مسل رہا تھا۔

"کریمن بوا روٹی تو پکتی رہے گی' آج مجھے سب سے پہلے کھانے کو دے دو' مجھے پڑھنا ہے۔" عالیہ نے کہا۔

"میں صدقے تم گرم گرم روٹی کھا لو' تمہارے ساتھ چھمی بٹیا بھی کھا لیں گی۔"

"مجھے کون سا پڑھنا ہے جو گرم گرم روٹیاں توڑنے بیٹھ جاؤں۔" چھمی نے تیوریاں چڑھا کر کہا اور بازوؤں میں منہ چھپا کر چولھے کے اور آگے سرک گئی۔

—عالیہ بڑی بے دلی سے کھانا کھا رہی تھی۔ اس وقت پھر سب خاموش بیٹھے تھے۔ اتنے لوگوں کے بیچ میں بھی زندگی کے آثار ڈھونڈے نہ ملتے—— بڑے چچا ہوتے تو دس گیارہ بجے رات تک بیٹھک ہی آباد رہتی—— اس نے سوچا—— اور جانے آج جمیل بھیا کہاں چلے گئے۔ وہ کن کارروائیوں میں مصروف ہیں اور شکیل اللہ ہی جانے کہاں آوارہ گھوم رہا ہو گا——

"کریمن بوا اب تو اسرار میاں کو بھی کھانا بھجوا ہی دو۔" عالیہ نے اٹھتے ہوئے کہا۔ مگر کریمن بوا تو ایسے موقعوں پر ہمیشہ گونگی بہری بن جایا کرتیں۔

"بھجوا دیا جائے گا' اب کوئی کریمن بوا دس ہاتھ کر لیں۔" اماں نے تلخی سے جواب دیا۔

"ہاں دیکھ لیجئے چھوٹی دلہن۔" کریمن بوا جلدی سے بولیں—— "وہ بھی کیا زمانہ تھا کہ——"

عالیہ جلدی سے پردہ سرکا کر باہر نکل آئی۔ کتنا اندھیرا تھا۔ ذرا سے فاصلے کی چیز دکھائی نہ دیتی۔ وہ صحن میں پڑی ہوئی لوہے کی کرسی سے ٹکرا گئی۔ چھمی کے کمرے سے نکلتی ہوئی ہلکی سے پیلی روشنی کھرکی دیوار کے اس پار رہ گئی تھی۔ صحن پار کر کے وہ جلدی جلدی سیڑھیاں طے کر گئی۔ کریمن بوا کے دس ہاتھوں کے خیال نے اسے بڑی طرح جھنجلا دیا تھا۔

نجمہ پھوپھی کا کمرہ طے کرتے ہوئے اس نے نیچی نیچی نظروں سے دیکھا کہ نجمہ پھوپھی آرام کرسی پر لیٹی اپنے سے دگنی موٹی کتاب میں غرق ہیں اور ان کے پیروں پر ریشمی لچکا لگی دولائی بڑی نفاست سے پڑی ہوئی ہے۔ نجمہ پھوپھی نے حسب معمول نظر اٹھا کر بھی نہیں دیکھا—— اب بھلا وہ اس راستے کو کیسے چھوڑ دے۔ وہ ہوا میں اڑ کر تو اپنے کمرے میں جانے سے رہی۔

اپنے ننھے سے کمرے میں داخل ہوتے ہی اس نے گلی میں کھلنے والی کھڑکی کے پٹ کھول دیئے۔ بجلی کی تیز روشنی میں اس نے اپنا بستر ٹھیک کیا اور پھر لحاف میں دبک کر لیٹ گئی اور جب ذرا ہاتھ گرم ہو گئے تو چچا کی الماری سے نکالی ہوئی کتاب اٹھا کر پڑھنے لگی۔

کھڑکی کھلنے کی وجہ سے سردی کتنی زیادہ ہو گئی تھی مگر کھڑکی بند کرنے سے تو اندھیرے میں غوطے لگانے پڑتے۔ لالٹین کی پیاسی اور بیمار سی روشنی سے اس کو کتنی الجھن ہوتی۔ ویسے ایک زمانہ وہ بھی تھا جب لالٹین ہی کی پیاسی روشنی میں زندگی کا ایک حصہ گزر گیا تھا۔ برسات کے دنوں میں جب لالٹین کے گرد پتنگے جمع ہو جاتے تو اسے کتنا مزہ آتا۔ —— لو اب ایک پتنگے نے شیشے سے سر ٹکرایا اور اوندھا ہو گیا، اب دوسرا اور اب تیسرا —— اسی طرح پتنگے گنتے گنتے سو جاتی، مگر اب تو خیرات میں ملی ہوئی بجلی کی روشنی کے بغیر اس سے ایک منٹ کو نہ پڑھا جاتا۔

ابھی تو رات کا ابتدائی حصہ گزرا تھا مگر گلی میں کیسا سناٹا چھایا ہوا تھا۔ اسکول کی عمارت اور اس کے آس پاس کے گھنے درخت کہر کی چادروں میں ڈھکے ہوئے تھے۔ نیچے کی منزل سے اب زور زور سے باتوں کی آواز آ رہی تھی اور ان آوازوں سے اسرار میاں کی نحیف سی آواز الجھ رہی تھی —— ؟" کریمن بوا کھانا پک گیا ہو تو دے دو۔"

"کھا لینا اسرار میاں، دیر سے کھاؤ گے تو خوب بھوک لگے گی۔ اس مہنگائی کے زمانے میں اگر تمہاری بھوک نہ کھلی تو ہم سب کیا کریں گے" —— چھمی اپنی مخصوص ادا سے کہہ رہی تھی اور پھر اس کی ہنسی کی آواز عالیہ کے کانوں کے پار ہو گئی۔

عالیہ نے کتاب سینے پر رکھ لی۔ رحم کی ایک ٹیس اس کے کلیجے کو پار کر گئی —— ارے ان بیچارے کا کیا قصور ہے، یہ سب لوگ ان کے لئے پتھر کیوں بن گئے ہیں۔ آخر یہ آپ ہی آپ تو دنیا میں نہیں آ گئے جو اب سب لوگ ان کے بیگانے بن گئے۔ وہ کسی کے ماموں نہیں، کسی کے چچا نہیں، کسی کے بھائی نہیں، کسی کے باپ نہیں، —— باپ، بھلا کسی کو کیا پڑی ہے کہ اس سلسلے میں سوچے۔ یہ کس کے باپ بنیں گے، جبکہ ان کا کوئی باپ نہیں۔

اس کا کیسا جی چاہا کہ بس اسی وقت دوڑ کر نیچے چلی جائے۔ اپنے ہاتھوں سے کشتی سجائے اور پھر اسرار میاں کے سامنے رکھ دے اور جب تک وہ کھاتے

رہیں، سعادت مند بھتیجوں کی طرح ان کے پاس کھڑی رہے۔ مگر یہ سب کچھ کتنا ناممکن تھا۔ اس طرح تو اس کی اماں کے اتنے پرانے وقار کو ٹھیس لگ جائے گی اور کریمن بوا تو یقیناً بیتے ہوئے زمانے کا ماتم کرنے لگیں گی —— خیر یہ میرا گھر تو نہیں، وہ بڑبڑائی۔

اس نے پھر کتاب اٹھالی۔ چنگیز خاں کے مظالم پڑھ پڑھ کر مارے وحشت کے دل کانپا جاتا۔

کتاب رکھ کر اس نے لحاف میں منہ چھپا لیا —— اس اشرف المخلوق نے کیسے کیسے ظلم سے تاریخ مرتب کی ہے —— اس وقت وہ سراسر مفکر بنی ہوئی تھی۔

اقتدار کی آگ کبھی نہیں بجھتی۔ لاکھ تہذیب جنم لیتی رہے کچھ نہیں بنتا۔ اقتدار سب کچھ جلا کر بھسم کر دیتا ہے۔ اس کے باوجود دعویٰ ہے کہ اب ہم مہذب ہو چکے ہیں۔ سروں کے مینار بنانا اور انسانوں کو پنجروں میں بند کرنا تو صدیوں پرانی وحشت کے دور کی یادگاریں ہیں، مگر آج جو جنگ ہو رہی ہے، ایک سے ایک بڑھیا بم لو، جس سے سب سے زیادہ بے گناہ مریں وہ سب سے ترقی یافتہ ہتھیار —— پھر جلیانوالے باغ کا قصہ کون سا صدی پرانا واقعہ ہے۔ اسی مہذب دور نے تو اس واقعے کو جنم دیا تھا —— اور اسے ایک دم کسم دیدی یاد آ گئیں —— اندھیرے میں ان کی لاش آنکھوں کے سامنے تیرنے لگی۔ بسنتی ساری سے قطرہ قطرہ ٹپکتا ہوا پانی اس کے دل پر گر رہا تھا۔

کسی نے ہولے سے اس کا لحاف سرکایا تو وہ بوکھلا کر اٹھ گئی۔ "ارے تم تو ڈر گئیں۔" جمیل بھیا اس کے سرہانے کھڑے تھے۔

"ہاں میں تو سچ مچ ڈر گئی۔ ابھی ذرا دیر پہلے میں چنگیز خاں کے مظالم پڑھ رہی تھی۔"

"اور یہ بھی ہو سکتا ہے کہ تم مجھی کو چنگیز سمجھ رہی ہو، بھلا مجھ میں اتنی ہمت کہاں۔" جمیل بھیا ہنسے۔

"تمہیں کیسے کہہ سکتی ہوں، تم تو مہذب ہو اور پھر شاعر —— اسرار میاں کو کھانا مل گیا؟"

"میں کریمن بوا کے معاملات میں دخل نہیں دیتا" ــــ جمیل بھیا نے بڑے پھیکے پن سے کہا ــــ "اس وقت تو میں تم سے باتیں کرنے آیا ہوں اور ــــ"

جمیل بھیا اس وقت بحث وغیرہ کے موڈ میں نہ تھے۔ وہ کچھ سوچ رہے تھے۔ وہ پہلے ہی سمجھ گئی تھی کہ وہ کیا سوچ رہے ہیں اور کیا کہنا چاہتے ہیں اور اب جبکہ رات سو رہی ہے، اس سردی میں سب اپنے بستروں میں دبکے پڑے ہیں تو وہ اس کے کمرے میں کیوں آئے ہیں ــــ پھر اسے خیال آیا کہ نجمہ پھوپھی کچھ سوچنے نہ لگیں ــــ اس نے کھڑکی کے دونوں پٹ کھول دیئے۔

جمیل بھیا کرسی سرکا کر اس کے پلنگ کی پٹی کے پاس بیٹھ گئے اور اسے بڑی گہری گہری نظروں سے گھورنے لگے۔ وہ جمیل بھیا کو ٹالنے کے لئے ادھر ادھر دیکھنے لگی۔

"تمہاری آنکھیں کتنی خوبصورت ہیں، شاعر نے شاید ایسی ہی آنکھوں کو جنت کے نام سے یاد کیا ہے۔"

"شکریہ بھیا جمیل۔" وہ زور سے ہنسی۔ "یہ اصلی جنت نہیں ہے۔ ہو سکتا ہے شداد کی جنت ہو۔"

"عالیہ بیگم، سروں کے مینار بنانا اتنا بڑا ظلم نہیں جتنا کسی کے جذبات کا مذاق اڑانا۔"

"کیا یہ بھی شاعری کا کوئی باریک نکتہ ہے، خیر چلو معاف کردو، جذبات کا مذاق اڑانے کے بجائے اب سروں کے مینار بنا لیا کروں گی۔" تو اس نے اپنے ہاتھ لحاف میں چھپا لئے ــــ "جمیل بھیا اگر اس بار میں پاس ہوگئی تو مزہ آجائے گا، نجمہ پھوپھی کی قابلیت کو ضرور تھوڑی بہت ٹھیس لگے گی" ــــ وہ تو گفتگو کا موضوع بدل رہی تھی مگر جمیل بھیا نے ذرا بھی دلچسپی نہ لی۔ سر جھکائے خاموش بیٹھے رہے۔ کھلی کھڑکی سے ہوا کے کتنے سرد جھونکے اندر آ رہے تھے، مگر وہ کھڑکی بند بھی تو نہ کرسکتی تھی۔ اندھیرا جذبات سے ساری روشنی چھین لیتا ہے۔

"مجھے معلوم ہے کہ تم مجھ سے بات نہیں کرنا چاہتیں۔ تم مجھے ٹالتی ہو عالیہ، کیا تم میری محبت کا احترام بھی نہیں کرسکتیں؟"

"بھیا آپ کیسی باتیں کرتے ہیں، میں ——— میں ———" وہ جمیل کی آنکھوں میں آنسو دیکھ کر بوکھلا گئی۔ اس سے بات نہ کرتے بن پڑی۔

"عالیہ!" جمیل بھیا نے اسے ایک جھٹکے سے اٹھا لیا اور عالیہ کو ایسا محسوس ہوا کہ کھڑکیوں کے دونوں پٹ بند ہو گئے ہیں اور اس کے ہونٹوں پر انگارے رکھے ہوئے ہیں۔

یہ سب کچھ اتنی تیزی سے ہو گیا کہ وہ کچھ بھی نہ کر سکی۔ کچھ سوچ بھی نہ سکی، اور جب جمیل بھیا کو اپنے آپ سے جھٹکنا چاہا تو وہ اس کے بازو پر سر رکھے بچوں کی طرح سسک رہے تھے اور ان کا ایک ایک آنسو کھولتی ہوئی بوند کی طرح اس کے دل پر گرتا محسوس ہو رہا تھا۔ اسے بوندوں کے گرنے کی آواز تک محسوس ہو رہی تھی۔ ان بوندوں کی روشنی سارے کمرے میں پھیل گئی تھی۔ اسے ایک صاف ستھرا راستہ نظر آ رہا تھا، جس پر دوڑنے کے لئے جیسے اس کے پاؤں ملے ہوئے تھے۔

وہ بے سدھ سی بیٹھی تھی اور جمیل بھیا اب سر اٹھا کر اس کی طرف دیکھتے ہوئے بڑے میٹھے پن سے مسکرا رہے تھے۔ کتنا فخر اور کتنا سکون تھا اس مسکراہٹ میں۔

"بس اب آپ تشریف لے جائیں جمیل صاحب۔" عالیہ نے ڈائنوں کی طرح ان کی طرف دیکھا۔ کسی اور کو الو بنایئے گا، میرا نام ہے عالیہ، چلے جایئے ورنہ اتنی زور سے چیخوں گی کہ، ہاں ———"

جمیل بھیا دیوار سے ٹیک لگائے کھڑے اسے ٹک ٹک دیکھ رہے تھے۔ ان کی نظریں چیخ رہی تھیں، "تم کسی سے محبت نہیں کر سکتیں، عالیہ بیگم، تم سچ مچ ڈائن ہو۔"

اور جب جمیل بھیا کھڑے کھڑے ایک دم چلے گئے تو عالیہ نے کھڑکیوں کے پٹ بھیڑ دیئے اور سسکیاں بھر بھر کر رونے لگی ——— "جمیل میرے جسم میں جو تم جادو کی سوئیاں چبھو گئے ہو اسے اب کون سا شہزادہ آ کر نکالے گا۔"

روتے روتے جب اس کا جی ہلکا پڑ گیا تو وہ اپنی بے وقوفی پر ہنسنے لگی ———

حد ہے بھئی —— کیا وہ آپا اور کسم دیدی سے کچھ کم ہے —— ہونہہ! پتہ نہیں وہ کیسے پاگل ہو گئی تھی۔

وہ اپنے کورس کی کتاب اٹھا کر بڑے سکون سے پڑھنے لگی۔ اور پھر نہ جانے کس وقت کتاب اس کے ہاتھ سے چھٹ کر سینے پر گر پڑی تو کچی نیند میں وہ چونک پڑی۔

ارے! یہ چھمی اتنی ٹھنڈ میں ننگے پاؤں کیوں چپ چاپ کھڑی ہے —— عالیہ نے کتاب میز پر رکھ دی۔

"تو کیا آپ اب تک جاگ رہی ہیں بجیا ——؟" کھڑکی کی طرف بڑھتے بڑھتے وہ ایک دم ٹھٹھک کر رہ گئی۔

"مگر تم کیا کرتی پھر رہی ہو اس سردی میں؟ ادھر لحاف میں آ جاؤ چھمی۔"

"وہ منظور نے کہا تھا کہ رات بارہ بجے گلی میں کھمبے کے نیچے کھڑا ہوں گا تم کھڑکی میں آ کر کھڑی ہونا۔ خیر آپ سو جایئے' خواہ مخواہ نیند خراب کی میں نے ——" وہ کمرے کا دروازہ کھول کر جلدی سے چلی گئی۔

"اے چھمی" —— عالیہ نے آواز دی مگر وہ تو سیڑھیاں طے کر کے اپنے کمرے میں جا چکی ہو گی۔

عالیہ نے کھڑکی کے پٹ کھول کر نیچے گلی میں جھانکا' کہر پھٹ گئی تھی۔ چاند کی ملگجی روشنی گلی میں لوٹ رہی تھی' وہاں اور کچھ بھی نہ تھا۔

جنگ جاری تھی۔ مہنگائی نے گھر میں جھاڑو پھیر دی تھی۔ جمیل بھیا کی تھوڑی سی آمدنی صحیح معنوں میں کسی کا بھی پیٹ نہ بھر سکتی تھی۔ گھر میں سب کتنے خود غرض ہو رہے تھے' اماں کی پیشانی پر ہر وقت شکایتی شکنیں پڑی رہتیں۔ بڑے چچا کی صورت سے انہیں نفرت ہو گئی تھی۔ انہیں شدت سے احساس تھا کہ اگر دکان کے روپے گھر میں آنے لگیں تو یہ حالت ذرا کے ذرا میں بدل جائے۔ ذرا ڈھنگ کی روٹی تو نصیب ہو۔ دھمکی کے طور پر وہ ہر وقت اپنے بھائی کے گھر جانے کی ضد کیا کرتیں اور بڑی چچی اس خیال سے ہی لرز اٹھتیں کہ اس طرح تو گھر کی بدنامی ہو گی۔ سب یہی کہیں گے کہ پیٹ بھر روٹی بھی نہ کھلا سکے۔ ادھر چھمی کی یہ حالت تھی کہ ہر وقت لڑنے بھڑنے پر آمادہ رہتی۔ چھینکے پر رکھا ہوا شکیل کا کھانا اتار کر چپکے سے کھا جاتی اور جب بدلے میں وہ بکواس کرتا تو مزے سے ہنستی یا پھر مارنے پر تل جاتی۔ نجمہ پھوپھی یہ ہنگامے دیکھ کر حقارت سے منہ پھیر لیتیں——

"جہالت میں یہی سب کچھ ہوتا ہے' اگر سب کے پاس تعلیم ہوتی تو آج یوں بھوکے مرتے؟" وہ بڑے غرور سے کہتیں اور پھر اپنی تعلیم کے آفاق پر بیٹھ کر بڑے فخر سے مسکرانے لگتیں۔ جمیل بھیا یہ سب کچھ دیکھتے' سنتے اور ان سب کے بیچ میں بڑے بے بس اور خاموش نظر آتے مگر وقت کی اس خرابی کے باوجود کریمن بوا ذرا بھی نہ بدلی تھیں۔ جنگ کی وجہ سے فقیروں کے گلّے پیدا ہو گئے تھے۔ کریمن بوا پچھلے زمانے کی دی ہوئی منوں خیراتوں کو یاد کر کے کڑھا کرتیں اور اسرار میاں کی روٹیوں کے ٹکڑے نوالے کاٹ کاٹ کر فقیروں کو خیرات دے ہی دیا کرتیں۔

اس عجیب و غریب خیرات پر عالیہ کا جی ملنے لگتا—— آخر یہ اسرار میاں اتنے دیانت دار کیوں ہیں! کیا وہ دکان سے ایک آدھ روپیہ اڑا کر عیش نہیں

کر سکتے؟ اس ایثار اور شرافت کا چلہ کاٹ کر انہیں کیا مل جائے گا؟ اس طرح وہ دادا کی جائز اولاد تو کہلانے سے رہے۔ کچھ بھی کرتے رہیں پھر بھی دادا کی داشتہ کی اولاد ہی کہلائیں گے۔ انہیں کوئی باپ کے نام سے یاد نہ کرے گا' یہ دنیا ان کے لئے میدان قیامت ہی رہے گی۔

گھر کی ایسی بری حالت دیکھ کر بھی بڑے چچا کا دل نہ پسیجا تھا۔ مقاصد کے تیروں نے انہیں اس بری طرح گھائل کر رکھا تھا کہ سارے دکھ درد ہیچ تھے —— "جنگ نے آزادی کو بہت قریب کردیا ہے" —— وہ سب کی طرف دیکھ کر کہتے مگر کوئی بھی تو انہیں جواب نہ دیتا۔ وہ شرمندہ ہو کر سر جھکا لیتے' مجرموں کی طرح الٹے سیدھے نوالے توڑتے اور بیٹھک کی راہ لیتے۔

سردیوں میں اب وہ شدت نہ رہ گئی تھی۔ عالیہ رات گئے تک گلی کی کھڑکی کھلی رکھتی اور گلی کی روشنی سے پڑھ پڑھ کر امتحان کی تیاری کرتی رہتی۔ ان دنوں اس نے سوچ بچار سے ہاتھ اٹھالیا تھا۔ ابا کے خط اس کی ہمت بڑھاتے رہتے۔

دھوپ ڈھل چکی تھی۔ ساری دوپہر پڑھنے کے بعد بھی چھت سے نہ سرکی۔ سائے کی وجہ سے اب اسے سردی لگ رہی تھی۔

پڑھتے پڑھتے اس نے سر اٹھا کر دیکھا تو چھمی اس کے پاس کھڑی تھی۔ رات سے وہ چپ چپ تھی اور صبح سے کئی بار عالیہ کے پاس سے گزری تھی۔ ایسا محسوس ہوتا تھا کہ وہ کچھ کہنا چاہتی ہے مگر جب بھی عالیہ اس کی طرف دیکھتی تو چلی جاتی۔

"کیا بات ہے چھمی؟"

"کچھ بھی نہیں بجیا' بس یوں ہی جی چاہا کہ آپ کے پاس بیٹھوں" وہ عالیہ کے پاس کرسی پر ٹک گئی۔

چھمی نے آج کتنی مدت بعد اسے پیار سے بجیا کہا تھا۔ وہ اسے بڑی پیاری لگ رہی تھی۔ کھوئی کھوئی سی بیٹھی اسے تک رہی تھی۔

"کچھ تو ضرور ہے چھمی ورنہ تم ایسی کیوں نظر آرہی ہو؟" عالیہ نے اسے

اپنے قریب سرکایا تو چھمی اس کے شانے پر سر رکھ کر رونے لگی —— "وہ منظور بھی جنگ میں بھرتی ہو گیا بجیا' ایک سہارا تھا سو وہ بھی گیا۔" چھمی نے روتے روتے کہا۔

"ہونہہ! اگر اسے تم سے محبت ہوتی تو پھر جنگ پر کیوں جاتا پگلی اور اب تم اسے یاد کر کے رو رہی ہو' بے وقوفی نہ کرو چھمی۔۔" عالیہ نے اسے لپٹا لیا۔

"بس ویسے ہی رونا آ گیا' کوئی مجھے اس سے محبت تھوڑی تھی۔ وہ مجھ سے محبت کرتا تھا' اس لئے مجھے بھی اچھا لگنے لگا تھا' چلو کوئی مجھ سے محبت تو کرتا تھا۔" چھمی نے بے بسی سے ہنستے ہوئے آنسو پونچھ لئے۔

عالیہ سے کچھ کہتے نہ بن پڑی۔ بھلا وہ کہتی بھی کیا۔ "میں جو تم سے محبت کرتی ہوں چھمی؟"

"آپ' آپ مجھ سے محبت کرتی ہیں بجیا؟" وہ زور سے ہنسی۔ کتنی تضحیک تھی اس کی بے تحاشہ ہنسی میں۔ عالیہ اسے کیسے یقین دلا سکتی تھی کہ وہ اس سے محبت کرتی ہے۔ وہ اس سے ہمدردی رکھتی ہے۔ وہ چھمی کی ہنسی سے بوکھلا کر اس کا منہ تک رہی تھی۔

"یہ دیکھئے بجیا میرے پاجامے کی گوٹ بری طرح پھٹ گئی ہے۔ میں نیچے جا کر اسے سی لوں تو پھر آؤں گی۔"

چھمی بھدر بھدر کرتی چلی گئی اور عالیہ کتاب گود میں رکھے بے وقوفوں کی طرح بیٹھی رہ گئی۔ یعنی اُس نے ایسی بے کار بات کی تھی کہ چھمی کو پاجامے کی گوٹ سینا یاد آ گئی۔ چھمی اس کی محبت پر اعتبار نہیں کرتی۔ دنیا نے اس کے اعتبار کا جنازہ نکال دیا ہے —— عالیہ رنجیدہ ہو رہی تھی۔

چھت کی منڈیر پر بیٹھا ہوا کوا کائیں کائیں کرتا ہوا اڑ گیا۔ دھوپ چھت کی منڈیروں پر چڑھتے چڑھتے غائب ہو گئی تھی۔ اب اچھی خاصی سردی ہو رہی تھی۔ کتابیں سمیٹ کر وہ اپنے کمرے میں رکھ آئی۔ چھمی کے جانے کے بعد وہ ایک لفظ بھی تو نہ پڑھ سکی تھی۔ تھوڑی دیر تک وہ آنکھیں بند کر کے اپنے بستر پر پڑی رہی اور پھر نیچے چلی گئی۔ کیاری میں گیندے اور گل عباس کے پھول بہار کا پتہ دے

رہے تھے۔ عالیہ نے ایک پھول توڑ کر اپنے بالوں میں لگایا مگر جب اس نے دیکھا کہ جمیل بھیا دالان کی محراب کے پاس کھڑے اسے بڑے اشتیاق سے دیکھ رہے ہیں تو اس نے بوکھلا کر پھول کیاری میں اچھال دیا۔ جانے کیسے اس کو احساس ہوا کہ سنگھار مرد سے محبت کرنے کی چغلی کھاتا ہے۔

پھول پھینک کر اس نے دیکھا کہ جمیل بھیا کی آنکھیں جیسے کملا گئی ہیں۔ وہ لوہے کی کرسی پر سر جھکا کر بیٹھ گئے۔

اماں تخت پر بیٹھی چھالیہ کاٹ رہی تھیں اور بڑی چچی چنے کی دال چن رہی تھیں۔ان کا دکھوں میں گھرا ہوا چہرہ کس قدر کھنڈر ہو رہا تھا۔ سارے دکھ' سارے درد ان کے چہرے کی رعنائی کو توڑ پھوڑ کر اب بھی اپنا چہرہ نہ چھوڑ رہے تھے۔ ادھر دو دن سے وہ ایک نئے دکھ میں مبتلا تھیں۔ دو دن ہو گئے مگر شکیل گھر نہیں آیا۔ جمیل بھیا نے اسے تلاش بھی کیا لیکن کوئی پتہ نہ چلا۔ جانے وہ کتابوں کی تلاش میں کتنی دور چلا گیا تھا۔

"شامیں ہمیشہ اداس ہوتی ہیں۔" جمیل بھیا نے عالیہ کی طرف دیکھا۔

"سب شاعری ہے' مجھے تو کوئی اداسی نہیں لگتی۔" عالیہ ہنسی اور اماں کے پاس تخت پر بیٹھ کر پاندان کی کلھیاں صاف کرنے لگی۔

"میرے سامنے اتنی خوب صورت اور اتنی مکمل غزل ہے کہ اب اپنا سارا کلام بے معنی معلوم ہوتا ہے' اس لئے شاعری واعری چھوڑ دی ہے' تم نے فیض اور ندیم کو پڑھا ہے؟" انہوں نے پوچھا۔

عالیہ خاموش رہی۔ وہ بھلا خود کو غزل کیسے سمجھ لیتی۔ یہ جمیل بھیا بھی خوب ہیں' ہر بات میں اپنا مطلب تلاش کر لیتے ہیں —— اسے غصہ آرہا تھا۔

"تمہارے چچا کی لائبریری میں فیض اور ندیم کا کہاں گزر ہو سکتا ہے" —— وہ ہنسے "سناؤ گاندھی پر اور کوئی کتاب چھپی کہ نہیں؟" جمیل بھیا شاید پھول پھینکنے کا انتقام لے رہے تھے۔

وہ بڑے انہماک سے پاندان صاف کرتی رہی۔ اس نے نظر اٹھا کر بھی نہ دیکھا۔ جیسے اس معلوم ہی نہیں کہ اس سے کوئی مخاطب بھی ہے۔ جمیل بھیا کے

لے اس نے کچھ بھی نہ سوچا تھا پھر بھی جانے کیوں وہ ان سے گھبرانے لگی تھی۔

"کیا تم نے آج بھی شکیل کو تلاش کیا تھا؛ بھلا تم کو اپنی مسلم لیگ سے کب فرصت ملے گی۔" دال کے کنکر صاف کرتے کرتے بڑی چچی نے سر اٹھا کر پوچھا۔

"اماں اب آپ اس کی فکر نہ کریں' وہ بمبئی چلا گیا ہے' وہاں مزے سے کما کھائے گا۔" جمیل بھیا نے جیسے ڈھیلا کھینچ مارا۔

"بمبئی میں؟ اتنی دور؟" —— بڑی چچی کی آواز لرز رہی تھی —— "ارے اسے شرم نہ آئی بھاگتے ہوئے' اسے اپنی ماں کا بھی خیال نہ آیا۔" بڑی چچی کلیجہ تھام کر رونے لگیں۔

عالیہ تخت سے کود کر بڑی چچی کی طرف لپکی اور انہیں اپنی بانہوں میں لے لیا —— "نہ روئیے بڑی چچی' وہ آجائے گا۔"

"وہ کیوں آئے گا عالیہ بیگم' یہاں اس کے لئے کیا رکھا تھا اور اب اسے کس کا خیال آئے گا۔ وہ اپنی زندگی بنانے گیا ہے یا بگاڑنے' اس نے کچھ سوچا ہی ہو گا' اس گورکھ دھندے میں رہ کر کیا کرتا۔" جمیل بھیا کی نظروں تک میں طنز تھا۔

"جمیل میاں کوئی کیا کر سکتا تھا' اس کے باپ کا فرض تھا کہ گھر کی فکر کرتے' اپنی اولاد کو دیکھتے' پڑھاتے لکھاتے' تربیت کرتے' وہ غریب آوارہ پھرتا رہا' کبھی پلٹ کر نہ پوچھا۔" اماں کو تو بڑے چچا کے خلاف زہر اگلنے کا کوئی موقعہ ملنا چاہئے تھا۔ بس مجبور تھیں جو کھلے خزانے ان کے سامنے کچھ نہ کہتیں۔ ان سے یہ احساس کوئی نہیں چھین سکتا تھا کہ سب گھروں کی تباہی کے ذمے دار صرف بڑے چچا تھے۔ باقی تمام افراد معصوم تھے۔ وہ بڑے یقین سے کہتی تھیں کہ بنیاد ٹیڑھی رکھی جائے تو ساری عمارت ہی ٹیڑھی بنے گی۔

جمیل بھیا سر جھکا کر جانے کیا سوچنے لگے۔ بڑی چچی دوپٹے کے پلو میں منہ چھپائے روئے جا رہی تھیں۔ ان کی کوکھ سے جنم لینے والا ان کے دکھوں پر تھوک کر ساتھ چھوڑ گیا تھا۔ وہ لاکھ آوارہ ہو گیا تھا پھر بھی ایک ماں کو اس سے کوئی آس تو تھی۔

"مت روئیے بڑی بھابی' جب ملک آزاد ہو گا تو شکیل بھی واپس آجائے

گا۔" اماں نے مضحکہ خیز طریقے سے کہا اور داد طلب نظروں سے دیکھنے لگیں۔

"اور جب ملک آزاد ہو گا تو سارے انگریز دم دبا کر بھاگ جائیں گے' ہمارے پاکستان میں تو ایک بھی انگریز نہ رہے گا۔" چھمی بھی اپنے کمرے سے نکل آئی تھی۔

'میرے اللہ۔" عالیہ زیر لب بڑبڑائی۔ "ایک دفعہ پھر سب لوگ سن لو کہ شکیل بھاگ گیا' بڑی چچی کا کلیجہ صدمے سے پھٹ رہا ہے' آپ لوگ ذرا دیر کو اپنی بحث سے ہاتھ اٹھالیں۔" عالیہ کے لہجے میں سختی تھی۔

"ذرا دیر کے لئے سب چپ ہو گئے۔ شام اتنی ویران اور اداس ہو رہی تھی کہ عالیہ کو لگا کہ شکیل بھاگا نہیں بلکہ ابھی ابھی اس کی میت اٹھائی گئی ہے۔ بڑی چچی کیسے بلک بلک کر رو رہی تھیں۔

"اماں اس کے لئے مت روییئے' وہ تو سخت نالائق لڑکا تھا۔" جمیل بھیا اپنی ماں کے پاس آکر کھڑے ہو گئے۔ "میں جو ہوں آپ کا خدمت گار۔"

"تم بھی مجھے چھوڑ کر چلے جاؤ۔" بڑی چچی نے سسک کر کہا۔

"میں کہاں جاؤں گا اماں' میرا آپ کا تو جنم جنم کا ساتھ ہے' اور تو اس دنیا میں میرا کوئی ساتھی نہیں۔" انہوں نے نظریں بچا کر عالیہ کو دیکھا تو اس نے گھبرا کر بڑی چچی کی آڑ لے لی۔

جمیل بھیا کی ذرا سی تسلی سے بڑی چچی چپ ہو گئیں' وہ چپ نہ ہوتیں تو کیا کرتیں۔ ان کی ساری زندگی ان کی مرضی کے خلاف گزرتی رہی۔ اور وہ صبر کی سل سینے پر دھرے دوسروں کے اشاروں پر جیتی رہیں۔

"اللہ اب اس گھر کو تباہیوں سے بچالے"—— کریمن بوا دعائیں کر کر کے لالٹینیں جلا رہی تھیں اور سب لوگ بڑی عقیدت سے اذان کی آواز سن رہے تھے۔ نجمہ پھوپھی نے اپنے کمرے کی کھڑکی سے جھانک کر نیچے دیکھا اور اس طرح ہٹ گئیں جیسے کہہ رہی ہوں کہ مرجاؤ جاہلو' تم سب کی یہی سزا ہے۔ بھوکے مر مر کر ایک دن سب بھاگ جائیں گے۔

رات آٹھ بجے کے قریب بڑے چچا گھر میں داخل ہوئے تو بڑی گہری

خاموشی چھائی ہوئی تھی۔ کریمن بوا نے تخت پر دستر خوان بچھا کر کھانا لگا دیا۔

"شکیل بھاگ گیا، بمبئی میں ہے۔" بڑی چچی نے خبر سنائی۔ ان کی آواز بھرا رہی تھی۔

"ارے، بھاگ گیا، آخر کیوں بھاگ گیا وہ مردود۔" مارے غصے کے بڑے چچا کا منہ سرخ ہو رہا تھا۔ "آئے گا تو اس کی ہڈیاں توڑ دوں گا، اسے شرم نہیں آئی۔"

"تم کیوں ہڈیاں توڑو گے، تم نے اس کے لئے کیا کیا ہے، تم کو تو یہ بھی یاد نہ تھا کہ شکیل بھی تمہاری اولاد ہے۔" بڑی چچی نے تابڑ توڑ جواب دیا۔ آج پہلی بار وہ سب کے سامنے بڑے چچا سے لڑنے پر آمادہ تھیں۔

"وہ —— وہ میں نے کہا کہ اسے ایسا نہیں کرنا چاہئے تھا۔" بڑے چچا نے بوکھلا کر سر جھکا لیا اور جلدی جلدی نوالے توڑنے لگے۔ چھمی دانتوں تلے انگلی رکھ کر اپنے مخصوص انداز سے ہنسنے لگی تو بڑی چچی نے اسے گھور کر دیکھا اور وہ اپنے کمرے میں چلی گئیں۔

عالیہ نے بڑی خوشی سے سب سنا، دیکھا اور کڑھ کر رہ گئی۔ بڑے چچا کا جھکا ہوا سر دیکھ کر اس کا دل تڑپ اٹھا تھا —— کاش بڑے چچا سے اب کوئی کچھ نہ کہے۔ انہیں ان کے حال میں مست رہنے دیا جائے، مگر یہاں تو کوئی انہیں معاف کرنے کو بھی تیار نہیں۔

کھانے کے بعد بڑے چچا بیٹھک میں چلے گئے تو عالیہ نے بڑی منتوں سے بڑی چچی کو کھانا کھلایا۔ آج تو وہ پیٹ کے دوزخ کو پاٹنے کے لئے بھی تیار نہ تھیں۔

"کریمن بوا، بڑی بھابی سے پوچھو کہ میں بمبئی جا کر شکیل کو تلاش کروں؟" جب عالیہ اپنے بستر پر لیٹ رہی تھی تو اسرار میاں کی کپکپاتی آواز اس کے کلیجے کے پار ہو گئی۔ کیا سچ مچ یہ آواز اسرار میاں کی تھی! اسے یقین نہ آ رہا تھا۔

امتحان کے بعد جب عالیہ نے سر اٹھایا تو بہار جا چکی تھی۔ ہواؤں میں گرمی بس گئی تھی۔ نالی سے ڈھیروں پانی کیاری میں جاتا مگر پھولوں پر رونق نہ آتی۔ پتیاں مرجھا مرجھا کر جھڑتی رہتیں، مارے پیاس کے ننھی چڑیوں کی چونچیں کھلی رہتیں، اور چولھے کے پاس کام کرتے ہوئے کریمن بوا کے ہاتھ سے پنکھیا نہ چھوٹتی۔ شام کو صحن ٹھنڈا کرنے کے لئے کتنی ہی پانی کی بالٹیاں چھڑک دی جاتیں، پھر بھی سکون نہ ملتا۔ سارا ماحول جل رہا تھا۔

ان بے کار، ویران اور گرم دنوں میں بڑی چچی نے چھمی کے جہیز کے پانچ جوڑے کپڑے اس کے سپرد کر دیئے تھے۔ دوپہر میں جب سناٹا چھا جاتا تو وہ مشین پر کپڑے سینے بیٹھ جاتی۔ بڑی چچی سے تو اب کچھ بھی نہ ہوتا تھا۔ ہر وقت بجھی بجھی سی رہتیں۔ ان کا کسی کام میں جی نہ لگتا اور اماں تو ویسے بھی چھمی کو برداشت نہ کرتیں۔ ان کا بس چلتا تو جہیز کے کپڑوں سے چھمی کا کفن سی ڈالتیں۔ بس ایک عالیہ رہ گئی تھی جو بڑے خلوص سے جہیز سی رہی تھی اور ہر وقت چھمی کے اچھے نصیب ہونے کی دعائیں کر رہی تھیں۔

ادھر چھمی تھی کہ اپنے نصیب کی بازی لگنے سے بے خبر سارے گھر میں اودھم ڈھاتی پھر رہی تھی۔ منظور کی محبت نے جو ذرا سی سنجیدگی پیدا کر دی تھی وہ بھی ختم ہو گئی تھی۔ بڑے چچا کو دیکھتے ہی اسے پاکستان کا خیال ستانے لگتا۔ انگریزوں کو وہ بے نقط سناتی کہ اماں کے چھکے چھوٹ جاتے، اور جب سب کو چڑا چڑا کر وہ تھک جاتی تو پھر عالیہ کے پاس آ گھستی —— "اے بجیا یہ کس کے کپڑے سل رہے ہیں، ہے اللہ کتنے پیارے ہیں، یہ کون پہنے گا؟" وہ اٹھلا کر پوچھتی۔

"کسی کے ہیں چھمی۔" عالیہ لرز کر بہانہ کرتی کہ کہیں سچی بات کا پتہ نہ چل

جائے۔

"ایک دوپٹہ ہمیں دے دیجئے اس میں سے' لچکا لگا کر اوڑھوں گی۔" وہ چنے ہوئے دوپٹے کو اٹھا کر مروڑنے لگتی —— "دیکھئے میرا دوپٹہ کیسا لگتے ہو رہا ہے۔"

"چھوڑو چھمی' چنٹ کھل جائے گی۔" عالیہ دوپٹہ چھیننے لگتی۔

"آخر یہ ہیں کس کے جہیز کے' بیچاری بتا بھی نہیں سکتیں' زبان تھکتی ہے۔" مارے تجسس کے چھمی لڑنے پر آمادہ ہو جاتی۔

"میں تم کو پیٹوں گی جو مجھ سے لڑیں۔" عالیہ بڑے پیار سے اپنی بڑائی کا رعب ڈالتی تو چھمی ہنسنے لگتی۔

آج دوپہر میں کتنا سناٹا تھا۔ وہ چھمی کے دوپٹے میں کرن ٹانک رہی تھی اور اپنے مستقبل کے خیال کو جان پر نازل کئے جا رہی تھی —— اگر وہ فیل ہو گئی تو کیا ہو گا' اگر پاس ہو گئی تو لے دے کے ایک ہی بات رہ جاتی ہے کہ بی ٹی کرے۔ استانی بن جائے مگر کیا وہ بی ٹی کر سکے گی' کیا اماں اسے علی گڑھ جانے دیں گی اور کیا ماموں اسے اتنے روپے بھجواتے رہیں گے؟

ہائی سکول کے احاطے میں آم کے درختوں پر کوئل مسلسل چیخے جا رہی تھی اور پاس کے کمرے میں سوئی ہوئی نجمہ پھوپھی کے خراٹے چھت سر پر اٹھائے ہوئے تھے۔ اس کا جی چاہا کہ وہ بھی سو جائے اور اتنے خراٹے لے کہ نجمہ پھوپھی اپنی بے فکر نیند سے چونک پڑیں اور پھر ساری دوپہر بیٹھ کر کاٹ دیں۔

بالم آئے بسو مورے من میں —— چلچلاتی دھوپ سے بچنے کے لئے کوئی راہ گیر بالم کا سایہ تلاش کرتا گلی سے گزر گیا۔

وہ ایک لمحے کو گلی میں جھانکی اور پھر کرن ٹانکنے لگی —— کتنی صدیاں گزر گئیں مگر ان بالم صاحب کی سج دھج میں فرق نہ آیا۔ کتنوں کو قبر میں سلا دیا مگر خود موت کا منہ تک نہ دیکھا۔

"کیا ہو رہا ہے؟" جمیل بھیا نے آتے ہی پوچھا۔

آج کتنی مدت بعد وہ پھر اس کے پاس آ بیٹھے تھے —— لو ایک اور بالم صاحب آ گئے —— عالیہ بوکھلا کر الٹے سیدھے ٹانکے مارنے لگی —— "چھمی کا

دوپٹہ ٹانک رہی ہوں۔"

وہ دوپٹے کا ایک سرا پکڑ کر یوں ہی الٹنے پلٹنے لگے۔ عالیہ نے نیچی نیچی نظروں سے دیکھا کہ آج پھر ان کی آنکھوں میں پاگل پن جھانک رہا تھا اور چہرے پر زندگی سے تھک جانے کے آثار اُمڈ رہے تھے —— ہائے یہ کون سا جذبہ ہے جو اتنی جھڑکیاں کھانے کے بعد بھی ختم نہیں ہوتا۔

"اچھا تو چھمی بی بی کا جہیز تیار ہو رہا ہے۔" وہ جیسے بات کرنے کی خاطر بولے۔

"ہاں جمیل بھیا۔ ابھی خیر ہے، خوب سوچ لیجئے۔"

"عالیہ۔" مارے غصے کے جمیل بھیا ایک دم چپ ہو گئے۔ "تم مجھے چڑا کر خوش ہوتی ہو؟" چند لمحوں بعد وہ بولے تو ان کی آواز میں لرزش تھی۔

"بھئی حد ہے، آپ تو ذرا ذرا سی بات پر ناراض ہوتے ہیں۔" وہ ہنسنے لگی۔ اس نے سوچا کہ بات یوں ہی ہنسی میں ٹل جائے تو ٹھیک ہے، پر جمیل بھیا تو سخت سنجیدہ ہو رہے تھے۔

"عالیہ!" انہوں نے پکارا۔

"ہوں۔" عالیہ نے سر تک نہ اٹھایا۔

"ذرا یہ دوپٹہ تو اوڑھ کر دکھاؤ۔" ان کی آواز جذبات کے بوجھ سے بھاری ہو رہی تھی۔

"کیوں؟"

"بس یہی دیکھنا چاہتا ہوں کہ تم دلہن بن کر کیسی لگو گی۔"

"آپ کی دلہن کے لئے بھی ایسا دوپٹہ ٹانک دوں گی۔"

"میری کوئی دلہن نہیں۔"

"کہئے تو آپ کی چار شادیاں کرلاؤں؟"

"بیویوں کا کیا ہے، وہ تو بہت سی مل جائیں گی، مگر مجھے میری دلہن کبھی نہ ملے گی، تم میری شادی کرنے کی زحمت نہ کرو تو اچھا ہے۔"

جمیل بھیا کی آنکھوں میں ایسا دکھ تھا کہ وہ ڈوب کر رہ گئی۔ اس نے دونوں

ہاتھوں سے دوپٹے کو اس طرح تان لیا جیسے اب سر پر ڈال لے گی۔ وہ اس وقت تو جمیل بھیا کی فرمائش ضرور پوری کر دے گی۔ جمیل بھیا اسے کس شوق سے دیکھ رہے تھے۔ پھر ایک دم جیسے وہ چونک پڑی۔ اس نے دوپٹے کو لپیٹ کر ایک طرف رکھ دیا اور ادھر ادھر دیکھنے لگی۔ اگر آج اس نے یہ دوپٹہ اوڑھ لیا ہوتا تو پھر یہی دوپٹہ گھونگھٹ بن جاتا۔ وہ اس گھونگھٹ کو کبھی نہ اٹھا سکتی۔ یہ گھونگھٹ اس کی آنکھوں پر پردہ بن کر پڑ جاتی۔ اس گھر میں ایک اور بڑی چچی زندگی کی راہ پر بھٹکنے کے لئے جنم لے لیتی اور پھر ملک آزاد ہوتا رہتا۔

"تم یہ دوپٹہ اوڑھنا چاہتی ہو مگر بزدل ہو۔" جمیل بھیا پھر آپے سے باہر ہونے لگے۔ "جانے تم کس قسم کی لڑکی ہو۔"

"جمیل بھیا صاحب، آپ اپنی اماں کی زندگی سے عبرت حاصل کیجئے۔ کسی سیدھی سادی عورت سے شادی کر لیجئے اور بس، وہ سب سہ جائے گی۔"

جمیل بھیا نے اسے غور سے دیکھا، شاید وہ اس کے طنز کی گہرائی کو پار کر گئے تھے —— "مجھے نہیں معلوم کہ میرے باپ کس مٹی کے بنے ہیں، بہر حال یہ خیال غلط ہے کہ ملک کا غم گھروں کے غموں سے نجات دلا دیتا ہے یا سیاست میں حصہ لینے والے کسی سے محبت نہیں کرتے۔" وہ جانے کے لئے اٹھ کھڑے ہوئے۔ "تم اس شخص کے دکھ کا اندازہ لگا ہی نہیں سکتیں جس کا کوئی ارمان پورا نہ ہوا ہو۔"

وہ ذرا دیر ٹھہر کر چلے گئے مگر عالیہ نے کوئی جواب نہ دیا۔ وہ جواب دینا بھی نہ چاہتی تھی۔ اس وقت جمیل بھیا کے سامنے وہ کسی ڈھٹائی کا مظاہرہ کرنے کی طاقت نہ رکھتی تھی۔ اس وقت اسے ان کے دکھ کا احساس ہو رہا تھا مگر ان دکھوں کا مداوا اس کے بس میں نہ تھا۔

اس نے پھر دوپٹہ ٹانکنا چاہا مگر جی نہ لگا۔ ناامیدیوں کے بولوں کے بعد کا سناٹا کتنا بوجھل ہو رہا تھا۔ وہ بڑی دیر تک یوں ہی خالی الذہن سی پڑی ادھر ادھر دیکھتی رہی۔

شام کو جب وہ نیچے اتری تو کریمن بوا صحن میں پانی چھڑک رہی تھی۔ جمیل

بھیا لوہے کی کرسی پر بیٹھے انگلیاں مروڑ رہے تھے اور بڑے چچا برآمدے میں ٹہل ٹہل کر جیسے کسی چیز کا انتظار کر رہے تھے۔ ان کا چہرہ اترا ہوا تھا اور آنکھیں سرخ ہو رہی تھیں۔ بڑی چچی سب سے بے نیاز، تخت پر بیٹھی آلو چھیل رہی تھیں۔

"بڑے چچا آپ کی طبیعت کیسی ہے؟" عالیہ نے بڑے چچا کے قریب جا کر پوچھا۔

"سر میں درد ہے بیٹی۔"

بڑی چچی نے چونک کر اپنے شوہر کی طرف دیکھا—— "کریمن بوا جلدی سے پلنگ بچھا دو، بس صحن ٹھنڈا ہو گیا۔"

"ناس جائے اس درد کا۔" کریمن بوا برآمدے میں ایک طرف کھڑے ہوئے پلنگ اٹھا اٹھا کر آنگن میں بچھانے لگیں۔

بڑے چچا جمیل بھیا کی طرف سے کروٹ لے کر لیٹ گئے۔ عالیہ کو سخت کوفت ہو رہی تھی کہ بیٹا پاس بیٹھا ہے مگر باپ کو پوچھتا تک نہیں۔ کتنا عرصہ ہو گیا دونوں کے درمیان بات چیت بند تھی۔

"تم آج دو دن سے گھر میں کیوں بیٹھے رہتے ہو؟" بڑی چچی نے جمیل بھیا کی طرف دیکھا۔

"نوکری چھٹ گئی ہے اماں، سرکار کے دفتروں میں سیاسی لوگوں کا گزارا مشکل ہی سے ہوتا ہے۔"

عالیہ نے جل کر جمیل بھیا کو دیکھا۔ "خوب، اسی برتے پر اپنی دلہن تلاش ہو رہی تھی"—— اس نے سوچا اور پھر جمیل بھیا کو کٹتی ہوئی نظروں سے دیکھ کر منہ پھیر لیا۔

"مسلم لیگیوں کی کھپت تو انگریز بہادر کے دفتروں ہی میں ہوتی ہے۔" بڑے چچا نے کروٹ بدلے بغیر کہا۔

"آپ کا خیال بالکل غلط ہے، اصل بات تو یہ ہے کہ جب کانگریسی سفارش کر دیتے ہیں تو پھر نوکری مل جاتی ہے۔" جمیل بھیا بھی کیوں چپ رہتے۔

"ہوں!"

باپ بیٹے دونوں ہی اپنے اپنے طنز کی آگ میں جل کر خود بخود بجھ گئے اور دونوں نے اس طرح منہ پھیر لیا جیسے ایک دوسرے کو بات کرنے کے لائق نہ سمجھ رہے ہوں۔ عالیہ نے جمیل بھیا کو ملامت بھری نظروں سے دیکھا اور بڑے چچا کے پاس بیٹھ کر ہولے ہولے سر سہلانے لگی۔ اماں گیلے بال جھٹکتی ہوئی غسل خانے سے نکل آئیں اور سب کو ایک جگہ جمع دیکھ کر بڑی بیزاری سے پاندان اٹھا کر آخری پلنگ پر جا بیٹھیں۔

"اب کیا ہو گا؟" بڑی چچی نے جمیل بھیا سے پوچھا۔

"فکر نہ کیجئے اماں، ایک بڑی اچھی نوکری ملنے والی ہے، آپ سب کے ٹھاٹ ہو جائیں گے۔"

"شکیل کی پھر کوئی خیریت معلوم ہوئی یا نہیں؟" بڑی چچی نے اچانک پوچھا۔

"اماں آپ اس کی فکر نہ کیا کیجئے، وہ بڑے مزے میں ہے۔ یہاں کے سارے دکھ بھول گیا ہو گا۔" جمیل بھیا نے پھر بڑی صفائی سے جھوٹ بولا۔ انہوں نے عالیہ کو ساری حقیقت بتا دی تھی کہ انہیں شکیل کا پتہ تک نہیں معلوم۔

"خیر جہاں رہے خوش رہے۔" بڑی چچی نے ٹھنڈی آہ بھری۔

"بڑے چچا آپ کا پلنگ باہر چبوترے پر بچھوا دوں، کھلی فضا میں درد کم ہو جائے گا" عالیہ نے پوچھا۔ دو مختلف کٹر نظریات ایک جگہ جمع ہو جاتے تو اسے ڈر لگنے لگتا۔ شکیل کے ذکر سے وہ پریشان تھی۔ جمیل بھیا موقع پر چوکنے کا نام نہ لیتے۔

"ہاں وہیں بستر لگوا دو تو بڑا اچھا ہو۔" بڑے چچا نے اسے ممنونیت سے دیکھا اور پھر باہر جانے کے لئے اٹھ کھڑے ہوئے۔

گلی میں کانگریسی بچوں کا جلوس نکل رہا تھا۔ وہ بڑے بے ہنگم طریقے سے شور مچا رہے تھے۔ "جھنڈا اونچا رہے ہمارا —— کانگریس زندہ باد، گاندھی جی زندہ باد، جواہر لال نہرو زندہ باد، ہندوستان نہیں بٹے گا، جھنڈا اونچا رہے ہمارا ——"

بڑے چچا کے ہونٹوں پر ایک مبہم سی مسکراہٹ پھیل گئی۔ ان کی آنکھیں چمک رہی تھیں۔ جمیل بھیا ہنس رہے تھے اور اماں جو بڑی دیر سے چپ بیٹھی چھالیہ

کاٹ رہی تھیں۔ آخر بول ہی پڑیں۔ "پہلے آزادی تو مل جائے، پھر سب ہوتا رہے گا اور پھر یہ ہندوستانی لوگ پہلے حکومت کرنا بھی تو سیکھ لیں۔"

سب چپ رہے، کسی نے بھی تو اماں کو جواب نہ دیا۔ باہر بڑے چچا کا بستر لگ گیا تھا۔ وہ چلے گئے اور جمیل بھیا پھر انگلیاں مروڑنے لگے۔ جلوس کا شور دروازے کے قریب ہوتا جا رہا تھا۔ چھمی دیوانوں کی طرح بھدر بھدر کرتی اپنے کمرے سے نکل پڑی —— "اگر میرے دروازے کے پاس سے جلوس نکلا تو ڈھیلے ماروں گی۔" وہ دروازے کی طرف لپکی۔

"خبردار جو آگے بڑھیں، بیٹھ جاؤ چپکے سے۔" جمیل بھیا زور سے گرجے، اور چھمی جانے کیسے رعب میں آگئی۔ اس نے جمیل بھیا کو گھور کر دیکھا اور بڑبڑانے لگی—— "ہونہہ! بڑے آئے بیچارے، آج ہی مسلم لیگ کا جلوس نہ نکالا ہو تو میرا نام بھی چھمی نہیں۔"

جلوس دروازے کے پاس سے گزر گیا تو جمیل بھیا کپڑے تبدیل کر کے باہر چلے گئے۔ چھمی جیسے ان کے جانے کا انتظار کر رہی تھی جمیل بھیا کے جاتے ہی برقع اوڑھ کر خود بھی باہر نکل گئی۔ عالیہ اسے روک نہ سکی۔

"زمانے زمانے کی بات ہے، پہلے تو جب بیبیاں گھروں سے نکلتیں تو دو دو چار چار مامائیں ساتھ ہوتی تھیں۔" کریمن بوا چھمی کے یوں باہر نکل جانے پر ہمیشہ کڑھا کرتیں۔

عالیہ نے کواڑوں کی اوٹ سے جھانک کر باہر دیکھا۔ بڑے چچا اپنے صاف ستھرے بستر پر پاؤں پھیلائے سکون سے لیٹے تھے اور اسرار میاں ان کے قریب آرام کرسی پر بیٹھے باتیں کر رہے تھے۔ سامنے پیپل کے گھنے درخت سے چاند کی روشنی ابھرتی معلوم ہو رہی تھی، عالیہ کا جی چاہ رہا تھا کہ وہ بھی باہر چبوترے پر جا بیٹھے۔ اسرار میاں کی باتیں سنے، انہیں پاس سے دیکھے۔ وہ کس طرح بولتے ہیں، وہ کیسی باتیں کرتے ہیں۔ وہ جو اس کے دادا کی بدنیتی کا نتیجہ ہیں، ان کی آنکھوں میں کون سی کیفیت ہو گی اپنے آپ کو پہچاننے کے بعد کون سے اثرات ان کے چہرے پر لرزاں ہوں گے۔ وہ کیا سوچتے ہوں گے۔ اور جب وہ یہ سب کچھ معلوم

کرلے گی تو ایک بار انہیں چپکے سے اسرار چچا کہے گی۔ انہیں بتائے گی کہ وہ بھی اسے بڑے چچا کی طرح عزیز ہیں۔ وہ ان کی بے حد عزت کرتی ہے' اور زندگی میں ایک بار انکی خدمت کرنا چاہتی ہے اور وہ ان کے دل سے ان تمام تیروں کو کھینچ کر پھینک دے گی جو کریمن بوا نے پیوست کیے ہیں۔ وہ انہیں سمجھائے گی کہ ان کی کسی بات کا برا نہ مانا کریں۔ وہ کسی کی دشمن نہیں وہ خود کچھ نہیں کہتیں۔ یہ ظالم نمک ان سے سب کچھ کہلواتا ہے۔

"عالیہ بیٹی ایک پان کھلا دو۔" بڑی چچی نے فرمائش کی تو وہ تخت پر آ بیٹھی اور پاندان کھول کر پان بنانے لگی —— وہ باہر چبوترے پر جا کر نہیں بیٹھ سکتی۔ اسے عجیب سی بے بسی کا احساس ہو رہا تھا۔

محلے کی مسجد سے اذان کی آواز آ رہی تھی۔ اس نے مارے احترام کے ساری کا پلو سر پر ڈال لیا۔ کریمن بوا جلدی جلدی لالٹینیں جلا رہی تھیں۔

"اللہ شکیل کو خیریت سے رکھیو۔" بڑی چچی دونوں ہاتھ پھیلا کر دعا کرنے لگیں۔ وہ اس وقت کتنی دکھی اور ممتا سے بھرپور نظر آ رہی تھیں۔

اندھیرا ہر طرف در آیا تھا مگر چھمی اب تک گھر نہیں لوٹی تھی۔ عالیہ کو خواہ مخواہ فکر ہو رہی تھی۔ ویسے گھر میں اور کسی نے نہ پوچھا کہ وہ ہے کہاں۔

ذرا دیر بعد چھمی آئی تو منہ سرخ ہو رہا تھا۔ سانس پھولی ہوئی تھی ——

"اے بجیا میں نے ایسا شاندار جلوس تیار کرایا ہے کہ آپ دیکھتی رہ جائیں گی' بس ذرا دیر میں ادھر سے گزرنے والا ہے۔ عذرا کی اماں نے جھنڈا بنایا' طاہرہ کی اماں نے ایک بوتل مٹی کا تیل دیا تھا' میں نے مشعلیں تیار کیں۔ سارے محلے کے لڑکوں کو جمع کر دیا ہے' ہائے' بڑے چچا دیکھیں گے تو آنکھیں کھل جائیں گی۔ میں نے سارے بچوں کو سمجھا دیا ہے کہ میرے دروازے پر آ کر خوب نعرے لگانا" چھمی ایک ہی سانس میں سب کچھ کہہ گئی۔ اور پھر برقع پھینک کر جلوس کے انتظار میں ٹہلنے لگی۔

خوشیوں کا کوئی پیمانہ اس وقت چھمی کی مسرت کو نہیں ناپ سکتا تھا۔ عالیہ نے اسے کوئی جواب نہ دیا۔ وہ پریشان ہو رہی تھی کہ کہیں یہ ننھے منے بچوں کا

جلوس گھر میں فساد نہ کرا دے۔ اس نے یہی بہتر سمجھا کہ اوپر اپنے کمرے میں کھسک لے۔ دور سے بچوں کے نعروں کی آواز آ رہی تھی۔

بڑے کمرے سے گزرتے ہوئے اس نے دیکھا کہ نجمہ پھوپھی اپنے صاف ستھرے بستر پر لیٹی کوئی موٹی سی کتاب پڑھ رہی ہیں۔ گرمیوں میں بڑی چھت پر نجمہ پھوپھی کا ڈیرہ جمتا تھا۔ اس لئے وہ اپنے کمرے کے پاس والی چھوٹی چھت پر گزارہ کرلیتی۔ اتنی قابل نجمہ پھوپھی کا اور اس کا ساتھ کیسے ہو سکتا تھا۔

جلوس قریب آگیا تھا۔ بچے بڑے زور زور سے نعرے لگا رہے تھے۔ "مسلم لیگ زندہ باد' قائداعظم زندہ باد' بن کے رہے گا پاکستان' 'دھتیا راج نہیں ہو گا' چٹیا راج نہیں ہو گا۔"

عالیہ چھت کی منڈیر سے جھک کر گلی میں جھانکنے لگی' دو بڑے لڑکے مشعلیں اٹھائے سب سے آگے تھے۔

"نہیں دیکھنے دیا ظالم نے" —— چھمی بھاگتی ہوئی آئی اور عالیہ کے برابر کھڑے ہو کر نیچے گلی میں آدھی لٹک گئی —— "ہائے کیسا شاندار جلوس ہے' وہ آپ کے بڑے چچا نے مجھے دروازے سے جلوس نہیں دیکھنے دیا' جل کر خاک ہو گئے حضرت"۔

"چھمی ذرا سرک کر جھانکو کہیں جلوس کے ساتھ تمہاری لاش بھی نہ نکل جائے۔" عالیہ نے چھمی کے لٹکے ہوئے دھڑ کو اپنی طرف کھینچا۔

"ہائے بجیا میں نے مشعلیں کیسی اچھی بنائی ہیں' ہیں نا؟" چھمی نے داد طلب نظروں سے دیکھا —— "آج تو آپ کے بڑے چچا جلتے جلتے ختم ہو جائیں گے۔"

"چھی' کیسی باتیں کرتی ہو چھمی' بس پتہ چل گیا کہ لیگی ویگی کچھ نہیں ہو' بڑے چچا کو جلانے کے لئے یہ سوانگ رچایا ہے۔"

"واہ' ہوں کیوں نہیں۔" وہ شرمندہ سی ہو گئی اور عالیہ کے گلے میں ہاتھ ڈال کر جھول گئی۔

جلوس گلی کے موڑ پر غائب ہو گیا تو تھکی تھکی سی چھمی عالیہ کے بستر پر لیٹ کر لمبی لمبی سانسیں لینے لگی اور عالیہ خاموشی سے ٹہلتی رہی —— اب کتنے دن یوں

سب کو جلانے کے لئے چھمی بیٹھی رہے گی۔ آخر تو ایک دن اپنے گھر چلی ہی جائے گی، جانے وہ گھر بھی اس کا گھر بنے گا کہ نہیں۔ چھمی کو وہاں محبت ملے گی یا نہیں۔ کیا وہاں بھی وہ سب سے بدلے چکانے کے طریقے ایجاد کر کر کے زندگی گزارے گی۔

"عالیہ بٹیا اور چھمی بٹیا' دونوں کھانا کھانے نیچے آجاؤ۔" کریمن بوا کی آواز آئی۔

وہ پاس ہو گئی تھی مگر اب پورا سال برباد جا رہا تھا۔ وہ بی ٹی کرنے علی گڑھ نہ جا سکی۔ بس اتنی سی بات تھی کہ وہ اپنے قلم سے لکھ کر ماموں سے زیادہ روپوں کی فرمائش نہ کرنا چاہتی تھی۔ جب اماں سے بات ہوئی تو انہوں نے بڑے لاڈ سے کہا تھا کہ اپنے ماموں کو لکھو' وہ زیادہ روپے بھجوانے لگیں' اس وقت عالیہ نے سختی سے انکار کر دیا تھا' اس نے یہ تک کہہ دیا تھا کہ وہ انہیں خط لکھنا پسند نہیں کرتی۔ بس اسی دن سے اماں نے منہ پھلا لیا تھا۔ اپنے بھائی اور انگریز بھاوج کے لئے اپنی اکلوتی اولاد کے دل میں عناد پا کر ان کے تن بدن میں آگ لگ گئی تھی۔ انہوں نے عالیہ سے بات کرنا چھوڑ دی تھی اور اس طرح ایک قیمتی سال ضد کی بازی پر ہار دیا تھا۔

"ارے اردو لے کر بی اے کر لیا' یہی بہت ہے' اور کر بھی کیا سکتی تھی غریب" ایک دن نجمہ پھوپھی بول ہی پڑیں۔ شاید انہیں یقین ہو گیا کہ بس اب تعلیم کا سلسلہ ختم۔ عالیہ نے سن کر منہ پھیر لیا۔ وہ اس کے ابا کی بہن تھیں۔ وہ ان کے منہ نہ لگنا چاہتی تھی اگر اس کے حالات نہ خراب ہوتے تو ایم اے بھی اردو ہی میں کرتی۔ اردو تو اس کی مادری زبان تھی۔ اس کے چہیتے چچا کی زبان تھی۔ بڑے چچا تو انگریزی زبان تک سے نفرت کرتے تھے۔ انہیں کے کہنے سے اس نے بی اے میں اردو بھی لی تھی۔ اسے خود انگریزی زبان سے نفرت نہ تھی اور نہ وہ نالائق تھی' وہ تو انگریزی میں ایم اے کر کے نجمہ پھوپھی کے منہ پر اپنی ڈگری مار سکتی تھی مگر یہ سب کچھ کرنے کے لئے اسے بڑے چچا کا حکم ٹالنا پڑتا۔

ستمبر کی بیس تاریخ چھمی کے نکاح کے لئے مقرر ہو چکی تھی۔ اماں کے لاکھ منع کرنے کے باوجود عالیہ نے چھمی کا سارا جہیز تیار کیا تھا۔ اسرار میاں نے بازار

کے پچاسوں چکر لگانے کے بعد چھمی کے جہیز کے برتن خرید لئے تھے۔ نقشین، لوٹا کٹورہ، جگ، اگالدان، پاندان، دو پتیلیاں اور چھ پلیٹیں جب بڑے بکس میں رکھی جا رہی تھیں تو کریمن بوا دیر تک سر پکڑے بیٹھی رہیں۔ ان کی آنکھوں کو یہ زمانہ بھی دیکھنا تھا کہ ان کے مالک مرحوم کی پوتی کو ایسا جہیز دیا جائے۔ اچھے زمانے میں تو ایسا جہیز باندیوں کی بیٹیوں کو دے کر رخصت کیا گیا تھا۔ بس اتنا ہی فرق تھا کہ وہ برتن نقشین نہ ہوتے تھے۔

جب بڑی چچی برتن بند کر کے اٹھیں تو کریمن بوا کو بے تحاشہ رونا آگیا۔ بڑی چچی نے انہیں سمجھا بجھا کر بڑی مشکل سے چپ کرایا۔ کیا فائدہ تھا جو چھمی کو پہلے سے خبر ہو جائے۔ سب اس سے ڈرے ہوئے تھے۔ بڑے چچا کی لگائی ہوئی شادی سے کہیں انکار ہی نہ کر دے۔

بڑی چچی کو شادی کے دن کا سخت انتظار تھا۔ شادی میں شریک ہونے کے لئے ساجدہ آپا بھی آرہی تھیں۔ ساجدہ آپا کی شادی کو کتنا عرصہ گزر گیا تھا مگر بڑی چچی گھر کے دھندوں سے چھٹ کر ایک دن کے لئے بھی اپنی بیٹی کے گھر نہ جا سکیں۔ ساجدہ آپا شروع شروع میں تو گھر آتی رہیں۔ پھر جیسے سب کی طرف سے صبر کر کے بیٹھ رہیں۔ یہاں ساجدہ آپا کے لئے کون پھڑکا جا رہا تھا۔ عالیہ نے شاید دو چار دفعہ ہی ان کا ذکر سنا تھا۔ پھر مائکے میں ان کے لئے کون سے جوڑے باگے رکھے تھے جنہیں لے کر خوشی خوشی رخصت ہوتیں۔ ادھر ان کے میاں بھی یہاں آنے سے کتراتے، جب سے کانگریس کو خیرباد کہا تو بڑے چچا بھی چھوٹ گئے تھے، ان کے سامنے کس منہ سے آتے۔

جوں جوں شادی کے دن قریب آرہے تھے، عالیہ کو یہ فکر ستا رہی تھی کہ وہ چھمی کو کیا دے۔ اماں نے تو اپنے جہیز کے کپڑوں سے ایک گلا ہوا جوڑا نکال کر چھمی کے نام کا کر دیا تھا۔ اس طرح وہ اپنے فرض سے سبکدوش ہو گئی تھیں۔ انہوں نے عالیہ سے مشورہ تک نہ کیا تھا۔ عالیہ کو اپنی اماں کی اس زیادتی کا شدت سے احساس تھا۔ ادھر بڑی چچی بھی عالیہ سے کچھ کم پریشان نہ تھیں۔ جمیل بھیا کو روزانہ ٹھوکے دیتی رہتیں کہ کچھ روپے کا انتظام کر کے چھمی کے لئے کپڑا خرید

لاؤ۔ جمیل بھیا ان کی باتیں سن کر چپ ہو رہتے۔ آج کل ٹیوشنوں سے گھر کا کچھ کام چل رہا تھا۔ نوکری وغیرہ کے سلسلے میں وہ کوئی خاص فکر مند بھی نظر نہ آتے۔ مسلم لیگ کے کارکنوں نے انہیں دنیا کی فکروں سے نجات سی دلا دی تھی مگر جمیل بھیا کے سلسلے میں بڑی چچی بھی ہار ماننے والی نہ تھیں۔ جب بھی وہ گھر آتے، پیچھے پڑ جاتیں ——"تم کو کب ملے گی نوکری، مہنگائی نے کھا لیا ہے گھر میں دھیلا نہیں، پھر چھمی کی شادی کے دن قریب ہیں، کیا تمہاری مسلم لیگ نے کچھ دینے کا وعدہ کر رکھا ہے۔"

"سب کچھ ہو جائے گا اماں آپ پریشان نہ ہو جیے" —— جمیل بھیا شرمندہ ہو جاتے "میں کوئی ابا کی طرح ہوں جو اپنے گھر کو تباہ ہوتے دیکھوں گا۔"

"ابا کے طعنے مت دو، کچھ کر کے دکھاؤ۔"

"اماں میں تو سب کچھ کرنے کو تیار ہوں مگر کوئی کرنے نہیں دیتا۔" وہ عالیہ کی طرف دیکھنے لگتے تو وہ منہ پھیر لیتی۔

"کون نہیں کرنے دیتا، میں اس کا کلیجہ کھا لوں گی، وہی نا تمہاری مسلم لیگ ——؟"

"نہیں اماں۔" جمیل بھیا زور سے ہنستے تو عالیہ اپنے کمرے میں پناہ لینے چلی جاتی اتنی فضول باتیں سن کر وہ اکتا جاتی۔

ادھر کچھ دنوں سے چھمی بالکل خاموش رہنے لگی تھی۔ جانے اسے کیا ہو گیا تھا کوئی بات کرتا تو اس طرح جواب دیتی جیسے بار گزر رہا ہے۔ کھانا کھانے کے لئے اپنے کمرے سے نکلتی اور پھر جا چھپتی۔ بہت ہوتا تو گراموفون پر ریکارڈ بجانے لگتی۔ اس کے چہرے سے ساری شگفتگی غائب ہو گئی تھی۔ عالیہ اسے یوں چپ چاپ دیکھ کر مارے فکر کے گھلی جاتی۔ کہیں چھمی کو اپنی شادی کے سلسلے میں شبہ نہ ہو گیا ہو۔ کہیں وہ بڑے چچا کی عزت برباد نہ کر دے۔ یہ چھمی ہے، ساجدہ آپا نہیں، ہو سکتا ہے کہ وہ یوں ہی چپ ہو، وہ اپنی اتنی سی عمر میں اتنا بول چکی ہے کہ اب تھک گئی ہو گی اور کیا پتہ وہ منظور کی جدائی میں سوگوار ہو، مگر چھمی منظور سے محبت ہی کب کرتی تھی، وہ تو اسے صرف سہارا سمجھتی تھی، اس کی محبت سے لطف لیتی تھی

—— عالیہ چھمی کے سلسلے میں سوچ سوچ کر تھکی جاتی۔ لاکھ اس کے ساتھ سر کھپاتی مگر چھمی کھی کھی کر کے ٹال دیتی۔

بڑے چچا دلی گئے ہوئے تھے۔ بیٹھک سونی پڑی تھی۔ جمیل بھیا بھی آج صبح سے غائب تھے۔ چھمی گونگی بن گئی تھی اور یہ بادلوں سے لدا پھندا دن بے حد اداس ہو رہا تھا۔ کوئی کام نہ تھا جس سے عالیہ اپنا جی بہلا لیتی۔ چھمی کا جہیز تیار ہو چکا تھا' بڑے چچا کی لائبریری سے کتابیں پڑھتے پڑھتے تھک چکی تھی اور اب آج اس کی سمجھ میں نہ آ رہا تھا کہ کیا کرے' یہ رینگتا ہوا دن کسی طرح تو کٹے' اور کچھ نہیں تو چھمی ہی اسے چھیڑے۔ اس سے لڑے' شور کرے' یہ ویران خاموشی کسی طرح تو دور ہو۔

عالیہ چھمی کے کمرے کی دہلیز پر جا کر کھڑی ہو گئی۔ "اوپر نہیں چلتیں میرے کمرے میں؟" اس نے پوچھا۔

"مجھے نیند آ رہی ہے بجیا۔" چھمی نے کروٹ بدل لی۔ اس نے اپنی مسہری سے اٹھنے کی زحمت تک نہ کی۔

دو تین گھنٹے کی بارش نے جیسے ساری ویرانی اور اداسی کو دھو دیا تھا۔ شام کو جب جمیل بھیا گھر آئے تو وہ بھی خوش نظر آ رہے تھے۔ عالیہ نے سوچا کہ آج یہ حضرت خوش کیوں ہیں' کون سا کارنامہ انجام دے کر آئے ہیں جو آج اسے دیکھنے کے بعد بھی صورت پر ماتم نہ برسا۔ وہ تو جمیل بھیا کے لئے سچ مچ تعزیہ بن گئی تھی۔

"اماں' حیدر آباد سے ظفر چچا کا خط آیا ہے اور مزے کی بات یہ ہے کہ میرے نام ہے۔" وہ لوہے کی کرسی پر بیٹھ کر سب کی طرف دیکھ کر ہنسے۔ "بھئی یہ انہیں میری شکائتیں کون لکھتا ہے' میری بیکاری کی کس نے اطلاع دی ہے؟"

"تمہاری نجمہ پھوپھی سے خط و کتابت ہے' انہوں نے لکھا ہو گا' اور تو کسی کو پوچھتے بھی نہیں۔" بڑی چچی نے کہا۔

"میری شکایتیں لکھنے کی وجہ سے خط و کتابت ہو گی' بھلا میرا کوئی کیا بگاڑ لے گا؟" چھمی اپنے کمرے کی دہلیز پر بیٹھے بیٹھے بولی۔

"کیا لکھا ہے انہوں نے؟" اماں نے پوچھا۔

"انہوں نے لکھا ہے کہ حیدر آباد چلے آؤ' یہاں کسی چیز کی کمی نہیں' یہ ہندوستان پاکستان کا قصہ چھوڑو' یہاں تو بنا بنایا پاکستان ہے۔" جمیل بھیا ہنسنے لگے۔

"تو پھر چلے جاؤ نا' جہاں روپیہ ہے وہاں سب کچھ ہے۔" اماں نے مشورہ دیا۔

"پھر میں سب کچھ بھول جاؤں گا۔ آپ میں سے کوئی یاد نہ آئے گا' وہاں کے پانی کا یہی اثر ہے۔"

"بس یوں ہی بکواس کرتا رہتا ہے۔" بڑی چچی کو غصہ آگیا۔ "پھر یہاں کوئی نوکری کر کے دکھاؤ نا؟"

"نوکری تو مل گئی ہے اماں' بس اب جانے والا ہوں!" جمیل بھیا نے اطلاع دی۔

"کہاں؟" مارے اشتیاق کے بڑی چچی کی آنکھیں کھل گئیں۔

"فوج میں بھرتی ہونے کی درخواست دی تھی سو منظور ہو گئی اور اب بندہ آپ کو ڈھیروں روپے بھیجا کرے گا۔"

"فوج میں؟" بڑی چچی کی آنکھیں اس طرح ساکن ہو گئیں جیسے وہ مر گئی ہو —— "ارے تو بولا گیا ہے جمیل' پھر مجھے زہر کیوں نہیں دے دیتا۔"

"بھئی حد کرتی ہیں اماں' ہزاروں آدمی فوج میں جاتے ہیں تو کیا سب مر جاتے ہیں' اور پھر جناب اگر ہٹلر کا مقابلہ نہ کیا تو انگریزوں سے بدتر ثابت ہو گا' اس کی غلامی جھیلنا آسان نہ ہو گی" —— جمیل بھیا نے سمجھانا چاہا مگر بڑی چچی بے بسی کی تصویر بنی بیٹھی تھیں۔ عالیہ کا جی چاہا کہ جمیل بھیا کو چیخ چیخ کر کمینہ کہے' ظالم کہے' یہ اپنی بے روزگاری دور کرنے نہیں جا رہے ہیں' ہٹلر کا مقابلہ کرنے جا رہے ہیں اور یہ نہیں جانتے کہ وہ خود اپنی اماں کے لئے کتنے عظیم ہٹلر ہیں۔

"اب اپنا نام کٹا لو جمیل میاں۔" کریمن بوا نے بڑی التجا سے دیکھا تو جمیل بھیا ہنس پڑے۔ "کریمن بوا میں تو صرف تمہاری خاطر جا رہا ہوں' تمہارا باورچی خانہ آباد ہو جائے گا اور تم گزرے ہوئے زمانے کو بھول جاؤ گی۔"

بڑی چچی رونے کے قریب ہو رہی تھیں۔ "جنگ پر جانے کی بجائے تم بھی

شکیل کی طرح بھاگ جاتے تو پھر مجھے صبر آ جاتا۔" وہ رو پڑیں۔

"میری اماں ——" جمیل بھیا ان کے لپٹ گئے۔ اماں کوئی میں بندوق اٹھا کر لڑوں گا! بھئی میں تو قلم سے لڑوں گا' میں تو صرف ہٹلر کے خلاف پروپیگنڈا کروں گا اور اپنی اماں کی خدمت کروں گا۔"

"تم لڑو گے نہیں؟" بڑی چچی نے مشکوک نظروں سے دیکھا۔

"قطعی نہیں اماں' میں تو دوسرے ہی کام کروں گا۔"

"کیسے کام؟" نجمہ پھوپھی نے پوچھا۔ وہ جانے کیسے اس وقت سب کے بیچ میں آ بیٹھی تھیں۔

"میں فوج میں جا رہا ہوں۔" جمیل بھیا نے فوراً جواب دیا۔

"بہت اچھی بات ہے' اب اتنی تعلیم پر اور کوئی نوکری بھی کیسے ملتی۔" نجمہ پھوپھی نے اطمینان کی سانس لی۔

"بالکل درست' وہ تو کہئے کہ عورتوں میں تعلیم نہ ہونے کے برابر ہے' ورنہ آج آپ بھی بیکار پھرتی ہوتیں۔"

نجمہ پھوپھی الٹے پیروں واپس ہو لیں' بھلا ان جاہلوں کے کون منہ لگے' اس گھر میں ان بیچاری کی قابلیت کی ذرا بھی تو عزت نہیں۔ عالیہ کو ہنسی آ رہی تھی۔

"میرے سر پر ہاتھ رکھ کر قسم کھاؤ کہ لڑو گے نہیں۔" بڑی چچی نے جمیل بھیا کا ہاتھ اپنے سر پر رکھ لیا۔

"اس سر عزیز کی قسم اماں" —— جمیل بھیا نے قہقہہ لگایا تو سب ہنس دیئے اور چھمی جو اتنی دیر سے چپ بیٹھی تھی ایک دم اپنے کمرے میں چلی گئی۔ اس کا منہ سرخ ہو رہا تھا۔

جمیل بھیا چلے گئے۔ جانے سے پہلے رات گئے وہ عالیہ سے رخصت ہونے اس کے کمرے میں آئے تھے اور بڑی دیر تک اس کے پاس کرسی پر بیٹھے پاؤں ہلاتے رہے تھے۔ دونوں خاموش تھے اور باہر بارش ہوئے چلی جا رہی تھی۔ عالیہ کو اپنی کمزوری پر غصہ آ رہا تھا۔ آخر وہ کیوں نہیں بولتی۔ وہ اتنی خاموشی کے ساتھ کس سوگ کا اعلان کر رہی ہے۔

وقت گزرتا جا رہا تھا۔ بارش اب ہلکی ہو گئی تھی۔ خاموشی اور جمیل بھیا کی موجودگی سے اس کا دم گھٹا جا رہا تھا۔ "آپ صبح جا رہے ہیں؟" عالیہ نے بڑی ہمت کر کے پوچھا۔

"ہاں جا تو رہا ہوں، پھر؟" جمیل بھیا نے سخت اکھڑ پن سے جواب دیا اور ادھر ادھر دیکھنے لگے۔ جانے وہ اپنے کس جذبے کا گلا گھونٹ رہے تھے جو ان کی آنکھیں مارے درد کے چیختی ہوئی معلوم ہو رہی تھیں۔

"پوچھنا کوئی گناہ تو نہیں!" عالیہ نے سر جھکا لیا۔ جمیل بھیا کے جواب سے دل پر چوٹ لگی تھی۔

"تم مجھے یاد کرو گی عالیہ؟" جمیل بھیا نے جیسے جھپٹ کر اس کے ہاتھ پکڑ لئے تھے۔

"نہیں! میں آپ کو کس لئے یاد کروں گی؟ آپ میرے لئے میرے چچا زاد بھائی سے زیادہ کچھ بھی نہیں ہیں۔ میں آپ کو اور کچھ سمجھنا بھی نہیں چاہتی۔ سچی بات تو یہ ہے کہ مجھے مرد کی محبت پر اعتبار ہی نہیں اور اگر فرض کر لیجئے کہ کبھی اعتبار کیا بھی تو وہ آپ جیسا نہیں ہو گا۔ ابا اور بڑے چچا جیسا بھی نہیں ہو گا۔ پرائی آگ میں جلنے والے اپنی گرہستی آگ سے ہمیشہ بے خبر رہتے ہیں۔ بہر حال میں

جسے چاہوں گی اس کے لئے کچھ نہیں بتا سکتی کہ کیسا ہو گا۔ آپ سے یہ سب کچھ اس لئے کہہ رہی ہوں کہ آپ وہاں اتنی دور رہ کر مجھے کبھی یاد نہ کریں۔ گھر سے دور رہ کر اور سب کو چھوڑ کر ان کی یادیں بہت اذیت ناک ہو جاتی ہیں۔ تو آپ آج ہی اس اذیت سے چھٹکارا پا لیجئے۔ جہاں تک گھر اور بڑی چچی کا سوال ہے تو وہ آپ کے لئے کوئی حیثیت نہیں رکھتیں۔ بڑی چچی اور کتنے دن جئیں گی؟" عالیہ کی آنکھوں میں آنسو آ گئے تھے۔ جانے کیوں وہ اس وقت جی بھر کر رونا چاہتی تھی۔

"تم نے بہت اچھا کیا جو سب کچھ کہہ دیا۔ اگر تم نہ بھی کہتیں تو مجھے معلوم تھا۔ ویسے میں تم کو یہ بتا دوں کہ اماں مجھے بہت عزیز ہیں اور جہاں تک پرائی آگ کا تعلق ہے تو وہ پرائی نہیں میری اپنی آگ ہے۔ اس آگ میں جل کر میں ذرا بھی جلن نہیں محسوس کروں گا۔ کاش اس آگ کو اور بھڑکانے والا کوئی ساتھی بھی ہوتا۔ تم میں اور چھمی میں فرق کیا ہے —— خیر' خدا حافظ" —— جمیل بھیا اٹھ کھڑے ہوئے —— "مگر ایک بات تو بتاؤ کہ کیا بدلے کی قائل ہو' میرا خیال ہے کہ انسان جو کچھ کرتا ہے اس کا بدلہ ضرور چاہتا ہے' تو مجھے بھی جانے سے پہلے بدلہ چاہئے۔ شاید یہ بدلہ وہاں اتنی دور میرے لئے تسکین کا سامان بن سکے۔" جمیل بھیا نے اس کی آنکھوں میں آنکھیں ڈال دیں تو وہ کانپنے لگی تھی۔

"کیسا بدلہ؟" وہ جانتے بوجھتے انجان بن رہی تھی۔

ذرا دیر کے لئے خاموشی چھا گئی۔ جمیل بھیا اسے دیکھ رہے تھے۔ ان کی نظروں میں تلخی تھی' کچھ کھو جانے کا دکھ تھا' کچھ پا لینے کی تمنا تھی۔

"میں آپ کو کیا بدلہ دے سکتی ہوں؟" اس نے جمیل بھیا کو چونکایا تھا' اب وہ ان کی نظروں کا مقابلہ نہ کر پا رہی تھی۔

"بس یہی ——" جمیل بھیا نے آگے بڑھ کر اسے اپنے بازوؤں میں جکڑ لیا۔ وہ اسے پاگلوں کی طرح چوم رہے تھے' اسے اپنے سینے میں جذب کر رہے تھے اور وہ ذرا سی مزاحمت بھی نہ کر سکی تھی۔ وہ نفرت سے انہیں دھکا بھی نہ دے سکی تھی۔ اسے نہیں معلوم تھا کہ یہ سب اتنے اچانک کیسے ہو گیا تھا اور وہ یہ سب کچھ کیسے قبول کر رہی تھی اور پھر جمیل بھیا جیسے اسے بستر پر پھینک کر چلے گئے تھے اور

وہ مارے بے بسی کے رونے لگی تھی۔ بھلا وہ کس بات کا بدلہ چکانے پر راضی ہو گئی تھی۔ وہ خود کو ملامت کرتے کرتے جانے کب سو گئی۔

جمیل بھیا صبح صبح چلے گئے تھے' وہ تو اس وقت سو کر بھی نہ اٹھی تھی۔ چھمی اسے جگا کر شکایت کرنے آئی تھی۔ "بجیا آپ سوتی رہیں' آپ نے تو جمیل بھیا کو رخصت بھی نہ کیا۔ اچھا ہوتا کہ ابھی کچھ دن اور نہ جاتے۔"

"کیوں؟" بستر سے اٹھتے ہوئے اس نے چونک کر چھمی کو دیکھا —— یہ اسے کن دنوں کا انتظار ہے؟

"بس نہ جاتے۔" وہ گڑ بڑا گئی۔ "بیچاری بڑی چچی سخت رنجیدہ ہو رہی ہیں۔ اس اولاد کا بھی کوئی سکھ نہیں ملتا' کیوں پالتی ہیں مائیں' میں سب سے اچھی جو خود بخود پل گئی۔ میرے لئے کوئی دکھی نہیں۔" چھمی نے ٹھنڈی سانس بھری۔

"ہاں بیچاری بڑی چچی کو کوئی سکھ نہ ملا۔" عالیہ نے کہا اور چھمی کا ہاتھ تھام کر نیچے اتر آئی۔

شکیل کھو گیا' جمیل بھیا جنگ پر چلے گئے' بڑی چچی مئی جون کی پیاسی چڑیا کی طرح نظر آ رہی تھیں۔

"اللہ اسے خیریت سے رکھے' گھر میں پیسہ تو آئے گا بڑی بھابی' آپ کو سکھ تو ملے گا۔" اماں بڑی چچی کو سمجھا رہی تھیں اور وہ خاموش بیٹھی ٹھنڈی سانسیں بھر رہی تھیں

"زمانے زمانے کی بات ہے' آج مالک مرحوم کی اولادیں نوکریوں کی تلاش میں کہاں کہاں جا رہی ہیں' کبھی وہ زمانہ بھی تھا کہ دولت اپنے قدموں چل کر آتی تھی اور کوئی اسے اٹھا کر رکھنے والا نہ تھا۔" کریمن بوا کی نظریں جانے کیا تلاش کر رہی تھیں۔

دوپہر میں بڑی چچی نے کپڑوں کا ایک بنڈل عالیہ کو تھما دیا —— "یہ کپڑے جمیل چھمی کے لئے دے گیا ہے اور کہہ گیا ہے کہ عالیہ سے سلوا لینا۔ سب کا خیال تو کرتا ہے مگر اس برے وقت نے اسے دور جانے پر مجبور کر دیا۔ اگر کوئی اچھی سی نوکری مل جاتی تو پھر وہ کیوں جاتا۔"

"خدا انہیں خیریت سے واپس لائے گا' بڑی چچی آپ پریشان نہ ہوں۔" وہ کپڑے لے کر اپنے کمرے میں چلی گئی۔ اس کا جی چاہ رہا تھا کہ چھمی کو یہ کپڑے دکھادے اور اسے بتائے کہ جمیل بھیا اس کے لئے دے گئے ہیں' مگر کس لئے' وہ اس کا کیا جواب دے گی۔ اسے چھمی سے ڈر لگتا تھا۔ شادی میں صرف پندرہ دن رہ گئے تھے۔

شام کو بڑے چچا دلی سے آ گئے۔ جب انہیں معلوم ہوا کہ جمیل بھیا فوج میں چلے گئے ہیں تو ایک دم بلبلا اٹھے۔ "ارے اس نالائق سے اور کیا ہو سکتا تھا' انگریزوں کی مدد کر کے ہی تو پاکستان بنائے گا' یہ سب انگریزوں کے پٹھو ہیں۔"

"تو کیا اللہ مارے کافروں کا ساتھ دیتا؟" اماں نے فوراً جواب دیا اور بڑے چچا سر جھکا کر رہ گئے۔

"آپ کپڑے وغیرہ تو بدل ڈالئے بڑے چچا' سفر سے تھک گئے ہوں گے' ذرا دیر آرام کر لیجئے۔" عالیہ نے باتوں کا رخ بدلنا چاہا۔ بڑے چچا کا تھکا ہوا چہرہ دیکھ کر اس کا دل ہل رہا تھا۔ اتنے دن بعد وہ گھر آئے ہیں تو اب انہیں آرام کی ضرورت ہے۔

کریمن بوا چائے تیار کر رہی تھیں اور بڑی چچی ان کے بکس سے کپڑے نکال رہی تھیں۔ عالیہ ان کا سامان اٹھا کر کمرے میں رکھ آئی۔

بڑے چچا کپڑے تبدیل کرنے کے بعد بڑی چچی کے کمرے میں مسہری پر لیٹ گئے' شاید وہ اتنے تھک گئے تھے کہ بیٹھک تک جانے کو بھی جی نہ چاہا تھا۔ کریمن بوا نے سرہانے رکھی ہوئی تپائی پر لالٹین رکھ دی۔ عالیہ ان کے پاس بیٹھ کر سر دبانے لگی۔

"مجھے ڈر لگتا ہے' یہ لیگی ملک کو بانٹ نہ دیں۔" بڑے چچا نے دکھ سے کہا۔ "ہاں ڈر تو مجھے بھی ہے۔" اس نے بڑے چچا کا دل رکھنے کے لئے ہاں میں ہاں ملائی۔

"تم نے دیکھا' جمیل فوج میں چلا گیا' یہ میری اولاد ہے۔"

"بہت برا کیا بڑے چچا۔" وہ ہاں میں ہاں ملائے جا رہی تھی۔ وہ ان سے یہ

بس طرح پوچھ سکتی تھی، کہ اگر جمیل بھیا جنگ پر نہ جاتے تو پھر ان پیٹوں کی بھٹی کو کیسے سرد کیا جاتا۔

"مظہر کا خط آیا؟"

"ادھر کچھ دنوں سے نہیں آیا۔" وہ ایک دم رنجیدہ ہو گئی۔ اسے ابا کے خط کا کتنا انتظار تھا۔ وہ ساری کے پلو کو اس طرح مروڑنے لگی کہ جھرسے ہو گیا —— "بہت پرانی ہو گئی ہے۔" وہ شرمندہ ہو کر ہنسی۔

"ارے ہاں تمہارے کپڑے تو اب بہت پرانے ہو گئے ہوں گے، نئے کپڑے بنے بھی تو نہیں۔" وہ بھی شرمندہ سی ہنسی ہنسے۔

"ابھی تو میرے پاس کئی نئے جوڑے رکھے ہیں۔" وہ صاف جھوٹ بول گئی۔ جانے کیوں وہ بڑے چچا کو ایک لمحے کے لئے بھی شرمندہ دیکھنے کو تیار نہ تھی۔

بڑے چچا جانے کیا سوچنے لگے اور پھر انہوں نے اس طرح آنکھیں بند کر لیں جیسے سو رہے ہوں۔ عالیہ دبے قدموں برآمدے میں آ گئی۔ کمرے میں کتنی جلدی رات ہو گئی تھی مگر باہر تو ابھی مغرب کا وقت بھی نہ ہوا تھا۔ کریمن بوا لالٹینوں کی چمنیاں صاف کر رہی تھیں اور چھمی صحن میں کرسی پر بیٹھی دس بارہ سال کے ایک بھکاری لڑکے کو باسی روٹی کھلا رہی تھی —— "یہ بہت اچھا گاتا ہے بجیا، میں نے زینت کی ماں کے گھر گاتے سنا تھا" —— عالیہ کو دیکھتے ہی چھمی نے تعارف کرایا۔ "بس اب گاؤ۔" چھمی نے حکم دیا۔ قمیض کے دامن سے ہاتھ منہ صاف کرنے کے بعد لڑکا آنکھیں بند کر کے گانے لگا۔

چڑیوں نے باغ اجاڑا، پتہ پتہ چگ ڈارا

عالیہ کو اس کی آواز بڑی اچھی لگی۔ وہ بڑے شوق سے سن رہی تھی مگر چھمی کو جانے کیا ہوا کہ اچانک سسکیاں بھرتی اپنے کمرے میں بھاگ گئی اور لڑکا گھبرا کر سب کی طرف دیکھنے لگا، پھر بھیک کی پوٹلی سمیٹ کر ڈرا ڈرا سا بھاگ نکلا۔ بس عالیہ پریشان کھڑی رہ گئی۔ چھمی دیوانی نے اس گانے سے کون سے رونے کے پہلو تلاش کر لئے، مگر اس نے دیکھا کہ بڑی چچی بھی تو آنسو پونچھ رہی تھی۔

"یہ زمانے بھی آگئے کہ بھکاری لڑکے بیبیوں کے پاس بیٹھ کر گانے گائیں" —— دالان کی محراب کے کنڈے میں لالٹین لٹکاتے ہوئے کریمن بوا بڑ بڑا رہی تھیں۔

"کریمن بوا ایک پیالی چائے بنا لاؤ' پڑھتے پڑھتے سر دکھنے لگا ہے۔" کھڑکی سے جھانک کر نجمہ پھوپھی نے حکم دیا اور کریمن بوا چولھے کی طرف سرک گئیں۔

عالیہ نے نجمہ پھوپھی کی طرف دیکھا اور منہ پھیر لیا۔ ہر وقت انگریزی کی موٹی موٹی کتابیں پڑھ پڑھ کر نجمہ پھوپھی کی آنکھوں میں کیسے گہرے حلقے پڑ گئے ہیں۔ آخر یہ کس کے لئے پڑھتی ہیں' یہ سب کس کام آتا ہے' یہ سب اس لئے ہے کہ صحیح انگریزی بولنے پر فخر کر سکیں۔

اب اندھیرا چھانے لگا تھا اور صحن میں پڑی ہوئی لوہے کی کرسی اس اندھیرے میں ڈوبتی ہوئی محسوس ہو رہی تھی —— جمیل بھیا کا سفر ختم ہو گیا ہو گا کہ نہیں؟ عالیہ کو بار بار خیال آ رہا تھا۔

"کریمن بوا' پرکاش بابو آئے ہیں' بڑے بھیا کو بتا دو۔" بیٹھک سے اسرار میاں کی آواز آئی۔

"انہیں کوئی آرام بھی نہیں کرنے دیتا' وہ سو رہے ہیں' وہ اس وقت نہیں آئیں گے۔" کریمن بوا نے جھلا کر جواب دیا' مگر بڑے چچا تو جیسے اسرار میاں کی آواز کے منتظر تھے۔

شادی سے چار دن پہلے ساجدہ آپا اپنے چار عدد تلے اوپر بچوں کے ساتھ آ گئیں۔ بڑی چچی مدت سے بچھڑی ہوئی بیٹی کو گلے لگا کر دیر تک روتی رہیں اور پھر ساری موٹی موٹی خبریں سنا ڈالیں۔ شکیل کا بھاگ جانا' جمیل بھیا کا فوج میں جانا اور چھمی سے شادی کی خبر کا چھپانا' اتنی بہت سی دردناک خبروں کو سن کر ساجدہ آپا کا رنگ پیلا ہو گیا تھا اور بھائیوں کی جدائی کے غم میں وہ دیر تک سر نہوڑائے بیٹھی رہیں۔

عالیہ نے اماں کی زبانی سنا تھا کہ ساجدہ آپا خوبصورت ہیں مگر اب وہ دیکھ رہی تھی کہ مبینہ حسن کا کہیں دور دور نشان نہ تھا۔ ہڈیوں کا ڈھیر تھا جس پر سفید کھال منڈھی ہوئی تھی۔ وہ عالیہ سے اس قدر پیار سے پیش آ رہی تھیں کہ اسے بار بار اپنی تہمینہ آپا یاد آ رہی تھیں۔

ساجدہ آپا کے آنے پر نجمہ پھوپھی کو بھی ان سے ملنے کے لئے نیچے اترنا پڑا۔ وہ ان سے گلے ملنے کے بجائے الگ ہی کھڑی رہیں ——— "تمہاری صحت بہت خراب ہو رہی ہے ساجدہ۔" نجمہ پھوپھی نے انہیں غور سے دیکھ کر کہا۔

"بچوں نے تنگ کر رکھا ہے نجمہ پھوپھی' اوپر سے گھر کے ڈھیروں کام' دو دو بھینسوں کی دیکھ بھال۔"

"تو تمہارے میاں ہل چلاتے ہیں؟" نجمہ پھوپھی نے حقارت سے پوچھا۔

"جی ہاں نجمہ پھوپھی۔"

"کتنا پڑھے ہیں؟"

"دس درجے نجمہ پھوپھی۔" ساجدہ آپا نے فخریہ جواب دیا۔

"بس پھر ٹھیک ہی ہے' اتنا پڑھ کر اور کیا کر سکتا ہے بیچارہ' اور ساجدہ

تمہارے بچے سخت شریر ہیں، انہیں خوب پڑھانا، کم از کم انگلش میں ایم اے ضرور اکرانا۔"

"ضرور پڑھاؤں گی نجمہ پھوپھی۔" ساجدہ آپا کا منہ لٹک گیا اور نجمہ پھوپھی اوپر اپنے گوشہ عافیت میں چلی گئیں۔ عالیہ تخت پر بیٹھی سارے مکالمے سن سن کر کڑھتی رہ گئی۔

جب سے ساجدہ آپا آئی تھیں کریمن بوا بہت خوش نظر آ رہی تھیں۔ بچوں نے سارے گھر میں تہلکہ مچا رکھا تھا اور کریمن بوا نہال ہو ہو کر ایک کے گندے ہاتھ دھلاتیں تو دوسرے کا منہ اور تیسرے کو بہلانے کے لئے روٹی کا ٹکڑا پکڑا دیتیں۔

شام کو بڑے چچا گھر آئے تو اپنی بیٹی کے پاس ٹک گئے۔ وہ بڑے چاؤ سے باتیں کر رہے تھے کہ چھمی کو ایک دم جوش آ گیا۔ ساری سنجیدگی غرق ہو گئی اور وہ بچوں کو جمع کر کے نعرے لگانے لگی ——— "مسلم لیگ زندہ باد، بن کے رہے گا پاکستان، دھتیا راج نہیں ہو گا، چھیا راج نہیں ہو گا۔"

بچے چھمی کے گرد جمع ہو کر ساتھ دے رہے تھے۔ بڑے چچا چپکے سے بیٹھک میں سرک گئے۔

"اللہ کی مار ہے ان منحوس نعروں پر، ادھر آؤ تم سب، خبردار جو شور مچایا۔ شادی کا گھر اور یہ نعرے؟" ساجدہ آپا نے اپنے بچوں کو کھینچ کھینچ کر بٹھانا شروع کر دیا۔

"بھئی کس کی شادی ہو رہی ہے؟" چھمی فاتحانہ ہنسی ہنس رہی تھی۔

"تمہاری اور کس کی۔" اماں نے جل کر جواب دیا اور سب نے گھبرا کر چھمی کی طرف دیکھا۔ عالیہ کو اپنے رونگٹے کھڑے ہوتے ہوئے محسوس ہو رہے تھے۔ چھمی نے سب کو حیران سی نظروں سے دیکھا اور سر جھکائے اپنے کمرے میں چلی گئی۔ بڑی چچی نے اطمینان کی لمبی سانس لی۔ چھمی سے کیسی کیسی توقعات وابستہ تھیں مگر اس نے تو ہوں بھی نہیں کی سب کی توقعات کو ٹھکرا کر سر جھکا دیا۔

"لڑکی ذات کیسی ہی شریر کیوں نہ ہو مگر ہوتی اللہ میاں کی گائے ہے۔ جدھر

چاہو ہنکا دو، ہوں نہیں کرتی۔" بڑی چچی آنسو پونچھنے لگیں۔

ذرا دیر بعد عالیہ چھمی کے کمرے میں گئی تو وہ اپنے بستر پر پڑی جانے کن خیالوں میں گم تھی۔

"آپ نے پہلے کیوں نہیں بتایا تھا بجیا؟" چھمی نے بھیگی بھیگی آنکھوں سے اس کی طرف دیکھا—— "خیر کوئی بات نہیں، جب سے ساجدہ آپا آئی تھیں، ان کے روپ میں میں اپنے آپ کو دیکھ رہی تھی۔"

"ارے بابا میں نے تو صرف اس لئے نہیں بتایا کہ تم شرما کر کمرے میں چھپ رہو گی۔ مجھے ایسی شرم سے چڑ ہے، آج تمہارے مہندی لگے گی۔ تم مائیوں بٹھائی جاؤ گی، بس آج سے شرم شروع کر دو۔"

"اچھا!" چھمی اسے وحشیوں کی طرح تک رہی تھی۔ اس کے چہرے پر ذرا بھی شرم نہ تھی۔ وہ اٹھ کر کمرے کی دہلیز پر اکڑوں بیٹھ گئی اور عالیہ کو تہمینہ آپا یاد آ گئیں۔ ڈھیروں خدشات نے اسے جکڑ کر رکھ دیا۔ اری چھمی تو بھی کہیں باؤلی نہ ہو جانا۔ اس نے سوچا کہ ان دنوں وہ چھمی کا سایہ بن جائے گی۔ وہ چھمی کو کچھ بھی نہ کرنے دے گی۔

عالیہ بھی چھمی کے قریب ٹک گئی۔ شام دبے قدموں چلی آ رہی تھی۔ چھمی لٹی پٹی ویران بیٹھی تھی، سب مصروف تھے۔ بچے شور مچا رہے تھے، کریمن بوا وزیر آباد کی مہندی پیس رہی تھیں مگر عالیہ کو محسوس ہو رہا تھا کہ ہر طرف سناٹا چھایا ہوا ہے۔ سیتا نے بن باس میں شاید ایسی ہی شامیں گزاری ہوں گی، ہائے یہ مہندی کی سل سے ایک چھوٹا سا گلابی ہاتھ کیوں ابھر رہا ہے—— عالیہ نے گھبرا کر اپنا منہ چھپا لیا اور پھر چھمی کو لپٹا کر اس طرح بیٹھ گئی جیسے وہ ہاتھ چھمی کو کھینچنے لئے جا رہا تھا۔

مغرب کے بعد اسرار میاں میراثنوں کو بلا لائے۔ صحن میں ان کی کرخت اور کھنکتی ہوئی آوازیں سنائی دے رہی تھیں۔ عالیہ کے پاس سے اٹھ کر صحن میں آ گئی۔ ماضی کی تلخ یادوں کا عذاب اس پر نازل ہو کر گزر چکا تھا۔

"دلہن کی بہن جیوے، دلہن کی چچی جیوے"—— عالیہ کو دیکھ کر میراثن

نے دعائیں دینی شروع کر دیں۔

چوکی پر بیٹھی ہوئی ساجدہ آپا تھال میں مہندی سجا رہی تھیں۔ اماں اور بڑی چچی دالان سے چیزیں سرکا سرکا کر مانگنے کی دری بچھوا رہی تھیں اور ساجدہ آپا کے بچے مہندی لے بھاگنے کی تاک میں ارد گرد منڈلا رہے تھے۔ عالیہ تھوڑی دیر تک کھڑی تماشہ دیکھتی رہی اور پھر چھمی کے پاس آ گئی۔ وہ کس قدر اجنبیوں کی طرح مسہری سے پاؤں لٹکائے بیٹھی تھی۔

"بجیا جب میں چلی جاؤں گی تو پھر اس کمرے میں کون رہے گا؟" چھمی نے اسے دیکھتے ہی پوچھا۔

"میں رہ لوں گی' روز اسے صاف بھی کر دیا کروں گی اور جب تم آیا کرو گی تو پھر تمہارا کمرہ چھوڑ کر بھاگ جایا کروں گی۔"

چھمی ایک دم اٹھی اور کھونٹی پر لٹکا ہوا میلا جمپر اتار کر مسہریاں اور میز کرسی صاف کرنے لگی۔ عالیہ خاموش بیٹھی دیکھتی رہی۔ انسان کو اپنی جگہ سے کتنی محبت ہوتی ہے' مگر اس کا تو کوئی ٹھکانا نہیں۔ وہ کسی جگہ کو اپنا نہیں کہہ سکتی۔

صفائی کرنے کے بعد چھمی بیٹھ گئی اور دونوں ہاتھ سے منہ چھپا کر سسکنے لگی۔ عالیہ نے اسے لپٹا لیا۔ "یہ کیا بے وقوفی ہے چھمی' ایک دن سب کی شادی ہوتی ہے۔"

"ٹھیک ہے عالیہ بجیا' مگر میری شادی ہو جائے گی اور کسی کو خبر بھی نہ ہو گی۔" چھمی برابر روئے جا رہی تھی۔

"تم نے مجھ سے کہا ہوتا تو منظور کے سلسلے میں بات کرتی' مگر اس نے بھی تو پیغام نہیں دیا چھمی' پھر وہ بے مروت تم کو چھوڑ کر جنگ پر چلا گیا' اب اسے کیوں یاد کرتی ہو چھمی۔"

چھمی نے اسے کچھ ایسی نظروں سے دیکھا کہ عالیہ پہچان نہ سکی۔ ان نظروں کے سامنے اس کا علم اور سمجھ جواب دے گئی ——— "کیا بات ہے چھمی؟" اس نے الجھ کر پوچھا۔

"کچھ نہیں بجیا۔" آنسو پونچھ کر وہ ہنسنے لگی۔

"یہ گیس کا ہنڈا اندر لے جاؤ کریمن بوا اور اگر سب نے چائے پی لی ہو تو" —— " بیٹھک سے اسرار میاں کی آواز آئی تو عالیہ کا جی دکھ گیا۔ آج تو کریمن بوا کاہے کو چائے دینے لگیں۔

"کبھی تو چائے بھول بھی جایا کرو اسرار میاں' آج ایک گلاس پانی پی لو۔" کریمن بوا جواب دیتے ہوئے ہنس رہی تھیں اور میراثیں ان کا ساتھ دے رہی تھیں —— ارے یہ اسرار میاں اتنے عالم آشکارا راز ہیں۔ عالیہ کا جی چاہا کہ جا کر سب کے منہ نوچ لے۔

بڑی چچی' ساجدہ آپا اور اماں مہندی کا تھال اور پیلا جوڑا لئے اندر آ گئیں تو چھمی نے سر جھکا کر دوپٹے میں منہ چھپا لیا۔ رسم کے مطابق یہ جوڑا اور مہندی سسرال والوں کو لے کر آنا چاہئے تھا' لیکن ایسا نہ ہوا' کون آتا اتنی دور سے۔

صدر دروازے پر بھکاری لڑکے کے گانے کی آواز آ رہی تھی —— چڑیوں نے باغ اجاڑا —— "بھاگ جا' منحوس کہیں کا' بھاگ جا۔" کریمن بوا دھاڑ رہی تھیں۔

چادر کی آڑ میں چھپ کر چھمی نے پیلا جوڑا پہن لیا اور ساجدہ آپا نے اس کے ہاتھوں میں مہندی لگا کر اپنے آنسو پونچھ لئے۔

ہاتھی جھولیں سسر در وجوا —— میراثوں نے گانا شروع کر دیا اور عالیہ کو خیال آیا کہ اس نے ساجدہ آپا سے چھمی کی سسرال کے لئے تو کچھ پوچھا ہی نہیں۔

مہندی لگا کر سب باہر چلے گئے۔ چھمی نے پھر بھی نظریں نہ اٹھائیں "جمیل بھیا تمہارے جہیز کے لئے ایک بڑا خوبصورت جوڑا بنا گئے ہیں" —— عالیہ نے اطلاع دی۔

"اچھا۔" چھمی نے بڑی بے اعتنائی سے اس کی طرف دیکھا اور مہندی کریدنے لگی۔

"اٹریا پہ چور بھوجی دیا تو جلاؤ ——" میراثیں بہت جوش سے گائے چلے جا رہی تھیں۔ رسم سونی سونی دیکھ کر میراثیں مانجھے کے گیتوں کے بجائے گراموفون ریکارڈوں کے چلتے ہوئے گانے گانے لگیں۔

"چھمی تم مجھے اپنی سسرال بلاؤ گی نا۔" عالیہ اسے بہلانے کے لئے برابر باتیں کئے جا رہی تھی۔

"دیکھئے کس حسن سے پوشیدہ غم کا راز ہے
تیر میرے دل میں ہے پردے میں تیر انداز ہے"

میراثیں اب قوالی پر ادھار کھا بیٹھی تھیں۔

"مجھے کیا معلوم!" چھمی نے آہستہ سے جواب دیا۔

"اچھا تو تم مجھے نہیں بلاؤ گی، بس معلوم ہو گئی تمہاری محبت۔" عالیہ بن کر روٹھی مگر چھمی تو جیسے کچھ سن ہی نہ رہی تھی۔

"آنے والے جلد آؤ آخری آواز ہے۔" میراثیں گاتے گاتے چپ ہو گئیں۔ چھمی یوں ہی خالی خالی نظروں سے کمرے میں ادھر ادھر دیکھے جا رہی تھی — "آنے والے جلد آؤ آخری آواز ہے" — دیکھتے دیکھتے چھمی گنگنانے لگی۔

"تمہیں یہ قوالی اتنی پسند کیوں ہے چھمی؟" عالیہ نے جیسے بپھر کر پوچھا۔

"واہ میں کسی کو بلا تھوڑی رہی ہوں۔" چھمی نے بھی غصے سے جواب دیا۔

عالیہ کا جی چاہا کہ چھمی کو پیٹ کر رکھ دے۔ اور آنے والا نہ آئے تو افیون کھا لو پگلی، مر جاؤ اور اسے دنیا کے ہنسنے پر درانے کے لئے چھوڑ کر قبر میں جا رہو۔

بڑی دیر تک وہ دونوں ایک دوسرے سے نہ بولیں اور جب میراثیں گا بجا کر چلی گئیں تو چھمی اپنے بستر پر لیٹ گئی — "آپ اوپر اپنے کمرے میں جا کر سو رہیں، خواہ مخواہ اتنی دیر سے بیٹھی ہیں۔" آنکھیں بند کئے کئے چھمی نے اکھڑ پن سے کہا۔

"میں تو یہیں تمہارے پاس لیٹوں گی۔" عالیہ نے اسے پیار سے لپٹا لیا۔ خواہ مخواہ چھمی سے یوں بات کی، ویسے ہی بیچاری کا دل ٹوٹا ہوا ہے۔

پرسوں برات آ رہی تھی مگر چھمی کے ابا ابھی تک نہیں آئے تھے، ادھر بڑے چچا کو اپنے کاموں سے فرصت نہ ملتی۔ کریمن بوا سخت فکر مند ہو رہی تھیں — "اب کیا اسرار میاں برات کی آؤ بھگت کریں گے، اگر انھیں پتہ چل گیا کہ یہ کون ہے تو کیا کہیں گے دل میں، آخر تو انہیں بھی معلوم ہی ہو جائے گا نا۔" وہ

برابر بڑبڑائے جا رہی تھیں۔ عالیہ ان کی باتیں سن سن کر جل رہی تھی اور اگر انہیں نہ معلوم ہو تو تم بتا دینا کریمن بوا' تم تو اسرار میاں کا ڈنکا ہو۔

صبح سے بڑی گہما گہمی تھی۔ شام کو چار بجے برات آ رہی تھی۔ عالیہ نے کریمن بوا کے ساتھ مل کر بیٹھک صاف کرا دی تھی۔ دولہا کے بٹھانے کے لئے تخت کی چاندنی اور گاؤ تکئے کا غلاف بدل دیا گیا تھا۔ باہر اسرار میاں انتظام کرتے پھر رہے تھے۔ اسکول کے میدان کو ایک دن کے لئے مانگ لیا گیا تھا۔ شامیانے لگ چکے تھے اور پلاؤ زردے کی دیگیں کھڑک رہی تھیں۔

دو بجے کے قریب عالیہ تھک کر اماں کے پاس تخت پر ٹک گئی۔ میراثیں بڑے زور شور سے گا رہی تھیں —— "آیا ری ہریا لانبا" —— اماں اور بڑی چچی مہمان عورتوں کو پان تمباکو کھلا رہی تھیں۔ اپنے بچوں کو نئے کپڑے پہنا رہی تھیں اور کریمن بوا آج روٹی ہانڈی کی فکر سے آزاد ہو کر ادھر ادھر چہکتی پھر رہی تھیں —— "مالک کے زمانے میں تو دس دس دن تک گھر کے باہر مجرا ہوتا تھا۔ سب سے اچھی رنڈیاں آتی تھیں۔ گھر میں مہینہ مہینہ پہلے میراثیں ڈھول لے کر بیٹھ جاتی تھیں اور جب گھر سے جاتیں تو ان کی جھولیاں روپوں سے بھری ہوتیں' واہ کیا زمانے تھے" ——

اتنی گہما گہمی کے باوجود عالیہ کو لوہے کی کرسی بڑی تنہا اور اداس لگ رہی تھی۔ وہ آج بھی پہلے کی طرح صحن میں پڑی تھی۔ ساجدہ آپا کے بچوں نے ننگے پاؤں رکھ رکھ کر اسے مٹی سے لیس دیا تھا۔ عالیہ جب چھمی کے پاس جانے لگی تو جانے کس جذبے کے تحت کرسی کے پاس کھڑی ہو گئی۔ ساری کے پلو سے اس کی مٹی پونچھی اور چلی گئی۔

"ابا نہیں آئے بجیا۔" چھمی نے اسے دیکھتے ہی سوال کیا اور مہندی سے رچا ہوا ہاتھ اس کے ہاتھ پر رکھ دیا۔

"نہیں آئے چھمی' وہ تو بیمار ہیں' کھانے وغیرہ کے لئے دو سو روپے اور بھجوا دیئے ہیں۔" عالیہ جھوٹ بول رہی تھی۔

"شاید وہ بیچارے موت کی بیماری میں مبتلا ہوں گے۔" چھمی نے نفرت سے

ہر طرف دیکھا اور سر جھکا لیا۔

عالیہ خاموش رہی' بھلا وہ کہتی بھی کیا۔ بھلا جھوٹے کے پاؤں ہوتے ہیں۔ ظفر چچا اگر آ ہی جاتے تو کیا بگڑ جاتا۔ مگر وہ کیوں آتے' ان کے آرام میں خلل پڑ جاتا۔ وہ اپنی حیدر آباد کی جنت سے کیوں نکلتے۔

بارات آنے میں اب تھوڑی دیر رہ گئی تھی۔ اس نے چھمی کو غور سے دیکھا۔ وہ شرمائی ہوئی بیٹھی تھی۔ چھمی کے چہرے سے اسے کسی قسم کا خطرہ نظر نہ آ رہا تھا۔ وہ اٹھ کھڑی ہوئی کیونکہ اسے بھی تیار ہونا تھا۔

"کریمن بوا' ذرا میری ایک بات سن لو' کریمن بوا"—— اسرار میاں کی آواز آئے جا رہی تھی مگر کریمن بوا تو بہری ہو گئی تھیں۔ ورنہ کیا آج کے مبارک دن بھی وہ اسرار میاں کے کام کرتیں۔ عالیہ نے ہمت کر کے اسرار میاں کو جواب دے ہی دیا۔

"یہ کپڑے چھمی بٹیا کے لئے خریدے ہیں' انہیں میری طرف سے دے دینا' اور کچھ نہ کر سکا۔" اسرار میاں کی آواز آنسوؤں میں ڈوبی ہوئی تھی اور بڑھا ہوا ہاتھ کانپ رہا تھا۔ کریمن بوا کی سماعت فوراً تیز ہو گئی——"یہ آپ کا کام نہیں عالیہ بٹیا"—— انہوں نے عالیہ کے ہاتھ سے بنڈل لے لیا۔

اماں اور بڑی چچی کپڑے دیکھ رہی تھیں۔ "واہ کتنے اچھے کپڑے ہیں' یہ اسرار میاں نے چھمی کو دیئے ہیں۔" عالیہ نے فخریہ کہا۔

"اسرار میاں نے؟ واہ خوب رہی' پرائے مال پر یا حسین"—— کریمن بوا جلبلا اٹھیں—— "زمانے زمانے کی بات ہے' اسرار میاں اس گھر کی بیٹیوں کو جوڑے دیں' مالکن کو خدا جنت نصیب کرے۔ اسرار میاں کی ماں کو اپنے پرانے کپڑے دیا کرتی تھیں۔"

"چلو اب تو کپڑے آ ہی گئے' یہ جوڑا بڑے بھیا کی طرف سے ہو جائے گا۔ آخر تو انہیں کی دکان سے پیسے کاٹ کاٹ کر بنایا ہو گا۔" اماں نے فوراً فیصلہ کر دیا۔

"ٹھیک ہے چھوٹی دلہن"—— کریمن بوا نے اطمینان کی سانس لی۔

عالیہ نے کپڑوں کو اس طرح اٹھا لیا جیسے وہ کوئی بڑی متبرک چیز چھو رہی ہو۔ اس کا جی چاہ رہا تھا کہ زور زور سے چیخے' سب کو بتا دے کہ یہ کپڑے اسرار میاں نے بھجوائے ہیں' یہ ان کی محبت اور شرافت کا تحفہ ہے مگر وہ کچھ بھی نہ کہہ سکی۔ اس نے دھیرے سے کپڑے پلنگ پر رکھ دیئے اور اوپر اپنے کمرے میں چلی گئی۔

نجمہ پھوپھی اپنے کمرے میں بیٹھی میک اپ کر رہی تھیں۔ اس وقت زردوزی سے لسی ہوئی ساری پہنے تھیں اور سخت بیزار نظر آ رہی تھیں۔ اب تک انھوں نے کسی کام میں حصہ نہ لیا تھا مگر آج چھمی کو رخصت کرنے کے لئے جیسے مجبور ہو گئی ہوں۔

ساری بدل کر عالیہ پھر نیچے آ گئی۔ دھوپ پیلی پڑ کر دیواروں پر چڑھ گئی تھی۔ سب برات کے منتظر تھے۔ وہ چھمی کے پاس جا کر بیٹھ گئی۔

برات آنے کا شور مچا تو چھمی کا رنگ فق پڑ گیا۔

"بجیا!" جیسے کسی چیز سے ڈر کر اس نے پکارا۔

"کیا ہے چھمی؟" اس نے چھمی کو لپٹا لیا۔

"کچھ بھی نہیں' آپ میرے پاس سے ہٹیئے گا نہیں' جی گھبراتا ہے۔"

"میں کہیں نہیں جا رہی چھمی۔" وہ کانپتی ہوئی چھمی کو لپٹائے بیٹھی تھی مگر اسے کیا ہو رہا تھا۔ وہ تو خود بھی کانپ رہی تھی۔

اماں' بڑی چچی' ساجدہ آپا اور کریمن بوا' سب کمرے میں آ گئے۔ کریمن بوا کے ہاتھوں میں تھال تھا جس میں سسرال سے آیا ہوا نکاح کا جوڑا' زیور اور سہرا سجا ہوا تھا۔

"سب لوگ پردہ کر لو نکاح کے لیے آ رہے ہیں۔" اسرار میاں کی آواز آئی' تو کریمن بوا نے چادر تان کر پردہ کر دیا اور سب اس کے پیچھے چھپ کر بیٹھ گئے ——

"آج کے دن تو بڑے میاں گھر میں رہتے' اپنی بھتیجی کا نکاح تو پڑھواتے۔ خدا کی قدرت اسرار میاں نکاح پڑھوانے آئیں' اللہ نصیب اچھے کرنا۔" کریمن

بوا مارے دکھ کے رو رہی تھیں۔

چھمی نے اتنی آسانی سے "ہوں" کردی کہ عالیہ حیران رہ گئی۔ اسے تو محسوس ہو رہا تھا کہ قیامت تک براتی یوں ہی دروازے پر پڑے رہیں گے۔ ہوں سننے والے گواہوں پر صدیاں گزر جائیں گی اور چادر کے پردے کو آندھیاں بھی نہ ہٹا سکیں گی۔

گواہ واپس چلے گئے' میراثیں مبارک بادیاں گا رہی تھیں۔

ہو مبارک تری سسرال سے آیا سہرا

اور عالیہ کو ایسا محسوس ہو رہا تھا کہ گانے کی آوازیں کہیں کوسوں دور سے آ رہی ہیں۔

ساجدہ آپا نے چھمی کو سرخ جوڑا پہنا کر ذرا سی دیر میں دلہن بنا دیا۔ عالیہ الگ بیٹھی رہی' جیسے وہ مفلوج ہو گئی ہو۔

جب سب لوگ کمرے سے چلے گئے تو عالیہ نے چھمی کی گھونگھٹ الٹ دی۔ کیا سچ مچ وہ اتنی ہی خوب صورت تھی! —— "شادی ہونی تھی سو ہو گئی' کھیل ختم پیسہ ہضم۔" چھمی نے آنکھیں کھول کر دھیرے سے کہا۔ عالیہ کچھ نہ بولی۔ یہ بھی کیسی کیفیت ہوتی ہے کہ بعض وقت کہنے سننے کے لیے کچھ رہ ہی نہیں جاتا۔

عالیہ خاموشی سے باہر چلی گئی۔ گیس کی دودھیا روشنی میں چھمی کی سسرال والیاں چاندنی پر بڑے ٹھسے سے بیٹھی تھیں۔ پان پر پان کھائے جا رہے تھے۔ بار بار تمباکو پھانکی جا رہی تھی اور ان سب کے بیچ میں نجمہ پھوپھی اپنے وقت کی ہیروئن بنی بیٹھی تھیں —— "کتنا پڑھا ہے دولہا؟" انہوں نے پوچھا۔

"آٹھ درجے' اسے پڑھنے کی کیا ضرورت' بیس بیگھے زمین ہے' دو بھینسیں ہیں' اللہ کا دیا سب کچھ ہے۔" چھمی کی ساس نے غرور سے بتایا۔

"ٹھیک ہے' چھمی کے لیے اور کیا چاہیے۔" نجمہ پھوپھی ان دیہاتی جاہل عورتوں کو بڑی حقارت سے دیکھ دیکھ کر مسکرا رہی تھیں۔

ایک میراثن چھمی کو گود میں اٹھا کر باہر لے آئی تو سسرال والیوں میں ہڑبونگ مچ گئی۔ سب چھمی پر ٹوٹی پڑ رہی تھیں۔ باہر سے دولہا اپنے شہ بالے کے

ساتھ آگیا۔ الٹے ہوئے سہرے سے اس کا ٹھیٹ دیہاتی پکے رنگ کا چہرہ صاف نظر آرہا تھا۔

عالیہ کا جی چاہا کہ اپنا منہ چھپالے ——یہ چھمی کا دولہا ہے۔ چھمی جو پہلے جمیل بھیا کو چاہتی تھی اور پھر منظور کو پسند کرکے مارے فخر کے پھولے نہ سماتی تھی۔ بدلے میں اسے بس یہی کچھ ملا ہے۔

میراثیں آرسی مصحف کی رسم ادا کرنے لگیں تو چھمی نے اس طرح دولہا کو دیکھا کہ میراثیں دانتوں تلے انگلی دبا کر رہ گئیں۔

کھانا کھانے کے بعد چھمی کی رخصتی کا سامان شروع ہوگیا۔ گلی میں کھڑے ہوئے تانگوں پر جہیز کا سامان لادا جارہا تھا اور میراثیں بڑی رقت سے گارہی تھیں ——"بھائیوں کو دنیا محل دو محلے ہم کو دیا پردیس رے، لکھیا بابل مورے" بڑی چچی اور کریمن بوا رو رہی تھیں۔ اماں سر جھکائے جانے کیا سوچ رہی تھیں اور نجمہ پھوپھی بڑی بیزاری سے جاہلوں کی محفل کے خاتمے کا انتظار کر رہی تھیں۔

"ہائے بجیا، بڑے چچا کو اتنا اچھا دولہا کہاں سے مل گیا؟" چھمی نے عالیہ کی گود میں سر رکھ کر دھیرے دھیرے سسکتے ہوئے کہا۔ عالیہ نے اسے لپٹا کر کچھ کہنا چاہا مگر اسے مہلت نہ ملی اور وہ اتنا اچھا دولہا میراثنوں کے قہقہوں کے بیچ میں چھمی کو اٹھا کر پردہ لگے تانگے پر بٹھا آیا۔ عالیہ نے اپنی چیخ گلے میں گھونٹ لی—— روان سیتا کو لے گیا—— جمیل بھیا کاش تم ہی رام بن سکتے۔

چھمی کے جانے کے بعد گھر بالکل ویرانہ بن گیا تھا۔ مسلم لیگ اور کانگرس پارٹیاں اس گھر سے رخصت ہوگئی تھیں۔ کوئی کسی کو نہ چھیڑتا۔ سب ٹھہرے ہوئے تالاب کی طرح پرسکون تھے۔ بڑے چچا مزے سے گھر میں آتے اور چلے جاتے۔ اب بیٹھک کے دروازے بند کرنے کی کوئی ضرورت نہ پڑتی۔ کم بخت کافر کانگرسیوں کے خلاف کوئی نعرہ نہ گونجتا۔ بڑی چچی سرشام ہی برآمدے کے پردے گرا کر تخت پر بیٹھ رہتیں۔ مٹی کی کنڈالی میں کوئلے دہکتے رہتے۔ اماں اور بڑی چچی ہاتھ سینک کر جانے کیا سوچا کرتیں۔ کوئی چھمی کی باتیں نہ کرتا۔ کسی کو اس کے خط انتظار نہ تھا۔ چھمی جیسے کبھی اس گھر میں رہی ہی نہ تھی۔

"آج کل گھر کی حالت اچھی ہو رہی تھی۔ جمیل بھیا کی تنخواہ نے چولھے میں ذرا سی جان ڈال دی تھی اور کریمن بوا مارے مصروفیت کے گزرے ہوئے وقت کو کم ہی یاد کرتیں۔ انہیں تو اب یہ دکھ کھا رہا تھا کہ بڑے چچا اپنی ہانڈی الگ پکواتے تھے۔ انہوں نے بڑی صفائی سے انکار کر دیا تھا کہ وہ جمیل بھیا کی کمائی کا ایک پیسہ بھی اپنے اوپر خرچ نہ ہونے دیں گے۔ جمیل بھیا نے یہ ملازمت کر کے انگریزوں کا ساتھ دیا تھا —— "مجھے پتہ نہیں تھا کہ یہ جمیل' میری اولاد' میری دشمن ہوگی۔" بڑے چچا نے کئی بار عالیہ سے کہا تھا اور وہ چچا کی بے قراری دیکھ دیکھ کر حیران رہ گئی۔ وہ گھنٹوں سوچتی رہتی کہ انسان کے مقاصد میں اتنی دھار کہاں سے آجاتی ہے کہ سارے رشتوں ناطوں کو کاٹ کر پھینک دیتی ہے۔ بڑے چچا نہ کسی کے باپ ہیں' نہ چچا' نہ شوہر' اسی لیے چھمی راون کے ساتھ لنکا چلی گئی۔ ساجدہ آپا اپنے خاندان کی ساری بڑائی اور ساری امارت کو گوبر میں ملا کر اپلے تھاپ رہی ہیں۔ شکیل بھاگ گیا اور جمیل بھیا ممتا کی آگ بھڑکا کر فاشزم کی آگ

بجھانے چلے گئے۔

سخت سردی ہو رہی تھی۔ عالیہ چھت پر دھوپ میں پڑی یا تو بڑے چچا کی لائبریری سے نکالی ہوئی کتابوں سے جی بہلاتی یا پھر آوارہ روح کی طرح بھٹکتی پھرتی۔ اماں اپنے آپ میں مگن رہتیں۔ ماموں کے لمبے چوڑے محبت میں ڈوبے ہوئے خط آتے رہتے۔ وہ ان خطوں کو حتی الامکان نہ پڑھتی۔ اس نے اماں سے اگلے سال علی گڑھ جانے کی بات بھی نہ کی تھی' پھر بھی فیصلہ کرلیا تھا کہ ضرور جائے گی۔

کبھی کبھار ابا کا خط بھی آجاتا' جسے پڑھ کر وہ نئی زندگی محسوس کرتی اور بڑی بے قراری سے ان کی رہائی کے دن گننے لگتی۔

خالی وقت کیسے کٹے؟ وہ کس سے بولے' کس سے بات کرے؟ عالیہ کبھی کبھی تو اتنی الجھن محسوس کرتی کہ رو پڑتی۔ کاش نجمہ پھوپھی ہی اسے بات کرنے لائق سمجھ لیں۔ مگر اس نے تو بی اے میں بھی اردو ہی لی تھی' اس لیے وہ بالکل جاہل تھی ان کی نظر میں۔

رات بھر ہلکی ہلکی بارش ہوتی رہی اور بادل اتنے زور سے گرجتے رہے کہ دل دہل کر رہ جاتا۔ تھوڑی دیر تک اولے پڑتے رہے اور جب کھڑکی کے بند پٹوں سے آکر ٹکراتے تو ایسا معلوم ہوتا کہ کوئی ڈھیلے مار رہا ہے۔ بارش ہلکی پڑنے پر وہ سو گئی' مگر بڑی اچاٹ سی نیند۔ اس نے جمیل بھیا کو خواب میں دیکھا۔ وہ اولوں سے بچتے جانے کہاں بھاگے جا رہے تھے۔ عالیہ نے انہیں زور زور سے آواز دی تو رک گئے۔ "میں تم سے نہیں بولتا عالیہ" —— اور پھر اس کی آنکھ کھل گئی۔ بادل بڑے زور سے گرج رہے تھے —— "خدا کرے وہ خیریت سے واپس آئیں' بڑی چچی کی مامتا ٹھنڈی رہے" —— عالیہ نے بلک کر دعا کی مگر وہ یہ سوچنے سے کترا رہی تھی کہ جمیل بھیا اس کے خوابوں میں کہاں سے آدھمکے۔

صبح بے حد سردی تھی۔ رات کی بارش سے چھت کی منڈیریں اور صحن اب تک گیلا ہو رہا تھا۔ اس نے کھڑکی کے بھڑے ہوئے پٹ کھول دیئے۔ کہیں دور سے بینوں کی آواز آ رہی تھی۔ کون مر گیا؟ وہ بستر سے اٹھ پڑی۔ ان دنوں تو

محلے کے کئی آدمی جنگ پر مارے گئے تھے۔ مگر یہاں اتنی دور رونے کی آوازیں نہ آئی تھیں، بس یوں ہی خبریں سنی تھیں مگر ادھر کچھ دنوں سے تو سارا محلہ اس گھر سے کٹ گیا تھا۔ چھمی جب محلے میں گھوم پھر کر آتی تو ساری خبریں سنا دیا کرتی۔ محاذ پر کون ختم ہو گیا۔ کس کی بیٹی کی شادی ہو رہی ہے۔ کس کے ہاں لڑکا پیدا ہوا، کون اپنی پارٹی کے پیچھے جیل چلا گیا اور کون سا بوڑھا مدتوں کی بیماری جھیل کر ختم ہو گیا۔

وہ جلدی سے نیچے چلی گئی۔ صحن میں پڑی ہوئی لوہے کی کرسی رات کی بارش سے دھل کر چمک رہی تھی اور کیاری کے پودے اولوں کی چوٹ سے دب کر زمین پر جھک گئے تھے۔

وہ چپ چاپ تخت پر جا بیٹھی جہاں اماں اور بڑی چچی رونے کی آوازوں پر کان لگائے خاموشی سے بیٹھی چائے پی رہی تھیں۔ کریمن بوا پراٹھے پکاتے ہوئے اپنے گھر کی سلامتی کی دعائیں کر رہی تھیں۔

"کون مر گیا؟" بڑی چچی نے جیسے اپنے آپ سے سوال کیا۔

صدر دروازہ زور سے کھلا اور کمر پر جھوا رکھے بھنگن صحن میں آ گئی——

"وہ تھانے دار کے صاحبزادے منظور میاں جنگ پر مارے گئے، ہائے کیسے کڑیل جوان تھے، ماں اپنی جان پیٹے لیتی ہے۔" صحن میں کھڑے کھڑے اس نے اطلاع دی اور پھر کام میں جٹ گئی۔

"مجھے لینا، میں چلی۔" بڑی چچی نے سینے پر ہاتھ رکھ لئے اور آگے کو جھک گئیں——"میرا جمیل"——

"وہ ٹھیک ہوں گے بڑی چچی، وہ بالکل خیریت سے ہوں گے۔ وہ محاذ پر نہیں جائیں گے، ان کا دوسرا کام ہے۔" عالیہ نے بڑی چچی کو تھام لیا۔ پراٹھا توے پر جل رہا تھا اور کریمن بوا بڑی چچی کو پانی پلا رہی تھیں۔

"ذرا ہمت سے کام لیجئے بڑی بھابی، اللہ نے چاہا تو جمیل خیریت سے ہو گا، کلکتہ یہاں سے کون سا دور ہے اسرار کو بھیج کر خیریت معلوم کرا لیں۔" اماں بھی سمجھا رہی تھیں، مگر بڑی چچی کی بے قراری کم نہ ہو رہی تھی۔

"کیا منظور مر گیا؟" بڑے چچا نے پوچھا' وہ آج دیر سے سو کر اٹھے تھے۔ ان کا منہ سرخ ہو رہا تھا۔ "یہ انگریز بہادر اپنے مفاد کی خاطر ہمارے خون سے ہولی کھیل رہے ہیں۔"

اماں کی تیوریوں پر بل پڑ گئے تھے مگر اس وقت وہ کچھ نہ بولیں۔ بڑی چچی اب اپنے آپ کو سنبھال کر بیٹھ گئی تھیں۔ رونے کی آوازیں مدھم پڑتے پڑتے کھو گئی تھیں۔

"اور سنا ہے کہ زینب بیگم کا لڑکا جرمنوں کی قید میں ہے۔" بھنگن نے جاتے جاتے دوسری اطلاع دی۔

بڑے چچا چوکی پر بیٹھے ہاتھ منہ دھو رہے تھے۔ عالیہ نے دیکھا کہ ان کے ہاتھ کانپ رہے ہیں' وہ گھبرا گئی —— "آپ کی طبیعت تو ٹھیک ہے بڑے چچا؟" اس نے قریب جا کر پوچھا۔

"میں بالکل ٹھیک ہوں۔" وہ کھسیانی ہنسی ہنسنے لگے۔

"اتنے دن سے جمیل کا خط بھی تو نہیں آیا۔" بڑی چچی کی آواز میں خدشات لرز رہے تھے۔

سردیوں کی ٹھٹھری ہوئی دھوپ دیواروں سے اتر کر صحن میں پھیل رہی تھی۔ نجمہ پھوپھی کالج جانے کے لئے نیچے اتریں تو کریمن بوا نے خبر سنائی ——

"نجمہ بٹیا تھانیدار کے صاحبزادے بھی جنگ پر مارے گئے' اللہ جمیل میاں کو خیریت سے واپس لائے۔"

"اس گھر کی کیسی بد نصیبی ہے کہ اتنی تعلیم بھی حاصل نہ کر سکے جو آرام سے روزی کما لیتے۔" نجمہ پھوپھی کے چہرے سے فکر ظاہر ہو رہی تھی۔

"جی ہاں اور آپ تو اعلیٰ تعلیم حاصل کر کے بڑے معرکے سر کر رہی ہیں۔" جانے کیسے عالیہ نے انگریزی میں بات کرنے کی جرات کی تھی۔

"اوہ! تم سے کس نے کہا ہے کہ غلط سلط انگریزی بولا کرو۔ گھروں میں بیٹھے بیٹھے بی اے کر لیا تو سمجھا کہ بس قابل ہو گئے۔" نجمہ پھوپھی نے بری طرح ڈپٹا۔ ان کے لہجے میں اتنی ہتک تھی کہ عالیہ کا جی چاہا یہیں زمین میں دفن ہو جائے۔

"نجمہ بی' زیادہ باتیں نہ بناؤ' کس کی دولت سے قابل بنی ہو' میرا اور بڑی بھابی کا گلا کاٹ کر یہ صلہ دے رہی ہو' میں مجبور نہیں ہوں جو تمہاری بات سنوں گی' میرا بھائی زندہ رہے' تم جیسوں کو تو——" اماں کچھ کہتے کہتے رک گئیں۔

"اف اوف! میں آپ لوگوں کے منہ نہیں لگنا چاہتی' وہ فارسی والے سعدی صاحب بھی کہہ گئے ہیں کہ جاہلوں سے اس طرح بھاگو جیسے تیر کمان سے" ——اور وہ ناشتہ چھوڑ کر کالج جانے کے لئے باہر نکل گئیں۔

"کریمن بوا بڑی بھابی سے کہو کہ پریشان نہ ہوں میں جمیل میاں کی خیریت معلوم کر آؤں گا۔ اگر سب لوگ ناشتہ کر چکے ہوں تو——" بیٹھک سے اسرار میاں کی کمزور سی آواز آئی۔

"تم سب کو پریشان ہونے دو اسرار میاں' تم اپنا ناشتہ کر لو۔" کریمن بوا چائے کی پیالی اور گھی چپڑی روٹی لے کر اس طرح جھپٹیں جیسے اسرار میاں کے منہ پر دے ماریں گی۔

"کہہ دو نا کہ خیریت معلوم کر آئے' اور کیا کام ہے اس نکمے کو" —— اماں نے کریمن بوا سے کہا' مگر وہ بڑی خاموشی سے جھوٹے برتن سمیٹتی رہیں۔

منظور کے گھر سے بین کی آوازیں پھر بلند ہونے لگی تھیں۔ بڑی چچی گھٹی گھٹی سی بیٹھی تھیں۔ گلی میں کوئی فقیر صدا لگاتا گزرا تو انہوں نے پاندان کی کلھیا سے ایک پیسہ نکال کر کریمن بوا کی طرف بڑھا دیا۔

دوپہر کو جمیل بھیا کا خط اور منی آرڈر آگیا۔ بڑی چچی خوشی سے کانپ رہی تھیں اور تھم تھم کر آنے والی بین کی آوازیں بھی اب اتنی درد بھری نہ معلوم ہو رہی تھیں۔ بڑی چچی برابر جمیل بھیا کی باتیں کئے جا رہی تھیں اور کریمن بوا مزار پر چڑھانے کے لئے ملیدہ بنا رہی تھیں۔ خدا نے ان کی منت پوری کی تھی۔ جمیل بھیا کا خط آگیا تھا۔

فروری کے خوشگوار دن بہار کا پتہ دے رہے تھے مگر بڑے چچا کا چہرہ کیوں پیلا ہو رہا تھا۔ ان کے ہاتھ پاؤں سوکھتے جا رہے تھے اور پیٹ بڑا ہوتا جا رہا تھا۔ گاندھی جی نے جیل میں اکیس دن کا برت رکھا تھا۔ آزادی کے لئے انہوں نے جان کی بازی لگا دی تھی اور ادھر بڑے چچا نے آرام کرنا چھوڑ دیا تھا۔ جانے کہاں مارے مارے پھرا کرتے' یا پھر بیٹھک میں دوستوں کا ہجوم ہوتا۔ نت نئی اسکیمیں تیار ہوتی رہتیں۔ عالیہ بڑے چچا کی حالت دیکھ دیکھ کر کڑھتی رہتی —— اللہ یہ بڑے چچا کس مٹی سے بنے ہیں۔ کبھی جمیل بھیا کی خیریت نہیں پوچھی۔ شکیل مرتا ہے یا جیتا ہے' انہیں کوئی خبر نہیں' بڑی چچی غموں کی آگ میں سلگ رہی ہیں مگر وہ پلٹ کر نہیں دیکھتے۔ گاندھی کے مر جانے کا خوف ستا رہا ہے۔ عالیہ کئی دن سے سوچ رہی تھی کہ بڑے چچا کو سمجھائے گی' انہیں ان کی صحت کی خرابی کی اطلاع دے گی۔

رات کو جب سب لوگ بیٹھک خالی کر گئے تو وہ بڑے چچا کے پاس جا بیٹھی۔ وہ جیسے تھک کر لیٹے تھے۔ لالٹین کی پیلی پیلی روشنی میں ان کا چہرہ اور بھی کمزور لگ رہا تھا۔

"تم کو پتہ ہے نا گاندھی جی نے جیل میں برت رکھا ہے' مجھے معلوم ہے کہ وہ کبھی نہیں مریں گے' مگر ——"

"ہاں بڑے چچا معلوم ہے' اخبار میں پڑھا تھا مگر ——" وہ گھگھیا گئی۔

"اگر خدانخواستہ انہیں کچھ ہو گیا تو انگریز بہادر اپنی ساری مکاری بھول جائیں گے۔ ایک اتنا بڑا طوفان آئے گا جو انگریز کو جنگ سے بھی زیادہ مہنگا پڑے گا۔" بڑے چچا مارے جوش کے بیٹھ گئے۔

"ٹھیک ہے بڑے چچا۔" ٹھیک ہے بڑے چچا۔" اس نے کمزور سی آواز میں کہا۔ اب وہ انہیں کیسے سمجھائے ان سے کیا کہے' وہ ہولے ہولے ان کا سر سہلانے لگی—— "آپ اپنی صحت کی فکر نہیں کرتے بڑے چچا' ہم سب آپ ہی پر ہیں۔"

"وہ میں نے اسرار میاں سے کہہ دیا ہے کہ میرے لئے حکیم محمود صاحب سے کچھ معجونیں بنوا لائیں' بس دو دن میں طاقت آ جائے گی۔ بڑے پائے کے حکیم ہیں اور ملک کی آزادی حاصل کرنے کے لئے سب سے آگے رہتے ہیں۔ مجھے بھی کچھ ایسا لگ رہا ہے کہ ان دنوں کمزور ہو رہا ہوں۔ ذرا لالٹین کی بتی اونچی کر دو بس جیسے ہی آزادی ملی' بجلی کا کنکشن بحال کرا لوں گا۔ یہ لالٹین کی روشنی رات کو پڑھنے نہیں دیتی۔"

عالیہ نے اٹھ کر لالٹین کی بتی اونچی کر دی۔ کون جانے آزادی کے بعد کیا ہو گا۔ پھر ملک کی خدمت شروع ہو جائے گی' بجلی کا کنکشن بحال کرانے کی کسے فرصت ہو گی۔ یہ گھر تو اندھیرے ہی میں ڈوبا رہے گا۔ عالیہ نے دل ہی دل میں سوچا اور پھر بڑے چچا کے سرہانے آ بیٹھی۔ اس وقت ان کے چہرے پر کیسی مسرت تھی۔ شاید آزادی کا تصور مچل رہا تھا—— "پھر تو سب کچھ ہو جائے گا بڑے چچا۔" عالیہ نے جیسے ہار کر کہا۔

"تم میری کتابیں پڑھتی ہو نا؟" انہوں نے پوچھا

"ہاں پڑھتی ہوں بڑے چچا۔"

"نجمہ کیسی ہے بہت دنوں سے دکھی نہیں؟"

"وہ جاہلوں میں نہیں بیٹھتیں' اچھی ہیں۔"

"اتنا پڑھنے کے بعد بھی وہ لڑکی گنبد کی آواز ہے' انگریزوں کی تعلیم کا مقصد ہی یہی تھا۔" بڑے چچا نے ٹھنڈی سانس بھری۔ عالیہ نے کوئی جواب نہ دیا۔ بڑے چچا تو آنکھیں بند کر کے شاید سونے کی تیاری کر رہے تھے۔ ذرا ہی دیر میں وہ خراٹے لینے لگے تو عالیہ دبے قدموں کمرے سے چلی گئی۔

باہر ٹھنڈی ہوا سائیں سائیں کر رہی تھی اور بادلوں کے چند ٹکڑے ادھر

ادھر ڈولتے پھر رہے تھے۔ اماں اور بڑی چچی شاید اپنے کمروں میں سو رہی تھیں مگر کریمن بوا اب تک چولھے کے پاس بیٹھی اپنی بوڑھی ہڈیاں سینک رہی تھیں۔ وہ چپ چاپ سیڑھیوں پر ہو لی۔

نجمہ پھوپھی اب تک پڑھ رہی تھیں۔ عالیہ نے ان کی طرف کھلنے والے دروازے بند کر لئے اور اپنے بستر پر لیٹ گئی۔ ہائی اسکول کی طرف سے الو کے بولنے کی آواز آ رہی تھی، گلی میں کچھ آوارہ کتے لڑ رہے تھے اور کچھ رو رہے تھے۔ اسے رات بڑی ڈراؤنی معلوم ہوئی اور کریمن بوا کی بات یاد آ گئی۔ جب کتے روتے ہیں تو کوئی آفت آتی ہے——اب اور کون سی آفت آنے کو رہ گئی ہے، ابا جیل میں دن کس طرح گزارتے ہوں گے؟

رات جانے کس طرح گزری، گزری نہیں رات نے اسے گزار دیا۔ کیسی بے چینی کیسی بے کلی، جاگتے جاگتے آنکھوں میں جلن ہونے لگی——اللہ——وہ بار بار جیسے کراہتی اور گلی میں کتے روئے چلے جاتے۔

رات کے پچھلے پہر جب میونسپلٹی کی روشنی بجھ گئی تو کمرے میں گھور اندھیرا چھا گیا۔ مرغوں کی اذانوں کی آوزیں آنے لگیں تو وہ بڑے سکون سے سو گئی۔ صبح کے تصور نے اس کے دماغ سے ساری بلاؤں کو ٹال دیا تھا۔

کسی نے زور سے زنجیر کھڑکائی تو اس کی آنکھ کھل گئی۔ نجمہ پھوپھی کی لرزتی ہوئی آواز اس کے کانوں کو چھید گئی——"ہائے مظہر بھیا جیل میں مر گئے۔" اماں کی چیخیں بلند ہو رہی تھیں۔ بڑی چچی اونچی آواز سے رو رہی تھیں اور کریمن بوا کے سینہ پیٹنے کی آواز اسے صاف سنائی دے رہی تھی۔ پھر بھی وہ اپنے بستر پر بے حس و حرکت پڑی رہی۔ وہ آنکھیں پھاڑ پھاڑ کر ہر طرف دیکھ رہی تھی۔ یہ صبح صبح رات کیسے ہو گئی، سورج کدھر غائب ہو گیا، کیا سچ مچ ابا مر گئے!

وہ رونا چاہتی تھی، چیخنا چاہتی تھی۔ اسے اپنا دل پھٹتا ہوا محسوس ہو رہا تھا مگر وہ کچھ بھی نہ کر سکی اور کریمن بوا سینہ پیٹتی اس کے پاس آ گئیں، اسے اپنی چھاتی سے لپٹائے نیچے لے گئیں اور وہ ان کے ساتھ اس طرح چلتی رہی جیسے گھسٹ رہی ہو۔ اس کے پیروں میں جان کہاں تھی۔

بڑے چچا صحن میں کھڑے تھے۔ کیا یہ بڑے چچا ہیں؟ کیا یہ زندہ ہیں؟ انہیں کیا ہو گیا ہے؟ بڑے چچا نے اس کی طرف دیکھا بھی نہیں۔ وہ ان کے برابر کھڑی رہی۔ اماں بے تحاشا رو رو کر تڑپ رہی تھی۔ ان کی آنکھوں میں کیسی بے بسی تھی۔ کتنی حسرت تھی۔ ان کے چہرے پر بیچارگی کی دھول اڑ رہی تھی۔

عالیہ لڑکھڑاتے ہوئے قدموں سے اماں کی طرف بڑھی اور لپٹ گئی۔ اور پھر اسے محسوس ہوا کہ وہ بھی رو سکتی ہے۔

"اسے انگریزوں نے مار دیا ہو گا' وہ خود نہیں مرا' وہ مر ہی نہیں سکتا' وہ میرا بھائی ـــــ" بڑے چچا لوہے کی کرسی کو تھام کر بیٹھ گئے ـــــ "میں اسے لینے جا رہا ہوں۔" بڑے چچا اپنے گھٹنوں پر ہاتھ رکھ کر جیسے بڑی مشکل سے کھڑے ہو گئے۔

"جلدی سے چلئے بڑے بھیا۔" بیٹھک سے اسرار میاں کی آنسوؤں سے بھیگی ہوئی آواز آئی لیکن اس وقت تو کریمن بوا ان کی آواز سن ہی نہ رہی تھی۔

سب روتے روتے تھک گئے۔ برآمدے میں بچھی ہوئی دری پر اب سب سوگوار بیٹھے تھے۔ دھوپ صحن سے سرک کر دیواروں پر چڑھ گئی تھی اور کوے ایک ساں کائیں کئے جا رہے تھے۔ بھلا اب یہ کس کی آمد کی اطلاع دے رہے ہیں۔ کہاوتوں میں کوئی جان نہیں ہوتی' عالیہ کا جی چاہ رہا تھا کہ دیوار پر بیٹھے ہوئے کووں کو مار مار کر اڑا دے۔

سب کی نظریں صدر دروازے پر لگی ہوئی تھیں۔ مغرب کا وقت ہو رہا تھا اور بڑے چچا ابا کو لے کر اب تک نہیں آئے تھے۔ گلی میں کسی کے بھی قدموں کی چاپ ہوتی تو سب چونک پڑتے۔ کوئی فقیر صدا لگاتا گزرتا تو ایسا جان پڑتا کہ بین کر رہا ہے۔

کریمن بوا نے صحن میں چولھا بنا کر بڑے پتیلے میں پانی چڑھا دیا تھا اور سیلی ہوئی لکڑیوں کو پھونک پھونک کر گود میں رکھے ہوئے قرآن شریف کو پڑھے جا رہی تھیں۔ صحن میں ہوا کتنی سرد ہو رہی تھی۔

گلی میں بہت سے قدموں کی چاپ سنائی دی اور پھر اسرار میاں کی آواز

آئی —— "سب پردہ کرلیں مظہر بھیا آ گئے۔"

تھمے ہوئے طوفان نے پھر سے زور پکڑ لیا۔ برآمدے میں بچھے ہوئے پلنگ پر ابا کی لاش رکھ کر جب سب لوگ بیٹھک میں چلے گئے تو عالیہ دوڑ کر پلنگ کے پاس آ گئی۔ اماں پلنگ کی پٹی سے سر پھوڑ پھوڑ کر رو رہی تھیں۔ نجمہ پھوپھی اپنے بھیا راجہ کو پکار رہی تھیں۔ بڑی چچی اماں کو لپٹائے بیٹھی تھیں اور کریمن بوا سر جھکائے قرآن شریف پڑھے جا رہی تھیں۔

عالیہ نے ابا کے منہ پر سے چادر سرکا دی۔ کیا سچ مچ یہ ابا ہیں؟ اس نے پہچاننا چاہا جیل نے کچھ بھی تو نہ چھوڑا تھا —— "بڑے چچا" عالیہ نے بڑے چچا کا ہاتھ تھام لیا۔ وہ اپنے بھائی کے سرہانے سر جھکائے خاموش کھڑے تھے ——

"میرے بھائی کو انہوں نے مار ڈالا' اس نے تو انگریز حکمران کو مار کر ثواب بھی نہیں کمایا تھا اور انہوں نے اتنی بڑی سزا دے دی۔ میں سب کو بتاؤں گا' میں اس کے جنازے کو جلوس کی صورت میں لے جاؤں گا۔" بڑے چچا جوش کے مارے چیخ رہے تھے۔

"کون نکالے گا جلوس؟" اماں ایک دم تن کر کھڑی ہو گئیں —— "جب یہ زندہ تھے تو آپ کے تھے' آپ کا سایہ تھے' اب یہ میرے ہیں ان کی لاش کی کوئی بے حرمتی نہیں کر سکتا۔"

بڑے چچا کا سر ایک دم جھک گیا۔

پھر ابا چلے گئے۔ ایک ہنگامہ ہوا اور ٹھہر گیا۔ آخری دیدار میں کتنی ہوس ہوتی ہے وہ حیران تھی کہ ابا کی تصویر اس کی پتلیوں میں کیوں نہیں کھنچ گئی۔

رات گیارہ بجے کے قریب اسرار ماں اور بڑے چچا قبرستان سے واپس آ گئے۔ اس وقت آنسو تھم چکے تھے اور صبر کی سل سینوں پر سرک آئی تھی۔

"کریمن بوا' چھوٹی دلہن سے کہو اگر ان کے بدلے میں مجھے موت آ جاتی تو میں ضرور مرجاتا' پر بندہ بڑا بے بس ہے۔" اسرار میاں کی آواز سناٹے کو چیر گئی۔

"تم نہیں مر سکتے اسرار میاں' تم زندہ رہو گے' تم نہیں مر سکتے۔" کریمن بوا نے قرآن شریف پڑھتے پڑھتے اسرار میاں کی زندگی پر لعنت بھیج دی۔

تیسرے دن شام کو حیدر آباد دکن سے ظفر چچا اور ماموں دونوں ہی آ گئے۔ اماں اپنے بھائی سے مل کر بہت بے قرار ہو رہی تھیں۔ ان کی آنکھوں میں عجیب سی بھیک اور التجا تھی مگر ماموں نظریں چرا رہے تھے' وہ کچھ نہیں دیکھنا چاہتے تھے۔ کیا ان کی انگریز بیوی خاندانی زندگی کا پھندا گلے میں ڈال کر خود کشی کر لیتی؟

ظفر چچا صدمے سے نڈھال تھے اور بار بار کہہ رہے تھے کہ اگر میرا بھائی حیدر آباد میں رہتا تو آج یہ حشر نہ ہوتا۔ پھر شام کو وہ اپنی محفوظ حکومت کی سرزمین کی طرف روانہ ہو گئے۔ انہوں نے اماں کی ہر طرح مدد کرنے کا وعدہ کیا تھا۔

کئی دن بعد چھمی کا خط آیا تھا۔ شاید اس نے رو رو کر لکھا تھا۔ آنسوؤں نے روشنائی پھیلا دی تھی۔ آخر میں اس نے لکھا تھا کہ اب وہ اس گھر میں نہیں آنا چاہتی' چھوٹے گاؤں سے کیسا ناطہ۔ اس نے اپنے متعلق اب بھی کچھ نہ لکھا تھا۔ جمیل بھیا کا بھی خط آیا تھا۔ انہوں نے لکھا تھا کہ مظہر چچا کبھی نہیں مر سکتے۔ وہ ہمیشہ زندہ رہیں گے۔ انہوں نے دو دن کی چھٹی پر آنے کو لکھا تھا۔

اس دفعہ بہار کتنی جلدی گزر گئی۔ کیاری میں ڈھیروں گل عباس اور سورج مکھی پھول کھلے مگر ان میں کوئی دلکشی نظر نہ آئی۔ آم کے درختوں میں بور آتے ہی کوئل نے چیخنا شروع کردیا تھا۔ مگر کسی نامعلوم سی تڑپ نے عالیہ کے کلیجے کو نہ مسلا۔ ابا کی موت کے بعد وہ کتنی دل شکستہ ہو گئی تھی۔

اماں اب ہر وقت سر نیوڑھائے جانے کیا سوچا کرتیں اور بڑی چچی ادھر ادھر کی باتیں کرکے انہیں بہلانے کی کوشش کرتی رہتیں، پھر اماں کی فکروں میں کمی نہ ہوتی، جانے وہ کیا سوچتی رہتی تھیں، عالیہ پہروں ان کے پاس بیٹھی رہتی مگر وہ دل کی بات نہ کہتیں۔

بڑے زور کی گرمی پڑنے لگی تھی۔ سرشام آسمان پیلا ہونے لگتا تو محلے کے بچے شور مچاتے۔ "پیلی آندھی آئی، پیلی آندھی آئی" شاید ہی کوئی دن گزرتا جو آندھی نہ آتی ہو۔ سارا دن لو چلتی رہتی، گلی میں بگولے لوٹتے پھرتے اور عالیہ اپنے چھوٹے سے کمرے میں پڑے پڑے اپنے مستقبل کے لیے سوچتی رہتی۔ یہ دن تو کاٹے نہ کٹ رہے تھے۔ وہ اب یہاں سے بھاگ جانا چاہتی تھی۔ اس گھر کی ایک ایک چیز اسے کاٹنے کو دوڑتی۔ دادی کے کمرے میں جاتی تو ان کی تیز تیز سانسیں سنائی دینے لگتیں۔ صحن میں بچھے ہوئے ہر پلنگ پر ابا کی لاش پڑی نظر آتی اور جب لوہے کی کرسی دیکھتی تو جانے کیوں وحشت ہونے لگتی اور پھر بھاگ جانے کی خواہش اور بھی جڑیں پکڑنے لگتی۔ جمیل بھیا اسے تسلی دینے بھی نہ آسکے۔ اس کے باپ کی موت کتنی معمولی بات تھی۔ ادھر تو اسے جمیل بھیا سے نفرت ہو کر رہ گئی تھی۔

دھوپ چھت کی منڈیروں پر چڑھتے چڑھتے غائب ہو گئی تو عالیہ اپنے کمرے

سے نکل کر چھت پر آ گئی۔ نجمہ پھوپھی اب تک اپنے کمرے میں پڑی اونگھ رہی تھیں۔ ادھر کچھ دنوں سے وہ بھی بدلی بدلی نظر آتیں۔ کتاب ان کے سینے پر کھلی پڑی رہتی اور وہ جانے کیا سوچتی رہتیں۔ عالیہ کو کئی بار خیال آیا کہ اس طرح تو نجمہ پھوپھی کی انگریزی کمزور ہو جائے گی۔

قریب قریب کی چھتوں سے لڑکے لال پیلی پتنگیں اڑا رہے تھے۔ "وہ کاٹا" کی آوازیں آ رہی تھیں اور گلی میں گلاب کی گنڈیریاں بیچنے والا تو جیسے اسی گلی کا ہو کر رہ گیا تھا۔

اس نے دلچسپی سے پتنگوں کو دیکھنا اور گننا چاہا مگر ذرا ہی دیر میں جی اچاٹ ہو گیا۔ آج وہ بے حد اداس اور پریشان تھی۔ سارے دن کی دھوپ میں تپے ہوئے پلنگ پر منہ لپیٹ کر پڑ رہی۔

"عالیہ"!

"اماں۔" عالیہ ہڑبڑا کر اٹھ گئی۔ اماں کے آنے پر اسے حیرت ہو رہی تھی۔ مدتیں گزر گئیں' انہوں نے زینے پر قدم بھی نہ رکھا تھا۔ کبھی تنہائی میں بیٹھ کر اس سے بات نہ کی تھی۔ پھر ادھر ابا کے مرنے کے بعد تو وہ جیسے سدھ بدھ کھو چکی تھیں۔

"علی گڑھ جاؤ گی بی ٹی کرنے؟" انہوں نے عالیہ کے پاس بیٹھتے ہوئے پوچھا۔

"ضرور جاؤں گی' آپ ماموں کو لکھ دیجئے کہ وہ زیادہ روپے بھیجنے لگیں۔"

اماں نے اسے غور سے دیکھا اور پھر کسی خیال میں گم ہو گئیں۔ بسیرا لینے والے پرندے قطار سے اڑے جا رہے تھے۔ عالیہ نے انہیں بے دلی سے دیکھا اور پھر اماں کا منہ تکنے لگی۔ کچھ سوچنے کے باوجود وہ اس وقت بڑی مطمئن سی نظر آ رہی تھیں۔

"عالیہ اب ہمارا کیا بنے گا بچی' سچ تو یہ ہے کہ ہم تباہ ہو چکے ہیں۔ اگر تمہاری جگہ کوئی لڑکا ہوتا تو مجھے اتنی مایوسی نہ ہوتی' خیر اب تو تم ہی سب کچھ ہو۔ تمہی کو سب کچھ کرنا ہے۔" اماں کی آنکھوں میں چمک تھی۔

"بس ایک سال کی دیر ہے اماں' پھر میں اپنے پیروں پر کھڑی ہو جاؤں

گی۔"

"میں کہتی ہوں کہ اب تم علی گڑھ جانے کا خیال چھوڑ ہی دو۔ خدا جمیل کو خیریت سے واپس لے آئے' میں تمہارے ماموں سے سب روپے لے کر اسے دے دوں گی' تمہارے چچا کی یہی دکانیں کچھ دن بعد چل نکلیں گی۔ وہ بہت اچھا لڑکا ہے' اس نے میرا ہمیشہ ادب کیا ہے' خدا اسے خوش رکھے۔ میرا خیال ہے کہ اگر میں نے کہا تو جنگ سے آنے کے بعد تمہارے ماموں اسے ضرور کوئی بڑا عہدہ بھی دلا دیں گے۔ رہے تمہارے بڑے چچا اور اسرار' تو میں انہیں جلد ہی اس گھر سے چلتا کر دوں گی' بنا بنایا گھر ہے' حویلی سے کچھ کم تو نہیں۔ سب تمہارے نام لکھوا لوں گی۔ شکیل تو سمجھو مر ہی گیا' ورنہ کوئی خط وط لکھتا ماں کو۔" سب کچھ کہہ چکنے کے بعد اماں اس کا منہ دیکھ رہی تھیں۔

عالیہ سب کچھ سمجھ گئی تھی۔ اس نے آنکھیں پھاڑ کر اماں کو دیکھا۔ بچپن میں سنی ہوئی کہانیوں کی چڑیل' اماں کا منہ چھپا کر اس کے سامنے تھرکتی معلوم ہو رہی تھی ——"میں علی گڑھ جاؤں گی' یہ گھر بڑے چچا کو مبارک رہے۔ آپ اس قسم کی باتیں نہ سوچتیں تو بہتر تھا۔" عالیہ نے سختی سے کہا اور اس طرح منہ پھیر لیا جیسے اب کچھ نہ سننا چاہتی ہو۔

"وہی باپ والی فطرت ہے۔ مجھے معلوم ہے کہ تم مجھے خوش نہیں دیکھ سکتیں۔ تم چاہتی ہو کہ میں ہمیشہ بے گھر رہوں۔ میرا کھویا ہوا راج پاٹ اب کبھی نہ ملے گا۔" اماں نے منہ پر دوپٹے کا پلو رکھ لیا اور سسک سسک کر رونے لگیں۔

عالیہ اجنبیوں کی طرح خاموش بیٹھی انہیں روتے دیکھتی رہی —— اسے اپنی اماں کی تباہ زندگی سے ہمدردی ہے۔ وہ انہیں سکھ دینا چاہتی ہے مگر وہ کچھ نہیں جانتیں اور کتنی خطرناک اسکیم لے کر اس کے تباہ ہونے کا سامان کر رہی تھیں۔ وہ ماں ہو کر اسے دھکا دے رہی ہیں۔ جمیل نے کبھی ایک لمحے کو بھی زندگی کی خوشیاں سمیٹنے کی کوشش نہیں کی اور اب پیسہ کمانے بھی گئے ہیں تو مقصد فاشزم کو ختم کرنا ہے۔ وہ کبھی چچی کی طرح عبرتناک زندگی نہیں گزارے گی اور اماں —— اماں نے خود کیسی زندگی گزاری ہے' ابا ایک منٹ کو بھی گھر کے نہ ہو سکے۔ کیا

اماں یہ سب کچھ نہیں سوچ سکتیں۔ کیا یہ سچ مچ اس کی اماں ہیں۔ اس نے دھندلائی ہوئی آنکھوں سے اماں کو دیکھا جو اب آنسو پونچھ کر اس سے منہ موڑے اٹھ رہی تھیں —— "تم علی گڑھ جاؤ میں اپنے بھائی کو لکھ دوں گی' میں تم سے کسی قسم کی توقع نہیں رکھتی' جو جی چاہے کرو۔"

عالیہ اماں کو جاتا ہوا دیکھتی رہی۔ اپنے بھائی پر کتنا غرور تھا ان کو' عالیہ کا جی چاہا کہ خوب زور سے ہنسے مگر وہ اماں کے جاتے ہی پھوٹ پھوٹ کر رونے لگی اس وقت اتنی بے بسی میں وہ خود کو بے حد تنہا محسوس کر رہی تھی۔

رو چکنے کے بعد وہ جیسے ہلکی پھلکی ہو کر کھرے پلنگ پر لیٹ گئی۔ بسیرا لینے والے پرند کیسی قطار سے اڑے جا رہے تھے۔

"کریمن بوا کیا سب لوگ چائے پی چکے؟" اسرار میاں کی کمزور سی آواز اس کے دکھے ہوئے دل کو اور بھی دکھا گئی —— اسرار میاں تم اب تک چائے کے انتظار میں بیٹھے ہو۔ آج کریمن بوا نے کوئی جواب نہیں دیا' آج تم کو قیامت تک چائے نہیں ملے گی —— عالیہ نے ٹھنڈی سانس بھری' کالج کھلنے میں کتنے دن باقی رہ گئے ہیں؟ وہ دل ہی دل میں حساب لگانے لگی۔

وہ پورے دس مہینے بعد علی گڑھ سے لوٹی تھی۔ بڑے دن کی چھٹیاں گزارنے بھی گھر نہ آئی تھی۔ اماں نے بھی نہ بلایا تھا۔ بڑی چچی کے کئی خط آئے تھے کہ وہ ضرور آئے۔ اور بھی سب حال احوال لکھنے والی وہی تھیں۔ اماں تو اتنے دنوں سے ناراض تھیں۔ اتنی مدت میں اماں نے ایک بھی خط نہ لکھا تھا۔ انہیں خبر بھی نہ تھی کہ وہ جس سے ناراض ہیں وہ راتوں کی تنہائیوں میں ان کے دکھوں کو یاد کرکے تڑپتی ہے۔ وہ اماں کو ایک لمحے کے لیے بھی اپنے ذہن سے اتار نہ سکی تھی۔ اس کے بعد اگر کوئی شدت سے یاد آتا تو وہ بڑے چچا تھے۔ گرما گرم خبریں اور غیر معمولی حالات ان کی یاد میں اضافہ کرتے رہتے۔ اس نے بڑے چچا کو کئی خط بھی لکھے مگر جواب کا انتظار ہی رہا۔

تانگے سے اتر کر وہ سب سے پہلے بڑی چچی سے ملی اور اس بے پناہ مسرت کو اپنے سینے میں سموئے اماں کے لپٹ گئی اور رو رو کر اماں کا سینہ تر کردیا۔

گھر کا نقشہ کیسا بگڑا بگڑا لگ رہا تھا۔ آندھیوں اور بارشوں نے دیواروں کا رنگ چاٹ لیا تھا۔ کمروں کی سفیدی پیلی اور مریض معلوم ہو رہی تھی۔ دالان کے پردے کئی جگہ سے پھٹ کر لٹک گئے تھے۔ کریمن بوا ماضی کی یادوں کے بوجھ سے کمر جھکا کر چلنے لگی تھیں اور اماں کی پیشانی کے سامنے بہت سے سفید بال جھانکنے لگے تھے۔ بڑی چچی تو جیتا جاگتا تعزیہ تھیں اور صحن میں پڑی ہوئی لوہے کی کرسی کے پایوں میں زنگ لگ چکا تھا۔

"چھمی کے لڑکی ہوئی ہے' ساجدہ کا خط آیا تھا۔" بڑی چچی نے اطلاع دی۔

"اوہ! پیاری چھمی اماں بھی بن گئی۔" وہ خوشی سے اچھل پڑی —— پر اس کی بچی کا کرتہ ٹوپی لے کر کون جانے والا ہے' اب تو اس گھر میں ساری رسمیں مر

چکی ہیں۔ وہ رنجیدہ ہو گئی۔

"شکیل کی کوئی خبر ملی بڑی چچی؟" عالیہ نے پوچھا۔

"تمہارے جمیل بھیا نے لکھا تھا کہ وہ بڑے مزے میں ہے' ڈھیروں کماتا ہے اور اڑاتا ہے' کسی کو یاد نہیں کرتا' اس کے لئے سب مر گئے ہیں' تمہارے جمیل بھیا بمبئی گئے تھے نا۔" شکیل کے نام پر بڑی چچی کی کچھ ایسی حالت ہو گئی جیسے چلچلاتی دھوپ میں ننگے پاؤں چل رہی ہوں۔ "دیکھو جس نے پیدا کیا' اسی کو بھول گیا' اکیلے عیش کرتا ہے۔" انہوں نے لمبی آہ کھینچی۔

"ایک وہ بھی زمانہ تھا جب سارے چھوٹے صبح اٹھ کر اپنے بڑوں کو سلام کرتے تھے' جو کچھ تھا سب ماں باپ کے ہاتھ میں تھا۔" کریمن بوا بڑبڑائیں۔

ہے! بڑی چچی کتنی معصوم ہیں' عالیہ سوچ رہی تھی۔ بھلا جمیل بھیا بمبئی میں اسے کیوں تلاش کرتے پھریں گے۔ پتہ نہیں شکیل کہاں ہو گا' پھر بھی شکر ہے کہ جمیل بھیا اپنی ماں کا دل رکھ رہے ہیں۔ ہائے کس پتھر کا بنا تھا شکیل۔

اوپر کے کمرے کی کھڑکی کھلی اور نجمہ پھوپھی کا سر جھانکا۔ کیسی ڈھل گئی تھیں نجمہ پھوپھی بھی۔ اس کا جی چاہا کہ انہیں بھی سلام کرے مگر انہوں نے لفٹ ہی نہ دی۔ اس کی طرف دیکھا بھی نہیں۔ نجمہ پھوپھی کو سلام کرنے کے لئے اب انگریزی میں ایم اے کرنا ہو گا۔

کریمن بوا نے بڑے چاؤ سے اس کے لئے چائے تیار کی تھی۔ اتنی مدت بعد ان کے ہاتھ کے سوکھے ہوئے پراٹھے کھانے میں بڑا مزہ آ رہا تھا۔

"بڑے چچا کہاں ہیں؟" چائے پینے کے بعد اس نے پوچھا۔

"وہیں کہیں آزادی کا جھنڈا گاڑ رہے ہوں گے۔" اماں نے تیوریوں پر بل ڈال کر کہا اور بڑی چچی گھبرا کر ادھر ادھر دیکھنے لگیں۔

"کہیں باہر تو نہیں گئے ہیں؟" اس نے پھر پوچھا۔ وہ ان سے ملنے کے لئے سخت بے تاب تھی۔

"نہیں عالیہ' یہی ہیں۔" بڑی چچی نے جواب دیا۔

"بس اب تم جلدی سے ملازمت کی درخواستیں دینے لگو' میں بھرپائی ان۔

مصیبتوں سے، اس اجڑے گھر میں جانے کس طرح دن گزارے ہیں، کبھی پیٹ بھر کھانا نہ ملا۔" اماں نے بڑی بے باکی سے کہا۔ اس وقت وہ بڑی مغرور نظر آ رہی تھیں۔

"ارے چھوٹی دلہن، میں نے تو اپنی جان سے زیادہ تمہارا خیال کیا ہے اور۔" بڑی چچی سے کچھ کہتے نہ بن پڑ رہی تھی۔

"بس جناب آپ کے خیال کا شکریہ، اب آپ لوگ میری جان بخش دیں اور احسان نہ جتائیں، مجھے پتہ تھا کہ ایک دن یہی سننا ہو گا۔"

"اماں!" عالیہ نے حیران ہو کر اماں کو پکارا اور بڑی چچی کی طرف دیکھ کر سر جھکا لیا۔ ابھی تو امتحان کا نتیجہ بھی نہیں نکلا، کیا یہی سب کچھ سننے کے لئے اس نے اپنے پیروں پر کھڑا ہونا چاہا تھا، اس کا جی چاہا کہ اپنے فیل ہونے کی دعائیں مانگنے لگے۔

بڑی چچی منہ پھیر کر دوپٹے کے پلو سے آنکھیں پونچھ رہی تھیں —— "اتنی مدت بعد عالیہ آئی ہے اس سے باتیں کرو دلہن" —— وہ جیسے رینگتی ہوئی اٹھیں —— "صبح سے سارا کام پڑا ہوا ہے، کچھ بھی تو نہیں کیا۔"

خدا جب دینے پر آتا ہے تو اتنا بڑا کلیجہ دے دیتا ہے۔ وہ چپ چاپ بڑی چچی کو جاتا دیکھتی رہی۔

"عالیہ بٹیا خدا آپ کو پاس کر دے، آپ کے دن پھیرے، پرانا زمانہ یاد کرتی ہوں تو کلیجہ منہ کو آتا ہے۔" کریمن بوا اپنی کہے جا رہی تھیں۔ انہوں نے شاید اماں کی باتیں نہ سنی تھیں۔ نل کی موٹی سی دھار پکے فرش پر تڑ تڑ گرے جا رہی تھی اور کیاری میں پانی رینگ رہا تھا۔ بہار کے کھلے ہوئے سرخ، پیلے اور اودے پھول اب مرجھا چلے تھے۔

"ہائے اب مجھے کتنا سکون ملا ہے۔ اب ہمارے دن پلٹ جائیں گے۔" اماں بڑے ذوق و شوق سے عالیہ کو دیکھے جا رہی تھیں۔

کیا آج اس کمرے میں بڑی چچی زندگی بھر کا کام نمٹا لیں گی۔ عالیہ کا دھیان بڑی چچی میں لگا ہوا تھا۔ وہ اماں کی کوئی بات نہ سن رہی تھی۔

بڑے چچا آگئے۔ اماں نے ناگواری سے دوسری طرف منہ پھیرلیا اور عالیہ ان کی اس حرکت کو نظر انداز کر کے ان کی طرف لپکی —— "بہت دن بعد دیکھا ہے آپ کو بڑے چچا۔" وہ انکے لپٹ گئی۔

امتحان کیسا رہا؟" وہ اس کے سر پر ہاتھ پھیر رہے تھے۔

"بہت اچھا رہا' کامیابی کی پوری امید ہے۔"

"پھر اب تم ان بیکار دنوں میں خوب پڑھو' وہ میری لائبریری کی چابی اپنے پاس رکھ لو۔" وہ اپنی شیروانی کی جیب ٹٹولنے لگے۔ "ابھی گاندھی جی کی سوانح حیات منگائی ہے' ضرور پڑھو۔"

"اب آپ اسے بھی تباہ کر دیجئے بڑے بھیا' مجھے بیوہ کر کے آپ کو صبر نہیں آیا۔ میرے پاس کچھ بھی نہ رہنے دیجئے۔" اماں آج سب سے مقابلہ کرنے پر تل گئی تھیں۔ ان کی حالت تو کچھ ایسی ہو رہی تھی جیسے کمینے کے ہاتھ پیسہ آگیا ہو۔

"وہ —— وہ' میں نے کہا' جمیل کی اماں کہاں ہو؟ دو آدمیوں کا کھانا پکے گا' ذرا انتظام کرا دینا۔" بڑے چچا بوکھلا کر بیٹھک میں چلے گئے۔

"ضرور پڑھوں گی بڑے چچا' ہائے کتنی اچھی کتاب ہو گی۔" عالیہ نے اماں کی پرواہ نہ کرتے ہوئے کہا اور تھکے تھکے قدم اٹھاتی اوپر جانے والے زینوں پر ہولی۔

کریمن بوا' عالیہ بٹیا کو دعا کہو اور کہو کہ اللہ انہیں کامیاب کر دے' بڑے بھیا کہتے تھے کہ پرچے بہت اچھے ہو گئے ہیں۔" اسرار میاں کی آواز گھر میں داخل ہوئی تو کریمن بوا کا چمٹا بڑے زور سے کھڑکا۔ "اسرار میاں کبھی تو تم چپ بھی رہا کرو۔ کوئی بھی مبارک موقع ہو تم ضرور دخل دو گے۔"

عالیہ ایک لمحے کو جیسے زینوں پر جم کر رہ گئی اور پھر تیزی سے اپنے کمرے میں چلی گئی۔ کریمن بوا' پیٹ کی ایسی مار پڑی کہ اب تم ذائقہ دار چیزوں کا مزہ تک بھول گئیں اور تمہیں صرف اپنے بڑے سرکار مرحوم کی حرام کاری کے اس پھل کی کڑواہٹ یاد رہ گئی۔ تمہاری ساری زندگی کی ناکامی اور غلامی دشمن بن کر اسرار میاں کے پیچھے پڑ گئی ہے۔ اللہ یہ اسرار میاں کے حصے کی موت کس کتے بلی

کو آ گئی ہے——اتنی دیر سے پلکوں میں اٹکے ہوئے آنسو ڈھلک کر بستر میں جذب ہو گئے۔

بہت دن بعد جمیل بھیا کا خط آیا تھا۔ بڑی چچی ننھی سی چڑیا کی طرح ہر طرف پھدکتی پھر رہی تھیں اور اماں بڑے اشتیاق سے عالیہ کی طرف دیکھے جا رہی تھیں مگر عالیہ کو اس وقت تمام ضروری کام یاد آ رہے تھے۔ اماں کے اشتیاق میں جو خوفناک ارادہ جھانک رہا تھا' اس سے وہ اچھی طرح واقف تھی۔ اماں دادا کی حویلی کی مالکن نہ بن سکیں' جاگیردارنی نہ کہلا سکیں' اب وہ بھاگتے چور کی لنگوٹی پر اکتفا کر رہی تھیں اور پھر جمیل بھیا تو سچ مچ انہیں اچھے لگتے تھے۔ کیا مزے سے اپنے باپ کا منہ چڑا کر انگریزوں کو شکست سے بچانے کے لئے دوڑ پڑے تھے۔

"عالیہ بٹی ذرا ایک بار پھر سے خط پڑھ دو' اپنی آنکھیں تو اب کام نہیں دیتیں' اتنا پانی آتا ہے کہ سامنے دھند چھا جاتی ہے۔" بڑی چچی نے پاندان سے خط نکال کر عالیہ کی طرف بڑھا دیا۔

"میری پیاری اماں' انتہائی مصروفیت کی وجہ سے آپ کو خط نہ لکھ سکا مگر اس کا یہ مطلب تو نہیں کہ میں آپ کو بھول گیا۔ اماں تو ہر وقت یاد آتی ہیں۔ عالیہ بی بی تو اب واپس آ چکی ہوں گی۔ خدا کرے وہ کامیاب ہو جائیں۔ انہیں تحفے میں دینے کے لئے میرے پاس کیا بچا ہے اور——"

عالیہ کو ایسا محسوس ہوا کہ باقی خط وہ نہیں پڑھ سکے گی' اس کے گلے میں کانٹے چبھ رہے تھے۔ باقی خط ہزاروں خرابیوں سے پڑھا گیا۔

"اس گھر کو چھوڑ کر پھر ہم ہمیشہ کے لئے گھر سے محروم ہو جائیں گے عالیہ جان۔" بڑی چچی کے اٹھتے ہی اماں نے آہستہ سے کہا۔

"اماں پھر میں کہیں چلی جاؤں گی' آپ مجھے جہنم میں کیوں جھونکنا چاہتی ہیں۔" عالیہ نے خود مختار لڑکیوں کے تیور سے اماں کو دیکھا اور پھر سر جھکا لیا——

فوہ —— اس گھر کی دیواروں تک سے لوناٹپک رہا ہے، کتنے برس اور یہ گھر اماں کی جاگیر بنا رہے گا۔

اماں ناراض ہوئے بغیر خاموشی سے اس کو دیکھا کیں۔ ان کی آنکھوں میں ناکامیوں کا احساس سسکتا ہوا معلوم ہو رہا تھا۔ حویلی اور جاگیر سے محروم ہونے کے بعد اب وہ اس حقیر سے مکان کو بھی اپنا نہ بنا سکتی تھیں۔

"یہ آٹا کھانے کے لائق ہے؟ لوریاں لگی ہیں، اللہ یہ دن بھی دکھانا تھا، کبھی اپنی زمینیں سونا اگلتی تھیں۔" کریمن بوا آٹا چھانتے ہوئے سوت جیسے باریک باریک کیڑے چن کر پھینک رہی تھیں۔ لمبی جنگ نے صاف ستھرے گیہوں کے ایک ایک دانے کو ترسا دیا تھا۔ کریمن بوا آئے دن پیچش کی شکار رہتیں۔

"اپنی حکومت جیت جائے تو کریمن بوا سب کچھ کھانے کو ملنے لگے گا، سب ہار گئے ہیں، بس ایک جاپان ملک ہی تو رہ گیا ہے۔ اللہ جانے یہ کس پتھر کے بنے ہیں۔" اماں نے کریمن بوا کو تسلی دی۔

"بیتا ہوا زمانہ پھر نہیں آتا چھوٹی دلہن۔" کریمن بوا نے اپنے حساب بہت بڑی بات کہہ کر سب کی طرف دیکھا اور ٹھنڈی سانس بھر کر گندھے ہوئے آٹے کی لگن ڈھانک دی —— "جانے چھمی بٹیا کیسی ہوں گی اور شکیل میاں" ——

"چپ بھی رہو کریمن بوا، شکیل کا ذکر نہ کیا کرو، بڑی چچی سنتی ہیں تو رونے بیٹھ جاتی ہیں۔" عالیہ نے انہیں ٹوک دیا۔

دھوبن کپڑوں کا گٹھا اٹھائے اندر آ گئی تو بڑی چچی سبھوں کے میلے کپڑے جمع کرنے لگیں اور دھوبن پھولی ہوئی سانسوں کو ٹھیک کرتی تخت کے پاس زمین پر پھسکڑا مار کر بیٹھ گئی —— "اے چھوٹی دلہن کلجگ ہے" —— دھوبن نے ہاتھ پھیلا دیا۔ "اک ذرا سی تمباکو تو کھلا دیجئے، منہ سوکھ رہا ہے۔"

"کیسا کلجگ؟" اماں نے پان کا ٹکڑا اس کے ہاتھ پر رکھ دیا۔

"وہ جو حاجی صاحب کا لڑکا جنگ پر مارا گیا تھا نا، اس کی بیوی کسی کے ساتھ بھاگ گئی، تین سال ہوئے حاجی صاحب کے لونڈے کو مرے، ایسی شرافت سے گھر پڑی رویا کرتی کہ سب واہ کر کے رہ جاتے، کسی کو کیا پتہ تھا کہ یہ گن بھرے

ہیں۔"

"غضب خدا کا کہیں مل جائے تو کھود کر دفنا دیں حرام زادی کو۔" اماں نے برا سا منہ بنایا۔

"چودھویں صدی ہے، ایک زمانہ تھا کہ بارہ تیرہ سال کی لڑکی بیوہ ہو کر یونہی بیٹھی رہتی، قبر کے سوا کسی دوسرے کا منہ نہ دیکھتی، پر اب تو سب ختم ہوتا جا رہا ہے۔ سچ کہا ہے بزرگوں نے چودھویں صدی میں گائے گو کھائے گی اور کنواری بر مانگے گی۔" کریمن بوا بھی چپ نہ رہ سکیں۔

کریمن بوا یہ گائے ماتا کی بات نہ کیا کرو، کسی ہندو نے سن لیا تو لینے کے دینے پڑ جائیں گے، اب وہ بھائی چارہ نہیں رہا، جسے دیکھو پاکستان کے خلاف ہے، عورتیں تک کہنے سننے سے نہیں چوکتیں۔ ہم تو چپکے سے کپڑوں کا گٹھا اٹھا کر چلے آتے ہیں۔ اللہ بچائے اس قوم سے، کانپور میں کیسے کیسے فساد نہیں ہوتے رہتے۔"

دھوبن نے اپنا سر تھام لیا —— "اپنے کئی عزیز کانپور کے فساد میں مر چکے ہیں۔"

"سب ٹھیک ہے، زمانے بدل گئے۔" کریمن بوا جیسے اتنی بہت سی باتوں سے اوبھ کو جھوٹے برتن سمیٹنے لگیں۔

ساری رات بارش ہوتی رہی۔ چھاجوں پانی برس گیا۔ صبح بھی آسمان صاف نہ تھا۔ ابر کے سیاہ ٹکڑے ادھر ادھر ڈولتے پھر رہے تھے۔

عالیہ نے کھڑکی کے بھڑے ہوئے پٹ کھول دیئے۔ سامنے ہائی اسکول کے احاطے کے درخت رات کی بارش سے نہا کر خوب نکھر گئے تھے اور کسی درخت میں چھپی ہوئی کوئل برابر چیخے جا رہی تھی۔ گلی میں پڑی ہوئی آموں کی گٹھلیوں اور چھلکوں کی بو ہوا میں رچی ہوئی تھی اور اخبار بیچنے والا بڑی تیزی سے گلی سے چیختا گزر رہا تھا —— "خوفناک بم' جاپان کی کمر ٹوٹ گئی' ہیروشیما تباہ ہو گیا' اتحادیوں کی فتح قریب ہے۔ آگیا' آگیا آج کا اخبار' ہیروشیما ——"

اچھا تو ایک پورا شہر ایک بم سے ختم ہو گیا۔ پھر اس کے بعد کیا ہو گا؟ جمیل بھیا واپس آ جائیں گے۔ انگریزوں کے حق میں پروپیگنڈا کرنے کے سارے ہتھیار ختم کر کے خالی خولی واپس آ جائیں گے مگر وہ بیچارے جو جنگ کی آگ میں جل مرے' اب ان کے انتظار کرنے والوں پر کیا گزرے گی؟ اس سوال کا جواب نہ پا کر عالیہ بستر سے اٹھ پڑی آج اسے اخبار پڑھنے کی بچی طلب ستا رہی تھی۔

بڑے چچا بیٹھک میں جا چکے تھے اور اخبار کے صفحے پلنگ پر بکھرے پڑے تھے۔ اس نے بے تابی سے اخبار کے سارے صفحے اٹھا لئے —— ہیروشیما میں آگ کے شعلوں کے سوا کچھ نظر نہیں آتا ——

اخبار رکھ کر وہ گم سم سی بیٹھی گئی۔ اللہ یہ حکومتیں شہروں کو کیوں نشانہ بناتی ہیں۔ ان کا کیا قصور' انہیں کیوں موت کے گھاٹ اتار دیا جاتا ہے' مگر یہ تو ہمیشہ سے ہوتا آیا ہے۔ تاریخ کبھی مسکرائے گی بھی کہ نہیں' ایک ایک لفظ خون کی بوند معلوم ہوتا ہے۔ ہیروشیما کی آگ میں کیا کچھ نہ جل گیا ہو گا۔ پتہ نہیں لوگ

اس وقت کس عالم میں ہوں گے۔ وہ اس وقت زندگی کے کتنے بہت سے کام انجام دینے کی سوچ رہے ہوں گے۔ وہ کیا کچھ کرنے کو گھروں سے نکلے ہوں گے اور کیا پتہ اس وقت بھی بچے جاپانی گڑیاں خریدنے کسی دکان پر کھڑے ہوں اور اس وقت اچانک خوفناک بم کا دھماکہ ہوا ہو گا——اور——

"جلدی جلدی چائے پی لو عالیہ بٹیا' اسکول کا تانگہ آنے والا ہو گا۔ یوں ہی بیٹھی کیا سوچ رہی ہو۔" کریمن بوا نے ٹوکا تو وہ جلدی سے چائے پینے بیٹھ گئی۔ ابھی تو اسے تیار بھی ہونا تھا۔

"جاپان بھی ہارنے والا ہے۔ ان کا ایک پورا کا پورا شہر تو تباہ ہو گیا۔" غسلخانے سے نکل کر اماں نے بڑے اطمینان اور سکون سے خبر سنائی۔

"جی ہاں!" چائے پی کر وہ صحن میں آ گئی۔ بڑی چچی نل کے پاس بیٹھی ہاتھ منہ دھو رہی تھیں۔ کیاری میں سارے پودے بارش کے بوجھ سے دب کر زمین پر جھک گئے تھے۔

کپڑے تبدیل کر کے وہ بال ٹھیک کر رہی تھی کہ باہر سے آواز آئی——" استانی جی تانگہ آ گیا ہے۔"

برقع ہاتھ پر ڈالے جب وہ زینے طے کرنے لگی تو آگے آگے نجمہ پھوپھی بہت اونچی ایڑیوں کی سینڈل پر جھومتی اتر رہی تھیں۔ "استانی جی تانگہ آ گیا ہے۔" نجمہ پھوپھی نے گردن گھما کر کہا۔ ان کے ہونٹوں پر کیسی مضحکہ خیز مسکراہٹ تھی۔

"ہم دونوں ایک ہی کام کرتے ہیں' مگر آپ لکچرار کہی جاتی ہیں اور میں استانی' یہ فرق اگر نہ بھی مٹے تو کیا قیامت آ جائے گی نجمہ پھوپھی۔" عالیہ نے تلخی سے جواب دیا۔

"واہ یہ فرق مٹ بھی کیسے سکتا ہے' کیا تم نے انگلش میں ایم اے کیا ہے؟ گدھے اور گھوڑے میں کوئی فرق تو ضرور ہوتا ہے۔" نجمہ پھوپھی چائے پینے کے لئے بیٹھ گئیں۔

"استانی جی' کالج سے تانگہ آ گیا ہے۔" باہر سے صدا آئی۔

"تانگے والوں کے لئے ہم اور آپ دونوں برابر ہیں۔" عالیہ زور سے ہنسی ــــ "آپ انہیں سمجھاتی کیوں نہیں؟" وہ تانگے پر جا بیٹھی۔ نجمہ پھوپھی کیا کہہ رہی تھیں اس نے سنا نہیں۔

اسکول سے واپسی پر عالیہ نے دیکھا کہ کوئی صحن میں کھڑا ہے۔ وہ پشت سے پہچان نہ سکی مگر جیسے ہی دو قدم آگے بڑھی تو چھمی پلٹ کر اس سے لپٹ گئی۔

"ارے چھمی تم آگئیں؟ عالیہ اسے زور زور سے بھینچ رہی تھی۔ "اور وہ برآمدے میں کون لیٹا ہے کھٹولے پر؟"

"پتہ نہیں بجیا۔" چھمی جھینپ گئی۔

"چھمی کی بٹیا ہے' اور کون ہے۔" بڑی چچی نے نہال ہو کر بتایا۔

"اوہ!" عالیہ برقع اتارنا بھی بھول گئی اور بچی کی طرف بھاگی ــــ "ہے کتنی پیاری ہے' بالکل چھمی کی طرح۔" عالیہ کا جی چاہا کہ اسے سوتے سے اٹھا کر خوب پیار کرے۔ اسے یاد آ رہا تھا کہ اگر تہمینہ آپا زندہ ہوتیں تو شاید ان کے بھی ایک دو بچے ہوتے۔

بچی کے منہ پر سے دوپٹہ سرک گیا تھا اور گال پر مکھی آ بیٹھی تھی۔ عالیہ نے مکھی اڑا کر منہ ڈھانک دیا۔ کل میں اسکول سے آتے ہوئے اس کے لئے ایک چھوٹی سی مچھر دانی خرید لاؤں گی' پھر مکھیوں سے محفوظ ہو جائے گی۔" عالیہ نے کہا۔

"لو بھلا مکھیوں سے کون بچاتا ہے' یہ تو ہمارے ہاں موسمی تتلیاں ہیں بجیا۔" چھمی ہنس دی۔ 'اگر ہمارے گاؤں میں کوئی ایسی بات کرے تو سب مذاق اڑانے لگتے ہیں' بھلا مکھیوں سے بھی کوئی بچ سکتا ہے۔" وہ پھر ہنسنے لگی' کیسا دکھ تھا اس کی ہنسی میں۔ وہ دبلی ہو گئی تھی' اس لئے کچھ زیادہ ہی خوب صورت لگ رہی تھی۔ جمیل بھیا نے چھمی کو کھو کر غلطی ضرور کی ہے ــــ عالیہ کو خیال آیا اور وہ برقع اتارنے لگی۔ ــــ "بڑے چچا سے ملیں؟" اس نے برقع لپیٹتے ہوئے پوچھا۔

"کہاں؟ وہ گھر میں آئے ہی نہیں۔" چھمی نے کہا اور پھر بڑی چچی کی طرف مڑ گئی ــــ "اچھے تو ہیں بڑے چچا؟" اس نے بڑی بوڑھیوں کی طرح پوچھا۔

"بس اچھے ہی ہیں، کمزور ہو گئے ہیں۔" بڑی چچی نے جواب دیا۔

"تم کھانا کھا چکی ہو چھمی؟" عالیہ نے پوچھا۔

"نہیں، میں تو آپ کا انتظار کر رہی تھی بجیا۔"

چھمی کی بٹیا جاگ کر رونے لگی تو بڑی چچی نے اسے اٹھا کر کندھے سے لگا لیا اور بڑی محبت سے تھپکنے لگیں۔ اماں تخت پر بیٹھی چھالیہ کاٹ رہی تھیں۔ انہوں نے ایک بار بھی چھمی یا بچی کی طرف نہیں دیکھا۔ جب سے عالیہ اسکول میں ملازم ہوئی تھی، اماں کی نظروں میں سب کے لئے کتنی حقارت پیدا ہو گئی تھی۔ پھر چھمی سے تو وہ ہمیشہ کا بیر رکھتیں۔

"تمہارے میاں نہیں آئے چھمی؟"

"نہیں بجیا، وہ کیسے آتے، ان کی بھینس بیمار تھی۔ انہوں نے مجھے زنانے ڈبے میں بٹھا دیا تھا اور ایک بوڑھی عوت سے کہہ دیا تھا کہ مجھے دیکھے رہے" —— وہ ہنسنے لگی۔

"تم بہت یاد آتی تھیں چھمی۔" عالیہ نے اسے پیار سے دیکھا۔ چھمی اپنے ماحول سے مطمئن نہیں۔ یہ سوچ کر اسے دکھ ہو رہا تھا۔

"میں بھی آپ ہی سے تو ملنے آئی ہوں۔"

"ہوں! تمہارے جانے کے بعد گھر میں سکون ہو گیا تھا، اس لئے تمہیں یاد کر کے تڑپتی تھی۔" اماں نے جلی کٹی نظروں سے چھمی کو دیکھا۔

"اچھا!" چھمی ان کے طنز کو سہہ کر ہنس پڑی۔

ارے کیا چھمی اتنی ٹھنڈی پڑ چکی ہے۔ عالیہ کو یقین نہ آ رہا تھا۔ کیسی سنجیدہ اور بھاری بھر کم سی لگ رہی تھی۔

"چھمی اس کو تو مجھے دے دے۔ اسے پال کر زندگی کے دن کٹ جائیں گے۔" بڑی چچی چھمی کی بٹیا کو چوم چوم کر کہہ رہی تھیں۔

"لے لیجئے بڑی چچی۔" چھمی نے کہنے کو تو کہہ دیا مگر اس کا چہرہ فق ہو گیا۔ شاید چھمی کو اپنی پرورش کا زمانہ یاد آ گیا تھا۔ اسے بھی تو یہاں پلنے کے لئے چھوڑ دیا گیا تھا۔

چھمی کی بٹیا بھوک سے بلبلا کر زور زور سے رونے لگی۔ تو چھمی نے کھانا چھوڑ دیا اور ہاتھ دھو کر اسے گود میں لے لیا۔ بڑی چچی کمرے میں چلی گئیں۔ اماں پہلے ہی چھمی کے کمرے میں پاندان لے کر جا چکی تھیں۔ شاید انہیں خطرہ ہو گا کہ چھمی اپنے کمرے میں ڈیرہ نہ ڈال دے۔

کتنی سخت گرمی پڑ رہی تھی۔ ہوا بند ہونے کی وجہ سے سخت حبس ہو رہا تھا۔ دوپہریں کاٹے نہ کٹتیں۔

"کریمن بوا صاحبزادی کے لئے یہ کھلونے لے جاؤ اور چھمی بٹیا کو میری دعا کہو اور اگر سب لوگ کھانا کھا چکے ہوں تو——" اسرار میاں بیٹھک کے کواڑوں کی آڑ میں کھڑے کہہ رہے تھے اور کریمن بوا سب کے آگے سے بچا ہوا سالن ایک پیالے میں جمع کر کے اسرار میاں کے ہیضہ مار کرنے کا سامان کر رہی تھیں۔

عالیہ نے ہاتھ بڑھا کر کھلونے لے لئے تو کریمن بوا جیسے بلبلا اٹھیں——

"خدا کی شان ہے، زمانے زمانے کی بات ہے اسرار میاں چھمی بٹیا کی اولاد کے لئے کھلونے لائیں"—— کریمن بوا نے سالن کا پیالہ اور روٹیاں ان کے آگے بڑھے ہوئے ہاتھ پر پٹخ دیں۔

"یہ کھلونے اسرار میاں نے دیئے ہیں اور دعا کہی ہے۔" عالیہ نے بچوں کی طرح جھنجھنا بجایا۔

"اس طرح تو اونچے ہونے سے رہے اسرار میاں، یوں پھلپھلاتے پھرتے ہو، اپنی اوقات بھی نہیں پہچانتے۔" کریمن بوا برآمدے میں اب تک بڑبڑا رہی تھیں۔

"کریمن بوا، اللہ کرے تم گونگی ہو جاؤ یا اسرار میاں مر جائیں۔" عالیہ نے دل ہی دل میں دعا کی اور پھر بڑی چچی کے پاس بیٹھ گئی۔ وہ کپڑوں کی گٹھڑیوں اور تلے دانیوں کو کھولے ریشمی ٹکڑے چن چن کر چھمی کی بٹیا کے لئے کرتہ ٹوپی سی رہی تھیں اور برابر باتیں کئے جا رہی تھیں۔ "چھمی تمہاری ساس کیسی ہے؟ لڑتی تو نہیں؟ تمہارا میاں تو تم سے بہت محبت کرتا ہو گا؟"

چھمی ہنس ہنس کر ہر بات کا جواب ہاں میں دے رہی تھی مگر عالیہ دیکھ رہی

تھی کہ چھمی سب سے نظریں بچا رہی ہے ——"مجھے یہ اتنی پیاری کیوں ہے بجا؟ " تمام باتوں سے بچنے کے لئے چھمی نے دوسری بات شروع کر دی۔

"تمہاری بیٹی جو ہے۔"

"جب سے یہ سامنے آئی ہے ساری دنیا ہیچ ہو گئی ہے۔" چھمی نے ٹھنڈی سانس بھری اور اپنی بٹیا کو سینے سے لگا کر لیٹ گئی ——"اس کے باپ اور دادی کو اس سے کوئی محبت نہیں' انہیں بیٹا چاہئے تھا۔"

ذرا ہی دیر میں چھمی سو گئی اور سوتے میں لمبی لمبی آہیں بھرنے لگی' مگر عالیہ بڑی چچی کے ساتھ ساری دوپہر کرتہ ٹوپی سلاتی رہی۔

شام کو جب سب لوگ بیٹھے چائے پی رہے تھے کہ بڑے چچا آ گئے۔ چھمی نے ان کی طرف دیکھا اور منہ پھیر لیا۔

"بڑے چچا کھڑے ہیں چھمی۔" عالیہ نے ملامت سے دیکھا۔

"اچھا بڑے چچا ہیں' میں تو پہچانی نہیں۔" وہ بڑے طنز سے ہنسی —— "تسلیم بڑے چچا' سنائیے آپ کی کانگریس پارٹی کا کیا حال ہے' ماشاء اللہ گاندھی میاں کی عمر تو لمبی ہوتی جا رہی ہے۔"

ارے یہ وہی چھمی ہے۔ بس اتنا ہی فرق ہے نا کہ اب گود میں بچہ ہے۔ عالیہ اسے حیران نظروں سے دیکھ رہی تھی۔

"تمہارے گھر میں سب خیریت ہے نا۔" بڑے چچا بوکھلا کر بیٹھک کی طرف پلٹے۔ "کریمن بوا چائے باہر بھجوا دو۔"

"عمر لمبی نہ ہو تو کیا ہو' بیچارا ہندوستان پر حکومت کے خواب دیکھ رہا ہے' لو بھلا لنگوٹی باندھ کر حکومت کرے گا۔" اماں خوش ہو کر چھمی سے بول پڑیں۔ ایسے معاملات میں تو وہ سو فی صدی چھمی کے ساتھ رہتیں۔ پھر ادھر تو وہ انگریز حکومت پر دل و جان سے قربان ہونے کو تیار تھیں' وجہ یہ تھی کہ جب سے عالیہ ملازم ہوئی تھی' اماں کی انگریز بھابی بہت محبت سے خط لکھنے لگی تھیں۔ ان خطوں میں وہ بڑے مزے مزے کی باتیں لکھتی تھیں' مثلاً یہی کہ ' اگر ہندوستان میں ہر عورت اپنے پاؤں پر کھڑی ہو جائے تو پھر یہ ملک بھی انگلینڈ کی برابری کر سکے گا۔

"چھمی اب تو تم اتنی بڑی ہو گئی ہو' اماں بن چکی ہو' کچھ تو لحاظ کرتیں بڑے چچا کا۔" عالیہ نے ضبط کرنے کے باوجود چھمی کو ٹوک دیا۔

"بس جانے کیا ہو گیا تھا' میں ان سے معافی مانگ لوں گی بجیا۔" وہ سر جھکا کر کچھ سوچنے لگی —— "میں صبح چلی جاؤں گی" —— وہ کریمن بوا کی طرف مڑ گئی —— "کریمن بوا اسرار میاں سے کہہ دینا کہ صبح تانگہ لے آئیں اور مجھے گاڑی پر بٹھا دیں۔"

"ارے تو کیا تم اتنی جلدی چلی جاؤ گی چھمی' ناراض ہو؟" عالیہ اس کے پاس سرک کر کھڑی ہو گئی۔

"بھئی حد کرتی ہیں آپ بھی' میں آپ سے ناراض ہو سکتی ہوں؟ آپ کو کیا پتہ کتنی مشکل سے ایک دن کی اجازت ملی ہے' آپ نہیں جانتیں عالیہ بجیا' آپ نہیں جانتیں" —— اس کی آنکھوں میں آنسو آ رہے تھے —— جی تو یہی چاہتا ہے کہ یہیں پڑی رہوں۔ پر اب یہ میری بٹیا جو ہے' ارے اس کا کوئی اچھا سا نام تو بتا دیں بجیا' اس کی دادی نے تو اس کا نام تمیزن رکھا ہے۔" چھمی نام بتا کر ہنستے ہنستے لوٹ گئی۔

"تم رک کیوں نہیں سکتیں' آٹھ دس دن تک مت جاؤ —— گھر کتنا اچھا لگ رہا ہے' لگتا ہے بہار آ گئی۔" عالیہ جذباتی ہو رہی تھی —— تمہارے جانے کے بعد کیسا سناٹا چھایا ہے' چھمی' جی اوبھ جاتا ہے اس خاموشی سے۔"

"پھر آؤں گی بجیا۔" چھمی بڑے انہماک سے اپنی بٹیا کو تھپک رہی تھی۔

گلی میں تانگہ رکا اور نجمہ پھوپھی ساری کا پلو سنوارتی گھر میں داخل ہوئیں۔ "ارے واہ چھمی آئی ہے' کیا حال چال ہے اور یہ تمہاری بیٹی ہے؟ بڑی پیاری ہے۔ باپ پر تو بالکل نہیں پڑی" —— انہوں نے پیار سے بٹیا کے گال تھپتھپائے —— "اسے خوب پڑھانا چھمی' ورنہ یہ بھی جاہل رہ جائے گی سب کی طرح۔"

"آپ کے پاس بھیج دوں گی' پڑھا دیجئے گا نا؟" چھمی کا چھوڑا ہوا تیر نجمہ پھوپھی کی پیشانی کو بگاڑ گیا۔ "اچھا پھر باتیں ہوں گی' ابھی تو میں تھکی ہوئی ہوں۔"

وہ کھٹ کھٹ کرتی زینے چڑھنے لگیں۔

"کچھ شکیل کی بھی خبر لگی؟" چھمی نے سرگوشی کی۔

"نہیں چھمی!" عالیہ نے چپکے سے جواب دیا۔

"اور ہمارے ابا نے بھی کبھی خط لکھا؟"

عالیہ نے کوئی جواب نہ دیا۔ بچے کے گال سہلاتی رہی۔ چھمی جواب نہ پاکر ادھر ادھر دیکھنے لگی۔

سب کو پوچھا مگر جمیل بھیا کو بھول گئی' اس محبت میں کوئی حقیقت نہیں ہوتی۔ عالیہ کو عجیب سا محسوس ہو رہا تھا۔

رات آسمان اس قدر صاف تھا کہ چاندنی دودھ میں نہائی ہوئی معلوم ہو رہی تھی۔ آنگن میں برابر سے بچھے ہوئے پلنگوں میں آج ایک ننھے سے کھٹولے کا اضافہ ہو گیا تھا اور اس کھٹولے پر پڑی ہوئی ایک ننھی سی بچی کی غوں غاں رات کو اور بھی خوب صورت بنا رہی تھی۔ کل کی موسلادھار بارش نے آج کی رات کو ہلکا سا سرد کر دیا تھا۔ آج عالیہ نے بھی چھت پر سونے کے بجائے آنگن میں چھمی کے برابر اپنا بستر لگوا لیا تھا۔ عجیب سی رونق کا احساس ہو رہا تھا۔ سب ایک جگہ جمع تھے' باتیں ہو رہی تھیں اور چھمی کی بٹیا برابر غوں غاں کیے جا رہی تھی۔ بس ایک نجمہ پھوپھی تھیں جو آج بھی سب سے الگ تھلگ جاہلوں کی صحبت سے دور چھت پر اکیلی پڑی تھیں۔ ہاں بڑے چچا نے بھی چھمی سے ملنے کے بعد پھر گھر میں قدم نہ رکھا تھا۔ بیٹھک میں کھانا کھایا اور باہر چبوترے پر بستر لوا کر لیٹے جانے کس سے باتیں کر رہے تھے۔

کریمن بوا سارے کاموں سے فرصت پا کر اماں کے قریب زمین پر بیٹھ گئیں اور چھمی کی بٹیاں کو لوریاں دینے لگیں —— "آ جا ری نندیا تو آ کیوں نہ جا" ——

"کریمن بوا ایک اچھی سی کہانی سنا دو۔" چھمی نے فرمائش کی۔ وہ اس وقت ذرا سی بچی لگ رہی تھی۔

"اب تو یاد بھی نہیں آتی' چھمی بٹیا۔" کریمن بوا سوچنے لگیں۔

"کوئی سی کہانی سنا ڈالو کریمن بوا' ہائے کتنے مزے کی ہوتی ہیں یہ کہانیاں بھی۔" عالیہ بھی ضد کرنے لگی۔ کتابوں کی دنیا سے وہ تھک چکی تھی۔ اس وقت تو اس کا جی چاہ رہا تھا کہ کوئی معصوم سی کہانی سنے۔

"ارے وہی کہانی سنا دو کریمن بوا کہ ایک بادشاہ تھا۔ اس کی سات بیٹیاں تھیں' ایک دن بادشاہ نے اپنی ساتوں بیٹیوں کو بلا کر پوچھا کہ تم کس کی قسمت کا کھاتی ہو تو سب نے کہا' آپ کی قسمت کا' مگر سب سے چھوٹی بیٹی نے کہا کہ میں اپنی قسمت کا کھاتی ہوں اور بادشاہ نے اسے جنگل میں ڈلوا دیا کہ اپنی قسمت کا کھاؤ اور پھر جب وہ لڑکی جنگل میں تنہا بیٹھی رو رہی تھی تو ایک دیو آیا اور اس نے لڑکی کے لئے محل بنایا اور —— بس وہی سی کہانی سنا دو کریمن بوا' اتنی بہت سی تو میں نے یاد دلا دی۔" چھمی اٹھ کر بیٹھ گئی۔

"اچھا تو پھر سنو' ایک تھا بادشاہ' ہمارا تمہارا خدا بادشاہ' ہاں تو اس بادشاہ کی سات لڑکیاں تھیں۔ ایک دن بادشاہ نے ان ساتوں کو بلا کر پوچھا ——"

کریمن بوا کہانی کہے جا رہی تھیں مگر عالیہ نے ایک لفظ نہ سنا' وہ تو سوچنے لگی تھی کہ آخر چھمی کو یہی کہانی کیوں یاد آئی۔ کیا چھمی کو اپنی قسمت سے کوئی امید تھی۔ وہ تو کتنی مدت سے اپنی بدنصیبی کے جنگل میں بھٹک رہی ہے مگر اب تک کوئی دیو نہیں آیا۔ ارے چھمی یہ جو لوگ کچھ نہ پا سکنے کی حسرت میں معصوم معصوم کہانیوں سے جی بہلاتے ہیں۔ ان میں کوئی حقیقت نہیں ہوتی۔

کہانی ختم بھی نہ ہونے پائی تھی کہ چھمی کو نیند کی پری لے اڑی۔ جانے کس محل میں لے گئی ہوگی' جانے کس شہزادے کے پہلو میں بٹھا آئی ہوگی۔

صبح چھمی چلی گئی مگر اسکول جاتے ہوئے عالیہ کو محسوس ہو رہا تھا کہ وہ رنجیدہ ہے' آج وہ اسکول میں جی سے پڑھا نہ سکے گی' کچھ دن کے لئے چھمی رک ہی جاتی تو کیا تھا۔

ناگاساکی پر بم گرتے ہی جنگ ختم ہو گئی تھی۔ جاپان نے ہتھیار ڈال دیئے تھے۔ دلی سے جمیل بھیا کا خط آیا تھا کہ اب وہ جلد آ جائیں گے' اب ان کا کام ختم ہو گیا اور آج جب چار بجے وہ سو کر اٹھی تو اس نے دیکھا کہ سچ مچ جمیل بھیا آ گئے ہیں۔ اس کی سمجھ میں نہ آیا کہ کیا کرے۔ فوراً نیچے چلی جائے یا یہیں بیٹھی رہے مگر اس طرح تو شاید بڑی چچی برا محسوس کریں اور آخر وہ یہاں بیٹھی ہی کیوں رہے۔

وہ نیچے اتر گئی۔ اماں اور بڑی چچی جمیل بھیا کو گھیرے بیٹھی تھیں۔ کریمن بوا چائے کا سامان تیار کر رہی تھیں۔ کتنی مدت بعد بڑی چچی کا چہرہ کھلا ہوا نظر آ رہا تھا۔

"مگر آپ لوگ ڈرتی کیوں تھیں؟ میں تو دلی میں بیٹھ کر اپنے قلم سے جنگ لڑ رہا تھا۔ میرا محاذ پر کیا کام تھا۔" جمیل بھیا ہنس ہنس کر کہہ رہے تھے۔

"بس میں ڈرتی تھی کہ کبھی تم بھی لڑنے کو نہ بھیج دیئے جاؤ' جب کوئی بات ہوتی تو میں تڑپ جاتی۔ تم خط بھی تو نہ لکھتے جلدی' جب دیر ہوتی تو میں سمجھتی کہ تم کو بھی جنگ پر لڑنے بھیج دیا ہو گا۔" بڑی چچی اپنی بے وقوفی پر شرما رہی تھیں۔

"پھر تم کبھی آئے بھی تو نہیں ارے دلی اتنی دور تو نہ تھی۔"

"اور ہمارے ابا نے بھی کبھی نہ سمجھایا کہ میرا کیا کام ہے؟ میں کہاں کہاں جا سکتا ہوں۔ خواہ مخواہ آپ پریشان رہیں۔" جمیل بھیا بڑی چچی کے لپٹے جاتے ——"اتنے دن نہ آیا تو کیا ہوا اب تو آ گیا"——انہوں نے مڑ کر دیکھا——

"اوہ عالیہ بی بی"——وہ کھڑے ہو گئے——"اچھی تو ہو' اب تو تم بڑی آدمی ہو گئی ہو' ہم تو یوں ہی جاہل رہ گئے' مجھے پڑھاؤ گی کہ نہیں؟"

"یہ چھوٹے بڑے کا کیا ذکر لے بیٹھے آپ' سنایئے کیسے رہے؟" عالیہ نے

ان کی آنکھوں میں آنکھیں ڈال کر بات کرنے کی کوشش کی مگر جلد ہی نظریں جھک گئیں۔ فوجی وردی میں جمیل بھیا خاصے خوب صورت لگ رہے تھے۔

"اچھی ہے نا یہ وردی' لگتا ہوں نا بے وقوف' یا پھر خوبصورت؟" جمیل بھیا شاید اسے چھیڑ رہے تھے۔

"جنگ کی کوئی بھی نشانی خوب صورت ہو سکتی ہے؟" اس نے بہت سنجیدگی سے جواب دیا۔

"ارے بھئی اماں جلدی کیجئے میں اپنی وردی اتاروں تاکہ کچھ تو خوبصورت لگوں' میرے بکس کہاں ہیں' آپ کپڑے نکال دیجئے۔" جمیل بھیا زور سے ہنسے —— "میں گھر آکر کتنا خوش ہوں' کتنی مدت بعد سب کو دیکھا ہے" —— "انہوں نے بڑی گہری نظروں سے عالیہ کی طرف دیکھا۔ "دور رہ کر انسان کتنا صابر ہو جاتا ہے۔" وہ ایک دم سنجیدہ ہو گئے۔ "بھئی تم نے بھی کبھی مجھے یاد کیا تھا؟" انہوں نے عالیہ سے پوچھا۔

"ہاں جب بڑی چچی آپ کو یاد کر کے روتی تھیں تو آپ یاد آجاتے تھے۔" اس نے بڑی بے تعلقی سے جواب دیا۔

"تم بالکل نہیں بدلیں' بالکل ویسی ہی ہو۔"

"آپ اپنے سلسلے میں کچھ بتایئے۔" اس نے بات ٹالی۔

"اپنے لئے کیا بتاؤں' ملازمت سے چھٹی کر آیا ہوں' اب پھر وہی بیکاری ہوگی اور ہم۔" انہوں نے بجھی سی آواز میں کہا۔

"تو آپ نوکری چھوڑ کیوں آئے جمیل بھیا' اب ظاہر ہے کہ بیکاری کا منہ دیکھنا ہی پڑے گا' پہلے آپ نے اس ملازمت کو کیسے قبول کر لیا تھا' بڑے چچا کی ضد میں؟"

"اوہ! میں ان سے کیا ضد کروں گا" —— ان کے لہجے میں سخت حقارت تھی —— میرا مقصد پورا ہو گیا تو ملازمت بھی گئی۔ کوئی ضروری تھا کہ جو کیا ہے اس پر قائم رہوں؟ اب تو آزاد ہونے کے بعد ہی ملازمت کروں گا۔"

"دیکھو جمیل میاں' یہ باتیں مت کرو' اب تو تم نے دیکھ ہی لیا کہ انگریز

سے لڑ کر بڑے بڑے ملکوں کو بھی کیا بھگتنا پڑا' اس لئے آزادی کے خواب دیکھنا چھوڑ دو۔" اماں نے جمیل بھیا کو سمجھایا۔

"ٹھیک کہتی ہیں آپ' میں تو اب سب کچھ چھوڑ چکا ہوں۔" وہ سعادت مندی سے سر جھکا کر بیٹھ گئے۔

"تم شکیل سے ملے تھے؟" بڑی چچی نے جمیل بھیا کو کپڑے دیتے ہوئے سوال کیا۔

"ملا تھا اماں مگر اس نے تو منہ پھیر لیا' وہ بڑا آدمی ہو گیا ہے' وہ ہم لوگوں سے کوئی واسطہ نہیں رکھنا چاہتا۔ آپ اس نالائق کو مت پوچھا کیجئے۔"

"جاؤ نہا لو۔" بڑی چچی نے ٹھنڈی سانس بھری۔

"اماں ہمارے ابا کہاں ہیں؟"

"صبح سے کہیں گئے ہیں' بس آتے ہی ہوں گے۔" بڑی چچی نے بتایا۔

"کبھی بڑے چچا بھی آپ کو یاد آتے تھے؟ عالیہ نے ہنس کر پوچھا۔

"ابا کبھی مجھے یاد کرتے تھے؟" وہ بھی ہنسے اور پھر اس کی طرف مڑ گئے —— "اور تم تو مجھے یاد کرتی ہی نہیں تھیں۔" انہوں نے بڑی امید سے اس کی طرف دیکھا۔

"ان یادوں وغیرہ سے مجھے کوئی دلچسپی نہیں۔" اس نے نظریں جھکا لیں۔

وہ چپ ہو گئے۔ چند منٹ تک کچھ سوچتے رہے اور پھر کریمن بوا کے لپٹ کر کھڑے ہو گئے۔ میری کریمن بوا تم تو مجھے یاد کرتی تھیں نا' تم آج میرے لئے کیا پکا رہی ہو؟"

"میں نے تو تڑپ کر دن گزارے ہیں' آپ کی نمک خوار ہوں جمیل میاں۔" کریمن بوا نے ان کی بلائیں لے لیں —— "اپنے جمیل میاں کے لئے پلاؤ پکا رہی ہوں۔"

جمیل بھیا نے کنکھیوں سے اس کی طرف دیکھا تو اس نے منہ پھیر لیا۔ کاش آج اس کی چھٹی نہ ہوتی' آج بھی وہ اسکول میں لڑکیوں سے سر کھپا رہی ہوتی۔

"ارے ہاں وہ ہماری نجمہ پھوپھی کہاں ہیں اماں؟" جمیل بھیا نے پوچھا۔

"وہ تو اب اس گھر سے سخت بیزار رہتی ہیں' اس لئے اپنی ایک سہیلی کے گھر جا بیٹھتی ہیں' وہ بھی ان کے کالج میں پڑھاتی ہیں۔" بڑی چچی نے جواب دیا۔

"پھر تو یقیناً وہ بھی انگلش میں ایم اے ہوں گی' ویسے دوستی کیسے ہو سکتی ہے۔" جمیل بھیا نے ایک قہقہہ لگایا اور کپڑے اٹھا کر غسل خانے چلے گئے۔

بڑی چچی سخت مصروف تھیں' جمیل بھیا کے بکس ٹھیک ہو رہے تھے' اماں تخت پر دسترخوان بچھا رہی تھیں اور عالیہ سر نیہوڑائے سوچے جا رہی تھی کہ اب اس گھر میں کیسے گزارہ ہو گا۔ یہ ہر وقت کی ذہنی اذیت کیسے برداشت ہو گی' جمیل بھیا تو جنگ ختم کر آئے مگر اب اس کے ذہن میں جو جنگ ہو گی اسے کون سا ایٹم بم ختم کرے گا۔

"جمیل آگیا ہے تو گھر کیسا اچھا لگ رہا ہے۔" بڑی چچی نے اماں کی طرف دیکھا۔

"گھر کا مالک جو ہے' اسی کے دم سے رونق ہے بڑی بھابی۔" اماں نے نہال ہو کر کہا۔

"اس گھر کے مالک بڑے چچا ہیں۔" عالیہ خواہ مخواہ بیچ میں کود پڑی۔

اماں نے اسے کوئی جواب نہ دیا۔ جب سے وہ کمانے کجانے کے لائق ہوئی تھی' اماں اس کی ساری باتوں کو چپکے سے پی جایا کرتیں۔

عالیہ بڑے چچا کے لئے ہڑکنے لگی۔ جانے صبح سے کہاں مارے پھر رہے ہیں' نہ وقت پر کھانا ہے نہ آرام' کتنے کمزور ہو گئے ہیں اور اب تو جمیل بھیا آگئے ہیں' ہر وقت کا مقابلہ ہو گا۔ اتنے دن سے بچھڑے ہوئے یہ باپ بیٹے جانے کس طرح ملیں گے۔

جمیل بھیا نہا کر نکل آئے۔ اماں انہیں اپنی جاگیر کی طرح سمیٹ کر پہلو میں بٹھانے کی کوشش کر رہی تھیں۔ عالیہ کی جان سلگ اٹھی۔ وہ اپنی اماں کی اس محبت کی ذمے دار نہیں۔ وہ انہیں جمیل بھیا جیسا شاندار داماد دینے سے قطعی مجبور ہے۔

جمیل بھیا اماں کے پاس دو چار منٹ بیٹھنے کے بعد اٹھ کر ٹہلنے لگے اور جب

ٹہلتے ہوئے اس کے پاس سے گزرے تو اس نے اطلاع دی۔ "چھمی آئی تھی۔"

"اچھا!" جمیل بھیا منہ لٹکائے آگے بڑھ گئے اور جب دوسرے چکر میں اس کے پاس سے گزرے تو وہ پھر بھی چپ نہ رہ سکی — "اس نے آپ کو ذرا بھی یاد نہ کیا اس کی ایک پیاری سی بٹیا ہے۔"

"بہت خوب! مگر میں نے کب کہا ہے کہ تم ساری کتھا سنا ڈالو' میں نے کب چاہا تھا کہ وہ مجھے یاد کرے۔" وہ بھنبھناتے ہوئے اماں کے پاس جا بیٹھے۔

جمیل بھیا کو ستا کر اسے بڑی خوشی محسوس ہو رہی تھی۔ اس نے ان کے ٹہلنے اور اسے چھو کر نکل جانے کا سارا مزہ کرکرا کر دیا تھا۔

"کریمن بوا جلدی سے کھانا تیار کر لو' کھا پی کر باہر نکلوں' کچھ دیکھوں بھالوں۔" جمیل بھیا سخت بدمزہ ہو رہے تھے۔

"لو اتنی جلدی پڑ گئی باہر نکلنے کی؟" بڑی چچی نے پیار بھرے غصے سے ان کی طرف دیکھا۔

"کاروبار جو دیکھنا ہوا بڑی چچی۔" عالیہ نے طنز کیا۔ مگر سب اس قدر موڈ میں تھے کہ کچھ سمجھے ہی نہیں اور ہنسنا شروع کر دیا۔ جمیل بھیا اسے اندھیری اندھیری آنکھوں سے تک کر رہ گئے۔

کھانے کے بعد جمیل بھیا باہر چلے گئے اور عالیہ اوپر اپنے کمرے میں آ گئی۔

رت بدل گئی تھی۔ اب دن میں معمولی سی گرمی ہوتی۔ پھر بھی اسے محسوس ہو رہا تھا کہ آج تو بڑے زور سے گرمی پڑ رہی ہے' اس کا سارا جسم جل رہا ہے وہ آرام نہیں کر سکتی۔ ساری دوپہر بستر پر کروٹیں بدل کر گزر گئی۔ وہ اپنے متعلق سوچ سوچ کر تھک چکی تھی۔

شام کو جب عالیہ چائے پینے کے لئے نیچے اتری تو جمیل بھیا اپنی لوہے کی کرسی پر بیٹھے شاید چائے کا انتظار کر رہے تھے۔ "عالیہ بی بی!" انہوں نے دھیرے سے پکارا۔

"جی!" وہ آگے بڑھتے بڑھتے رک گئی۔

"یہاں آ کر عجیب سا احساس ہو رہا ہے۔ دوری بھی کتنی اچھی چیز ہوتی

ہے۔ فاصلے بہت کچھ مٹا دیتے ہیں۔" انہوں نے لمبی سانس لی۔

"ٹھیک ہے جمیل بھیا۔" اس نے نظریں جھکائے ہوئے جواب دیا اور جلدی سے برآمدے میں چلی گئی۔

اماں ابھی تک کمرے سے نہ نکلی تھیں اور بڑی چچی جانے کن انتظامات میں جٹی ہوئی تھیں۔

کریمن بوا نے چائے دم کر کے تپائی پر رکھ دی' تو اس وقت بڑے چچا شیروانی کے بٹن کھولتے ہوئے گھر میں داخل ہوئے۔

عالیہ پیالیوں میں چائے بنا رہی تھی کہ سب چھوڑ چھاڑ گھبرا کر کھڑی ہو گئی۔

"السلام علیکم۔" جمیل بھیا نے کھڑے ہو کر کہا۔

بڑے چچا نے جیسے چونک کر جمیل بھیا کو دیکھا— "وعلیکم السلام۔" وہ منہ ہاتھ دھونے کے لئے چوکی پر بیٹھ گئے— "سب خیریت ہے؟؟"

"سب خیریت ہے۔" جمیل بھیا چائے کی پیالی اٹھا کر پھر کرسی پر جا بیٹھے۔

عالیہ چائے بنانے لگی۔ یا اللہ یہ باپ بیٹے ہیں! اتنی مدت بعد یہ اسی طرح مل سکتے تھے؟ نظریئے کی کھائی دونوں کے بیچ میں حائل ہے' دونوں میں سے کوئی بھی اسے پھلانگنے پر تیار نہیں' پھر بھی شکر ہے کہ چھمی کی طرح جمیل بھیا نے منہ نہیں پھیرا۔

منہ ہاتھ دھو کر بڑے چچا بیٹھک میں چلے گئے اور کریمن بوا نے وہیں چائے پہنچا دی۔

"زندگی کٹھن بھی ہے اور آسان بھی' یہ سب کچھ انسان کے اپنے ہاتھ میں ہے کہ وہ اپنی زندگی سے کس طرح کا سلوک کرنا چاہتا ہے' کیا خیال ہے تمہارا؟"

انہوں نے چائے کی خالی پیالی اس کی طرف بڑھا دی۔ "ایک پیالی اور بنا دو عالیہ بی بی۔" جمیل بھیا اس وقت بہت رنجیدہ نظر آ رہے تھے۔

"میرا بھی یہی خیال ہے' اگر آپ چاہیں تو اپنی زندگی کو آسان بنا سکتے ہیں۔" عالیہ نے ان کی طرف پیالی بڑھائی— "لیجئے پیجئے۔" وہ پیالی پکڑا کر اٹھ کھڑی ہوئی اور اس نازک بحث سے بچنے کے لئے اپنے کمرے کی طرف بھاگی۔

اماں اور بڑی چچی چائے پینے کے لئے آ رہی تھیں۔

شام کی اداسی ہر طرف رچی ہوئی تھی۔ سورج پیپل کے گھنے درختوں کے پیچھے ڈوب رہا تھا۔ وہ دھیرے دھیرے چھت پر ٹہلنے لگی۔ قریب کے گھروں سے دھواں اٹھ اٹھ کر فضا کو بوجھل بنا رہا ہا' مصالحوں اور بگھار کی خوشبو ہوا میں بسی ہوئی تھی۔

ٹہلتے ٹہلتے تھک کر وہ کمرے کی چوکھٹ پر بیٹھ گئی۔ سورج ڈوبتے ہی ہوا سرد ہو گئی تھی۔ اسے اپنے ہاتھوں میں ٹھنڈک دوڑتی محسوس ہو رہی تھی۔ جمیل بھیا نے آتے ہی اسے پریشان کر دیا تھا۔ اس کا سکون درہم برہم ہو رہا تھا۔ وہ سوچنے لگی کہ جمیل بھیا جب دنیا میں کسی رشتے ناطے کو نہیں مانتے تو محبت پر کس طرح ایمان لے آئے۔ یہ حضرت انسان بھی خوب چیز ہوتے ہیں' نہیں مانتے تو خدا کو بھی حرف غلط سمجھنے لگتے ہیں اور جب ماننے پر آتے ہیں تو پیروں کی چوکھٹ پر اس کا جلوہ دیکھنے لگتے ہیں——"جمیل بھیا تم نے مجھے کس مصیبت میں مبتلا کر دیا ہے۔" سوچتے سوچتے وہ بڑبڑانے لگی۔

زینوں پر کھڑپڑ ہوئی اور نجمہ پھوپھی آ کر آرام کرسی پر دراز ہو گئیں۔ سارا دن اپنی دوست کو بھگت کر آئی تھیں' اس لئے خاصی تھکی تھکی نظر آ رہی تھیں۔ عالیہ ان کے کمرے کی چوکھٹ سے اٹھنے ہی والی تھی کہ نجمہ پھوپھی نے کھنکار کر اسے آواز دی۔ "ادھر آؤ عالیہ۔"

اس نے چونک کر نجمہ پھوپھی کی طرف دیکھا' مارے حیرت کے اس سے اٹھا نہ جا رہا تھا نجمہ پھوپھی پہلی بار اسے اپنے پاس بلا رہی تھیں۔

"کہئے۔" وہ مسہری پر ان کے پاس ٹک گئی۔

"اس گھر میں کوئی اس لائق نہیں جس سے بات کی جائے' گھر میں سہی' پھر بھی تم نے تھوڑا بہت پڑھا تو ہے' شاید تم مجھے مشورہ دے سکو۔" نجمہ پھوپھی نے غور سے اس کی طرف دیکھا۔

"مشورہ دینے کی صلاحیت تو نہیں پھر بھی شاید کچھ سوچ سکوں۔" اس نے اپنے غصے کو قابو میں رکھتے ہوئے جواب دیا۔

"شادی کے متعلق تمہارا کیا خیال ہے؟ میرے ساتھ کی ساری لکچرار شادیاں کر رہی ہیں۔"

"آپ بھی کر لیجئے، میرا خیال ہے کہ شادی اچھی چیز ہو گی، خصوصیت سے آپ کے لئے۔" اس نے بے حد سنجیدگی سے کہا۔

"یعنی صرف میرے لئے؟ کتنی فضول بات کر رہی ہو، کیا تم شادی نہیں کرو گی؟" وہ ذرا سا بپھر گئیں —— "خیر تمہاری شادی تو گھر ہی میں جمیل و میل کے ساتھ ہو سکتی ہے، تم کو اس سے زیادہ کیا مل سکتا ہے، مگر میرے لئے میرے برابر کا آدمی ملنا مشکل ہے۔"

عالیہ کا جی چاہا کہ نجمہ پھوپھی کے منہ پر تھوک دے مگر وہ ضبط سے کام لے گئی۔ تھوکنے کے بعد تو بات ختم ہو جاتی تھی اور اس کا جی چاہ رہا تھا کہ بات ختم نہ ہو، وہ خوب کھری کھری سنا لے —— "دیکھئے نجمہ پھوپھی جہاں تک جمیل بھیا کی قابلیت کا سوال ہے تو اس گھر میں کوئی ان کی برابری نہیں کر سکتا، ویسے میں ان کو بحیثیت انسان پسند نہیں کرتی۔ وہ میرے چچا زاد بھائی ہیں اور بس، اس لئے آپ دوسرے رشتے مت سوچئے۔ اپنی بات کیجئے، میرا خیال ہے کہ اس اتنے بڑے ملک میں کسی نہ کسی شخص نے انگریزی میں ایم اے ضرور کیا ہو گا اور وہ آپ کا شوہر بن سکے گا۔ اس کام کے لئے آپ ڈھنڈورا پٹوا دیجئے۔"

"یہ سب کیا بکواس کر رہی ہو، اس گھر میں سب جاہل ہیں، میں کس سے مشورہ کروں خدایا۔"

"آپ اتنی عظیم ڈگری رکھنے کے بعد بھی کسی سے مشورے کی ضرورت سمجھتی ہیں؟" عالیہ اٹھ کر چھت پر آ گئی۔ نجمہ پھوپھی کیا کہتی رہ گئیں، اس نے کچھ بھی نہ سنا۔

"سب لوگ کھانا کھا لو۔" نیچے صحن میں کھڑی ہوئی کریمن بوا پکار رہی تھیں۔

اس گھر میں وقت کٹھن ہے۔ زندگی پل صراط پر گزرنے کا نام ہے۔ کتنا اچھا ہوتا کہ وہ یہاں سے بھاگ سکتی۔ جمیل بھیا سے پیچھا چھڑا سکتی، مگر یہ سب کچھ کتنا ناممکن تھا۔ اگر وہ چلی جائے تو بڑے چچا کیا کہیں گے، یہی نا کہ جب اپنے پیروں پر کھڑی ہو گئی تو آنکھیں پھیرلیں۔ اب تو گھر کی حالت بھی پہلی جیسی ہو گئی تھی۔ جمیل بھیا ملازمت سے سبکدوش ہو کر جو بیٹھے تو آج تک بیکار تھے۔ بڑی چچی نے تھوڑی بہت رقم جمع کی تھی۔ وہ اس بیکاری کے زمانے میں ختم ہو چکی تھی۔ عالیہ نے کتنا چاہا کہ بڑی چچی کو اماں سے چھپا کر کچھ دے دیا کرے لیکن انہوں نے بڑے پیار سے انکار کر دیا۔ شاید وہ اماں سے ڈرتی تھیں۔ جب سے وہ ملازم ہوئی تھیں، اماں کے طعنے کتنے خوفناک ہو گئے تھے۔ انہیں اس گھر سے کتنی سخت نفرت ہو گئی تھی۔

ایک ایک دن بیمار کی رات کی طرح گزر رہا تھا۔ دسمبر کی سخت سردی پورے عروج پر تھی۔ صبح نو دس بجے تک کہر کی وجہ سے اندھیرا چھایا رہتا۔ برآمدے کے پردے آندھیوں، بارشوں اور دھوپ میں پہلے ہی اپنی ساری حقیقت کھو چکے تھے۔ اب کی سردی میں تو ہوا ان پردوں سے یوں گزر جاتی جیسے میدان میں فراٹے بھر رہی ہو۔ کریمن بوا کی کمزور ہڈیاں سردی میں کڑکڑاتی رہتیں اور وہ چولھے کی کوکھ میں گھس کر بیتے ہوئے زمانے کی یاد میں بلکنے لگتیں——"ہائے وہ بھی کیسا زمانہ تھا جب دالانوں کے پردے ہر دوسرے سال بدل دیئے جاتے۔ ادھر دو چار سوراخ ہوتے ادھر نوکروں میں بانٹ دیئے جاتے، پر اب وہ زمانہ کہاں آئے گا۔"

عالیہ نے کریمن بوا کو اپنا ایک پرانا سویٹر دے دیا تھا، جسے اتنی سردی میں

پہننے کے بجائے انہوں نے سینت کر رکھ دیا تھا —— "اگر یہ سویٹر بھی پھٹ گیا تو اگلی سردی میں کیا پہنوں گی۔" کریمن بوا نے اپنے حساب بڑی سمجھ داری کا ثبوت دیا تھا۔

بڑے چچا کئی دن سے دہلی گئے ہوئے تھے اور اسرار میاں کو دو تین دن سے بخار آ رہا تھا۔ پتہ نہیں بیٹھک میں وہ کس عالم میں پڑے رہتے ہوں گے' ان کا علاج معالجہ کون رہتا' جمیل بھیا کو جلسے جلوسوں سے فرصت نہ ملتی۔ گھر آتے تو ظالم عشق میں آگ لگی ہوتی۔ اب وہ اس آگ کو بجھاتے یا اسرار میاں کے پھنکتے ہوئے جسم پر دواؤں کے چھینٹے مارنے بیٹھ جاتے۔

عالیہ کا فکر سے برا حال تھا۔ وہ ہر وقت سوچتی رہتی کہ پتہ نہیں ان کی طبیعت کیسی ہو گی جو نہ چائے مانگنے کی صدا آتی ہے اور نہ کھانا لینے کے لئے ہاتھ پھیلاتے ہیں۔ کریمن بوا آپ سے آپ بڑبڑاتی اٹھتیں اور بیٹھک میں جا کر کھانا پانی ڈال آتیں۔ وہ خیریت پوچھتی تو سخت ناگواری سے بتاتیں کہ "سب ٹھیک ہے' بخار ہو گیا ہے کوئی بڑی بیماری تو نہیں۔"

خدا نہ کرے ان کو بڑی بیماری ہو۔ عالیہ اپنا کلیجہ مسوس کر رہ جاتی۔ کیسا جی چاہتا کہ اسرار میاں کے سرہانے جا بیٹھے' ان کا سر دبائے' انہیں اپنے ہاتھوں دوا پلائے' مگر اماں کی کڑی نظروں کے سامنے وہ ان کی اتنی پرانی روایتوں کو کیسے توڑ دیتی۔ اس خاندان میں کوئی بھی تو ان حرامی اولادوں کے سامنے نہ آتا تھا۔ نجمہ پھوپھی بے پردہ تھیں' اس کے باوجود کبھی اسرار میاں کا سامنا نہ کیا۔ کالج سے تانگہ آتا تو وہ خود ہی ہٹ جاتے' راہ چلتے دیکھتے تو منہ پھیر لیتے۔ ایک بار عالیہ بیٹھک میں گئی تو اسرار میاں بیٹھے تھے۔ وہ ان کی صورت بھی نہ دیکھ سکی تھی کہ اٹھ بھاگے۔ "پردہ ہے بٹیا۔" اور وہ ہکا بکا کھڑی رہ گئی' اب ایسی حالت میں وہ اسرار میاں کی تیمارداری کرتی بھی تو کیسے۔ کیا پتہ وہ اس حالت میں بھی "پردہ ہے بٹیا" کہتے باہر بھاگ جائیں اور پھر اس کی اس حرکت سے اماں کے دل پر کیا گزرے گی۔ وہ کیا کہیں گی۔ اب تو اماں نے صرف اس کی خاطر اس مکان اور جمیل بھیا دونوں سے ہاتھ اٹھا لیا تھا۔ انہوں نے بڑی بے بسی کے ساتھ اس کے

آگے سر جھکا دیا تھا۔ سب کچھ کھو کر صرف اس کو اپنا سہارا بنا لیا تھا۔ پھر کیا فائدہ تھا کہ ان کا جی دکھایا جائے۔ ان کی اتنی پرانی روایات کو ٹھوکریں ماری جائیں۔ آخر کہیں تو اسے بھی جھکنا ہو گا۔

رات جب جمیل بھیا کھانا کھانے گھر آئے تو گھرے ہوئے بادل اتنے زور سے گرج رہے تھے کہ جی دہلا جاتا۔

"شاید اولے پڑیں گے۔" کریمن بوا بار بار کہہ رہی تھیں۔

"کس نے سر منڈوایا ہے کریمن بوا جو اولے ضرور پڑیں گے۔" جمیل بھیا نے ہنس کر پوچھا۔

آج بہت دنوں بعد ہنسنے بولنے کے موڈ میں نظر آ رہے تھے' ورنہ ادھر تو کچھ دنوں سے اس قدر خاموش رہنے لگے تھے جیسے منہ میں زبان نہ رہی ہو۔

"ارے میاں سر کسے منڈانا ہے' میرا ہی چونڈا منڈ رہا ہے' ذرا اسرار میاں کی خبر لے لو' بخار آ رہا ہے' کھانا پانی سب بیٹھک میں پہنچانا پڑتا ہے۔" کریمن بوا سخت بیزار نظر آنے لگیں۔

"کیا ہو گیا اسرار میاں کو؟" جمیل بھیا چونک پڑے۔

"کہا جو تھا کہ بخار آ رہا ہے' بڑے میاں دلی گئے ہیں' ورنہ آپ ہی دوا دارو کر لیتے' ہمیں کیا پڑی تھی جو بیچ میں دخل دیتے' اب اگر اسرار میاں کو کچھ ہو گیا تو وہ آ کر ناراض ہوں گے۔"

"میں انہیں دیکھ لوں گا کریمن بوا' ویسے کتنی سخت نفرت ہے مجھے اس آدمی سے!"

"اس لئے کہ وہ بیچارے ہم میں سے ایک نہیں ہیں؟" عالیہ نے تڑپ کر سوال کیا۔

"یہ بات نہیں عالیہ بی بی' مجھے ان سے صرف اس لئے نفرت ہے کہ وہ ابا کے ساتھ رہ کر انہیں جیسے بن گئے ہیں اور مجھے یہ بھی معلوم ہے کہ ابا کے ساتھ بیٹھ کر مجھ پر نکتہ چینی بھی کرتے ہیں۔ بس اب تو اتنی کسر رہ گئی ہے کہ یہ دونوں حضرات اپنے ماتھوں پر تلک لگانے لگیں۔" وہ سخت نفرت انگیز ہنسی ہنسے۔ "ویسے

تم اطمینان رکھو عالیہ بی بی کہ مجھے ان کے ناجائز ہونے کا ذرا بھی خیال نہیں۔"

"خیر وہ تمہارے اپنے چچا کے برابر سہی مگر اب اس بیکار بحث سے کیا فائدہ۔" اماں نے بیزار ہو کر کہا۔

"خدا نہ کرے، نصیب دشمناں، بھلا اسرار میاں چچا کے برابر ہو سکتے ہیں" —— کریمن بوا اماں کے طنز کو نہ سمجھتے ہوئے ایک دم بھپرا اٹھیں —— "زمانے زمانے کی بات ہے کہ آج محلوں کی رانیاں اسے چچا بنا ڈالیں۔" کریمن بوا زندگی میں پہلی بار گستاخی کر رہی تھیں۔

اماں، بڑی چچی اور جمیل بھیا ان کی سمجھ پر ہنسنے لگے تو کریمن بوا بوکھلا کر روٹی بیلنے لگیں، جمیل بھیا اٹھ کر بیٹھک میں چلے گئے۔

بادل بڑے زور سے گرجے اور اس طرح بجلی تڑپی کہ سب نے سہم کر کانوں میں انگلیاں دے لیں۔ "جل تو جلال تو، آئی بلا کو ٹال تو۔" کریمن بوا زور زور سے پڑھنے لگیں۔

"کہیں بجلی گری ہے۔" بڑی چچی نے سہمی ہوئی آواز سے کہا

تیز ہوا سے پردے اڑے جا رہے تھے۔ جمیل بھیا بیٹھک سے نکل کر ابھی بیچ آنگن میں تھے کہ ایک بار پھر زور سے بجلی تڑپی اور عالیہ جیسے چیخ پڑی ——
"جلدی سے اندر بھاگ آئیے جمیل بھیا۔"

جمیل بھیا ہنستے ہوئے اندر آ گئے —— "اولے پڑ رہے ہیں، مگر تم کیوں ڈر گئیں عالیہ بی بی؟"

"ڈری تو نہیں تھی، میں تو آپ کو بتا رہی تھی کہ بجلی کڑک رہی ہے۔" عالیہ نے بے وقوفوں کی طرح بات بنائی۔ وہ شرمندہ ہو رہی تھی کہ بھلا چیخی ہی کیوں تھی۔ کون سی بجلی گر رہی تھی جمیل بھیا پر۔

"یہ حضرت انسان کو سمجھنا بھی کتنا مشکل کام ہے، جب یہ روشن ہوتے ہیں تو اپنے آپ کو تاریک ثابت کرتے ہیں اور جب تاریک تو روشن نظر آنے کی سعی فرماتے ہیں۔" جمیل بھیا نے عالیہ کو پیار سے دیکھتے ہوئے کہا۔ اس وقت وہ کتنے خوش اور مطمئن نظر آ رہے تھے۔

"ٹھیک ہے جمیل بھیا، جس طرح انسان کو سمجھنا مشکل ہے اسی طرح یہ بھی سمجھنا مشکل ہوتا ہے کہ بعض وقت انسان کا فعل اس کے خیال سے جدا کیوں ہوتا ہے۔ یوں ہی بے مقصد جانے کیا کچھ کر گزرتا ہے۔" اس نے آنکھوں میں آنکھیں ڈال کر جواب دیا۔ اسے پتہ تھا کہ اس کی چیخ کے ساتھ جمیل بھیا اس کے دل کے بھاگے ہوئے چور کو پکڑ کر سامنے لانا چاہتے ہیں۔

"یہ بھی ٹھیک ہے عالیہ بی بی۔" وہ ایک دم بجھ سے گئے اور پھر ذرا دیر کے لئے خاموشی چھا گئی۔

بڑے چچا اس وقت کہاں ہوں گے اور کیا کر رہے ہوں گے۔ دھیان بھٹکانے کے لئے عالیہ نے سوچنا شروع کر دیا۔

کھانا ختم ہوا تو سب لوگ سردی کے ڈر سے اپنے اپنے بستروں کی طرف لپکے مگر عالیہ اپنی جگہ سے نہ اٹھی۔ اسے اوپر اپنے کمرے میں جانا تھا اور بارش تھمنے کے باوجود اب تک بجلی چمک رہی تھی۔ اس حالت میں وہ آنگن کیسے پار کرتی۔ گرج چمک اسے ہمیشہ سے ڈراتی رہی تھی۔

پردہ سرکا کر اس نے باہر دیکھا۔ اندھیرے اور سیاہ بادلوں کے سوا کچھ بھی نظر نہ آیا۔ وہ ہمت کر کے آنگن میں آ گئی۔

"چلو میں تم کو اوپر تک چھوڑ آؤں" —— جمیل بھیا اس کے پیچھے باہر نکل آئے

"تم بجلی سے ڈرتی ہو؟" زینے طے کرتے ہوئے انہوں نے پوچھا۔

وہ خاموشی سے زینے طے کرتی رہی۔ شاعروں سے بجلی کی بات چھیڑنا سخت خطرناک بات ہوتی ہے۔ نجمہ پھوپھی لحاف میں منہ چھپائے سو رہی تھیں۔ وہ دبے قدموں اپنے کمرے میں آ گئی۔ جمیل بھیا دروازے کے بیچ میں کھڑے رہے۔

"اچھا شب بخیر، آپ بھی جا کر سو رہیے۔" وہ دھیرے سے بولی۔

"میں تھوڑی دیر تمہارے پاس بیٹھ جاؤں؟ کیا پتہ پھر بجلی کڑکنے لگے۔ اکیلے میں تم ضرور ڈر جاؤ گی۔" وہ آگے بڑھ آئے۔

"میں قطعی نہیں ڈرتی، آپ جا کر سو رہیے۔" اس نے بے رخی سے کہا

اور اپنے لحاف میں دبک گئی۔

جمیل بھیا نے کوئی جواب نہ دیا۔ اسی طرح کھڑے جانے کیا سوچتے رہے اور وہ لحاف کے اندر کانپتی رہی —— جانے اب یہ کیا کہیں گے۔

پندرہ بیس منٹ پندرہ بیس صدیوں کی طرح گزر گئے پھر وہ ایک دم چلے گئے۔ انہوں نے کچھ نہ کہا۔

صدیوں کو گزار کر جب اس نے اطمینان کی سانس لی تو پھر خیال آیا کہ اگر جمیل بھیا تھوڑی دیر یہاں اور بیٹھ لیتے، کچھ باتیں کر لیتے تو کیا مضائقہ تھا۔

اس سرپھرے خیال سے بچنے کے لئے عالیہ کو اسرار میاں یاد آ گئے —— جانے اب ان کی کیا حالت ہو گی، کیا بیماری میں انہیں کسی کی ضرورت نہ محسوس ہوتی ہو گی۔ بخار سے سر پھٹ رہا ہو گا اور ان کا کیسا جی چاہتا ہو گا کہ کوئی ان کے پاس بیٹھے، کوئی انہیں پوچھے، اس وقت تو کوئی محبت سے دیکھے۔ پر ان کا تو کوئی نہیں، وہ تو تن تنہا آسمان سے ٹپک پڑے۔ آج اس بیماری اور تنہائی میں وہ جانے اپنے لئے کیا سوچ رہے ہوں گے۔ اسرار میاں کے لئے آہیں بھرتے بھرتے وہ گہری نیند سو گئی۔

صبح آسمان بالکل صاف تھا۔ سورج بڑا چمکیلا ہو رہا تھا اور جب وہ اسکول جانے کی تیاری کر رہی تھی تو تین دن بعد اسے اسرار میاں کی کانپتی ہوئی آواز سنائی دے گئی۔ "کریمن بوا اگر سب لوگ چائے پی چکے ہو تو مجھے بھی دے دو، کمزوری لگ رہی ہے۔"

صبح ہوتی ہے' شام ہوتی ہے اور بہار نے دنوں کو پھلانگ کر پھول کھلا دیئے ہیں۔ ایک ڈیڑھ مہینے پہلے کریمن بوا نے کیاری کا کوڑا صاف کر کے اسے گھٹنے تک گوڑا تھا اور پھر بیج بو کر اطمینان کی سانس لی تھی۔ اب کھلے ہوئے پھول دیکھ کر وہ خوش ہو رہی تھی' مگر بڑی چچی سے تو یہ بھی نہ ہوتا کہ دو پھول توڑ کر اس گرد سے بھرے ہوئے گلدان کو صاف کر کے سجا دیں۔ ان کے دل میں بہار کا گزر نہ تھا۔ پھولوں میں کوئی دلکشی نہ تھی۔ شکیل ان کے دل میں سدا خزاں کا بیج بو گیا ہے۔ جمیل بھیا اس بیج کو سینچ رہے ہیں اور بڑے چچا —— بڑے چچا کے لئے اسے کوئی بری بات نہ سوچنا چاہئے۔ وہ اپنے آپ کو ملامت کرتی۔

گھر کی حالت بڑی خراب ہو گئی تھی۔ جمیل بھیا نے ملازمت کی کوشش ہی نہ کی' سارا دن مسلم لیگ کے دفتر میں کام کرتے اور تھوڑا سا معاوضہ مل جاتا۔ بڑی چچی کو یہ معاوضہ دے کر وہ سارے مہینے کے لئے بے خبر ہو جاتے اور سارا مہینہ بڑی چچی سے انتقام لے لے کر گزر جاتا۔

ان دنوں بڑے چچا کے پیروں میں سنیچر ہو گیا تھا۔ آج یہاں' کل وہاں۔ انگلستان کی لیبر وزارت نے ہندوستان کو آزاد کرنے کا فیصلہ کر لیا تھا اور اماں نے یہ خبر اس طرح سنی تھی جیسے چنڈو خانے سے اڑائی گئی ہو۔

ادھر آزادی کے فیصلے کے ساتھ باپ بیٹے ایک دوسرے کی صورت سے بیزار ہو گئے تھے۔ پاکستان بنے گا' پاکستان نہیں بنے گا —— اور اس کشمکش کے عالم میں اسے چھمی بری طرح یاد آنے لگتی۔ اگر آج کو وہ بھی اس گھر میں بیٹھی رہتی تو کیا ہوتا۔ آزادی ملنے سے پہلے ہی سب اپنا اپنا سر پھوڑ کر خدا کو پیارے ہو چکے ہوتے۔

آج پندرہ بیس دن بعد بڑے چچا گھر میں داخل ہوئے تھے اور برآمدے میں بچھے ہوئے پلنگ پر سکون سے لیٹے اپنا سر سہلا رہے تھے۔ اتنے دن بعد انہیں گھر میں لیٹے دیکھ کر عالیہ چائے کی پیالی لے کر ان کے پاس جا بیٹھی۔ بڑے چچا اٹھ کر چائے پینے لگے۔

"انگریز کہتے ہیں کہ اب ہندوستان آزاد ہو جائے گا؟" بڑی چچی بھی ہنستی ہوئی آگئیں۔

"ہاں انہیں آزاد کرنا ہی ہو گا، بس تھوڑے دن اور گڑبڑ کریں گے، بے ایمان قوم ہے۔" بڑے چچا جوش میں آگئے۔

"پھر جب آزادی مل جائے گی تو تم اپنی دکانوں پر بیٹھو گے؟" بڑی چچی نے پوچھا ان کی آنکھوں سے اشتیاق ٹپک رہا تھا۔

"بیٹھوں گا کیوں نہیں، تم دیکھنا کہ اس کے بعد دکانیں کیسی چلتی ہیں، اپنی حکومت سے تو دکانوں کو چلانے کے لئے امداد بھی مل جائے گی۔"

"اچھا اپنی حکومت امداد بھی کر دے گی؟ ہائے کتنا اچھا ہو گا۔" بڑی چچی کی آنکھیں چمک رہی تھیں۔

"بڑے چچا آج آپ گھر میں لیٹے کتنے اچھے لگ رہے ہیں، جب آپ ہوتے ہیں تو مجھے ایسا محسوس ہوتا ہے کہ جیسے ——" عالیہ کچھ نہ کہہ سکی۔ اس کی آواز بھرا رہی تھی۔

"اور میں تمہارا باپ نہیں تو پھر کیا ہوں پگلی" —— بڑے چچا نے اس کا سر اپنے سینے سے لگا لیا —— "اور جب آزادی مل جائے گی تو میں اپنی بیٹی کو دلہن بناؤں گا۔ اور بہت شاندار پڑھا لکھا دولھا لاؤں گا، ایں نا؟" انہوں نے بڑی چچی کی طرف دیکھا وہ دونوں ہنسنے لگے مگر عالیہ بڑے چچا کے سینے میں محبت کی گرمی محسوس کر کے دھیرے دھیرے رو رہی تھی۔ وہ دل ہی دل میں دعا کر رہی تھی کہ اللہ اس ملک کو جلدی سے آزاد کر دے، بڑے چچا اپنے گھر واپس آجائیں اور پھر شام کو اسی گھر میں لیٹ کر بڑی چچی سے باتیں کریں۔ چھمی کی خیریت پوچھیں، ساجدہ آپا کو میکے آنے کے لئے خط لکھیں، جمیل بھیا کے لئے دلہن تلاش کریں اور

شکیلہ کو ڈھونڈ کر گھر لے آئیں۔

"اری پگلی رو رہی ہے"—— بڑے چچا نے اپنے کھدر کے کرتے کے پار آنسوؤں کی نمی محسوس کر لی تھی —— "مت رو میری بیٹی۔"

"کریمن بوا بڑے بھیا سے کہو کہ حکیم صاحب اور ہردیال بابو آئے ہیں۔" اسرار میاں کی آواز آئی تو بڑے چچا ایک دم اٹھ پڑے۔ وہ اسے چپ کرانا بھی بھول گئے۔ عالیہ نے آپ ہی آپ آنسو پونچھ ڈالے۔ کیسا جی امنڈ رہا تھا۔ ابھی تو وہ رونا چاہتی تھی۔

رات جب سب لوگ کھانا کھا رہے تھے تو جمیل بھیا بڑے جوش و خروش سے بولتے جا رہے تھے—— مطالبہ پاکستان ایک ایسی حقیقت ہے جیسے ہم آپ بیٹھے ہیں۔ کانگریسی لاکھ روڑے اٹکائیں مگر کچھ نہیں کر سکتے۔ دس کروڑ مسلمانوں کے اس مطالبے کو کون روک سکتا ہے"——

"تو کیا سارے مسلمان پاکستان جا کر رہیں گے؟" بڑی چچی نے پوچھا۔

"واہ اس کی کیا ضرورت پڑے گی' جو جہاں ہے وہیں رہے گا۔"

"مگر ہندو ہمیں رہنے کیوں دیں گے' وہ نہیں کہیں گے کہ اپنے ملک جاؤ۔"

"ان کے ہندو جو ہمارے پاکستان میں ہوں گے۔ ہم ان سے کب کہیں گے کہ جاؤ۔"

جمیل بھیا کی دلیل بڑی چچی کی سمجھ میں آ گئی تو انہوں نے اطمینان کی سانس لی۔

"ہاں جمیل میاں یہ جانے وانے کی بات بری ہے' میں بھی یہ گھر نہیں چھوڑ سکتی۔" کریمن بوا بھی آخر بول ہی پڑیں۔

"اور میں کب چھوڑ رہا ہوں اپنا گھر' میں تو بس اسرار میاں کو بھیج دوں گا پاکستان" جمیل بھیا مزے میں آ کر ہنسے اور کریمن بوا نے کھسیا کر برتن اٹھانے شروع کر دیئے۔

"پھر تم اپنی ایک دکان تو سنبھال ہی لینا' تمہارے ابا اب تھک چلے ہیں' اور پھر تم ان کا ادب بھی کرو گے نا؟"

"میں سب کچھ کروں گا اماں، جو کچھ آپ کہیں گی وہی ہو گا، بس پاکستان بن جانے دیجئے۔" جمیل بھیا باتیں کرتے ہوئے بار بار عالیہ کی طرف دیکھے جا رہے تھے۔ اور وہ بے تعلق سی بیٹھی کھانا کھائے چلی جا رہی تھی۔ جانے آج کل اتنی بھوک کیوں لگتی ہے۔

"حد ہے، ہر وقت یہی باتیں، کھانا پینا حرام ہو گیا ہے۔" اماں باتیں سن سن کر ایک دم جھلا اٹھیں —— بس اب تو عقل مند صرف تمہارے ملک کے لوگ رہ گئے ہیں، انگریز بیچارے تو نرے بے وقوف ہیں کہ آزادی بانٹی اور چپکے سے اپنے ملک لوٹ گئے۔ ارے ابھی تو برسوں جھک مارو جب بھی آزادی نہیں ملتی۔"

"انہیں کون کافر بے وقوف سمجھتا ہے مگر اب وقت انہیں بے وقوف بننے پر مجبور کر رہا ہے، اگر نہ گئے تو نکال دیئے جائیں گے۔" جمیل بھیا بھی جوش میں آ گئے۔

"خدا کی شان ہے۔ کیا بڑھ بڑھ کر باتیں مار رہے ہو" —— اماں بگڑ کر اٹھ گئیں —— "کریمن بوا میرا کھانا میرے کمرے میں پہنچا دو۔" اماں جانے لگیں تو جمیل بھیا نے پکڑ لیا —— "چلئے چھوڑیئے چھوٹی چچی، اب اگر آزادی کا نام بھی لوں تو جو چور کی سزا وہ میری۔"

بات مذاق میں ٹل گئی مگر اماں کا موڈ ٹھیک نہ ہوا۔ کھانا کھاتے ہی اپنے کمرے میں چلی گئیں۔

سردی کا زور گھٹتے ہی سب برآمدے میں سونے لگے تھے۔ پھٹے ہوئے پردے لپیٹ کر کب کے باندھ دیئے گئے تھے۔ اس وقت چاندنی برآمدے میں داخل ہو کر بستروں پر لوٹ رہی تھی۔

جمیل بھیا اتنی بہت سی باتیں کرنے کے بعد اب صحن میں ٹہل رہے تھے اور عالیہ بڑی چچی کے پاس بیٹھی چھالیہ کاٹ رہی تھی، اماں سب سے روٹھ کر اپنے کمرے میں نہ جانے کیا کر رہی تھیں۔

"بڑے بھیا کہاں ہیں؟" نجمہ پھوپھی اوپر سے آ کر بڑی چچی کے پاس ٹک گئیں۔ وہ کچھ فکر مند سی نظر آ رہی تھیں۔

"بیٹھک میں ہوں گے، بلوا لو۔" بڑی چچی نے جواب دیا۔

"دیکھو کریمن بوا اگر کوئی نہ ہو تو بلا لاؤ۔" نجمہ پھوپھی نے اکتا کر کہا۔

بڑے چچا کے آتے ہی جمیل بھیا اپنے کمرے میں چلے گئے۔ عالیہ کی سمجھ میں نہ آرہا تھا کہ آج نجمہ پھوپھی کیا بات کرنا چاہتی ہیں جو اس قدر فکر مند ہو رہی ہیں۔

"بڑے بھیا، وہ بات یہ ہے کہ میں نے اپنے لئے زندگی کا ساتھی تلاش کر لیا ہے، بس آپ کو اطلاع دینی تھی۔" انہوں نے بڑی ڈھٹائی سے کہا۔

سب حیران ہو کر ان کا منہ تکنے لگے۔ بڑے چچا آنکھیں جھکائے خاموش بیٹھے تھے، کیا انگلش میں ایم اے کر کے انسان اپنی تہذیب پر لات مار دیتا ہے۔ نجمہ پھوپھی یہی کچھ بڑی چچی کے ذریعے بھی کہلا سکتی تھیں۔ عالیہ نے نفرت سے بڑی چچی کی طرف دیکھا۔

تو پھر ضرور کرو شادی، ہم سے کہو، فوراً انتظام کر دیں گے۔" بڑی چچی کھسیا کر ہنسنے لگیں۔

"کیا انتظام کریں گی آپ، کیا میں چھمی ہوں جس کی شادی پر میراثیں بلائی جائیں گی، ڈھول پیٹی جائے گی اور میرا جہیز سلے گا، میں خود جہیز ہوں۔" نجمہ پھوپھی سخت مغرور ہو رہی تھیں۔

"تم جب کہو گی میں شریک ہو جاؤں گا۔" بڑے چچا اٹھ کر باہر چلے گئے۔

"بس گرمیوں کی چھٹی میں نکاح ہو جائے، پھر ہم لوگ شملے چلے جائیں گے۔" نجمہ پھوپھی نے بڑی چچی کو اطلاع دی اور خود بھی اٹھ کھڑی ہوئیں۔

"وہ ہیں کون صاحب؟" بڑی چچی سے پوچھے بغیر نہ رہا گیا۔

"ہمارے کالج کے لکچرار کے بھائی ہیں، انہوں نے بھی انگلش میں ایم اے کیا ہے۔ بہت زبردست تاجر ہیں۔" وہ کھٹ پٹ کرتی زینوں پر ہو لیں۔

ذرا دیر تک سب چپ رہے۔ کوئی کسی سے نہ بولا مگر جیسے ہی جمیل بھیا پھر سے آکر ٹہلنے لگے تو بڑی چچی نے دھیرے سے اطلاع کر ہی دی —— "تمہاری نجمہ پھوپھی شادی کر رہی ہیں۔"

"اچھا تو اس وقت وہ یہی کچھ بتانے آئی تھیں؟"

"ہوں!" بڑی چچی سر جھکا کر پان بنانے لگیں۔

"ڈھول نہ باجے، دلہن نہ بنیں، یہ بھی کوئی شادی ہوئی، زمانے بدل گئے۔ سوا سوا مہینے تک لڑکی کو مانجھے بٹھاتے تھے۔ باپ بھائیوں کا سایہ تک نہ دیکھتی لڑکی۔" کریمن بوا برتن دھوتے ہوئے برابر بڑبڑائے جا رہی تھیں۔

"پڑھ لکھ کر انہوں نے اتنا ہی سیکھا ہے۔ قاضی سے کہنا کہ نکاح بھی انگریزی میں پڑھائے۔" جمیل بھیا زور سے ہنسے —— "واقعی اس خاندان کی بد نصیبی تھی کہ لڑکیوں کو تعلیم نہ دلائی گئی۔ اب ہماری نجمہ پھوپھی خاندان کی پہلی لڑکی تھیں۔ جنہوں نے اعلیٰ تعلیم حاصل کی۔ ظاہر ہے کہ انہیں مارے غرور کے یہی کچھ بننا تھا۔ دوسری تعلیم یافتہ خاتون ہماری عالیہ بی بی ہیں، کچھ فتور تو ان میں بھی ہے۔" انہوں نے داد طلب نظروں سے دیکھا۔

عالیہ سمجھ گئی کہ یہ کس فتور کی طرف اشارہ ہو رہا ہے، اس کی جان جل کر رہ گئی —— "جی ہاں عورت اگر کٹھ پتلی سے آگے بڑھنے کی کوشش کرے گی تو ظاہر ہے کہ دماغی فتور سمجھا جائے گا، مرد عورت کو بے وقوف دیکھ کر ہی سچی خوشی محسوس کرتا ہے۔ نجمہ پھوپھی کا طریقہ غلط ہے مگر انہیں یہ حق پہنچتا ہے کہ اپنی شادی کریں۔"

"کون کر رہا ہے شادی؟" اماں نے کمرے سے نکل کر پوچھا۔

"نجمہ پھوپھی۔" عالیہ نے جواب دیا۔

"کہاں انتظام کر دیا بڑے بھیا نے؟"

"بڑے بھیا نے نہیں، انہوں نے خود انتظام کیا ہے۔" بڑی چچی نے بتایا۔

"حد ہے بھئی، ان کی بڑی بہن صاحبہ نے بھی تو اپنی مرضی سے شادی کی تھی اور آج ان کا شاندار بیٹا صفدر دنیا کی چھاتی پر دندناتا پھرتا ہے۔" اماں کا غصہ پورے جوش پر تھا۔

سب چپ رہے، کسی نے کوئی جواب نہ دیا۔ عالیہ کو افسوس ہو رہا تھا کہ اماں اتنی تلخ باتیں کیوں کرتی ہیں۔

اماں اپنے کمرے میں چلی گئیں۔ جمیل بھیا اٹھ کر ٹہلنے اور گنگنانے لگے ؎

بھلا نہ دل نہ تیرگی شام غم گئی
یہ جانتا تو آگ لگاتا نہ گھر کو میں

ٹھیک ہے' اسی لئے میرے دماغ کے فتور کا رونا رویا جا رہا تھا' وہ ان کا دل نہ بہلا سکی۔ وہ ان کی شاموں کو رنگین نہ بنا سکی۔ اس سے بڑھ کر اور کیا فتور ہو گا۔

"میں ذرا باہر جا رہا ہوں اماں' ضروری کام سے' دیر سے آؤں گا' دروازہ بند کر لیجئے" جمیل بھیا نے کہا اور پھر دروازے کی طرف بڑھ گئے—— "بھلا نہ دل نہ تیرگی شام غم گئی"—— دروازے سے نکلتے ہوئے بھی وہ دھیمے دھیمے گا رہے تھے۔

دھوم دھام سے چٹکی ہوئی چاندنی میں اسرار میاں کی اندھیری آواز ابھری —— "کریمن بوا اگر سب لوگ کھانا کھا چکے ہوں تو——"

عالیہ اپنے کمرے میں جانے کے لئے زینوں پر ہو لی۔

سخت گرمی پڑ رہی تھی۔ نجمہ پھوپھی اپنے تاجر میاں کے ساتھ شملے جا چکی تھیں۔ ان کی شادی پر نہ ڈھول بجی' نہ میراثنوں نے گانے گائے۔ کریمن بوا کا مارے دکھ کے کلیجہ پھٹ گیا تھا۔ یہ زمانے کم بخت نے ان کو کیا کیا دکھا دیا۔ اماں کو ان کی شادی کے بعد سے سلمہ پھوپھی مرحومہ ہر وقت یاد آنے لگی تھیں اور صفدر بھائی کے لیے موت کی دعائیں دل سے نکلنے لگی تھیں۔ ادھر ملک میں ہڑبونگ مچی تھی۔ کیبنٹ مشن ہلہ مچا کر واپس ہو گیا تھا۔ مسلم لیگیوں کا پلہ بھاری رہا تھا۔ بڑے چچا کا بس چلتا تو جمیل بھیا کی صورت نہ دیکھتے' وہ انہیں آستین میں پلا ہوا سانپ سمجھنے لگے تھے۔ اگر کسی وقت سامنا ہوتا تو ایک دوسرے پر چھینٹے کسنے لگتے—"سارے مسلم لیگی انگریزوں کے پٹھو ہیں۔" بڑے چچا بھڑ کر کہتے۔

اس میں کیا شک ہے' مگر یہ حضرت نہرو اور ماؤنٹ بیٹن کی دوستی کب سے چلی ہے اور یہ ان کی لیڈی صاحبہ سے اتنا خلوص کیوں برتتے ہیں؟" جمیل بھیا کب چوکتے۔

"تمہاری جہالت ایسے ہی سوال کرے گی۔"

"اے جمیل بھیا' کیا آپ باہر بحث کر کر کے نہیں تھکتے؟" عالیہ بیچ میں کود پڑتی تو جمیل بھیا اپنے باپ کے مقابلے میں بے بس ہو کر رہ جاتے۔

"فوہ! ایک ایک مسلمان جو فساد میں مارا جا رہا ہے اس کا خون مسلم لیگیوں کی گردن پر ہے"—بڑے چچا ٹھنڈی سانس بھرتے۔

جمیل بھیا عالیہ کی طرف دیکھ کر خاموش رہتے۔ جواب دینے کے لیے ان کا جی تو گھٹتا ہو گا مگر کچھ نہ کر پاتے۔

بڑی چچی کو شکیل کی پڑی تھی "اللہ جانے کہاں ہو گا' ہندو مسلمان ایک

دوسرے کے خون کے پیاسے ہو رہے ہیں" ان دنوں تو بڑی چچی کو شکیل کی یاد شدت سے ستا رہی تھی۔

سرِشام زور سے آندھی آئی۔ کریمن بوا لالٹینیں جلا رہی تھیں۔ ساری کی ساری ایک ہی جھونکے سے بجھ گئیں —— "ناس جائے ان آندھیوں کا۔" لالٹینیں سمیٹ کر وہ بڑبڑاتی ہوئی کمرے میں چلی گئیں۔

"ہار موتیے چنبیلی کے۔" گلی میں ہار بیچنے والا صدا لگاتا بھاگا جا رہا تھا۔

ذرا دیر میں آندھی رک گئی۔ بارش کے دو چھینٹے پڑ کر زمین کی سوندھی سوندھی خوشبو اڑا گئے تھے اور محلے کی چھتوں سے گراموفون ریکارڈ بجنے کی آواز آ رہی تھی "بابل مورا نیہر چھوٹو ہی جائے۔"

"سب لوگ کھانا کھا لو' پتہ نہیں پھر بارش ہونے لگے' بادل گھرے کھڑے ہیں" —— کریمن بوا نے کہا اور پھر برتنوں سے آندھی کی دھول صاف کرنے لگیں —— "جانے یہ ناس پڑی آندھیاں کیوں آنے لگی ہیں۔" انہوں نے جیسے اپنے آپ سے پوچھا۔

"پہلے زمانے میں تو اتنی آندھیاں نہ آتی ہوں گی کریمن بوا؟" جمیل بھیا نے ہنس کر پوچھا۔

"یہ آندھیاں تو ہمیشہ سے آتی تھیں جمیل میاں' جانے کیا کچھ اڑا لے گئیں۔" کریمن بوا ان کا مذاق نہ سمجھتے ہوئے سنجیدگی سے بولیں —— "ایک بار تو میرا جارجٹ کا دوپٹہ اڑا لے گئیں' دھو کر الگنی پر پھیلایا تھا۔" کریمن بوا اپنے لتے جیسے دوپٹے کو سر پر ٹھیک سے اوڑھنے لگیں —— "ناس جائے ان آندھیوں کا۔" وہ پلیٹیں اٹھا کر دالان میں چلی گئیں۔

"شاید رات بھی بارش ہو۔" جمیل بھیا نے عالیہ کی طرف دیکھا۔

"اللہ کرے ہو' گرمی سے نجات ملے۔"

کھانے کے بعد اماں اور بڑی چچی نے پاندان کھول لیا۔ کریمن بوا اسرار میاں کے لئے پلیٹوں سے بچا ہوا سالن ایک پیالے میں جمع کر رہی تھیں۔ جمیل بھیا اب پھر اپنی کرسی پر جا بیٹھے تھے۔

بڑے چچا کہاں ہیں' یہ ٹھنڈا کھانا ان کی صحت کو اور بھی تباہ کردے گا۔ کم سے کم رات تو جلدی سے گھر آجایا کریں۔ عالیہ اوپر جاتے ہوئے سوچ رہی تھی۔

رات روئی ہوئی آنکھوں کی طرح بھیگی ہوئی تھی۔ چھت پر اپنا بستر لگانے کے بعد وہ دھیرے دھیرے ٹہلنے لگی——"وقت نہیں گزرتا اللہ۔" وہ بڑبڑا رہی تھی۔ گراموفون ریکارڈ برابر بجے جارہے تھے۔ "مفت ہوئے بدنام سنوریا تیرے لئے۔"

"اوپر تو بڑے مزے کی ہوا چل رہی ہے۔" جمیل بھیا بھی آکر اس کے ساتھ ٹہلنے لگے۔

وہ چپ رہی۔ رات' تنہائی' اڈے ہوئے بادل اور پھر جمیل بھیا۔ وہ ایک طوفان میں گھر کر رہ گئی۔ اس کا جی بیٹھنے لگا۔ کیسی عجیب سی کیفیت ہو رہی تھی۔ بس یہی جی چاہتا کہ جمیل بھیا کو اٹھا کر نیچے گلی میں پھینک دے۔

وہ منڈیر سے جھک کر نیچے گلی میں جھانکنے لگی' جہاں گنڈیریوں والا دو لوؤں والا چراغ تھال میں سجائے صدا لگاتا چلا جارہا تھا۔

"عالیہ۔" جمیل بھیا نے بھاری سی آواز سے پکارا۔

"کیا بات ہے؟" وہ پھر کر پلٹی۔

"بہت سی باتیں ہیں مگر تم تو میرے لئے بہری بن گئی ہو۔"

"اور کیا رہ گیا ہے کہنے کو' آپ سب کچھ تو کہہ چکے ہیں اور میں سن چکی ہوں' آپ تھکتے کیوں نہیں کہہ کہہ کر۔"

جمیل بھیا اس کے پاس کھڑے ہو گئے اور اندھیرے میں جھک کر اسے دیکھنے لگے۔ وہ اتنے قریب تھے کہ اسے ان کی سانسیں اپنے چہرے پر محسوس ہو رہی تھیں اور اسے ایسا لگ رہا تھا کہ جون کی لو سے اس کا چہرہ پھنکا جارہا ہے۔

وہ ہٹ کر اپنے بستر پر بیٹھ گئی اور دونوں ہاتھوں سے چہرہ رگڑ ڈالا۔

"تم میرے سلسلے میں اتنی بے درد کیوں ہو؟" وہ بھی قریب آگئے۔ کون سا کوسوں فاصلہ تھا جو طے نہ ہو سکتا تھا۔ وہ جھک کر اس کی آنکھوں میں جھانک رہے تھے۔ عالیہ نے دیکھا کہ ان کی آنکھوں میں تو بادلوں سے زیادہ اندھیرا چھایا ہوا تھا'

نگران بادلوں کے باوجود لو چل رہی تھی۔ عالیہ کا دل جیسے پگھلنے لگا۔

"بیٹھ جایئے۔" وہ ایک طرف سرک گئی۔

"تمہارے بستر پر بیٹھ جاؤں؟ تمہارے بستر پر تو مجھے کچھ ایسا محسوس ہو گا جیسے ——"

عالیہ کو ایسا محسوس ہوا کہ بہت سی بھڑیں اس کے جسم سے لپٹ گئی ہیں۔

"جمیل صاحب آپ میرے معاملے میں صرف ضد یا گئے ہیں۔ آپ خواہ مخواہ یہ ثابت کرنا چاہتے ہیں کہ اگر میں نہ ملی تو آپ مر جائیں گے، تباہ ہو جائیں گے، اب مجھ سے زیادہ شاندار لڑکی اس زمانے میں کہیں نہیں ملے گی، مگر میں جانتی ہوں کہ اگر آج میں آپ کی نظروں سے دور ہو جاؤں تو آپ کو کوئی اور مل جائے گا۔ کبھی آپ نے چھمی کے لئے بھی یہی کچھ محسوس کیا ہو گا اور ——" اس کی آواز بھرا گئی اور وہ گھٹنوں میں سر چھپا کر رونے لگی۔ اس وقت وہ سخت کمزوری محسوس کر رہی تھی۔

"ارے تو کیا تم مجھ سے اتنی بیزار ہو، مت رو عالیہ۔" جمیل بھیا نے گھبرا کر اس کے شانوں پر ہاتھ رکھ دیئے —— "تم اطمینان رکھو اب میں کچھ نہ کہوں گا، میں تم کو زندگی بھر ہنسانا چاہتا ہوں، رلانا نہیں چاہتا" —— انہوں نے شانوں پر سے ہاتھ ہٹا لئے —— "اب میں تم سے کوئی مطالبہ نہ کروں گا، مجھے حق ہی کیا ہے۔ میں وعدہ کرتا ہوں کہ اب تم میری وجہ سے پریشان نہ ہو گی، اب تم خوش ہو نا؟"

وہ بھلا کیا کہتی، یوں ہی گھٹ گھٹ کر روتی رہی۔

"مت رو عالیہ بی بی۔" وہ مجرموں کی طرح دور کھڑے رہے۔ "تم میری زندگی کی ساتھی نہیں بننا چاہتیں تو نہ سہی، یوں بھی زندگی گزر ہی جائے گی۔ کتنے لوگ ہیں جو خوشیوں سے بھرپور زندگی گزارتے ہیں، خیر۔ مگر اب تم چپ ہو جاؤ، میں اب تم سے کچھ نہ کہوں گا۔" ان کی آواز کانپ رہی تھی۔

چند منٹ تک وہ خاموش کھڑے رہے اور پھر تیزی سے نیچے چلے گئے۔

"کریمن بوا، بڑے بھیا رات بارہ بجے تک آئیں گے، اگر سب لوگ کھانا

کھا چکے ہوں تو مجھے بھی دے دو۔" اسرار میاں کی صدا سناٹے کو چیر گئی۔

عالیہ آنسو پونچھ کر بے سدھ لیٹ گئی۔۔۔۔بہت اندھیرا ہے' بادل کس بری طرح گھرے ہیں۔ کیا آج اتنی بارش ہو گی کہ طوفان نوح آجائے گا؟ آج وہ ضرور ڈوب جائے گی۔ اس نے تو اپنی حفاظت کے لئے کوئی کشتی بھی نہیں بنائی! اس نے آنکھیں موند لیں۔

پاکستان بن گیا۔ لیگی راہ نما کراچی دارالحکومت جا چکے تھے۔ پنجاب میں خون کی ہولی کھیلی جا رہی تھی۔ بڑے چچا اس صدمے سے جیسے نڈھال ہو گئے تھے۔ بیٹھک میں بیماروں کی طرح وہ ہر ایک سے پوچھتے رہتے۔ "یہ کیا ہو رہا ہے؟ یہ کیا ہو گیا؟ یہ ہندو مسلمان ایک دم ایک دوسرے کے ایسے جانی دشمن کیسے ہو گئے؟ یہ انہیں کس نے سکھایا ہے؟ ان کے دل سے کس نے محبت چھین لی؟"

جب وہ یہ سب کچھ عالیہ سے پوچھتے تو وہ ان کا سر سہلانے لگی۔ "بڑے چچا آپ آرام کیجئے، آپ تھک گئے ہیں بڑے چچا۔" اور بڑے چچا اس طرح آنکھیں بند کر لیتے جیسے خون کی ندی ان کی آنکھوں کے سامنے بہہ رہی ہو۔

"زمانے زمانے کی بات ہے، وہ بھی زمانہ تھا جب ہندو اپنے گاؤں کے مسلمانوں پر آنچ آتے دیکھتے تو سر دھڑ کی بازی لگا دیتے اور مسلمان ہندو کی عزت بچانے کے لئے اپنی جان نچھاور کر دیتا، ایسا بھائی چارہ تھا کہ لگتا ایک ماں کے پیٹ سے پیدا ہوئے ہیں، پر اب کیا رہ گیا، دونوں کے ہاتھوں میں خنجر آ گیا ہے۔"
کریمن بوا فساد کی خبریں سن سن کر ٹھنڈی آہیں بھرا کرتیں۔ اپنے شہر میں فساد تو نہ ہوا تھا مگر سب کی جانوں پر بنی رہتی، پتہ نہیں کب کیا ہو جائے۔

"کہاں ہو گا میرا شکیل؟" بمبئی میں فساد کی خبر سن کر بڑی چچی بلکنے لگیں

"تمہارا پاکستان بن گیا جمیل، تمہارے ابا کا ملک بھی آزاد ہو گیا، پر میرے شکیل کو اب کون لائے گا؟"

"سب ٹھیک ہو جائے گا اماں، وہ خیریت سے ہو گا۔ یہ فساد وساد تو چار دن میں ختم ہو جائیں گے۔" جمیل بھیا ان کو سمجھاتے مگر ان کا چہرہ فق رہتا۔

شام سب لوگ خاموش بیٹھے چائے پی رہے تھے کہ ماموں کا خط آ گیا۔ انہوں نے اماں کو لکھا تھا کہ انہوں نے اپنی خدمات پاکستان کے لئے وقف کر دی ہیں اور وہ جلد ہی جا رہے ہیں۔ "اگر آپ لوگوں کو چلنا ہو تو فوراً جواب دیجئے اور تیار رہئے۔"

بس ابھی تار دے دو جمیل میاں' ہماری تیاری میں کیا لگے گا' ہم تو بس تیار بیٹھے ہیں۔" ہے! اپنا بھائی ہے بھلا ہمیں اکیلا چھوڑ کر جا سکتا ہے؟" مارے خوشی کے اماں کا منہ سرخ ہو رہا تھا۔

جمیل بھیا نے اس طرح گھبرا کر سب کی طرف دیکھا جیسے فسادی ان کے دروازے پر پہنچ گئے ہوں' مگر آپ کیوں جائیں گی چھوٹی چچی؟ آپ یہاں محفوظ ہیں۔ میں آپ کے لئے اپنی جان دے دوں گا۔" انہوں نے آج بڑی مدت بعد عالیہ کی طرف دیکھا۔ کیسی سفارشی نظریں تھیں مگر عالیہ نے اپنی آنکھیں جھکا لیں۔

"میں نہ جاؤں تو کیا ہندوؤں کے نگر میں رہوں' پاکستان میں اپنوں کی تو حکومت ہو گی' پھر میں اپنے بھائی کو چھوڑ کر ایک منٹ بھی زندہ نہیں رہ سکتی' واہ۔" مارے خوشی کے اماں سے نچلا نہ بیٹھا جا رہا تھا۔

عالیہ جانے پر راضی نہیں ہو گی چھوٹی چچی' وہ نہیں جائے گی' وہ جا ہی نہیں سکتی۔" جمیل بھیا نے جیسے نیم دیوانگی کے عالم میں کہا۔

"تم اچھے حق دار آ گئے' کون نہیں جائے گا۔" اماں ایک دم بپھر اٹھیں۔ "تم ہوتے کون ہو روکنے والے؟؟"

"ضرور جائیے چھوٹی چچی۔" جمیل بھیا نے سر جھکا دیا اور عالیہ کو ایسا محسوس ہوا کہ وہ نہیں جا سکتی۔ صدیاں گزر جائیں گی مگر وہ یہاں سے ہل بھی نہ سکے گی۔

"میں ابھی تار کئے دیتا ہوں کہ سب تیار ہیں۔" جمیل بھیا اٹھ کر باہر چلے گئے۔

عالیہ کا جی چاہا کہ وہ چیخ چیخ کر اعلان کرے کہ وہ نہیں جائے گی' وہ نہیں جا سکتی' اسے کوئی نہیں لے جا سکتا' مگر اس کے گلے میں تو سینکڑوں کانٹے چبھ رہے تھے' وہ ایک لفظ بھی نہ بول سکی' اس نے ہر طرف دیکھا اور پھر نظریں جھکا لیں مگر

وہ کیوں رکے، کس لئے، کس کے لئے' اس نے سوچا اور پھر جیسے بڑے سکون سے چھالیہ کاٹنے لگی۔ عالیہ بیگم اگر تم رہ گئیں تو ہمیشہ کے لئے دلدل میں پھنس جاؤ گی۔

"کریمن بوا اگر سب لوگ چائے پی چکے ہوں تو ——" اسرار میاں نے بیٹھک سے آواز لگائی اور کریمن بوا آج تو ڈائنوں کی طرح چیخنے لگیں——

"ارے کوئی تو اس اسرار میاں کو بھی پاکستان بھیج دو۔ سب چلے گئے' سب چلے جائیں گے مگر یہ کہیں نہیں جاتا۔"

بیٹھک میں اسرار میاں کے کھانسنے کی اواز آئی اور پھر خاموشی چھا گئی۔

"کیا تم سچ مچ چلی جاؤ گی چھوٹی دلہن؟" بڑی دیر تک چپ رہنے کے بعد بڑی چچی نے پوچھا۔

"ظاہر ہے کہ چلی جاؤں گی۔" اماں نے رکھائی سے جواب دیا۔

"یہ گھر تمہارا ہے چھوٹی دلہن' مجھے اکیلے نہ چھوڑو۔" بڑی چچی نے ڈبڈبائی ہوئی آنکھیں بند کرلیں' شاید وہ تنہائی کے بھوت سے ڈر رہی تھیں۔

عالیہ جیسے پناہ ڈھونڈنے کے لئے اوپر بھاگ گئی۔ دھوپ پیلی پڑ کر سامنے کے مکان کی اونچی دیوار پر چڑھ گئی تھی۔ ہائی اسکول کے احاطے میں بسیرا لینے والے پرندے مسلسل شور مچائے جا رہے تھے۔

کھلی فضا میں آکر اس نے اطمینان کی سانس لی اور مسافروں کی طرح ٹہل ٹہل کر سوچنے لگی کہ اب آگے کیا ہو گا' شاید اچھی ہی ہو' وہ یہاں سے جاکر ضرور خوش رہے گی۔

جب وہ نیچے اتری تو سب اپنے اپنے خیالوں میں مگن بیٹھے تھے' صرف کریمن بوا جانے کس بات پر بڑبڑا رہی تھیں اور پھرتی سے روٹیاں پکاتی جا رہی تھیں۔

جمیل بھیا کہاں گئے' اب تک کیوں نہیں آئے۔ عالیہ نے سونی کرسی کی طرف دیکھا۔ جانے یہ سرپھرا آدمی اسے یاد کرے گا یا بھول جائے گا۔ اس نے اپنے آپ سے پوچھا۔

لالٹین کی بتی خراب تھی اس لئے اس میں سے دو لویں اٹھ رہی تھیں اور

ایک طرف سے چمنی سیاہ ہو گئی تھی۔ مدھم روشنی میں اماں' بڑی چچی اور کریمن بوا کے چہرے بگڑے بگڑے لگ رہے تھے۔

جمیل بھیا گھر میں داخل ہوئے اور اپنی کرسی پر بیٹھ گئے۔ میں تار کر آیا ہوں چھوٹی چچی۔" انہوں نے دھیرے سے کہا۔

"تم اتنی دیر تک باہر نہ رہا کرو' شام سے گھر آ جایا کرو' جانے کب یہاں بھی گڑبڑ ہو جائے۔" بڑی چچی نے کہا۔

"رہنا تو پڑتا ہے' مسلمان ڈرے ہوئے ہیں' انہیں سمجھانا ہے کہ وہ یہاں ڈٹ کر رہیں اور یہاں کی فضا کو پرامن رکھیں' گھر میں بیٹھ کر تو کام نہ چلے گا۔"

"توبہ اب ملک آزاد ہو گیا تو یہ کام شروع ہو گئے' خیر مجھے کیا' تم نے تار پر پتہ ٹھیک لکھا تھا نا؟" اماں نے پوچھا۔

"آپ اطمینان رکھیں' پتہ ٹھیک تھا۔"

"خیر سے ہم تو پاکستان جا رہے ہیں' مگر اب تم اپنے گھر کی فکر کرو جمیل میاں' کیا بری حالت ہو چکی ہے' اپنی ماں کی طرف بھی دیکھو۔" اماں نے ہمدردی سے بڑی چچی کی طرف دیکھا۔

"کون جا رہا ہے پاکستان؟" بڑے چچا نے صحن میں قدم رکھتے ہی بوکھلا کر پوچھا۔ انہوں نے اماں کی باتیں سن لی تھیں۔

"میں اور عالیہ جائیں گے' اور کسے جانا ہے۔" اماں نے تڑاق سے جواب دیا۔

"کوئی نہیں جا سکتا' میری اجازت کے بغیر کوئی قدم نہیں نکال سکتا' کس لئے جاؤ گے پاکستان؟ یہ ہمارا ملک ہے' ہم نے قربانیاں دی ہیں' اور اب ہم اسے چھوڑ کر چلے جائیں؟ اب تو ہمارے عیش کرنے کا وقت آ رہا ہے۔" بڑے چچا سخت جوش میں تھے۔

ماشاء اللہ آپ بڑے حق دار بن کر آ گئے' نہ کھلانے کے نہ پلانے کے' کون سا دکھ تھا جو یہاں آ کر نہیں جھیلا' میرے شوہر کو بھی آپ ہی نے چھین لیا' آپ ہی نے انہیں مار ڈالا۔ میری لڑکی کو یتیم کر دیا اور اب حق جتا رہے ہیں۔"

مارے غصے کے اماں کی آواز کانپ رہی تھی۔

"کریمن بوا میرا کھانا بیٹھک میں بھجوا دو۔" بڑے چچا سر جھکا کر بیٹھک میں چلے گئے۔

"کیا آپ چلنے سے پہلے بڑے چچا کو یہی بدلہ دینا چاہتی ہیں؟ بڑے چچا نے کسی کو تباہ نہیں کیا' بڑے چچا نے کسی کو دعوت نہیں دی تھی کہ آؤ اور میرا ساتھ دو۔ آپ آج اچھی طرح سن لیں کہ مجھے بڑے چچا سے اتنی ہی محبت ہے جتنی ابا سے تھی۔" عالیہ نے کھانا چھوڑ دیا اور ہاتھ دھو کر بیٹھک میں چلی گئی' اماں کیا کہتی رہ گئیں اس نے ذرا بھی نہ سنا۔

"کیا تم سچ مچ جا رہی ہو بیٹی؟"

"ہاں بڑے چچا' اماں جو تیار ہیں۔" اس نے بے بسی سے جواب دیا۔

"یہ انگریز جاتے جاتے بھی چال چل گیا' لوگوں کو گھر سے بے گھر کر گیا' پھر بھی تم مت جاؤ بیٹی' اپنی ماں کو سمجھا لو' اب تمہارے سکھ کا زمانہ آ گیا ہے۔"

"بڑے چچا میں تو اماں کا واحد سہارا ہوں' میں انہیں کس طرح چھوڑ دوں' وہ ضرور جائیں گی' مگر آپ کو نہیں معلوم کہ یہ گھر چھوڑ کر میں کس طرح تڑپوں گی' آپ —— آپ تو ——" وہ دونوں ہاتھوں میں منہ چھپا کر سسکنے لگی۔

"چھوٹی دلہن کو مجھ سے سخت نفرت ہے' ٹھیک ہے' میں نے تم لوگوں کے لئے کچھ بھی نہ کیا' مگر اب وقت آیا تھا کہ اس گھر میں پہلی سی شادمانی لوٹ آتی' مجھے بڑی اچھی ملازمت دی جا رہی ہے' پھر دکانوں کو چلانے کے لئے دس پندرہ ہزار کی امداد بھی ملنے کی توقع ہے' میں چھوٹی دلہن کی سب شکایتیں رفع کر دوں گا" —— انہوں نے عالیہ کو پیار سے تھپکا —— کیا گھر میں تیل ختم ہو گیا ہے؟ لالٹین کی روشنی مدھم ہوتی جا رہی ہے' اب انشاء اللہ تھوڑے دنوں میں بجلی کا کنکشن بحال کرا لوں گا۔ اور اب تم ایم اے میں داخلہ کیوں نہ لے لو۔ میرا خیال ہے کہ تم کو اگلے سال ضرور داخل کرا دوں۔"

عالیہ کا کلیجہ کٹ رہا تھا۔ آنسو پونچھ کر وہ خاموش بیٹھی رہی۔ جی ہی جی میں گھٹ رہی تھی' مگر ایک لفظ بھی نہ بول سکی۔ خدا آپ کو سکھ دے بڑے چچا' خدا

آپ کے سارے سہانے خواب پورے کرے —— وہ دل ہی دل میں دعا مانگ رہی تھی۔ وہ بڑے چچا سے کس طرح کہتی کہ وہ تو یہاں سے خود بھاگ جانا چاہتی ہے۔

اسرار میاں بیٹھک میں داخل ہونے کے لئے پٹ کھول رہے تھے۔ عالیہ اٹھ کر صحن میں آگئی۔

اماں اور بڑی چچی جانے کیا باتیں کر رہی تھیں۔ جمیل بھیا اب تک کرسی پر بیٹھے انگلیاں مروڑ رہے تھے۔ وہ ایک لمحے تک آنگن میں کھڑی رہی اور پھر اوپر چلی گئی۔

شبنم سے بھیگی ہوئی رات بڑی روشن ہو رہی تھی۔ چاند جیسے وسط آسمان پر چمک رہا تھا اور روز کی طرح آج بھی قریب کی کسی چھت پر گراموفون ریکارڈ بج رہے تھے —— "تری گٹھڑی میں لاگا چور مسافر جاگ ذرا۔"

وہ آہستہ آہستہ ٹہلنے لگی۔ کیسی عجیب سی حالت ہو رہی تھی۔ جیسے سوچنے سمجھنے کی ساری صلاحیت کسی نے چھین لی ہو۔ "کیا یہ میں ہوں؟" اس نے اپنے آپ سے پوچھا اور پھر اپنی آواز سن کر حیران رہ گئی —— حد ہے دیوانگی کی' وہ کس سے پوچھ رہی تھی۔

ٹہلتے ٹہلتے وہ ایک بار مڑی تو جمیل بھیا بت کی طرح بے حس و حرکت کھڑے تھے۔ وہ اور تیزی سے ٹہلنے لگی۔ اب یہ کیا کہنے آئے ہیں۔ انہوں نے اپنا وعدہ بھلا دیا۔

"کیا سچ مچ تم نے جانے کا فیصلہ کر لیا ہے؟" انہوں نے دھیرے سے پوچھا۔

"ہاں۔" اس نے ٹہلتے ہوئے جواب دیا۔

"تم یہاں سے جا کر غلطی کرو گی۔ تم نے ایک بار کہا تھا نا کہ دور رہ کر یادیں بہت اذیت ناک ہو جاتی ہیں۔ میرا خیال ہے کہ تم وہاں خوش نہ رہو گی۔"

"میں ہر جگہ خوش رہوں گی۔ مگر آپ نے تو وعدہ کیا تھا کہ آپ مجھ سے کبھی کچھ نہ کہیں گے۔"

"میں کیا کہہ رہا ہوں؟"

"کچھ نہیں!"

"تم میری مقروض ہو' یاد رکھنا کہ تم کو یہ قرض چکانا ہو گا۔" وہ جانے کے لئے مڑے۔ "تم وہاں خوش رہو گی نا؟" انہوں نے رک کر پوچھا۔

وہ چپ رہی۔ جمیل بھیا تھوڑی دیر کھڑے رہے اور پھر چلے گئے اور اس نے محسوس کیا کہ اس وقت وہ سب کچھ کھو بیٹھی ہے۔

بڑی دیر تک یوں ہی ٹہلنے کے بعد جب وہ تھک گئی تو چھمی کو خط لکھنے بیٹھ گئی۔ اسے یہاں سے جانے کی اطلاع دینی تھی۔

یہ رات پہاڑوں کا بوجھ اٹھائے ہوئے ہے' کوئی اسے گزار دے۔ کوئی صبح ہونے کا پیغام سنا دے۔ اسے صبح ہونے کا انتظار ہے۔ صبح وہ چلی جائے گی اور اس کرب سے نجات حاصل کرلے گی۔

سب بول رہے ہیں' باتیں کر رہے ہیں' پھر بھی کیسا سناٹا چھایا ہوا ہے۔ چاند کی کون سی تاریخ ہے۔ اب تک چاند نہیں نکلا۔ چھالیہ کاٹتے کاٹتے عالیہ نے سب کی طرف دیکھا۔ جمیل بھیا سب کی باتوں سے بے نیاز اپنی کرسی پر بیٹھے ایک ساں گنگنائے جا رہے تھے۔

مجھے اور زندگی دے کہ ہے داستان ادھوری
مری موت سے نہ ہو گی مرے غم کی ترجمانی

جمیل بھیا آج سارا دن باہر نہیں نکلے تھے۔ آج ان کو فرصت ہی فرصت تھی۔ جیسے سارے کام ختم ہو گئے اور اب انہیں کچھ بھی نہیں کرنا ہے۔

"بڑی بھابی' میں تو جا رہی ہوں مگر آپ میری ایک بات یاد رکھئے گا کہ اگر آپ نے بڑے بھیا اور جمیل میاں کو قابو میں نہ کیا تو آپ کی ساری عمریوں ہی گزر جائے گی اب تو آزادی بھی مل گئی' اب کون سا بہانہ رہ گیا ہے جو یوں سارا دن دونوں باپ بیٹے آوارہ پھرتے ہیں۔" اماں بڑی چچی کو سمجھا رہی تھیں۔

"مجھے اور زندگی دے کہ ہے داستان ادھوری —— کہ ہے داستاں ادھوری——" جمیل بھیا اسی ایک شعر کو رٹے جا رہے تھے۔

اس شعر کو بار بار پڑھ کر وہ کیا جتانا چاہتے ہیں۔ وہ اس سے کیا کہہ رہے ہیں؟ عالیہ کا سروتہ بڑی تیزی سے چھالیہ کاٹنے لگا۔ اللہ میاں اگر اس وقت اسے بہرہ کردے تو پھر کتنا اچھا ہو۔

"چھوٹی دلہن، ایسا جان پڑتا ہے کہ کلیجہ منہ کو آیا جاتا ہے، بھرا پرا گھر تھا۔ دیکھتے دیکھتے سب تڑی بڑی ہو گئے، زمانے زمانے کی بات ہے۔ کوئی کچھ نہیں کر سکتا، قربان جاؤں اس مالک کے جس نے ایک ملک کے دو ملک بنا دیئے، اپنے مسلمانوں کی حکومت ہو گئی، پر ہم اکیلے رہ گئے۔" کریمن بوا جدائی کے صدمے سے نڈھال ہو رہی تھیں۔

"تم بھی چلو کریمن بوا۔" اماں نے بڑے خلوص سے کہا۔

"اب تو یہی دعا کریں چھوٹی دلہن کہ اس گھر سے لاش نکلے میری، آج یہاں سے چلی جاؤں تو مرنے کے بعد مالکن مرحومہ کو کیا منہ دکھاؤں گی، وہ اپنے جیتے جی جہاں بٹھا گئیں وہاں سے کیوں کر پاؤں نکالوں۔"

سیتا نے رام کی کھینچی ہوئی لکیر سے باہر قدم رکھا تھا تو راون اٹھا لے گیا تھا۔ سیتا نے جیتے جاگتے رام کی حکم عدولی کی تھی، مگر تم کریمن بوا مری ہوئی مالکن کا حکم نہیں ٹال سکتیں۔ پھر بھی سیتا، سیتا رہیں اور تم کریمن بوا رہو گی، تم کو کون جانے گا۔ تمہارا قصہ کون لکھے گا۔

عالیہ نے ڈبڈبائی ہوئی آنکھوں سے کریمن بوا کو دیکھا۔ لالٹین کی مدھم زرد روشنی میں جدائیوں کے دکھ کتنے اجاگر ہو رہے تھے۔

"چھوٹی دلہن اب بھی اپنا فیصلہ بدل دو، مت جاؤ چھوٹی دلہن۔" بڑی چچی کی آواز بھاری ہو رہی تھی۔

"مجھے اور زندگی دے کہ ہے داستاں ادھوری" —— جمیل بھیا ساری باتوں سے بے نیاز ہو کر جیسے اس ایک شعر کی کیفیت میں ڈوب کر رہ گئے تھے۔

اللہ کوئی تو اس رات کو گزار دے ورنہ آج وہ اپنی جان سے گزر جائے گی۔ عالیہ نے سروتہ رکھ کر ادھر ادھر دیکھا۔ چاند نکل رہا تھا، آسمان روشن ہوتا جا رہا تھا۔

"چھمی کا خط آیا تھا۔ اس نے کیا لکھا ہے عالیہ؟" بڑی چچی نے پوچھا۔

"اس نے لکھا ہے کہ پاکستان جانا مبارک ہو، ضرور جایئے۔ اس پاک سرزمین کو میری طرف سے چومئے گا اور مجھے وہاں کی تھوڑی سی مٹی بھیج دیجئے گا۔

میں اسے اپنی مانگ میں لگاؤں گی' میں بدنصیب تو وہاں بھی نہیں جا سکتی۔ اور سب دعا سلام لکھی ہے۔" عالیہ کو جتنا یاد تھا سب سنا دیا۔

"اور بھی کچھ لکھا ہے؟" بڑی چچی نے پوچھا۔

"بس یہی سلام دعا' خط اوپر رکھا ہے۔"

"مری موت سے نہ ہو گی مرے غم کی ترجمانی" —— جمیل بھیا اب بھی سب سے بے نیاز تھے۔

"جانے ہمارے مسلمانوں کا ملک کیسا ہو گا' مکان بھی مل جائے گا جلدی سے کہ نہیں' ہوٹل میں نہ ٹھہرنا چھوٹی دلہن' صحت خراب ہو جائے گی وہاں کے کھانے سے۔" کریمن بوا کو اب آگے کی فکر ستا رہی تھی۔

"تم پریشان نہ ہو کریمن بوا' میں جاتے ہی خط لکھ دوں گی۔" اماں نے کہا۔

رات کے بارہ بج رہے تھے۔ رات سرد ہوتی جا رہی تھی مگر سب لوگ بیٹھے تھے۔ عالیہ کا جی چاہ رہا تھا کہ بس اب کسی طرح اوپر بھاگ جائے۔

"اچھا بھئی اب سونے کو چل دیئے' خدا حافظ ——" جمیل بھیا کرسی سے اٹھ پڑے —— "مجھے اور زندگی دے ——" وہ کمرے میں چلے گئے۔

بیٹھک کے دروازے کھلے اور بند ہو گئے۔ بڑے چچا ایک ذرا دیر کو بھی اندر نہ آئے۔ عالیہ انتظار کرتی رہ گئی۔

گلی میں آوارہ کتے بھونک کر رو رہے تھے۔ کاش نیند آ جائے' اس کی آنکھوں میں مرچیں سی لگ رہی تھیں —— ایک دن جب وہ یہاں آئی تھی اور پہلی رات اس کمرے میں گزاری تھی تو ساری رات سو نہ سکی تھی اور آج جب وہ یہاں سے جا رہی ہے تو پھر نیند نے ساتھ چھوڑ دیا تھا۔ کتنی بہت سی باتیں اس کا کلیجہ نوچ رہی تھیں —— جمیل بھیا نے اس سے ایک بات بھی نہ کی۔ کیا جاتے جاتے وہ اب اس سے کچھ نہ کہیں گے' کیا اب کچھ کہنے کو باقی نہیں رہ گیا' اللہ' بڑے چچا کیا سوچ رہے ہوں گے' وہ بڑے چچا کو چھوڑ کر جا رہی ہے۔ اور چھمی' خدا کرے اسے پاکستان آنا نصیب ہو جائے۔

جاگتے جاگتے صبح ہو گئی' نچلی منزل سے برتنوں کے کھڑکنے اور باتیں کرنے کی

آواز آ رہی تھی۔ اس نے کمرے پر ایک وداعی نظر ڈالی اور پھر نیچے آ گئی۔

ناشتہ تیار تھا' وہ اماں اور بڑی چچی کے ساتھ بیٹھ گئی۔ کمرے کے کھلے دروازوں سے اس نے دیکھا کہ جمیل بھیا اب تک چادر تانے سو رہے تھے۔

حد ہو گئی بے مروتی کی' وہ جا رہی ہے اور ان کی آنکھ بھی نہیں کھلتی' جیسے موت کی نیند آ گئی ہے۔ عالیہ کو کیسی ٹھیس لگ رہی تھی ان کے یوں ٹھاٹ سے سونے پر۔ وہ چلی جاتی تو پھر سو لیتے۔

ناشتے کے بعد اماں نے اپنے سارے سامان کا جائزہ لینا شروع کر دیا۔ کپڑوں اور ہلکے پھلکے دو کمبلوں کے سوا تمام سامان چھمی کے کمرے میں بھر دیا گیا تھا کہ جب اچھا وقت آئے گا تو پھر آ کر سب کچھ لے جائیں گے۔

"تانگے آ گئے ہیں۔" اسرار میاں نے باہر سے آواز لگائی تو وہ جلدی سے بیٹھک کی طرف بھاگی۔ "کیا آج بڑے چچا بھی سوتے رہیں گے۔"

"تمہارے بڑے چچا تو تڑکے ہی کہیں چلے گئے۔ کہتے تھے کہ کام ہے اور یہ بھی کہتے تھے کہ میں سب کو جاتے نہ دیکھ سکوں گا۔" کریمن بوا نے بڑی رقت سے بتایا۔

"یہ کہو نا کریمن بوا کہ وقت نہیں تھا جو رخصت کرنے بیٹھے رہتے"—— اماں نے برا سا منہ بنایا۔ "بڑی بھابی' میرا سامان حفاظت سے رکھئے گا' اس کمرے میں تالا لگا دیجئے گا۔" اماں نے ایک بار پھر ہدایت دی۔

اللہ آج کی سیٹیں ریزرو نہ ہوتیں' آج وہ رک سکتی' بڑے چچا سے ملے بغیر وہ کس طرح جا سکتی ہے۔ وہ جیسے تھک کر بیٹھ گئی۔

"اٹھ جاؤ جمیل' تمہاری بہن اور چچی جا رہی ہیں۔ انہیں رخصت تو کرو۔" بڑی چچی نے تیسری بار جمیل بھیا کو آواز دی مگر وہ ٹس سے مس نہ ہوئے۔

"جلدی کرو کریمن بوا' ہوائی جہاز کسی کا انتظار نہیں کرتا' وقت پر اڑ جائے گا۔" اسرار میاں نے پھر صدا لگائی۔

"خدا نہ کرے۔ میرا بھائی آج لاہور کے ہوائی اڈے پر انتظار کرے گا' جو ہم لوگوں کو نہ پایا تو کلیجہ پھٹ جائے گا اس کا"—— اماں نے بوکھلا کر برقع اوڑھے

لیا "اب تم بھی جلدی کرو نا" —— انہوں نے جھلا کر عالیہ کی طرف دیکھا جو اب تک بے سدھ سی بیٹھی تھی۔

"بہت وقت ہو رہا ہے، پہلے سے پہنچنا اچھا ہوتا ہے۔" اسرار میاں کی آواز رکتی ہی نہ تھی۔

"ارے کوئی اس اسرار میاں کو بھی پاکستان بھیج دو۔" کریمن بوا کلیجہ پھاڑ کر رو دیں۔

کریمن بوا اور بڑی چچی اماں سے مل مل کر رو رہی تھیں مگر وہ دم بخود کھڑی رہی اسے تو رونا بھی نہ آ رہا تھا۔

"اگر شکیل وہاں ملے تو خط ضرور لکھنا۔" بڑی چچی نے عالیہ کو لپٹا کر سرگوشی کی۔

"مجھے یاد رکھنا، جاؤ خدا کو سونپا" —— ان کی آواز کانپ رہی تھی ——

"ارے اے جمیل اب تو اٹھ جا۔ بڑی چچی نے زور سے پکارا۔

"میں جا رہی ہوں، خود مل لوں گی۔" عالیہ نے کہا۔

"کیوں مل لو گی؟ وہ تو مارے نفرت کے ملنا نہیں چاہتا۔" اماں نے تیوریوں پر بل ڈال لئے۔ "بس اب چلو جلدی۔"

"میں جا رہی ہوں، خدا حافظ۔" عالیہ نے جمیل بھیا کے منہ پر سے چادر کھینچ لی اور پھر جھجک کر ایک قدم پیچھے ہٹ گئی۔ بھیگی اور سوجی ہوئی آنکھوں میں ایک داستان دم توڑ رہی تھی۔ اس نے گھبرا کر آنکھیں بند کر لیں۔ پھر بھی وہ آنکھیں تو اس کی آنکھوں میں گھسی جا رہی تھیں۔

"تم جاتیں کیوں نہیں بے وقوف لڑکی؟ کیا یہی دیکھنے کے لئے مجھے جگانے آئی تھیں؟ خدا حافظ۔" انہوں نے پھر منہ چھپا لیا۔

"جلدی چلو عالیہ۔" اماں کی آواز آئی۔ تب عالیہ کو خیال آیا کہ اسے جانا ہے باہر تانگہ کھڑا ہے مگر اس کے پاؤں کیوں نہیں اٹھتے، اب وہ جاتی کیوں نہیں اور یہ کمرے میں اتنا اندھیرا کیوں چھا رہا ہے۔

"کریمن بوا جلدی کرو بہت دیر ہو رہی ہے، اور چھوٹی دلہن سے اور عالیہ

بی بی سے میری دعا کہہ دو اور کہہ دو کہ میرا کہا سنا معاف کریں اور کہہ دو کہ ——اسرار میاں کی آواز رک گئی۔

"خدا کرے کہ تمہاری زبان تھک جائے اسرار میاں۔" کریمن بوا نے تڑپ کر دعا مانگی۔

عالیہ سب کچھ سن رہی تھی مگر اس کے پاؤں! ارے کوئی اسے کھینچ کر ہی لے جائے۔ وہ اس کمرے سے تو نکل جائے۔

"تم اس لئے دیر کرا رہی ہو کہ ہوائی جہاز ہم کو چھوڑ کر اڑ جائے۔ میرے بھائی کے ٹکٹوں کے دام غارت جائیں اور وہ ہمیں اس جہاز میں نہ پا کر پاگل ہو جائے——" اماں جانے اور کیا کہتیں کہ عالیہ وحشیوں کی طرح بھاگتی ہوئی کمرے سے نکل گئی۔

"آپ کے بھائی اور بھاوج سے اتنا بھی نہ ہوا کہ چار پانچ دن ہماری وجہ سے ٹھہر جاتے' ہمارے ساتھ سفر کر لیتے اور اب ہمارے لئے پاگل ہو جائیں گے' نوہ!" عالیہ زور سے بولی اور پھر بڑی چچی سے لپٹ کر سسکنے لگی۔

لاہور آکر تین چار دن ماموں کے ساتھ ان کی سرکاری کوٹھی میں گزار۔ پڑے۔ وہ بھی اس طرح کہ عالیہ سارا دن ایک چھوٹے سے کمرے میں بند پڑی رہتی۔ وہ ہر وقت یہ سوچتی رہتی کہ اس بیزار کن ماحول میں کس طرح زندگی گزارے گی۔ ہاں اماں بہت خوش تھیں۔ بھائی اور انگریز بھاوج کے ساتھ رہنے کی بڑی پرانی آرزو اب پوری ہوئی تھی۔ انہوں نے زندگی بھر ساتھ رہنے کے پروگرام بنا لئے تھے اور عالیہ سے خفا تھی کہ وہ سب سے الگ تھلگ پڑی رہتی ہے۔ اور کچھ نہیں تو اپنی ممانی سے فر فر انگریزی بولنے کی مشق ہی کر لے مگر اس نے تو ان چار دنوں میں صرف ایک ہی کام کیا تھا کہ بڑی چچی اور بڑے چچا کو کئی کئی صفحوں کے خط لکھے تھے۔

پانچویں دن ماموں نے ایک چھوٹی سی کوٹھی کا تالا تڑوا کر اماں کو ان کے گھر جانے پر مجبور کر دیا۔ انہوں نے اماں کو چپکے چپکے سمجھایا کہ انگریز عورتیں تو اپنی ماں کے ساتھ بھی رہنا پسند نہیں کرتیں۔

اماں نے عالیہ سے یہ باتیں چھپانی چاہیں مگر جب وہ اپنے نئے گھر جا رہی تھی تو ممانی نے ٹوٹی پھوٹی اردو میں سمجھا ہی دیا کہ سب کا الگ الگ رہنا ٹھیک ہوتا ہے۔ ساتھ رہنے میں بہت گڑ بڑ ہوتی ہے۔

کوٹھی میں ایک ایک چیز اپنی جگہ پر موجود تھی۔ کھانے کی میز پر برتن قرینے سے لگے ہوئے تھے اور برتنوں کے نقش و نگار دھول نے چھپا دیئے تھے۔ ایسا محسوس ہوتا تھا کہ بس ابھی پردے کے پیچھے سے نکل کر کوئی آئے گا اور کھانے کے لئے بیٹھ جائے گا۔ باورچی خانے میں پیتل کے برتن الماری میں لگے تھے اور چند برتن زمین پر لڑھکے پڑے تھے۔ ڈرائنگ روم کے قالین اور صوفے سب پر دھول

براجمان تھی اور گلدان میں لگے ہوئے پھول جھڑ کر میز پر بکھرے ہوئے تھے۔ صرف کالی کالی سوکھی شاخیں اب تک گلدان میں ٹھنسی ہوئی تھیں۔ سونے کے کمرے میں بستروں پر پلنگ پوش بچھے ہوئے تھے اور سرہانے تپائی پر رکھا ہوا لیمپ اوندھا پڑا تھا۔ اس کمرے کے ساتھ چھوٹے سے کمرے میں آتش دان پر کرشن مہاراج کی مورتی رکھی تھی۔ مالا کے پھول جھڑ کر آس پاس بکھرے پڑے تھے اور گلے میں صرف پیلا ڈورا لٹکا رہ گیا تھا۔

"بھئی اسے تو یہاں سے ہٹاؤ' باہر بچوں کو دے دو' کھیلیں گے۔" جب سے اماں یہاں آئی تھیں' انہوں نے کئی بار کہا تھا۔

عالیہ نے اماں کو کوئی جواب نہ دیا۔ مورتی کئی دن تک یوں ہی رکھی رہی۔ پھر جب اس کمرے کو استعمال کیے بغیر اماں کا گزارہ ناممکن ہو گیا تو عالیہ نے مورتی کو اٹھا کر اپنے بکس میں چھپا دیا۔

دن بڑے بے کیفی سے گزر رہے تھے۔ بیکار بیٹھے بیٹھے اکتا گئی تھی۔ اس کے خطوں کے جواب بھی نہ آئے تھے۔ کون کہتا ہے کہ دور رہ کر یادیں بہت اذیت ناک ہو جاتی ہیں' اسے تو سب بھول گئے۔ یادیں صرف اس کے لئے اذیت ناک ہو رہی ہیں۔

شامیں عذاب کی طرح کٹتیں' امدادی کمیٹیاں گھر گھر چکر لگاتی پھرتیں۔ اپنے مہاجر بھائیوں کی مدد کرو' قافلے آ رہے ہیں' مدد کرو۔ اور اماں بڑی رقت سے بتاتیں کہ ہم تو خود مہاجر ہیں۔ لوگ چلے جاتے مگر عالیہ کا جی چاہتا کہ وہ اماں کی آنکھوں میں دھول جھونک کر سب کچھ انہیں دے دے۔

ماموں اور ان کی بیگم کبھی کبھی شام کو آ نکلتے تو عالیہ کی سمجھ میں نہ آتا کہ وہ کون سے چوہیا کے بل میں جا چھپے' اماں بوکھلا جاتیں اور ان کی سمجھ میں نہ آتا کہ اپنی بھابی کو کس کے سر آنکھوں پر بٹھا دیں۔

چند دن تک خاموش بیٹھے رہنے کے بعد اس نے ایک ہائی اسکول میں ملازمت کی درخواست دے دی جو جلد ہی منظور ہو گئی اور مصروفیت نے اسے بہت سے عذابوں اور دکھوں سے بچا لیا' پھر بھی جب وہ اسکول سے واپس آتی تو بڑے

چچا اور بڑی چچی کے خط کے لئے پوچھتی۔ اماں اس روز روز کے پوچھنے سے تنگ آ چکی تھیں وہ ہمیشہ جھنجلا کر جواب دیتیں۔

ایک دن ماموں اکیلے آئے تو انہوں نے بتایا کہ کوٹھی اماں کے نام الاٹ کرا دی ہے۔ اب اسے کسی بھی صورت چھوڑنا نہیں۔ پھر انہوں نے فرنیچر وغیرہ کی چند رسیدیں دیں کہ اگر کوئی پوچھے تو یہ دکھا دینا کہ ہم نے یہاں آ کر سب کچھ خریدا ہے' اس کوٹھی میں تو بس کباڑ بھرا تھا۔

اماں اپنے بھائی کے کارناموں پر خوش ہوتی رہیں۔ "بھائی ہو تو ایسا ہو۔ میرے آرام کے لئے اس نے کیا نہیں کیا' اب انگریزوں میں یہ قاعدہ نہیں کہ سب ہر وقت سر پر نازل رہیں۔ اگر ہمارے ہاں جیسا قاعدہ ہوتا تو بھائی ایک منٹ کو جدا نہ کرتا۔"

عالیہ چپ چاپ سب کچھ سنتی رہی۔ اس کی سمجھ میں نہ آ رہا تھا کہ یہ سب کیا ہو رہا ہے۔ کس کا حق کون اڑائے لئے جا رہا ہے۔ یہ رسیدیں کہاں سے آ گئیں' یہ کوٹھی اس کی کس طرح ہو گئی۔ مگر عالیہ یہ سب کچھ کس سے پوچھتی۔ اماں صرف اماں تھیں۔ اس کی تنخواہ ملنے اور کوٹھی کی مالک بننے کے بعد پہلی جیسی مغرور اور خود پسند۔

وقت گھسٹ گھسٹ کر گزر رہا تھا۔ اسکول سے آ کر وہ پریشان پھرا کرتی۔ آس پاس کی کوٹھیوں میں بھی کسی سے ملنا جلنا نہ تھا۔ جانے کہاں سے لوگ آ کر بس رہے تھے۔ کسی کو کسی کی خبر نہ تھی۔

اماں کو اتنی فرصت ہی نہ ملتی کہ اس کی طرف بھی دیکھ لیتیں۔ سارا دن کوٹھی کی دیکھ بھال میں گزر جاتا۔ دس روپے مہینے پر رکھی ہوئی مائی اگر کسی چیز کو ذرا زور سے رکھ دیتی تو اماں کا کلیجہ دکھ جاتا —— "یہ اتنی اتنی مہنگی چیزیں خریدی ہیں اور تم آپے میں نہیں رہتیں' ذرا ہوش سے کام کیا کرو۔"

بہت دن نہیں گزرے تھے کہ ماموں کراچی تبدیل ہو گئے۔ جب وہ رخصت ہو رہے تھے تو اماں کا رو رو کر برا حال ہو گیا۔ ان کی بھابی اس بے قراری کو دیکھ کر مسکراتی رہیں —— "ہمارا تو بچہ لوگ بھی بہت ڈور ڈور چلا جاتا ہے مگر کوئی

نہیں روتا۔"

عالیہ کو ان کے جانے کا نہ صدمہ ہوا نہ خوشی' چلے گئے تو چلے گئے۔ اس کا ان لوگوں سے واسطہ ہی کیا تھا۔ یہاں آنے کے بعد ماموں نے کئی بار کہا بھی تھا کہ عالیہ اپنے باپ کی طرح دل سے انہیں ناپسند کرتی ہے۔

وہ یہ سب کچھ سن کر ہنس دی تھی۔ اس وقت اسے ابا کتنی شدت سے یاد آتے تھے مگر اب تو ان کی قبر تک کو دوسرے ملک میں چھوڑ آئی تھی۔ وہاں سے ناطہ ٹوٹ گیا تھا۔ کسی نے اس کے خط کا جواب تک نہ دیا تھا۔

فساد ختم ہو گئے تھے۔ بس کہیں اکا دکا واردات کی خبر پڑھنے میں آ جاتی۔ اب دونوں ملک بھائی چارہ قائم کرنے پر زور دے رہے تھے۔ عالیہ کو ان خبروں سے ذرا بھی دلچسپی نہ ہوتی۔ بھلا ایسی بھی معصومیت کس کام کی۔

ماموں کے جانے کے بعد عالیہ نے پردہ چھوڑ دیا تھا۔ یہاں اسے کون جانتا تھا جو اپنی پرانی روایات کو پکڑے بیٹھی رہتی۔ خالی وقت گزارنے کے لئے اس نے والٹن کیمپ جانا شروع کر دیا تھا۔ اسکول سے آ کر وہ تھوڑی دیر آرام کرتی اور پھر بس سے چلی جاتی۔ وہاں بچوں کو مفت میں پڑھا کر اسے عجیب سا سکون ملتا۔ مصروفیت کی دھول نے پچھلی یادوں کو دھندلا دیا تھا۔

اماں اس کے والٹن کیمپ جانے کی وجہ سے سخت اکھڑی اکھڑی رہتیں۔ جب بھی وہ وہاں سے واپس آتی کوئی نہ کوئی ناخوشگوار بات ہو جاتی۔ ایسے موقع پر وہ چپ رہتی۔ وہ اپنی طرف سے بات نہ بڑھانا چاہتی تھی۔

آج چھ بجے شام جب وہ واپس آئی تو اماں اجاڑ لان میں کرسی پر بیٹھی جیسے اسی کا انتظار کر رہی تھیں —— "تم وہاں کس لئے جاتی ہو؟ تم کو اس بیکار کام میں کیا مل جاتا ہے؟" انہوں نے سختی سے سوال کیا۔

"سکون ملتا ہے۔" اس نے بڑی نرمی سے جواب دیا۔

"وہی باپ اور چچا والی باتیں، کیا اب تم مجھے تباہ کرنا چاہتی ہو؟"

"بچوں کو پڑھانے سے اگر آپ تباہ ہوتی ہیں، تو میں مجبور ہوں۔" اس نے تنگ آ کر جواب دیا۔

"تم مجبور ہو؟" اماں نے غصے سے پوچھا۔

"ہاں میں مجبور ہوں۔" وہ اٹھ کر اندر چلی گئی۔ اس نے پلٹ کر بھی نہ

دیکھا کہ اماں پلو میں منہ چھپا کر رو رہی تھیں۔

کمرے میں تنہا پڑ کر وہ دیر تک سوچتی رہی کہ وہ کیا کرے۔ وہ اماں کو خوش نہیں رکھ سکتی، انہیں خوش رکھنے کے لئے اسے اس پرائے گھر میں پڑا رہنا ہو گا۔ تنہائی اور بیکاری میں جو جذبے اسے ستائیں گے ان سے کس طرح پیچھا چھڑائے گی، اور جو یادوں کے بھوت اس کے گرد منڈلانے لگتے ہیں، ان سے بچ کر وہ کہاں بھاگے گی۔ وقت یوں ہیں گزر سکتا، اسے سہارے کی ضرورت ہے۔ اور پھر اس خیال کے ساتھ ہی جانے کیسے اس کو والٹن کیمپ کے ڈاکٹر کا خیال آگیا۔ اچھا آدمی ہے بیچارا۔

رات اماں نے اکیلے کھانا کھالیا۔ اس نے بھی شکایت نہ کی۔

آج جب وہ اسکول سے واپس آئی تو اداس تھی۔ آپ ہی آپ اسے ایسا محسوس ہوتا کہ جی بیٹھا جا رہا ہے۔ سردیاں دم توڑ رہی تھیں پھر بھی اسے ایسا محسوس ہو رہا تھا کہ اسے سخت سردی لگ رہی ہے۔ اس نے سوچا کہ آج وہ آرام کرے گی، آج کہیں نہ جائے گی۔

کھانے کے بعد کمرہ بند کر کے وہ سونے کے لئے لیٹ گئی۔ کتنی دیر کروٹیں بدلتی رہی مگر نیند نہ آنا تھی نہ آئی۔ اکتا کر اس نے اخبار اٹھالیا۔ آج تو صبح جانے سے پہلے اس نے اخبار کو سرسری طور پر بھی نہ دیکھا تھا۔ جی ہی نہ چاہا۔

دو تین موٹی موٹی سرخیاں دیکھنے کے بعد ایک خبر پر اس کی نظریں جم کر رہ گئیں —— مشہور مسلمان کانگرسی لیڈر کو کسی شخص نے مار دیا۔ نہرو کا اظہار افسوس، مرحوم کے خاندان کے لئے تین ہزار روپیہ کا عطیہ۔ ہندو مسلمان منافرت کی شدید مذمت ——

بڑے چچا کا نام پڑھ کر اس نے دونوں ہاتھوں سے منہ چھپا لیا۔ وہ پاگلوں کی طرح اٹھی اور پھر اپنے بستر پر گر پڑی۔ اسے اپنے دل میں درد سا ہوتا محسوس ہو رہا تھا۔ ارے وہ تو بڑے چچا سے مل کر بھی نہ آئی تھی اور وہ ہمیشہ کے لئے رخصت ہو گئے —— وہ اپنے پلنگ کی پٹی سے سر پٹک پٹک کر بڑی دیر تک روتی رہی، اب وہ بڑے چچا سے کبھی نہ مل سکے گی۔ اس احساس نے اسے اس بری

طرح تڑپایا کہ اس کے آگے وہ کچھ نہ سوچ سکتی تھی۔

شام ہو گئی۔ کمرے میں اندھیرا پھیل گیا۔ روتے روتے وہ تھک چکی تھی۔ اماں کئی بار دروازہ کھٹکھٹا کر لوٹ چکی تھیں۔ اس نے سوجی ہوئی آنکھوں کو بہ مشکل کھولا اور کمرے میں بکھرے ہوئے اخبار کے صفحوں کو روندتی باہر نکل گئی۔

"ارے تم کو کیا ہوا ہے؟" اماں اس کے سرخ چہرے اور سوجی ہوئی آنکھوں کو دیکھ کر گھبرا گئی تھیں۔

"بڑے چچا کو کسی ہندو نے چپکے سے مار دیا۔" اس نے بڑے سکون سے کہا۔ اتنا رو چکنے کے بعد اسے جیسے صبر آ گیا تھا۔

"ہے ہے' ساری زندگی ہندو کی غلامی کرنے کے بعد یہ بدلہ ملا؟" اماں کی آواز بھرا رہی تھی۔ انہوں نے پلو میں آنسو خشک کر لئے ——

"ہے بے چاری بڑی بھابی کا کیا حال ہو گا' انہوں نے تو ہم لوگوں کو اطلاع تک نہ دی۔"

عالیہ اماں کو ان کے حال پر چھوڑ کر باہر لان میں چلی آئی —— بس بڑے چچا! اتنی شاندار زندگی کا یہی انجام ہونا تھا؟ —— تین ہزار روپے کا عطیہ اور اظہار افسوس؟' پتہ نہیں کپڑے کی دکانوں کے لئے بیس پچیس ہزار روپے ملے تھے یا نہیں؟ بجلی کا کنکشن بحال ہوا تھا یا نہیں؟ کیا اسی لالٹین کی پیلی پیلی روشنی میں بڑے چچا کی لاش رکھ کر سب روتے رہے ہوں گے؟ پتہ نہیں جمیل بھیا کا کیا حال ہو گا؟ موت نے سارے اختلافات مٹا دیئے ہوں گے کہ نہیں؟

رات لیمپ کی روشنی میں میز پر جھکی وہ بڑی دیر تک بڑی چچی کو خط لکھتی رہی اور اماں باتیں کرتی رہیں —— جانے کیا حال ہو گا بڑی بھابی کا' بڑے بھیا مرحوم نے نہ زندگی بھر خود چین لیا نہ دوسروں کو لینے دیا۔ بھرے پرے گھر تباہ کر دیئے' کیا مل گیا انہیں؟ جن کا ساتھ دیا انہوں نے ہی پردیس میں موت کی نیند سلا دیا۔ ہائے چلے ہی آتے ان کافروں کے ملک سے۔ بھلا کیا ضرورت تھی وہاں رہنے کی۔ اور اب وہ جمیل میاں ہیں' وہ بھی ویسے ہی شاندار نکلے۔

خط ختم کر کے اس نے لفافے میں بند کر دیا۔

"سو جایئے اماں۔" وہ لیمپ بجھا کر اپنے بستر پر لیٹ گئی۔ ذرا دیر بعد اماں کے خراٹے لینے کی آواز آنے لگی مگر وہ آنکھیں کھولے اس اندھیرے میں کیا کچھ نہیں دیکھ رہی تھی —— یہ بڑے چچا کی کفنائی ہوئی لاش یہاں اتنی دور لا کر کون رکھ گیا۔ اسرار میاں تم بڑے چچا کو ہاتھ نہ لگانا' کریمن بوا ناراض ہو جائیں گی۔ کریمن بوا اتنی زور زور سے قرآن شریف نہ پڑھو' موت کا احساس اور بھی شدید ہو جاتا ہے۔ ایسا محسوس ہوتا ہے کہ بڑے چچا نہیں مرے ایک دنیا مرگئی' چپکے چپکے پڑھو کریمن بوا —— اس نے گھبرا کر آنکھیں بند کرلیں مگر وہ اپنے کانوں کو کیسے بند کرلیتی۔ اتنی دور سے بڑے چچا کے ملک سے کریمن بوا کے قرآن شریف پڑھنے کی آواز برابر آئے جا رہی تھی اور بڑی چچی کے بین کی آواز اس کے کانوں کے پردے پھاڑے دے رہی تھی۔

"اے اللہ اس رات کو گزار دے۔" وہ اٹھ کر بیٹھ گئی۔ کہتے ہیں کہ سولی پر بھی نیند آ جاتی ہے۔ پھر آخر اسے نیند کیوں نہیں آ رہی' کیسی کیسی غلط کہاوتیں مشہور ہو گئیں اور آج تک کسی نے صحیح نہ کیں۔

صبح وہ اٹھی تو تھکن اور صدمے سے نڈھال ہو رہی تھی۔ برآمدے میں دھوپ آ گئی تھی اور اماں مائی کے ساتھ ناشتے کی تیاری میں مصروف تھیں۔

وہ حسب معمول اسکول جانے کے لئے تیار ہونے لگی۔ اماں نے اس کی طرف اس طرح دیکھا جیسے کہہ رہی ہوں کہ بھلا اتنے صدمے کی کیا ضرورت ہے۔

وہ اماں اور مائی کے بے حد اصرار کے باوجود ناشتہ کئے بغیر اسکول چلی گئی۔

ایک بجے جب وہ اسکول سے واپس آئی تو دھوپ میں پڑی ہوئی آرام کرسی پر خود کو جیسے گرا دیا اور جب مائی نے اس کے سامنے کھانا رکھ دیا تو وہ اس طرح کھانے لگی جیسے کڑوی روٹی نگل رہی ہو۔ اماں اب تک اپنے کام میں مصروف تھیں —— "افوہ سارا دن گزر جاتا ہے مگر کام ختم نہیں ہوتا' کوٹھیوں میں کتنا کام ہوتا ہے' مائی برآمدے میں رکھے ہوئے گملوں میں پانی ڈال دو سوکھے جا رہے ہیں،" —— اماں برابر بولے جا رہی تھیں —— "مائی تم نے کمرے میں میز پر کھانا کیوں نہیں لگایا؟ میز کرسی ہو تو آدمی کیا مزے سے کھانا کھاتا ہے' اپنے ہاں کا بھی کیسا برا

رواج تھا کہ تخت پر بیٹھے کھا رہے ہیں۔"

آج مرے کل دوسرا دن' مرنے والے کو کون روتا ہے۔ آج اماں پر اپنے ہاں کے رواجوں کے عیبوں کا انکشاف ہو رہا تھا۔ اگر یہ کوٹھی نہ ملتی تو پھر یہ اتنے بہت سے راز کیسے کھلتے۔

کھانا کھا کر وہ والٹن کیمپ جانے کے لئے اٹھ کھڑی ہوئی۔ اماں نے اسے مڑ کر دیکھا اور کوئی اعتراض کئے بغیر پھر کام میں مشغول ہو گئیں۔

شام جب وہ والٹن کیمپ سے واپس آئی تو کسی قدر پرسکون تھی۔ والٹن کیمپ میں ڈاکٹر نے اسے کتنے مدھم اور پیارے لہجے میں سمجھایا تھا۔ اسے تسلی دی تھی۔ اسے وہاں سے جلدی چلے جانے پر مجبور کیا تھا اور پھر نیند کی دو گولیاں دے کر ہدایت کی تھی کہ رات کو ضرور کھا لے' اسے نیند کی سخت ضرورت ہے۔

وہ اچھا اور مہربان آدمی ہے—— رات سونے سے پہلے عالیہ نے نیند کی گولیاں کھاتے ہوئے فیصلہ کیا۔

اسکول سے آنے کے بعد اس نے دیکھا کہ بستر پر لفافہ پڑا ہے۔ کتنے دن بعد بڑی چچی نے جواب دیا تھا۔ وہ تو ان کے خط سے مایوس ہو گئی تھی۔

لفافہ کھول کر وہ جلدی جلدی پڑھنے لگی —— پیاری عالیہ' تمہارا خط ملا۔ دل قابو میں نہ تھا جو تم کو جواب دے سکتی۔ تم نے دیکھا' تمہارے بڑے چچا کتنے بے مروت نکلے۔ میں نے زندگی بھر ان کا ساتھ دیا اور وہ مجھے تنہا چھوڑ گئے۔ تم کو کیسے بتاؤں کہ یہ سب کچھ کیسے ہوا۔ میں تمہارے بڑے چچا کو برابر منع کر رہی تھی کہ دلی مت جاؤ۔ کیا پتہ کہ ابھی کیا عالم ہو۔ مگر وہ نہیں مانے اور نہرو سے ملنے چلے گئے۔ وہاں کسی ہندو نے چپکے سے شہید کر دیا۔ ہنستے بولتے گئے تھے اور جب آئے تو ہونٹوں پر تالا پڑ چکا تھا۔ وہ تو شکر ہے کہ وہاں کے جاننے والوں نے لاش پہچان لی اور عزت کے ساتھ گھر لے آئے ورنہ آخری دیدار کو بھی ترستی رہ جاتی۔ بیٹی خدا سے دعا کرو کہ اب وہ تمہاری چچی کی لاج رکھ لے اور جلدی سے اٹھا لے۔

نہرو نے تین ہزار روپے دینے کا اعلان کیا تھا مگر تمہارے جمیل بھیا نے یہ امداد لینے سے انکار کر دیا۔ تمہارے جمیل بھیا نے باپ کی موت کا اس قدر دکھ کیا کہ اب تک ان کے نام پر پیلے پڑ جاتے ہیں۔ تمہارے جمیل بھیا بہت دن تک بیکار رہے' ملازمت ڈھونڈے نہ ملتی' گھر میں فاقے پڑنے لگے' وہ خدا بھلا کرے تمہارے بڑے چچا کے کانگریسی دوستوں کا جنھوں نے تمہارے جمیل بھیا کو زبردستی اسسٹنٹ جیلر کرا دیا۔ بڑی سفارشوں سے یہ نوکری ہاتھ لگی اور وہ بھی تمہارے بڑے چچا کی خدمات کے صلے میں مل گئی ہے۔ خدا "ان" کے دوستوں کو اجر دے۔

کتنے دن ہو گئے تمہارے بڑے چچا کو سدھارے' مگر اب بھی ایسا محسوس

ہوتا ہے کہ بیٹھک سے نکلے چلے آ رہے ہیں۔ کریمن بوا تم کو اور دلہن کو بہت یاد کرتی ہیں، بہت لٹ گئی ہیں۔ تمہارے بڑے چچا کے مرنے کی خبر سنتے ہی انہوں نے اسرار میاں کو دھکے دے کر نکال دیا تھا، پتہ نہیں کہاں چلے گئے۔ آج تک نہ لوٹے۔

اگر شکیل کہیں ملے تو ماں کے کلیجے کا حال سنا دینا۔ اب کتنے دن اور جیوں گی عالیہ، ایک بار تو اس کی صورت بھی دیکھ لیتی۔

حیدر آباد دکن پر ہندوستان کا قبضہ ہوتے ہی تمہارے ظفر چچا کراچی چلے گئے، ان کا خط آیا ہے کہ ابھی بیٹھنے کا ٹھکانہ بھی نہیں ملا۔ اللہ اپنا رحم کرے تمہاری نجمہ پھوپھی اپنے گھر خوش نہیں ہیں، طلاق لینے کی سوچ رہی ہیں۔ بہت سمجھایا مگر نہیں مانتیں، کہتی ہیں کہ ان کا میاں جاہل ہے، انگریزی کے دو لفظ صحیح نہیں بول سکتا۔ انہیں سخت شرم آتی ہے کہ ان کا شوہر ایسا ہو۔ ان کی سہیلی نے دھوکے سے شادی کرا دی۔ نجمہ کے میاں تو صرف بارہ جماعتیں پڑھے ہیں۔

چھوٹی دلہن کو بہت بہت دعا کہو۔ بس جیتی ہوں یہ دنیا ظالم نہیں چھوٹتی ورنہ تمہارے بڑے چچا کے ساتھ ہی لاش اٹھتی۔ خط لکھتی رہا کرو۔

تمہاری بڑی چچی

خط پڑھ کر اس نے کرسی کی پشت سے سر ٹیک دیا۔ بڑے چچا اسرار میاں کو بھی اپنے ساتھ دلی لے گئے ہوتے۔ شاید کسی کو رحم آ جاتا اور ایک تیز چھرا ان کی گردن پر بھی پھیر دیتا۔

اماں سے آنسو چھپانے کے لئے اس نے آنکھیں بند کر لیں۔

"کس کا خط ہے؟" اماں نے پوچھا۔

"بڑی چچی کا، آپ کو دعا لکھی ہے۔"

"حد کر دی اتنے دن بعد جواب دیا ہے، وہ ہمیں اپنا سمجھتی کب ہیں، سناؤ کیا لکھا ہے؟"

"خود پڑھ لیجئے اماں، میں تھک گئی ہوں۔" اس نے آنکھیں کھولے بغیر جواب دیا۔

اماں نے خط پڑھ کر رکھ دیا اور ٹھنڈی سانس بھری—— "کیسی بے وقوفی کی کہ تین ہزار روپے واپس کر دیئے' ایک دکان میں لگا دیتے تو چل نکلتی۔"

"اب تم کہاں ہو گے اسرار میاں؟ عالیہ دل ہی دل میں پوچھ رہی تھی۔

"خیر کریمن بوا نے یہ کام خوب کیا کہ اسرار مسٹنڈے کو نکال دیا۔ مفت خورہ کسی کام کا بھی نہ تھا' کھا گیا منحوس سب کو۔"

"اماں۔" عالیہ نے سرخ سرخ آنکھیں کھول کر اماں کو پکارا۔

"کیا ہے؟"

"کچھ نہیں۔" اس نے پھر آنکھیں بند کر لیں۔ اس کا جی چاہ رہا تھا کہ وہ اپنے گھر کی تباہی کے لئے پوچھے کہ وہ کون لایا تھا۔ وہاں کون سے اسرار میاں تھے۔ ابا کو کون کھا گیا۔ ابا کو مسرت کے لئے کون ترساتا رہا۔ مگر وہ یہ سب نہ پوچھ سکی۔ آخر وہ اس کی اماں ہیں۔

وہ پڑے پڑے ٹھنڈی سانسیں بھرتی رہی۔ اماں لوٹوں سے بھر بھر کر کیاریوں میں پانی ڈالنے لگیں۔

جمیل بھیا کیا بالکل بھول گئے' اس کے خط کا جواب بھی نہ دیا۔ مگر اب وہ شاکی کیوں ہے۔ ٹھیک ہے' جواب نہیں دیا' یاد نہیں آتی ہو گی۔ دوری سب کچھ بھلا دیتی ہے—— کوئی جذبہ اس کے کلیجے کو نوچنے لگا۔

اماں کی آواز پر وہ کھانا کھانے کے لئے اٹھ گئی—— بڑی چچی نے چھمی کے لئے تو کچھ لکھا ہی نہیں۔ جانے اس کا کیا حال ہو گا۔ اس کی بٹیا تو اب مزے سے بیٹھنے لگی ہو گی۔

کھانا کھا کر وہ والٹن کیمپ جانے کی تیاری کرنے لگی۔ اللہ جانے ظفر چچا حیدر آباد کی جنت سے نکل کر کس حال میں ہوں گے۔

"میں کہتی ہوں کہ کسی دن گھر بھی بیٹھو۔ آخر یہ بیہودہ سلسلہ کب تک چلتا رہے گا۔" لوٹا رکھ کر اماں ایک دم بگڑ اٹھیں۔

"یہ بے ہودہ سلسلہ یوں ہی چلتا رہے گا۔" اس نے بڑی سختی سے جواب دیا۔ اماں ہر وقت اپنے حال میں مگن رہتی ہیں' یہ تک نہیں دیکھتیں کہ آج بڑی

چچی کا خط آیا ہے' آج اس کے دل پر چھریاں چل رہی ہیں۔

"سکون؟ تمکو سکون ملتا ہے؟ بغیر پیسے کوڑی کے ان بھک منگوں کی خدمت کر کے سکون ملتا ہے؟ وہ تم کو کیا دے دیتے ہیں جو اس طرح ماری پھرتی ہو؟" مارے غصے کے اماں کا منہ سرخ ہو رہا تھا۔

"مجھے ان سے کچھ نہیں چاہئے۔ وہ لٹے ہوئے غریب مجھے کیا دے سکتے ہیں' ان کی خدمت کر کے مجھے خوشی ہوتی ہے۔ اس وقت تو میں ساری دنیا کو بھول جاتی ہوں۔" عالیہ نے جیسے بھرپور مسرت سے آنکھیں موند لیں۔ اسے اس وقت وہ بچی یاد آ رہی تھی' جس کی کتابیں امرت سر میں رہ گئی تھیں اور وہ ان کتابوں کو یاد کر کے اب بھی روتی ہے۔ اس نے بدلے میں اس کو کئی کتابیں دیں مگر وہ ان کتابوں کو نہیں بھولتی۔

"ہوں! تمہارے باپ بھی یہی کہتے تھے کہ مجھے فلاں کام میں مسرت ہوتی ہے' مجھے سکون ملتا ہے' اور تمہارا چچا بھی یہی کہتا تھا۔" اماں اسے گھور رہی تھیں۔

"میں ابا نہیں ہوں اور نہ میں بڑے چچا کی طرح بن سکتی ہوں۔ آپ ان کا نام نہ لیا کریں تو بہتر ہو گا۔ آپ تو مجھے صرف اپنی بیٹی سمجھئے اور بس۔" وہ تیزی سے باہر نکلنے لگی تو اماں نے پھر سے لوٹا اٹھا لیا۔

بہار نے مرجھائے ہوئے پودوں میں جان ڈال دی تھی۔ ننھی ننھی کونپلیں پھوٹ رہی تھیں اور گلاب کے پودے میں دو بڑے بڑے پھول جھول رہے تھے۔ عالیہ کو ایک دم یاد آیا کہ ایک بار اس نے کیاری سے ایک پھول توڑ کر اپنے بالوں میں لگا لیا تھا مگر جب جمیل بھیا نے اسے بڑے اشتیاق سے دیکھا تھا تو اس نے اپنے بالوں سے پھول کھسوٹ کر کیاری میں پھینک دیا تھا۔

پھاٹک سے باہر جاتے جاتے اس نے ایک پھول توڑ کر بالوں میں لگا لیا۔

شام جب وہ والٹن کیمپ سے باہر آئی تو کپڑے تبدل کر کے لان میں آ بیٹھی۔ اماں تو سخت ناراض تھیں' انہوں نے اسے دیکھتے ہی منہ پھیر لیا تھا۔

پھاٹک کے اس پار سڑک پر کاریں اور تانگے شور مچاتے گزر رہے تھے۔ پھر

بھی عالیہ کو ایسا محسوس ہو رہا تھا کہ ہر طرف سناٹا طاری ہے۔ وہ گھبرا کر ٹہلنے لگی۔ خزاں میں جھڑے ہوئے خشک پتے اب تک گھاس پر پڑے تھے جو اس کی چپلوں کے نیچے آ کر خزاں کی یاد دلا رہے تھے۔

"کیا آج یہیں بیٹھی رہو گی؟" جب اندھیرا چھانے لگا تو اماں نے برآمدے میں آ کر کہا اور پھر الٹے پیروں واپس چلی گئیں۔

اب اماں کا موڈ ٹھیک ہو رہا ہے۔ وہ سرکنڈوں کی پرانی کرسی پر تھک کر بیٹھ گئی۔ اب خاصا اندھیرا چھا گیا تھا۔ پھر بھی اس نے اٹھنے کا نام نہ لیا۔ اب یہ خط و کتابت کا سلسلہ بھی ختم ہو جانا چاہئے۔ کیا فائدہ کہ مسلسل اذیت سہتی رہے۔ یادیں سب سے زیادہ ظالم ہوتی ہیں اور ——

اچانک پھاٹک زور سے کھلا اور کوئی بے تحاشہ بھاگتا ہوا اندر آ گیا۔

"کون؟" اس نے گھبرا کر پوچھا۔

بھاگنے والا ایک لمحے کو رک گیا —— "آپ میری ماں ہیں' میری بہن ہیں' مجھے چھپ جانے دیجئے' میں غریب مہاجر ہوں' وہ ظالم پولیس مجھے خواہ مخواہ پکڑ رہی ہے' میں ابھی چلا جاؤں گا۔" آدمی دوڑ کر ہیج کے پیچھے چھپ گیا۔

عالیہ خوف کے مارے کرسی پر جم کر رہ گئی۔ اس نے اماں کو آواز دینا چاہی مگر ساری جان کا زور لگانے کے بعد بھی وہ ہوں تک نہ کر سکی۔

اسی لمحے اماں نے آ کر برآمدے کا بلب روشن کر دیا —— "کھانا کھا لو آ کر۔" اماں کے لہجے میں اب تک سختی تھی۔

روشنی میں اس نے ہر طرف دیکھا پھر بھی اس سے کچھ نہ بولا گیا۔ اماں پھر چلی گئیں۔ اور وہ ہاتھ بڑھا کر رہ گئی۔ اس نے اٹھ کر اندر بھاگنا چاہا تو پیروں نے جواب دے دیا۔

ہیج کے پیچھے بالکل خاموشی تھی۔ عالیہ کا دل زور زور سے دھڑک رہا تھا۔ پتہ نہیں کون ساڈاکو آ چھپا ہو۔ وہ بڑی مشکل سے اٹھی اور اندر جانا چاہتی تھی کہ ایک دم کھڑبڑ ہوئی اور وہ آدمی نکل آیا۔ وہ باہر بھاگنے والا تھا کہ عالیہ سے اس کی آنکھیں چار ہو گئیں —— "ارے عالیہ بجیا آپ؟" شکیل نے اپنی ننگی ننگی سرخ

آنکھیں جھکا لیں —— "انھوں نے مجھے غریب جان کر گرہ کٹ سمجھ لیا' میں ایسا نہیں ہوں بجیا۔"

عالیہ کو اپنی آنکھوں پر یقین نہ آ رہا تھا۔ سامنے شکیل کھڑا تھا۔ اس کی قمیض شانے سے پھٹی ہوئی تھی اور بڑھے ہوئے بال ماتھے پر بکھرے ہوئے تھے۔

"اب میں جاتا ہوں بجیا' کہیں وہ مجھے تلاش کرتے اندر نہ آ جائیں۔"

"تم کہاں جاؤ گے شکیل' میرے بھیا۔" عالیہ بے قرار ہو کر اس کے لپٹ گئی اور پھر اسے اپنی کرسی پر بٹھا کر جلدی سے برآمدے کی بتی بجھا آئی —— "اب تم کہیں نہ جاؤ۔ کہیں وہ ظالم تم کو پکڑ نہ لیں' تم میرے کمرے میں چلو۔"

وہ اسے کھینچتی ہوئی اپنے کمرے میں لے آئی اور برآمدے میں کھلنے والا دروازہ اندر سے بند کر لیا۔

"مجھے جانے دیجئے بجیا۔" وہ اب تک گھبرایا ہوا تھا۔

"میں تم کو کہیں نہ جانے دوں گی' یہ تم نے اپنی کیا حالت بنا رکھی ہے میرے بھیا۔" وہ شکیل کے پھٹے کپڑوں اور لاغر چہرے کو دیکھ کر جیسے بلکی جا رہی تھی۔ "تم یہاں اس حالت میں پھر رہے ہو اور وہاں بڑی چچی تمہارے لئے ادھ موئی ہو گئیں۔" اس نے شکیل کو پلنگ پر بٹھا دیا۔

"اچھا! اماں مجھے یاد کرتی تھیں؟ مجھے اور کون کون یاد کرتا تھا؟ ابا تو مجھے خاک یاد کرتے ہوں گے' وہ تو کسی سے مطلب ہی نہ رکھتے تھے' اور چھمی اور جمیل بھیا' وہ تو میری خوب برائیاں کرتے ہوں گے؟" اس کی آنکھوں میں اشتیاق تھا

"میں سخت بھوکا ہوں بجیا' کل سے میں نے کچھ نہیں کھایا۔"

"بڑے چچا تم کو خاک یاد کرتے ہوں گے' ٹھیک ہے شکیل میرے بھیا۔" عالیہ کا گلا رندھنے لگا۔ "چلو تم کو کھانا کھلاؤں پھر باتیں ہوں گی۔" اس نے شکیل کا ہاتھ پکڑ لیا۔

"آپ یہاں کب آئیں بجیا؟" ساتھ چلتے ہوئے شکیل نے پوچھا۔

"پاکستان بننے کے تھوڑے دن بعد آ گئی تھی۔"

وہ اسے کھانے کے کمرے میں لے گئی جہاں اماں روٹھ کر اکیلی بیٹھی بڑی نزاکت سے کھانا کھا رہی تھیں اور مائی آنکھیں پھاڑے شکیل کو دیکھ رہی تھی۔ اماں نے نظریں بھی نہ اٹھائیں۔

"اماں شکیل آیا ہے۔"

"کون شکیل۔" اماں نے نظریں اٹھائیں۔ "ارے تم کب آئے پاکستان؟" اماں نے خوش ہو کر اس کی طرف دیکھا۔

"تھوڑے دن ہوئے چھوٹی چچی' اور وہ سب غلط ہے' وہ واہیات لوگ یوں ہی خواہ مخواہ پردیسی جان کر——" شکیل اماں کے سامنے بھی اپنی صفائی پیش کر رہا تھا۔ شاید اسے خیال ہو گا کہ عالیہ ضرور سب کچھ بتا دے گی مگر عالیہ نے تو جلدی سے اس کی بات کاٹ دی۔ اماں شکیل بیچارہ قافلوں کے ساتھ آیا ہے' ادھر دور شہر کے اندر کہیں ٹھہرا ہے' ابھی تو بیچارے کو کچھ پتہ نہیں۔ اس لئے ادھر ادھر محنت مزدوری کر کے پیٹ بھر رہا ہے۔ اپنا کوئی نہ ہو تو پھر یہی حالت ہو جاتی ہے۔" اس نے شکیل کے لئے کرسی کھینچ دی۔

"اب اگر ہمارے پاس جگہ ہوتی تو دے دیتے' اتنی سی تو کوٹھی ہے۔" اماں نے چھ کمروں کی کوٹھی کو اتنا سا بنا دیا' ان کے لہجے میں سخت بے اعتنائی تھی۔ وہ شکیل کو ناقدانہ نظروں سے دیکھ رہی تھیں۔

"اب یہ کافی عرصے یہیں میرے پاس ٹھہرے گا۔" عالیہ نے سخت اور فیصلہ کن لہجے میں کہا۔

اماں نے گھور کر عالیہ کو دیکھا اور بے تعلقی سے کھانا کھانے لگیں۔ شکیل مربھکوں کی طرح جلدی جلدی کھا رہا تھا۔ وہ روٹی اس طرح اٹھاتا جیسے جھپٹ رہا ہو۔——"بہت دن بعد گھر کا کھانا ملا ہے' مزہ آگیا بجیا۔"

اماں سب سے پہلے اٹھ کر چلی گئیں۔ جاتے ہوئے انہوں نے شکیل اور عالیہ کی طرف دیکھنا بھی گوارا نہ کیا۔ عالیہ بیٹھی شکیل کو کھاتے دیکھتی رہی اور یہ سوچ سوچ کر دہلتی رہی کہ اگر اس وقت پولیس اسے پکڑ ہی لیتی تو کیا ہوتا۔ کھانے کے بعد وہ شکیل کو اپنے کمرے میں لے آئی۔

"دروازے بند کر لیجئے بجیا مجھے ڈر لگتا ہے۔" شکیل بڑے آرام سے عالیہ کے بستر پر لیٹ گیا۔

"یہ تمہارا کمرہ ہے، ٹھیک رہے گا نا؟" اس نے پوچھا۔

"اب تو ابا کا ملک آزاد ہو گیا، اب وہ کیا کرتے ہیں؟ نہرو نے ان کو کون سی جاگیر دے دی؟" شکیل نے پوچھا۔ اس کی آنکھوں میں کتنی نفرت تھی۔

"بڑے چچا؟" عالیہ کی آواز کانپ گئی۔ "وہ تو اس دنیا سے سدھار گئے شکیل، میرے بھیا، انہیں تو کسی ہندو نے فساد میں شہید کر دیا۔"

"کیا؟" اس نے تکئے میں منہ چھپا لیا اور اس کا سارا جسم ہولے ہولے لرزنے لگا۔

تھوڑی دیر بعد عالیہ نے اپنے آنسو پونچھ کر اس کا سر اٹھایا تو سارا تکیہ بھیگا ہوا تھا۔

"مجھے اس وقت اماں یاد آ رہی ہیں بجیا۔" وہ دو سال کے بچوں کی طرح منمنایا۔

"اب تم ان کے پاس چلے جاؤ شکیل، ان کی زندگی میں بہار آ جائے گی، بڑے چچا کی موت نے ان کو کہیں کا نہیں رکھا، تمہیں دیکھ کر وہ تھوڑے دن اور جی لیں گی۔"

"ابا کا مر جانا ہی ٹھیک ہوا بجیا، انہوں نے کسی کے لئے کچھ نہ کیا، اب میں گھر جا کر کیا کروں۔ وہ جمیل بھیا مجھے طعنے دے دے کر زندگی حرام کر دیں گے، میرے لئے تو اب بھی اس گھر میں کچھ نہ ہو گا۔ یہاں کما کھا لوں گا۔" اس نے ٹھنڈی سانس بھری۔

"مگر اس طرح تو نہ کماؤ کہ پولیس تمہارے پیچھے پیچھے پھرے۔ تم بہت بے رحم ہو شکیل میرے بھیا۔"

"میں کچھ نہیں کرتا بجیا، پولیس بہت بے رحم ہے۔ وہ غریبوں کو جینے نہیں دیتی، مجھے اماں یاد آ رہی ہیں۔"

"اگر تم بڑی چچی کے پاس نہیں جاتے تو پھر میرے پاس رہنا ہو گا، میں تم کو

اب کہیں نہ جانے دوں گی' اب میں ملازم ہو گئی ہوں' میں تم کو بھی اسکول میں داخل کرا دوں گی' تم آرام سے پڑھو' اس طرح زندگی بن جائے گی' میں کل ہی بڑی چچی کو لکھ دوں گی کہ شکیل میرے پاس ہے' ہم بھائی بہن بڑے مزے سے رہتے ہیں۔"

"اب کیا پڑھوں گا بجیا' جو پڑھا تھا وہ بھی بھلا دیا' اور بجیا' ہمارے گھر کے سامنے والا اسکول تو اسی طرح تھا نا؟"

"ہاں اسی طرح تھا — جب پڑھنا شروع کرو گے تو سب یاد آ جائے گا۔"

"اب صبح باتیں ہوں گی بجیا' مجھے نیند آ رہی ہے۔" شکیل نے اکتا کر جماہی لی۔

"سو جاؤ مگر اب یہ سن لو کہ میں تم کو جانے نہ دوں گی' تم میرے پاس رہو گے۔"

"اب سو رہیے بجیا' مجھے سخت نیند آ رہی ہے۔" وہ پھر لیٹ گیا — "بس اب آپ اٹھ جائیے' میں اندر سے دروازہ بند کر لوں۔"

"دروازہ بند کر لو گے تو گرمی نہیں لگے گی؟"

"نہیں بجیا میں دروازہ بند کروں گا' مجھے ڈر لگتا ہے۔"

عالیہ آ کر برآمدے میں لیٹ گئی۔ پاس کے پلنگ پر اماں بڑی بے خبر سو رہی تھیں۔ اسے ان پر رحم آنے لگا۔ خواہ مخواہ آج ان سے بدزبانی کی۔

وہ بڑی دیر تک یوں ہی لیٹی اندھیرے میں ادھر ادھر دیکھتی رہی۔ شکیل کے بھاگ کر آنے اور چھپنے کے منظر نے اس کی نیند کو لوٹ لیا تھا۔ وہ سب سمجھ گئی تھی۔ اس نے فیصلہ کر لیا تھا کہ اب کسی بھی صورت میں شکیل کو نہ جانے دی گی' چاہے اس سلسلے میں اماں سے کتنی ہی دشمنی مول لینی پڑے۔

رات گئے وہ سو گئی اور جب صبح اٹھی تو شکیل کے کمرے کا دروازہ کھلا ہوا تھا — "کیا شکیل غسل خانے میں ہے؟" اس نے اماں سے پوچھا۔

"میں نے صبح اٹھ کر اسے دیکھا نہیں' شاید چلا گیا۔ کام جو کرنا ہوا' مزدور آدمی ٹھہرا۔" اماں نے بڑے سکون سے جواب دیا۔

سب جھوٹ ہے۔ صبح اس نے جانے کو کہا ہو گا اور اماں نے اسے اجازت دے دی ہو گی۔ "اس نے آپ سے جانے کے لئے کہا ہو گا اور آپ نے خوش ہو کر اجازت دے دی ہو گی۔" عالیہ نے غصے سے کہا۔

"تم بولا گئی ہو' مجھ سے بات مت کرو' ورنہ اپنا سر پھوڑ لوں گی۔" اماں باورچی خانے میں چلی گئیں۔

پتہ نہیں اب کب آئے گا' اماں کی اجازت سے کتنا مایوس ہو کر گیا ہو گا۔ اماں نے کیسا ظلم کیا۔ ان کے سینے میں دل نہیں پتھر ہے——وہ تھوڑی دیر تک پلنگ پر پاؤں لٹکائے گم سم بیٹھی رہی۔

منہ ہاتھ دھو کر جب وہ اپنے کمرے میں گئی تو کپڑے تبدیل کرنے کے لئے اسے الماری کا تالا کھولنے کی ضرورت نہ پڑی۔ ٹوٹا ہوا تالا چھوتے ہی کھل گیا۔ پرس کھلا پڑا تھا اور اس کی جمع جتھ سے پچاس روپے غائب تھے۔

شکیل میرے بھیا' تم سے اب کبھی ملاقات نہ ہو گی۔ اب تم سدا کے لئے کھو گئے' اب تم کو کون پا سکتا ہے؟

بڑی چچی کا خط سامنے پڑا تھا اور وہ نئے حادثے پر ملول بیٹھی تھی۔ اس کی سمجھ میں نہ آ رہا تھا کہ اب چھمی کی زندگی کا کیا بنے گا۔ آخر اس نے اپنی ساس اور اپنے شوہر کے ساتھ پاکستان آنے سے انکار کیوں کیا۔ آخر اسے یہ کیا سوجھی تھی جس پاکستان کے لئے وہ ہاتھوں اچھل اچھل کر نعرے لگاتی تھی اس پاکستان میں وہ کیوں نہ آئی؟

اس نے ایک بار پھر خط اٹھا لیا اور اس حصے کو پڑھنے لگی جس میں چھمی کے متعلق لکھا تھا —— چھمی نے اپنے میاں کے ساتھ پاکستان جانے سے انکار کر دیا اور جب اس سے ضد کی تو لڑائی پر آمادہ ہو گئی۔ جھگڑا یہاں تک بڑھا کہ چھمی نے اپنی ساس کو بال پکڑ کر خوب مارا اور اس کی ساس نے اپنے بیٹے سے اسی دم طلاق دلوا کر مع لڑکی کے یہاں بھجوا دیا۔ انہوں نے جانے سے پہلے مجھے پیغام بھجوایا تھا کہ اب اپنی اس بے لگام لڑکی کا کسی بھنگی سے نکاح کر دو' ہمارے بیٹے کو تو کراچی میں چاند جیسی دلہن مل جائے گی۔ اب چھمی جب سے یہاں آئی ہے بالکل چپ ہے' اپنی بچی کو سینے سے لگائے دم بخود پڑی رہتی ہے۔ اس چھمی نے ہمیشہ اپنے ساتھ دشمنی کی۔ سمجھ میں نہیں آتا کہ اس کا کیا انجام ہو گا۔ میں اسے دیکھتی ہوں تو کلیجہ منہ کو آتا ہے۔

"اماں چھمی کو طلاق دے کر اس کے میاں کراچی آ گئے۔" اماں کو قریب آتے دیکھ کر عالیہ نے اطلاع دی۔

"ایں!" اماں نے حیرت سے عالیہ کی طرف دیکھا اور پھر خط اٹھا کر پڑھنے لگیں۔

اب بیچاری چھمی کیا کرے گی۔ عالیہ سوچ رہی تھی۔

"ٹھیک ہی کیا ان لوگوں نے' بھلا ایسی لڑکی سے کون نباہ کر سکتا تھا۔ غضب خدا کا' میاں اور ساس دونوں کو پیٹ کر رکھ دیا۔" اماں نے خط میز پر ڈال دیا اور کمرے کا تڑی بڑی سامان ٹھیک کرنے لگیں۔

"ہوں!" عالیہ کمرے سے باہر نکل آئی۔ والٹن کیمپ سے آ کر اس نے کپڑے بھی نہ تبدیل کئے تھے۔ مائی نے اس کے ہاتھ میں چائے کی پیالی پکڑا دی تو وہ کھڑے کھڑے پینے لگی —— اسے کیا ہو گیا ہے' کمرے میں ہر چیز بکھیر دیتی ہے اور اماں ٹھیک کرتی پھرتی ہیں۔ اتنی لاپروائی بھی کس کام کی' اماں کیا سوچتی ہوں گی۔

چائے کی خالی پیالی مائی کو تھما کر وہ لان میں آ گئی۔ جون کی شام بھی کس قدر تپ رہی تھی۔ اونچے اونچے درخت بالکل ساکت کھڑے تھے۔ ایک پتہ بھی تو نہ ہل رہا تھا۔ وہ دھیرے دھیرے خشک گھاس پر ٹہلنے لگی۔ اب تو تنہائی اور اداسی کا شدید احساس ہر وقت ستانے لگا تھا۔ وہ اپنی اس لگی بندھی زندگی سے کس قدر عاجز آ گئی تھی۔

اس وقت بھی جب وہ چھمی کی برباد زندگی کا ماتم کر چکی تھی تو پھر اپنی برباد زندگی کے لئے سوچنے لگی تھی۔ اب وہ کیا کرے؟ زندگی کس طرح کٹے —— سوچتے سوچتے اسے چند لمحوں کے لئے ڈاکٹر کا خیال آ گیا۔ عالیہ نے اس کی آج کی باتوں کو یاد کرنے کی کوشش کی اور پھر اس طرح جی اچاٹ ہو گیا جیسے کوئی عجیب سی حرکت کرنے جا رہی ہو —— وہ باتیں ہی کیا کرتا ہے۔ ٹھیک ہے وہ اچھا آدمی ہے مگر اسے باتیں کرنی ہی کب آتی ہیں؟ کوٹھی' کار' پریکٹس کا حال اور بس —— کوٹھی تو ماموں نے اسے بھی دلا دی ہے' اور رہی کار تو وہ روز بس پر جاتی ہے۔ بس یہی فرق ہے نا کہ وہ کار سے بڑی ہوتی ہے اور کسی ایک شخص کی ملکیت نہیں ہوتی۔

"اب کھانا کھا لو' یہاں اندھیرے میں اکیلی بیٹھی کیا کر رہی ہو؟" اماں اس کے پاس آ کھڑی ہوئیں تو اسے احساس ہوا کہ واقعی اندھیرا پھیل گیا ہے۔ وہ اماں کے ساتھ ہو لی۔

"تم ہر وقت چپ رہتی ہو، میں نے تمہارے ماموں کو لکھ دیا ہے کہ" —— اماں نے چلتے ہوئے کہا۔ "کہ اب تمہاری شادی کا بندوبست کر دیں۔"

"اچھا، مجھے آج معلوم ہوا، کہ میں اسی لئے اداس رہتی ہوں۔" وہ اس سچائی پر جھلا گئی۔ "مگر آپ نے ماموں کو یہ حق کب سے دے دیا؟ میں تو ان کو ماموں بھی نہیں مانتی، مجھے ان سے کوئی مطلب نہیں۔ میں شادی نہیں کروں گی۔"

اماں نے اسے ملامت بھری نظروں سے دیکھا مگر چپ رہیں۔ ادھر کچھ دنوں سے انہوں نے عالیہ کو ڈانٹنا ڈپٹنا اور اس سے لڑنا چھوڑ دیا تھا۔

دونوں خاموشی سے کھانا کھاتی رہیں۔ عالیہ کا جی بھر رہا تھا۔ پھر بھی وہ ضبط کئے بیٹھی کھاتی رہی اور اماں جانے کیا سوچتی رہیں۔

اسکول سے واپسی پر اس نے دیکھا کہ میز پر چھمی کا خط پڑا ہے جسے اماں کھول کر پڑھ چکی تھیں۔ خط کا ایک صفحہ کمرے کے فرش پر پڑا تھا اسے ذرا سا غصہ آیا اور پھر جلدی جلدی خط پڑھنے لگی۔

پیاری بجیا تسلیم آپ کو گئے ایک سال ہونے آرہا ہے مگر آپ نے کبھی مجھے یاد نہ کیا۔ ٹھیک ہے میں نے بھی آپ کو خط نہ لکھا مگر میں آپ کو کبھی نہ بھولی۔ میں نے تو آپ کو ہر دکھ اور ہر خوشی میں یاد کیا اور جب میں بہت خوش ہوں' میری زندگی میں بہار آگئی ہے۔ تب بھی میں آپ کو یاد کر رہی ہوں۔ بجیا کاش آپ یہاں ہوتیں تو دیکھتیں کہ میں کتنی خوش ہوں۔ آپ کے جمیل بھیا نے مجھے اپنا بنا لیا ہے' مجھے اب تک یقین نہیں آتا کہ میں ان کی بن گئی ہوں۔ طلاق کے بعد جب میں اس گھر میں آکر پڑ گئی تھی تو ایسی بات سوچ بھی نہ سکتی تھی۔ بہت دن پہلے جب انہوں نے مجھ سے آنکھیں پھیری تھیں تو مجھے اپنی بد نصیبی کا یقین ہو گیا تھا بجیا اب آپ کو یہ بھی بتا دوں کہ میں اسی لئے پاکستان نہیں گئی تھی وہ مجھے اتنی دور لے جا رہے تھے جہاں سے پلٹ کر پھر میں جمیل کو نہ دیکھ سکتی۔ وہ ظالم لوگ مجھ سے سب کچھ چھیننے لے رہے تھے۔

بجیا' مزے کی بات تو یہ ہے کہ بڑی چچی جمیل کے لئے رشتہ تلاش کر رہی تھیں۔ میں نے سوچ لیا تھا کہ جمیل کی دلہن کی خدمت کر کے زندگی گزار لوں گی۔ کبھی تو جمیل کو احساس ہو گا' وہ پچھتائیں گے' انہیں افسوس ہو گا۔ اس وقت میں سمجھوں گی کہ مجھے محبت میں کامیابی ہو گئی۔ میں نے انہیں پالیا۔ مگر اس کی نوبت ہی نہ آئی بجیا اور اس دن جب بڑی چچی لڑکی کے گھر آخری جواب لینے جا رہی تھیں تو رات کو جمیل بھیا میرے پاس آبیٹھے اور میری بٹیا کو گود میں لے کر کھلانے

لگے۔ میں چپ بیٹھی رہی۔ جب سے طلاق لے کر آئی تھی، انہوں نے مجھ سے ایک بات بھی نہ کی تھی۔ میں کیا منہ لے کران سے بولتی آپ ہی پوچھنے لگے کہ تم پاکستان کیوں نہیں گئیں؟ بجیا، میں انہیں کیا جواب دیتی مارے دکھ کے کلیجہ پھٹ رہا تھاکہ جس کی خاطرانتا سب کچھ کیاوہ یہ بھی نہیں جانتا۔ میں رونے لگی تو وہ ایک دم بے چین ہو گئے اور مجھے لپٹالیا اور میری بٹیا سے پوچھنے لگے کہ میں تیرا باپ بن جاؤں؟ پھر مجھ سے بولے کہ چھمی تمہاری محبت مجھ پر قرض ہے۔ اب اس قرض سے نجات پالوں گا —— وہ میرے آنسو پونچھ کر نیچے چلے گئے اور دوسرے دن بڑی چچی نے میرے ہاتھوں میں مہندی لگا کر مجھے دلہن بنا دیا۔

اب میں بہت خوش ہوں بجیا، جمیل میری بہت فکر رکھتے ہیں، میری بٹیا کو بہت چاہتے ہیں، بجیا، آپ کو ایک بات بتاؤں، جب بٹیا ہوئی تھی تو میں نے یہ سوچا ہی نہ تھا کہ یہ جمیل کی بیٹی نہیں ہے۔

بڑی چچی بہت خوش ہیں، میں ان کی خوب خدمت کرتی ہوں۔ کریمن بوا بھی بہت خوش ہیں، کہتی ہیں کہ اپنا خون اپنوں میں آگیا۔ ہر دم بٹیا کو لپٹائے پھرتی ہیں۔ آپ کو بہت یاد کرتی ہیں۔ اب گھر کی بڑی اچھی حالت ہے۔ بس بڑی چچی کو شکیل بہت یاد آتا ہے۔ اچھا بجیا اب رخصت ہوتی ہوں۔ اللہ کرے میری بجیا کو بھی چاند جیسا دولھا ملے۔ بجیا اب آپ بھی جلدی سے شادی کر لیجیے۔ چھوٹی چچی کو آداب کہیے۔

آپ کی پیاری چھمی

خط ختم کر کے وہ ادھر ادھر دیکھنے لگی۔ وہ اس وقت کتنی خالی اور ویران ہو رہی تھی —— "بڑا اچھا ہوا چھمی کی زندگی بن گئی۔" اس نے ایسی آواز میں کہا جو اس کی اپنی نہیں تھی۔

"اور کیا ملتا جمیل میاں کو، برتی ہوئی چھمی ہی ملنا تھی۔" اماں نے بڑے سکون سے کہا۔

عالیہ خاموشی سے اپنے کمرے میں جا کر لیٹ گئی اور یوں ہی بے مقصد ادھر ادھر دیکھنے لگی۔ پھر تھوڑی دیر بعد اٹھ کر والٹن کیمپ جانے کے لئے تیار ہونے لگی۔

آج ڈاکٹر نے اس سے بڑی التجا سے شادی کی درخواست کی تھی۔ زمین مکان سب اس کے نام لکھنے کے لئے کہا تھا۔ ساری زندگی اس کے قدموں میں گزارنے کا وعدہ کیا تھا اور جب وہ یہ سب کر رہا تھا تو ایک لمحے کو اس کا جی چاہا کہ وہ ہاں کر دے' وہ اس سائے تلے بیٹھ جائے مگر جب وہ اقرار کرنا چاہتی تھی تو اسے بڑا عجیب سا لگ رہا تھا۔ کار' کوٹھی' بنک بیلنس اور یہ ڈاکٹر جو والٹن کیمپ میں لٹے ہوئے انسانوں کا علاج کر کے روپے کماتا ہے—— بس اس نے یہی چاہا تھا؟ کیا اس کا معیار یہی شخص تھا؟ اور وہ جانے کس جذبے کے تحت وہاں سے "نہیں نہیں" کہتی بھاگ آئی تھی اور اب اپنے گھر میں پڑی سوچ رہی تھی کہ آخر وہ چاہتی کیا ہے۔ ادھر تو کتنے دن ہو گئے تھے کہ اسے جمیل بھیا کی یاد بھی نہ آئی تھی۔ اس نے بڑی چچی کے خطوں کا جواب بھی نہ دیا تھا۔ اس نے تو وہاں سے تمام رشتے توڑ لئے تھے۔ اسے اب کوئی دلچسپی نہ محسوس ہوتی تھی۔

بادل بڑے زور سے گھر کر آ گئے تھے۔ وہ کمرے سے نکل کر باہر لان میں آ گئی۔ بارشوں نے گھاس کو گھنا اور سبز کر دیا تھا۔ بھیگی بھیگی ہوا میں ٹہلتے ٹہلتے اس نے دیکھا کہ پھاٹک کے پاس کوئی شخص کھڑا اسے دیکھ رہا ہے۔

"میں اندر آ جاؤں عالیہ بی بی؟" وہ آگے بڑھنے لگا۔

چالیس بیالیس سال کی ایک پرکشش شخصیت اس کے سامنے کھڑی تھی۔ عالیہ نے اسے حیران نظروں سے دیکھا۔ جانے کہاں دیکھا ہے' کس سے ملتی صورت ہے۔ اس نے اپنے ذہن پر زور ڈالا۔ "آپ کون ہیں؟" آخر اس نے پوچھا۔

"میں صفدر ہوں۔ تم نے پہچانا نہیں عالیہ بی بی؟ یہ سامنے والی کوٹھی میں

آتا جاتا تھا۔ آج انہوں نے تمہارے ماموں کا ذکر کیا اور بتایا کہ ان کی بہن یہاں سامنے رہتی ہیں۔ میں ضبط نہ کر سکا' تم سے ملنے کو تڑپ گیا۔ چچی کہاں ہیں؟ مگر خیر انہیں میرے آنے کی اطلاع مت دو۔" وہ منمنائے۔

"صفدر بھائی!" عالیہ نے بمشکل آواز نکالی۔ ماضی اس کے سامنے ماتم کرتا آ گیا تھا۔۔۔۔"اچھا تو آپ اب آئے ہیں' بیٹھ جایئے' آپ کو کیا کام ہے؟" عالیہ نے سرد مہری سے کہا۔

"عالیہ بی بی' اتنی مدت گزر گئی۔ بارہ تیرہ سال کا عرصہ' اس کے بعد بھی میرے لئے تمہارے دل سے نفرت نہ گئی۔ مگر میں غلط کہہ رہا ہوں تم تو مجھ سے نفرت نہ کرتی تھی۔ تمہیں یاد ہے نا؟ تم بھولیں تو نہیں؟"

بارہ تیرہ سال گزرنے کے بعد بھی ان کی آواز میں کوئی فرق نہ آیا تھا۔ وہی لجاجت وہی بیچارگی۔

"آپ کہاں رہتے ہیں؟ آپ کے بیوی بچے کہاں ہیں؟" عالیہ نے پوچھا۔ وہ ان سے باتیں کرنے پر مجبور سی ہو گئی تھی۔ ان کی آواز کی لجاجت نے جیسے اس کا دل پگھلا دیا تھا۔ اسے یاد آ رہا تھا کہ کبھی اس شخص نے اس کے گھر میں زندگی کے بدترین دن گزارے تھے۔

"میرے بیوی بچے؟" وہ بے بسی سے ہنسے۔ "تہمینہ کے بعد میری زندگی میں کوئی عورت داخل نہیں ہوئی۔ مجھے اس کے لئے بتاؤ عالیہ بی بی۔"

"جب آپ تہمینہ آپا کو چھوڑ کر چلے گئے اور جب آپ نے اسے کبھی نہ پوچھا اور صرف ایک خط لکھ کر اسے مرجانے پر مجبور کر دیا تو اب میں آپ کو کیا بتاؤں' اب آپ یہ معلوم کر کے خوش ہونا چاہتے ہیں کہ اس نے زہر کھا لیا تھا۔ جمیل بھیا کی بننے سے انکار کر دیا تھا۔ وہ بے وقوف تھی' اس لئے مر گئی۔ آپ دانا تھے' اس لئے زندہ رہے اور آج اتنی مدت بعد مجھے ماضی کی یاد دلانے کے لئے میرے سامنے بیٹھے ہیں۔"

"میں زندہ ضرور ہوں مگر مرے سے بھی بدتر۔ تمہارا خیال ہے کہ اگر میں وہاں رہتا تو چچی مجھے اپنا بنانا پسند کر لیتیں؟ ایسا ناممکن تھا۔ بھرا پرا گھر تباہ ہو جاتا۔

اسی لئے میں راہ سے ہٹ گیا۔ میں نے روپے لینا بھی بند کر دیئے تھے۔ تم سوچ نہیں سکتیں کہ اس کے بعد زندہ رہنے کے لئے مجھے کیا کچھ کرنا پڑا۔ بہر حال میرا ضمیر صاف ہے۔ میں نیک کام کرتا رہا اور اس کے بدلے میں بڑے چچا کی طرح جیلیں کاٹتا رہا۔ مجھے نہیں معلوم تھا کہ تہمینہ مجھے بھولے گی نہیں اور جان دے دے گی" —— ان کی آواز یادوں کے بوجھ سے کانپنے لگی تو وہ خاموش ہو گئے اور ادھر ادھر دیکھنے لگے۔

"اب آپ یہاں کیا کر رہے ہیں؟ کچھ اپنے لئے بتایئے۔ پرانی باتوں کو نہ اکھیڑیئے اب مجھ میں برداشت کی طاقت نہیں رہی۔" وہ اپنے آنسو پینے کی کوشش کر رہی تھی۔

ذرا دیر کے لئے بالکل خاموشی چھا گئی۔ عالیہ سر جھکائے بیٹھی تھی۔ بیتے ہوئے زمانے کی ایک ایک بات اسے یاد آ رہی تھی۔ اسے خواہ مخواہ صفدر بھائی سے بے پناہ ہمدردی محسوس ہو رہی تھی۔ آخر ان کا کیا قصور تھا۔ آپا کمزور تھیں، وہ اپنی بات نہ منوا سکتی تھیں، اس لئے اماں نے گھر کو تباہ کر دیا۔

عالیہ نے سر اٹھا کر دیکھا تو صفدر بھائی اسے بڑے اشتیاق اور پیار سے دیکھ رہے تھے۔ کچھ اس طرح کہ عالیہ کی نظریں جھک گئیں اور وہ بھی گھبرا گئے۔

"مجھے اپنے لئے بتایئے۔" اس نے پھر کہا۔

"میں اپنے لئے کیا بتاؤں؟ یہاں آنے کے بعد دوبارہ سیفٹی ایکٹ کے تحت جیل جا چکا ہوں اور اب تھک سا گیا ہوں۔ پر اب بھی یہی چاہتا ہوں کہ تھکوں نہیں، زندہ رہنے کے لئے جدوجہد کرتا رہوں، اور ——" وہ کچھ کہتے کہتے رک گئے۔

ذرا دیر کے لئے پھر خاموشی چھا گئی۔ بڑی بے ڈھنگی سی خاموشی، جیسے کسی کی سمجھ میں نہ آ رہا ہو کہ کیا بات کرے —— آج عالیہ کے سامنے وہ شخص بیٹھا تھا جس نے مدتوں اس کے گھر میں عذاب سہے تھے۔ گناہوں سے پہلے دوزخ کے مزے جھیل لئے تھے، جسے چھیچھڑوں کا قیمہ اور ڈھیروں پانی ملا دودھ دیا جاتا، جسے کئی کئی وقتوں کا باسی سڑا ہوا کھانا کھلا کر اس کی موت کی دعائیں مانگی جاتیں۔ اس کا قصور

صرف یہی تھا کہ وہ غریب باپ کا بیٹا تھا۔ کہتے ہیں کہ حشر کے روز ماں کے نام سے پکارا جائے گا۔ کاش صفدر بھائی کے لئے بھی یہ دنیا روز حشر ہی رہتی' انہیں جاگیر دار کی بیٹی سلمہ پھوپھی کے نام سے یاد کیا جاتا۔ پھر تو یقیناً ان کی قیمت بڑھ جاتی۔

سوچتے سوچتے اس نے صفدر بھائی کی طرف دیکھا' وہ آنکھیں بند کئے' کرسی کی پشت سے سر ٹیکے جانے کیا سوچ رہے تھے' اس وقت وہ اسے بڑے مظلوم نظر آ رہے تھے۔ بالکل پہلے جیسے صفدر بھائی۔ اسے یاد آیا کہ جب وہ گھر کے لڑائی جھگڑوں سے ہراساں ہو کر منہ بسورتی پھرتی تو یہی صفدر بھائی اس کو خوشیوں کی راہ دکھاتے اور اس کی خاطر اماں کی تیز گھورتی ہوئی نظروں کے تیر اپنے کلیجے کے پار کر لیتے۔

اس نے پھر ان کی طرف دیکھا تو وہ اسے بڑے پیار سے تک رہے تھے۔ کچھ ایسی عجیب سی نظریں کہ وہ بوکھلا کر رہ گئی اور صفدر بھائی جھینپ گئے۔ "عالیہ بی بی مجھے آج بھی تہمینہ سے اسی طرح محبت ہے۔ آج جب یہاں بیٹھا ہوں تو جانے کیا کیا یاد آ رہا ہے۔ تم تو بڑی ہو کر بالکل تہمینہ جیسی لگنے لگی ہو' ہو بہو تہمینہ۔ تمہیں دیکھ کر خیال ہی نہیں آتا کہ وہ مر گئی ہے۔"

وہ کوئی جواب نہ دے سکی۔ بادلوں سے لدی پھندی شام بہت اداس لگ رہی تھی——اس نے صفدر بھائی کو غور سے دیکھا۔ ان کی آنکھوں سے دو آنسو لڑھک کر رخساروں پر بہہ رہے تھے۔ کیا سچ مچ صفدر بھائی آج تک تہمینہ کو اسی طرح چاہتے ہیں؟ اور کیا اسی لئے ان کی زندگی میں کوئی عورت نہ آ سکی؟ اور آج وہ اس کو صرف اس لئے اتنے پیار سے دیکھ رہے ہیں کہ وہ تہمینہ آپا جیسی دکھائی دیتی ہے؟ عالیہ کو یاد آیا کہ صفدر بھائی تہمینہ کو ایسی ہی نظروں سے چھپے چوری دیکھا کرتے تھے۔ کیا محبت اتنے دنوں تک بھی زندہ رہتی ہے؟ اب صفدر بھائی کتنے تھک چکے ہیں' کتنے بہت سے بال سفید ہو گئے ہیں۔ شاید انہوں نے کبھی سکھ کی سانس نہ لی ہو گی۔

"صفدر بھائی کیا سچ مچ میں تہمینہ آپا جیسی لگتی ہوں؟" اس نے اچانک سوال کیا اور پھر اپنے سوال پر خود ہی گھبرا گئی۔

"ہاں' بالکل اس جیسی" —— وہ پھر اسے عجیب سی نظروں سے دیکھنے لگے۔
"میں بار بار بھول جاتا ہوں کہ تم وہ نہیں ہو' اگر تم تہمینہ ہوتیں تو مجھے اپنے دل میں چھپا لیتیں' مجھے زندگی کی خوشیاں دے دیتیں۔" وہ جیسے خواب میں بولنے لگے۔ "تم تہمینہ بن جاؤ عالیہ' تم میری بن جاؤ' میں تھک گیا ہوں" —— وہ اٹھ کر اس پر جھک گئے —— "تم میرا ساتھ دے دو' تہمینہ کہتی تھی کہ میں جو کچھ بھی کروں گا وہ میرا ساتھ دے گی اور کیا کچھ کہتی تھی" —— وہ جیسے ہوش میں آکر بیٹھ گئے۔

عالیہ نے آنکھیں موند لیں' وہ کچھ ایسی کیفیت میں ڈوبی ہوئی تھی جیسے کسی دلہن کو پہلی بار اس کے دولھا کے کمرے میں لے جایا جا رہا ہو۔ اس کے کانوں میں آندھیوں جیسی سائیں سائیں ہو رہی تھی۔ پتہ نہیں صفدر بھائی کرسی پر بیٹھنے کے بعد اور کیا کہتے رہے' اس نے سنا ہی نہیں۔ وہ تو بالکل بہری ہو رہی تھی۔

"کیا آج یہاں سے اٹھنے کا ارادہ نہیں؟" اماں برآمدے میں آکر کہہ رہی تھیں۔ —— "اور یہ کون بیٹھا ہے وہاں؟" وہ پاس آگئیں۔

عالیہ نے ہوش میں آکر ان کی طرف دیکھا۔ وہ صفدر بھائی کو پہچاننے کی کوشش کر رہی تھیں۔

"السلام علیکم چچی۔" صفدر بھائی منمنائے' ان کے چہرے پر ہوائیاں اڑ رہی تھیں۔

"تم —— ؟" اماں پہچان کر زور سے ہاتھ مٹکانے لگیں۔ "تم یہاں کس لئے آئے ہو' اس گھر کا پیچھا نہیں چھوڑو گے کبھی؟ سب کچھ تو تباہ ہو گیا۔ تم نے اب چھوڑا کیا ہے؟"

"میں —— میں ملنے آیا ہوں' آپ لوگوں کو دیکھنے کے لئے جی چاہ رہا تھا' ابھی چلا جاؤں گا چچی۔" انہوں نے عالیہ کو الوداعی نظروں سے دیکھا تو اسے اپنا کلیجہ پھٹتا ہوا محسوس ہونے لگا۔

"یہ نہیں جائیں گے اماں' میں نے فیصلہ کر لیا ہے کہ اب یہ ہمیشہ میرے پاس رہیں گے' آپ ہم دونوں کو ایک کر دیجئے۔" عالیہ نے نظریں جھکا کر بڑے

عزم سے کہا۔

"افوہ! لعنتی تم اتنی دیر سے یہاں بیٹھے عالیہ کو یہی پٹی پڑھا رہے تھے۔" مارے غصے کے اماں کی آنکھیں ابلی پڑ رہی تھیں —— "تم ابھی یہاں سے نکل جاؤ۔"

"میں تہمینہ آپا کی طرح گونگی نہیں ہوں اماں' یہ نہیں جائیں گے۔" عالیہ کو اپنے گلے میں کانٹے چبھتے معلوم ہو رہے تھے۔

اماں نے پھٹی پھٹی نظروں سے عالیہ کی طرف دیکھا —— "کیا تم نے اسی دن کے لئے لکھا پڑھا تھا؟"

"میں کوئی برا کام نہیں کر رہی ہوں۔" اس نے بڑے سکون سے جواب دیا۔ اس کے سامنے صفدر بھائی بے بسی کی تصویر بنے بیٹھے تھے۔ عالیہ نے پیار سے ان کی طرف دیکھا۔ ساری زندگی دنیا کے لئے وقف رکھی مگر ان کا کوئی نہ بنا' کسی نے ساتھ نہ دیا' اب وہ ضرور ساتھ دے گی۔

"تم ضرور شادی کرو' میری طرف سے اجازت ہے' میں کل اپنے بھائی کے گھر چلی جاؤں گی' میں مرتے ہوئے تم کو دودھ نہ بخشوں گی۔ مجھے اس وقت بڑی خوشی ہو گی کہ تم میری زندگی ہی میں سلمہ کی طرح تباہ ہو جاؤ' یہ شخص جیلوں میں زندگی گزارے اور تم گھر میں پڑی تڑپو۔"

"میں ان کا انتظار کیا کروں گی اماں' میں تڑپوں گی نہیں۔ میں سلمہ پھوپھی کی طرح بھی نہیں مروں گی۔" اس نے آہستہ سے جواب دیا۔

اماں نے ساری کا آنچل اپنی آنکھوں پر رکھ لیا۔ ان کا جسم لرز رہا تھا۔

"چچی آپ کہیں نہیں جائیں گی۔" صفدر بھائی نے التجا کی —— "میں آپ کی خدمت کروں گا' میں نے اپنی زندگی کی ڈگر کو بدل دیا' دنیا تباہ ہوتی ہے تو ہو جائے مجھے کوئی مطلب نہیں' میں اب صرف دولت کماؤں گا' عیش کروں گا' میں اب کار' کوٹھی کے خواب پورے کروں گا۔ میں اب جیل نہیں جا سکتا۔ میں اب امپورٹ ایکسپورٹ کا لائسنس لینے کی کوشش کر رہا ہوں' بہت جلد مل جائے گا۔ چچی میں اب بڑا آدمی بن جاؤں گا' آپ مجھے قبول کر لیجئے۔"

"ایں!" عالیہ نے اجنبیوں کی طرح صفدر بھائی کی طرف دیکھا۔ ارے بس اب آپ کی زندگی کا یہی مقصد رہ گیا ہے، بس اتنی سی بات۔ عالیہ کو ایسا محسوس ہوا کہ وہ بہت دور سے ریتلے میدانوں میں سے چل کر آ رہی ہے۔ تھکن سے نڈھال۔ جنم جنم کی پیاسی۔ ارے کوئی تو اس کے حلق میں ایک قطرہ پانی کا ٹپکا دے۔

"تم پہلے کچھ بن کر دکھاؤ پھر میں عالیہ کی خواہش پوری کر دوں گی۔" اماں نے بڑی چالاکی سے معاملے کو ٹالنے کے لئے کہا۔

"میں شادی نہیں کروں گی اماں۔ آپ بھی سن لیجئے صفدر بھائی، میں شادی نہیں کروں گی۔" وہ کرسی سے اٹھی۔ اب جب آپ یہاں آئیں تو سوچ لیجئے گا کہ مجھے تہمینہ آپا یاد آتی ہیں، میں اس یاد سے چھٹکارا چاہتی ہوں۔" وہ تیز تیز قدموں سے اپنے کمرے کی طرف بھاگنے لگی۔ "خدا حافظ۔"

جب وہ اپنے کمرے میں بے سدھ پڑی تھی تو اسے ایسا محسوس ہو رہا تھا کہ چھمی اس کے سینے پر دھم دھم کرتی گزر گئی—"میں نے آپ کو ہرا دیا بجیا، میں نے آپ کو ہرا دیا بجیا۔"

اس نے دونوں ہاتھ زور سے اپنے سینے پر باندھ لئے۔